JUAN RAMÓN JIMÉNEZ

304
85

2

PERSILES-127
SERIE *EL ESCRITOR Y LA CRÍTICA*

EL ESCRITOR Y LA CRÍTICA

Director: RICARDO GULLÓN

TÍTULOS DE LA SERIE

TÍTULOS PRÓXIMOS

JUAN RAMÓN JIMÉNEZ

Edición
de
AURORA DE ALBORNOZ

taurus

®

Cubierta
de
ANTONIO JIMÉNEZ
con viñeta de
MANUEL RUIZ ÁNGELES

Primera edición: septiembre de 1981
Reimpresión: abril de 1983

ÍNDICE

IV

PROSA LÍRICA. PROSA CRÍTICA. COMPLEMENTO

V

LA «ÉTICA-ESTÉTICA». EL TRABAJO DE LA OBRA

APÉNDICES

NOTA PRELIMINAR

1

Como muchos de los críticos que, en los últimos tiempos, se vienen aproximando a la obra de Juan Ramón Jiménez, cada vez creo más en su carácter «total», y en la necesidad de aproximarnos a ella como un todo. Por ello, estoy plenamente de acuerdo con Julio López cuando afirma: «La consideración cíclica, intertextual, de la obra juanramoniana (''Obra'' con mayúscula, intención de trayectoria creadora) partió del propio poeta en su gran proyecto de construcción literaria».

Todos sabemos que, a partir de cierta época, comenzó Juan Ramón a hablar de la «Obra»; y que, en sus últimos años, trabajó incansablemente en la organización de lo hecho a través de su vida, o en la revisión —tal es el caso de los poemas «revividos»— de la poesía escrita en sus primeros años.

Mas creo que antes, mucho antes de hablarnos de su «Obra»; mucho antes de presentarnos —a través de las «Antolojías»— un conjunto coherente de su trayectoria poética; mucho antes —decía— tal vez en forma intuitiva, Juan Ramón sabe que cada nuevo libro significa no un libro más, sino una nueva búsqueda; una vía no explorada antes y que, con plena conciencia, se dispone a descubrir. En este sentido son muy reveladoras las palabras que hallamos en el prologuillo a *Baladas de primavera* —creado en 1907 y publicado en 1910— donde, muy consciente de su hacer, escribe: «Estas baladas son un poco exteriores; tienen más música de boca que de alma... Baladas con música humana, menos íntima que la música de las cosas; donde la carne aparece, se cierra la flor de dentro, flor nocturna y de crepúsculo, silenciosa para el sol. Y si hay aquí una cadencia secreta, está, seguramente, iluminada por el ocaso o por la luna [...]. Es la nostalgia de la salud por los caminos de arena de la vida. ¡Corazón florecido sobre un asno, en un mediodía con amapolas! El alma quiere también tener su copla y su tamboril...».

Como señalé en más de una ocasión, no creo que podamos separar tajantemente la poesía de Juan Ramón, dividiéndola en *dos etapas* —como él mismo apuntó, y la crítica aceptó—; ni en *tres,* como sugería en sus últimos tiempos. Pienso, más bien, que tendríamos que hablar de una «poesía en sucesión», que se renueva visiblemente cada pocos años, sin que exista una ruptura en esta «obra en marcha». Si hay libros —concretamente, *Diario de un poeta recién casado*— donde, a primera vista, observamos diferencias notables con relación a momentos anteriores, se trata —me parece— de un rapidísimo paso de avance en esa marcha hacia la plenitud; de un ir «más hondo» —utilizando sus palabras—. Pero no de un corte definitivo, ya que muchas de las novedades de este libro fundamental —sin duda, una de las cimas del poeta— están en germen en obras anteriores. En este punto estoy plenamente de acuerdo con Michael P. Predmore —uno de los críticos que más profundamente han estudiado el *Diario*— cuando ve *Estío,* y aún libros publicados unos años antes, como precedentes directos del que Juan Ramón llamaba «mi mejor libro», y consideraba como «libro de descubrimientos». Y si en las obras del último Juan Ramón veo su punto culminante, con ello no quiero significar que sean «mejores en sí» —hay poemas máximos, de vez en cuando, en libros de todas las épocas anteriores—, sino, sobre todo, porque, en cierta forma, contienen al Juan Ramón de todas las épocas. *Dios deseado y deseante,* que es, a mi ver, su poética «poética» —prescindiendo, ahora, de si se trata o no de un «libro relijioso»—, intenta aclarar —aunque tantos lo consideren un libro confuso— lo que para el poeta es la poesía: su poesía. Es decir, lo que cada uno de sus libros, de sus poemas, ha significado en su camino hasta llegar a la Poesía; hasta llegar a dios por la poesía; a hacerse dios —«hombre último»— por la poesía.

Pero para llegar a la claridad de los últimos años —que en *Dios deseado y deseante* puede explicarse, y explicarnos— fueron necesarios muchos tanteos; fue preciso explorar muchos caminos que, a veces, no llevaron a ninguna parte, y que en muchas ocasiones —las más— llevaron a la plenitud, a la «totalidad»; al «nombre conseguido de los nombres».

2

A la hora de emprender la presente recopilación de textos se me planteó un serio problema: ¿debían ser sólo textos «antológicos» los que convenía recoger aquí? Es decir, ¿debía de agrupar una serie de trabajos buenos, buenísimos, excelentes, en torno a la obra de Juan Ramón Jiménez, sin otro criterio que el valor objetivo de tales textos? Acaso sí. Y, sin embargo, tal vez no fuera ése el camino más indicado para hacer que el que se aproxima a Juan Ramón y busca en un libro de artículos críticos una orientación general, llegue a obtenerla.

Así, he decidido optar por otro camino: teniendo siempre en cuenta la calidad de los textos, debía —pensé— elegir una serie de trabajos que considero francamente «orientadores»: una serie de trabajos a través de los cuales se pueda captar esa «sucesión» de un poeta que, libro a libro, verso a verso, va encontrándose a sí mismo, haciéndose a sí mismo por la palabra. Un hallazgo imaginativo, un hallazgo rítmico —pongo por caso— pueden ser eslabones en esa cadena que va desde los «borradores silvestres» hasta *Espacio*, cima, a mi juicio, de la «Obra», y, en cierto modo, obra última —junto con algunos poemas «revividos»—, ya que en *Espacio* estuvo trabajando el poeta hasta —por lo menos— 1953.

Es, pues, el presente volumen, una recopilación de estudios que considero iluminadores para aproximar al lector a la «Obra». Para aquellos que pretendan estudiarla más a fondo, se ofrece una *Bibliografía*. Muchos de los títulos en ella recogidos no son sólo recomendables, sino *imprescindibles* para cualquiera que pretenda hacer un estudio serio de la obra del poeta.

He de añadir que no sólo algunos de los libros citados en la *Bibliografía* son de suma importancia para el estudioso de Juan Ramón; lo son, igualmente, una serie de ensayos que figuran —con frecuencia— como páginas introductorias a diversas obras juanramonianas —y quiero destacar aquí la excelente visión panorámica trazada por Agustín Caballero, ejemplo, entre otros posibles—; lo son, sin duda, una serie de artículos que, debido a su extensión, no he podido incluir en el presente volumen.

3

El lector verá que en algunas partes de este conjunto mezclo ensayos largos y notas breves; que no separo la crítica actual —esto sucede, sobre todo, en la parte III— de los comentarios críticos que algunos contemporáneos del poeta hicieron a la salida de sus libros... Lo que intento, primordialmente, es aprovechar todo material que descubre rasgos nuevos, singulares, en un determinado momento, rasgos significativos dentro de la trayectoria creadora del poeta.

He creído conveniente comenzar presentando una visión panorámica de la obra juanramoniana. Por ello, en la parte I recojo un artículo que creo cumple a la perfección tal cometido. (He de señalar, sin embargo, que, dado mi enfoque «en sucesión» de la obra, tengo ciertos reparos en aceptar la tajante división de la poesía de Juan Ramón en dos etapas. Y aprovecho esta ocasión para manifestar que el hecho de que considere «orientadores» los estudios que en este volumen incluyo no significa, en modo alguno, que esté de acuerdo con *todas* las opiniones o puntos de vista de sus autores.)

Como el lector podrá comprobar, la parte II —que titulo: *Así vie-*

ron al poeta y al hombre...— contiene páginas que podríamos llamar «testimoniales». En algún caso, se trata de testimonios que hablan de la figura humana; en los más, de testimonios de escritores que conocieron al hombre y admiraron al poeta. Es claro que muchos de estos textos son, a la vez, «crítica»: muchas veces, muy profunda crítica: si los incluyo en esta sección, lo hago, sobre todo, ateniéndome al «tono testimonial» que en ellos domina.

En la parte III recojo comentarios sobre la poesía de Juan Ramón, siguiendo el orden cronológico de la aparición de libros o poemas. Mezclo aquí crítica escrita en el pasado con crítica de los últimos años; estudios extensos, con notas breves; visiones globales sobre un determinado momento, con comentarios sobre un libro, o sobre un poema concreto... En todo caso, se trata de textos muy diversos que, en alguna forma, nos hacen ver la obra, en marcha hacia la «Obra».

La parte IV incluye trabajos sobre la prosa juanramoniana. No sé si esta separación —la que establezco entre las partes II y IV— es del todo justa si pensamos que Juan Ramón —aunque en sus «proyectos» separaba la prosa de la «poesía en verso»— en muchos momentos de su vida poética quiso hacer desaparecer las fronteras entre poesía y prosa. En todo caso, por motivos «extra-juanramonianos» —es decir, para no salirme demasiado de lo establecido en las ediciones de la presente colección— creo que esta división de partes es necesaria.

He querido reunir en la parte última —la V— una serie de trabajos que giran en torno al concepto juanramoniano de la poesía junto con otros que examinan una serie de procedimientos, ya sea de carácter imaginativo, ya de carácter «técnico».

A la última parte siguen dos *Apéndices,* creo que necesarios aquí. Básicamente, son obra de Antonio Campoamor González: en este punto me he limitado a ser colaboradora.

El apéndice primero —*Cronología*— pienso que puede ser de gran utilidad, ya que en este volumen no se incluyen artículos en torno a la vida de Juan Ramón —aunque algo de ella nos digan algunos de los testimonios recogidos en la parte II—. En cierta forma creo que una parte biográfica sería innecesaria, ya que Juan Ramón tuvo la fortuna de hallar un biógrafo —biógrafa— excepcional: me refiero, naturalmente, a Graciela Palau de Nemes, autora de una obra de imprescindible consulta para todo estudioso del poeta. (Justo es añadir que, muy recientemente, algunos otros investigadores han hecho muy notables aportaciones en este terreno: aportaciones que hemos tenido muy en cuenta al elaborar el presente índice cronológico.)

La *Bibliografía* es obra de Antonio Campoamor González, quien la elaboró para esta edición, y la entrega como anticipo del volumen bibliográfico que está preparando. Como recordará todo estudioso de Juan Ramón Jiménez, a Campoamor González le debemos ya la más amplia bibliografía juanramoniana que tenemos a nuestro alcance, dada a través de la puertorriqueña revista *La Torre.*

También el *Apéndice* final me parece que puede ser útil para futuros estudios. Los artículos ahí mencionados —que, en general, no cabían dentro de este volumen— son de interés innegable: hasta el punto de que podrían ser germen de una atractiva investigación. (Y quiero añadir que están al alcance de todos.)

En alguna forma me han ayudado en este trabajo las siguientes personas, a las que deseo expresar mi agradecimiento: Janet Fisher, Francisco Giner de los Ríos, Ricardo Gullón, Francisco Hernández-Pinzón Jiménez, Marco Massoli, Arturo del Villar y —especialísimamente— Raquel Sárraga y el resto del personal de la «Sala Zenobia-Juan Ramón Jiménez» de la Universidad de Puerto Rico.

4

En la preparación del presente volumen han colaborado Antonio Campoamor González y María Emilia García Padilla.

I
A MANERA DE INTRODUCCIÓN

EUGENIO FLORIT

LA POESÍA DE JUAN RAMÓN JIMÉNEZ

No hace muchos días oí decir a un notable escritor norteamericano al iniciar una conferencia sobre el *Quijote* precisamente, cómo es útil muchas veces el regreso al lugar común, a lo muy conocido de un autor o una obra literaria que, por serlo tanto, olvidamos o hasta casi despreciamos en el deseo, muy legítimo desde luego, de trabajar en aspectos nuevos o menos trillados.

Todo ello se me ocurre al iniciar este breve repaso de la obra poética de Juan Romón Jiménez para que sirva de advertencia a mis lectores. Lo que me propongo es eso, repasar, recordar, anotando al paso algunas observaciones que ciertos puntos de esa obra puedan provocar en mí, pero tratando siempre de mantenerme cerca de lo ya establecido. Que si consigo que lector y escritor lleguemos juntos al final de nuestro sencillo recorrido me daré por satisfecho y consideraré retribuido con largueza. Vamos, pues, allá.

Ha dicho J. R. J.: «La poesía española contemporánea empieza, sin duda alguna, en Bécquer». Que en efecto, es el nexo, el lazo de unión con el simbolismo y que es aceptado de inmediato en Hispanoamérica, en cuya poesía de fines del siglo XIX —Rubén Darío, sin ir más lejos— hay múltiples resonancias. Luego, o juntamente con él, entran las otras influencias, lo francés, Edgar Allan Poe, todo lo que constituye la base primera del modernismo. Pues bien: J. R. J. nace a la poesía bajo el signo de Bécquer, especialmente, aunque algunos otros nombres hallemos mezclados en la lista de sus primeras influencias, como son los de Espronceda, Silva y tantos más. Lo que ocurre es que de todos ellos es Bécquer el que más se acomoda a la inquietud del espíritu del poeta de Moguer, que ve en la delicadeza, vaguedad y lenguaje musical del de Sevilla el aire en que mejor respira. Además, ya por entonces, en esos años de su juventud, J. R. J. lee y aprovecha la lectura de los franceses (Verlaine, Samain, Rimbaud) y de algunos poetas alemanes (Goethe, Hölderlin), ingleses (Shakespeare, Shelley, Browning) o italianos (Dante, Petrarca, Carducci, D'Annunzio), sin olvidar los suyos, los españoles como San Juan de la Cruz, el Romancero, Góngora, Rosalía de Castro, y siempre, Bécquer

Esa presencia está, pues, al comienzo de la obra de J. R. hasta en el nombre de *Rimas* (1902), libro escrito casi todo en Burdeos y, según palabras del poeta, como reacción a su modernismo y regreso a Bécquer, del que se había apartado temporalmente para seguir más de cerca la influencia de Darío y los modernistas —influencia que, como puede observarse, no dura muchos años aunque la encontremos más tarde en ciertos aspectos de su versificación y acento, según veremos. De todos modos, aparece así J. R. como uno de los primeros heterodoxos del movimiento modernista, según se ha dicho ya. Notemos al paso cómo las *Rimas* de Darío, de 1887, son claro indicio en el maestro de su lectura del poeta sevillano. Resumiendo, tendríamos que Bécquer, más simbolismo, más Rubén Darío con ciertos tonos o infratonos de algunos otros poetas modernistas, Silva, por ejemplo, forman el primer acento de los versos de J. R. J. Más tarde, después de la delicada sencillez y melancólico sentimentalismo —que entonces se llamaba despreciativamente «decadentismo»— de sus primeros libros, seguidos de *Baladas de primavera, Jardines lejanos* y de toda la serie de sus motivos pastorales, comienza por 1907 la evolución del poeta hacia un mayor lujo formal, con el reiterado empleo del verso alejandrino, las catorce sílabas modernistas. Porque si hay un «verso» modernista por antonomasia, ése sería el alejandrino; que si en nuestro Renacimiento es el endecasílabo, de origen italiano, el que se entra ya seguro en la poesía española con Boscán y Garcilaso, como poco después irrumpe en la francesa y en las demás, es el alejandrino el que caracteriza toda esta época a que me voy refiriendo. Con la notable diferencia de que este alejandrino del modernismo no era totalmente extranjero, ya que a lo largo de nuestros siglos XIII y XIV todo el mester de clerecía está escrito en esos versos, desde Berceo hasta don Pedro López de Ayala. El alejandrino, pues, no era nuevo en la poesía española. Lo que los modernistas hicieron fue vestirlo de ropajes lujosos, darle color exótico, sonoridades exquisitas, todo lo que se quiera; pero el verso de catorce sílabas, las «sílabas cuntadas», estaba allí, y si había permanecido muerto casi durante el Siglo de Oro y el neoclasicismo, fue resucitado por el romanticismo, en los espléndidos versos de la Avellaneda, y Zorrilla, y Mármol, y tantos otros. Bien. Digamos pues que es ese alejandrino modernista el que funciona ahora con gran eficacia en la obra de J. R. J., y que está en las *Elejías* (1907-1908) y en la mayor parte de los libros de verso escritos y publicados por nuestro poeta entre 1907 y 1913, del mismo modo que lo hallamos, aunque en menor número, en los de Antonio y Manuel Machado en sus famosos *Retratos*.

Pero ya también ha hecho su aparición en *La frente pensativa* (1911-1912), por ejemplo, el desgaño hacia esa forma ornamental, y el regreso a una expresión poética más libre, camino hacia lo que el poeta llama poesía desnuda. La forma estrófica regular, el verso también regular, silábicamente contado —no me refiero desde luego a los octosílabos, eneasílabos y otras formas de versificación más afines a la corriente popular o tradicional, sino a la que llamamos culta— aparece después en ocasiones y sobre todo en un libro completo, los *Sonetos espirituales* (1914-1915) que, como ya se sabe, representa el fin de una época y un estilo en la poesía de J. R. J. Recuerda a este respeto nuestro poeta que durante los siete años que pasó en Moguer, entre 1905 y 1912, se dedicó a la lectura de los clásicos españoles —«me nutrí plenamente de ellos», dice— y la fusión de todo, «vida libre y lectura, va determinando un estilo que culminaría y acabaría en los *Sonetos espirituales*». A su regreso a Madrid en 1912 trabaja en los *Sonetos* entre 1913 y 1915, y en *Estío*, y termina la redacción de *Platero y yo*. Adviértase que estos sonetos no están escritos en el alejandrino modernista, en el que tantos poemas de este tipo se escribieron en España y en la América Española por esos años y antes, sino en el endecasílabo clásico, del mejor Siglo de Oro, aunque dentro de un tono y una expresión lírica actuales.

El libro *Estío* (1913-1915), al que acabo de referirme, publicado en 1917, presenta un J. R. cada vez más afinado en lo esencial de su poesía, con marcada predilección por la forma libre, aunque sin olvidar —de hecho están muy presentes en él— los versos octosilábicos. Y esa libertad de la forma poética, expresión cada vez más personal de su estilo, se desarrolla y adquiere la mayor importancia en el *Diario de un poeta recién casado*, compuesto en 1916 y publicado al año siguiente. Aquí es donde nos parece ver más clara la contemporaneidad de nuestro poeta, su originalidad, la audacia de imaginería, el arte de traducir literariamente estados de espíritu o emociones y sensaciones de toda clase. Aquí está el mar, sobre todo; aquel mar atravesado y descubierto por el poeta, y comentado en mil formas y maneras diversas, como diversas son sus olas y sus colores. Aquí está también la geografía de un país nuevo, los Estados Unidos, Nueva York, Boston, Filadelfia, Flushing de Long Island, expresados con la sensibilidad de un europeo español en breves estampas de tonos impresionistas. Y aquí, más que en *Platero y yo*, cuya edición completa se publicó ese mismo año, pero cuyo material había escrito mucho antes, casi diez años antes en Moguer, y en 1914 había aparecido en forma selecta en la Biblioteca Juventud; aquí, digo, está la novedad de la prosa ágil y nerviosa, iluminada por imágenes insólitas como los anuncios luminosos de la gran ciudad, y que son por cierto las que abren en España el horizonte de la vanguardia, de todas las escuelas poéticas de la primera postguerra. No hay que leer más que algunas de las impresiones de Times Square, de Washington Square, del *subway*, de los cementerios, de las gentes y el ambiente de la «América del nordeste» para comprender cuánto debe la actual poesía de lengua española a este libro clave de J.R., que es, como su propio autor lo declara, el primero de una época nueva en su obra; el que mayor influencia benéfica ha tenido en los poetas españoles y los hispanoamericanos, y que él mismo confiesa en su mejor libro, porque «me lo trajeron unidos al amor, el alta mar, el alto cielo, el verso libre, las Américas distintas y mi largo recorrido anterior». Recorrido anterior que no hemos de olvidar, puesto que lo que en *Diario* logra J.R.J. es realzar, perfeccionar, una originalidad que jamás había estado ausente de su obra previa y que se continúa en los libros subsiguientes.

Eternidades es de esa misma época (1916-1917) y trae a la poesía de J.R. una preocupación que llamaríamos «intelectualista» («Inteligencia, dame /el nombre exacto de las cosas»), que sin embargo no es bastante a oscurecer la vena sencilla de sus octosílabos de raíz popular y tradicional. En este libro encontramos el conocido poema —historia de su camino poético— que comienza: «Vino, primero, pura, / vestida de inocencia», y nos cuenta cómo su verso con el pasar del tiempo se fue adornando «de no sé qué ropajes», para luego volver a la inocencia primera, a la total desnudez. Acaso no sea inoportuno señalar en este momento, a propósito del referido poema, y como dato de interés para el estudio de las relaciones y simpatías que con otras literaturas existen en su obra, el hecho de que el mismo parece ser como una versión desarrollada, perfeccionada, elaborada hasta sus últimas posibilidades, de otro de W. B. Yeats recogido en su libro *Responsibilities,* de 1914, en su página 233, con el título de «A Coat». El poema de Yeats consta de diez versos a diferencia de los dieciocho de J. R. J. y aunque, como digo, en el español la idea aparece ampliada y llevada a una más hermosa realización, no creo aventurado relacionarlo en su esencia con el del poeta irlandés. Acaso no sea todo ello más que una simple coincidencia, como tantas veces ocurre en literatura; pero no deja de ser interesante el hecho que apunto aquí, provisionalmente. J. R. ha sido lector de los poetas ingleses e irlandeses, especialmente de Yeats a quien ha traducido en ocasiones. Y resulta curioso por demás ver cómo un breve poema de Yeats que no me parece a mí de mayor importancia dentro de su obra general, haya quedado convertido por J. R. en uno tan hermoso, de tanta importancia de contenido que ya no podemos prescindir de él cada vez que tratamos de estudiar el proceso histórico de su obra. Y curioso es también observar a su lectura cómo ambos coinciden en esa manera de autocrítica, en este auto-ver de la propia obra poética, con insistencia en la idea de la desnudez del verso.

La línea de acendramiento, de busca de lo esencial del poema, se continúa en *Piedra y cielo* (1917-1918), que se inicia con una declaración, con el poema de dos versos: «¡No le toques ya más, / que así es la rosa!» También este poema es, en extracto, un programa estético sobre el que habría mucho que decir; ya que parece no estar de acuerdo con el constante retocar, re-escribir, variar que de su Obra hace J. R. ¿Hasta qué punto es ese *ya más* lo final? O mejor dicho, ¿cuándo llegamos a ese *ya más* o *ya no más?* Indudablemente, para el poeta ese momento es apenas un punto en el tiempo, si tenemos en cuenta su concepto de la atemporalidad de su Obra, y cómo toda ella está en evolución constante, y cómo no lo considera terminada nunca. Luego, ese punto del *ya no más* es un momento hipotético para llegar al cual hay que estar tocando el poema, como la rosa está pasando de semilla a tallo, de tallo a ramita, de ramita a botón, de botón a flor completa.

Dos libros más de verso, *Belleza* y *Poesía*, gemelos (1917-1923), publicados ambos en 1923, acentúan lo esencial de la obra de J. R. que vemos dirigirse cada vez más hacia lo íntimo y subjetivo, con ligeros toques de intelectualismo, y constante reflexión sobre esas dos palabras: poesía y belleza. Juntas las dos dan toda la clave de la preocupación juanramoniana. No se trata en él de la relación entre poesía y verdad, como en Goethe, o entre belleza y verdad, como en Keats o en Emily Dickinson, sino de la belleza y la poesía que con el amor, la mujer, la muerte, han sido los temas capitales de toda su vida. Entre todos ellos, la muerte, por ejemplo, esa muerte que encontramos tan repetidas veces en esos dos libros, tiene en el conjunto de su obra condición de constante actualidad. Él ha dicho: «Mis tres presencias: el desnudo, la obra, la muerte». A veces recordamos, por la suya, la muerte de Rilke. Siempre juntos, como una idea fija, hasta ser en el poeta español casi una obsesión. Pero ahora podemos ver cómo esa obsesión de la muerte de los demás —sería curioso repasar el número de poemas de J. R. escritos con motivo de otras muertes—, no es sino un espejo de su propia muerte imaginada, de su casi diálogo con ella. Y ahora también vemos cómo esta Obra total del poeta de Moguer podría ser un triunfo no de la muerte d'annunziana, sino sobre la muerte; el triunfo de la belleza y la poesía; el último triunfo de lo permanente sobre lo temporal y perecedero.

Canción, publicado en Madrid en 1936, es un hermoso libro de 431 páginas en el que el autor, con la asidua colaboración de su esposa, cuya presencia advertimos en todos estos volúmenes, recoge muy cuidadosamente —lo que da al mismo un carácter de definitivo en la totalidad de su Obra— 419 poemas de diversa extensión, pero todos ellos unidos por el tono que podríamos llamar cantado, y rítmico. Lo forman poemas escogidos entre los de toda su producción anterior, y aun algunos que aparecerán en libros futuros. Y a propósito del tono de este libro podría destacarse aquí un aspecto de la poesía de J. R. que es el de su sabor popular. En la tradición de los grandes poetas españoles de todos los tiempos, no hay en J. R. sólo poesía, digamos, culta. Desde su primer principio hasta este momento, las dos corrientes, la culta y la popular se ven entremezcladas y, como ocurrió en Lope de Vega y en Góngora por ilustres ejemplos, y ha ocurrido siempre en España, ambas corrientes juegan a separarse o a unirse, se superpone la una a la otra, a veces parece ahogar ésta a aquélla; pero no es así: que sale de ella la otra —culta o popular— recién nacida de nuevo. Y si es la popular, en J. R. es la voz de su copla, el estribillo, fresco, gentil, con la cara recién lavada con agua fresca, que se le pone enfrente a la otra y le asegura de su presencia.

Además de lo que llevo dicho y de muchísimo más que pudiera decirse de este libro verdaderamente ejemplar, *Canción* presenta un interés especial, ya que en él J. R. J. presenta el proyecto general para la organización y publicación de toda su Obra bajo el título de *Unidad* (desde 1895) dividida en tres secciones, Verso, Prosa y Complemento y cada una de ellas subdividida en diversos títulos. La sección de verso, que es la que por el momento nos interesa, va separada en Romance, Canción, Estancia, Arte menor, Silva, Miscelánea y Verso desnudo, de cuyas secciones sólo se ha publicado hasta ahora *Canción*. Hay que insistir en la importancia de este programa, que señala el camino al futuro compilador y al estudioso de la obra general de J. R.

Ese año de 1936, con el comienzo de la Guerra Civil Española y el segundo viaje del poeta —ahora con su esposa— a América, es la fecha final de otro libro, compuesto entre 1923 y 1936, pero que no se publica sino diez años más tarde, en Buenos Aires. Es *La estación total*. En él continuamos con un J. R. cada vez más acendrado en su pensamiento, desde luego; pero cuya expresión lírica parece ir adquiriendo cierta amplitud como de elocuencia y tono mayor. Aparecen en este libro, junto a poemas y canciones breves, otros que no lo son tanto, mayores en extensión, diríamos que escritos en voz más alta. No es que el poeta haya regresado a las formas aquellas de 1907, de ninguna manera. La forma sigue siendo, ahora, el verso más libre bien en asonantes irregulares, bien sin rima. Pero lo que da a estos poemas ese cierto carácter elocuente que yo les advierto es su ímpetu, la reiteración de vocablos y aun de versos enteros, el ritmo interior que aparece más espontáneo, su —¿podré decirlo?— clima romántico tan evidente aquí como en épocas anteriores, sí; más que ahora ha adquirido una mayor franqueza y libertad, está menos contenido y limitado. Ejemplo bien característico de ello son las tres estrofas prosificadas de *Espacio,* la primera de las cuales apareció en verso en 1943. Este extenso poema repleto de recuerdos, de vida pasada y presente, está todo él pensado en tono mayor y lo tengo por un gran grito de afirmación, como una nueva oda a la alegría de estar, de ser en el mundo, y dentro del amor. Recordemos estos versos de su primer fragmento, escrito en La Florida entre 1941 y 1942: «...Amor /contigo y con la luz todo se hace, / y lo que hace el amor no acaba nunca!»

Ese tono me parece que se continúa en todo el resto de la obra de J. R. hasta el presente, en cariñoso contacto con las formas más sencillas y esquemáticas que aquí y allá aparecen en todos sus libros, o en la presencia del romance, como en sus *Romances de Coral Gables,* librito compuesto entre 1939 y 1942, publicado en México en 1948 y que al presente está incorporado a su nuevo libro *En el otro costado* (1936-1942) que forma parte de la *Tercera antolojía poética* recién publicada. Véase, pues, que nuestro poeta no abandona sus formas tradicionales —y el romance lo viene cultivando desde sus primeros años, como los que encontramos en *Rima de sombra* (1898-1902)—. Pero lo que en aquellos tiempos ya lejanos era sensibilidad a flor de piel, nostalgia, imprecisión romántico-simbolista, se convierte con el pasar del tiempo, y al llegar a estos de Coral Gables, en cosa bien diferente: la expresión, acaso la más evidente, del panteísmo del autor, de su absoluta identificación con la naturaleza —colinas, árboles, agua, pájaros—; un panteísmo por el que podríamos dar a toda su obra el título de «paisaje de un alma», y en el cual la realidad objetiva, la de los sentidos —ver, oler, oír, tocar, gustar— parece vivir sólo en función con el yo totalizador, transformador, dominador, de su circunstancia. La emoción del paisaje parece entregárnosla J. R. J. por medio de símbolos, como antes; con aquel simbolismo debido directamente en Verlaine y Samain, y reducido a lo esencial por su contacto con lo más «desnudo» del verso de Rubén Darío, del que nuestro poeta supo tomar la esencial también, desechando oportunamente las glorias pasajeras del modernismo exterior. Recordemos que Rubén Darío ha escrito un verso inmortal: «De desnuda que está brilla la estrella». Y esa desnudez, y ese empeño por llegar a lo desnudo del verso ha sido la constante preocupación, el blanco a que ha apuntado siempre el poeta de *Eternidades*. Véase, pues, cómo un comienzo tal iba a producir, por obra y gracia de una dedicación, de una voluntad heroica hasta el egoísmo, de una inteligencia, de una sensibilidad, la expresión más acabada de lo que podemos entender por Poesía. Y poesía, además, superadora de modas y de escuelas. Suya en sí. Recuerdo una frase del poeta: «Cuando el modernismo, el imajinismo, el sobrerrealismo por ejemplo producen un gran poema (y lo han producido, lo siguen y lo seguirán produciendo) dejan de llamarse sobrerrealismo, imajinismo, modernismo y se llaman otra vez poesía». Con ello se junta aquel aforismo tan conocido de su *Segunda antolojía poética:* «Clásico es únicamente, ''vivo''.» En esa vivencia de la obra, en esa lucha constante por hacer de ella una cosa viva, es decir, clásica, pocos poetas ha habido que se igualen a J. R. J. La Obra en lucha contra la temporalidad, contra la anécdota. En lucha aún con la muerte; superadora de ella y su dominadora, por estar integrada ya en las esencias de la total naturaleza y del ser absoluto.

Como la de todo verdadero creador, la poesía última de J. R. ha ido subiendo de tono, de importancia; se ha ido haciendo cada vez más trascendental. El poeta comienza haciendo versos para dar salida a su sentimiento, para contar su impresión de lo que es la circunstancia física y emocional que lo rodea o que dentro de él está, y que es su vida. Pero esa vida, cuando el poeta la vive en función de eternidad, cuando el vivir no es sólo eso, vivir, sino trascender lo vivido, eternizar el momento por medio del poema, fundir lo temporal con lo eterno para que esta obra suya humana se vierta sobrehumanamente en la eternidad —y notemos que esta palabra «eternidad» está presente siempre en los versos y la prosa de J. R. hasta el punto de ser uno de sus motivos principales— esa vida, digo, no puede producir otra cosa

que la organización de todo un sistema filosófico o religioso. En J. R. J.
la constante preocupación por la belleza como idea esencial, ha evolu-
cionado hasta convertirse en un concepto religioso, coincidente con una
idea de la divinidad, de un Dios «posible por la belleza», como él dice.
Su último libro publicado, *Animal de fondo* (1949), y que con el título más general de *Dios deseado y deseante* se incluye en la *Tercera
antolojía poética*, representa en esta Obra la culminación de todo un
proceso de búsqueda de lo religioso que, según él mismo nos dice,
aparece en tres etapas de su vida y su obra: como entrega sensitiva, primero; como fenómeno intelectual, después; y por último como realidad, «hallazgo de lo verdadero suficiente y justo». Se trata de un dios
de la belleza, especie de religión de lo bello y poético total que en él
estaba desde el principio, pero cuya conciencia se le ha ido entregando
o revelando, no únicamente como poesía o como belleza, sino como un
concepto mucho más profundo y total: un dios suma de amores y ado-
raciones interiores y exteriores. Una palabra que ya es conciencia absoluta del dios de su vida y de su obra. Preocupación metafísica consciente que, según el mismo poeta afirmó una vez, empezó para los jóvenes
de entonces en Miguel de Unamuno, como en Rubén Darío «empezó
nuestra consciente preocupación estilística», y «de la fusión de esas dos
calidades, esas dos grandes diferencias, salta la verdadera poesía
nueva». A esto ha llegado J. R. por un proceso lento y constante del
que la frase de Goethe que escogió como lema es bien significativa:
«Como el astro, sin precipitación y sin descanso».

A los jóvenes estudiosos de la obra de J. R. J. entrego estas notas. Si
alguna de ellas puede servir para avivarles la curiosidad, desarrollándo-
las, modificándolas o contradiciéndolas, ya me tendré por recompensa-
do del trabajo que puse en escribirlas.

[*La Torre*. Año V, núms 19-20, 1957.]

II

ASÍ VIERON AL POETA Y AL HOMBRE

LA TRISTEZA ANDALUZA. UN POETA

Habéis oído á un «cantaor»? Si lo habéis oído os recordaré esa voz larga y gimiente, esa cara rapada y seria, esa mano que mueve el bastón para llevar el compás. Parece que el hombre se está muriendo, parece que se va á acabar, parece que se acabó. A mí me ha conturbado tal gemido de otro mundo, tal hilo de alma, cosa de armonía enferma, copla llena de rota música que no se sabe con qué afanes va á hundirse en los abismos del espacio. El cantaor, aeda de estas tierras extrañas ha recogido el alma triste de la España mora y la echa por la boca en quejidos, en largos ayes, en lamentos desesperados de pasión. Más que una pena personal es una pena nacional la que estos hombres van gimiendo al son de las histéricas guitarras. Son cosas antiguas, son cosas melodiosas ó furiosas de palacios de árabes... He oído á Juan Breva, el cantador de más renombre, el que acompañó en sus juergas al rey alegre D. Alfonso XII. Juan Breva aúlla ó se queja, lobo ó pájaro de amor, dejando entrever todo el pasado de estas regiones asoleadas, toda la morería, toda la inmensa tristeza que hay en la tierra andaluza; tristeza del suelo fatigado de las llamas solares, tristeza de las melancólicas hembras de grandes ojos, tristeza especial de los mismos cantos, pues no se puede escuchar uno que no diga muerte, cuchillada, luto, virgen penosa, ó nota crepuscular. A la orilla del mar he oído cantar á un mozo pescador que descansaba junto á una barca; y su canción era tan triste, tan amarga como las coplas de Juan Breva. Cantan lo mismo las muchachas frescas, rosadas de vida, que ponen claveles en las ventanas y que tienen un novio. Porque así es aquí la vida y el amor, todo lo contrario de lo que piensan los que sólo han visto una Andalucía á la francesa, de Exposición Universal ó de caja de pasas. En verdad os digo que éste es el reino del desconsuelo y de la muerte. El amor popular es inquieto y fatal. La mujer ama con ardor y con miedo. Sabe que si engaña al novio, le partirá el pecho ó el vientre de un navajazo. «Una puñalaíta.» Hace algún tiempo, en un florido patio malagueño se celebraba una fiesta, y cierta gallarda moza se puso á cantar. Cantaba maravillosamente. De pronto gimió una copla que dice en dos de sus versos:

¿No hay quien me pegue un tirito
en medio del corazón?

Un loco, ó un enamorado novio, estaba allí, y sacó una pistola, y le pegó el tiro, en medio del corazón. Estos salvajes amorosos son así. Antaño no habría sido pistola sino gumía. Todos los poetas de estas regiones son dolorosos y excesivos, fatalistas, ó violentos. Todos son amados del Sol. Todos no: he aquí uno amado de la Luna...

En uno de estos crepúsculos de invierno, en que el Mediterráneo ensaya un aspecto gris que borrará la aurora del siguiente día, he comenzado á leer el libro de un poeta nuevo de tierra andaluza, el cual acaba de aparecer y es ya el más sutil y exquisito de todos los portaliras españoles. Al hojear su libro «Arias tristes» lo juzgaríais de un poeta extranjero. Fijáos más; es un poeta completamente de su tierra, como su nombre. Se llama Juan, como el Arcipreste, y Jiménez, como el Cardenal. Surge en momentos en que á su país comienzan á llegar ráfagas de afuera, sobre más de una parte derrumbada de la antigua muralla chinesca que construyó la intransigencia y amacizó el exagerado y falso orgullo nacional. Quiero decir que llega á tiempo para el triunfo de su esfuerzo. Como todo joven poeta de fines del siglo XIX y comienzos del XX, ha puesto el oído atento á la siringa francesa de Verlaine. Más, lejos del desdoro de la imitación y ajeno á la indigencia del calco, ha aprendido á ser él mismo —être soi même— y dice su alma en versos sencillos como lirios y musicales como aguas de fuente. Este poeta está enfermo, vive en un sanatorio, allá en Madrid. Así en su poesía no busquéis salud gozosa ni rosas de risa. Cuando más, á veces, una sonrisa, una sonrisa de convaleciente:

Convalescente di squisiti mali...

pero en la cual se insinúa uno de los más grandes misterios de la vida. Cuando Camille Mauclair, el crítico meditativo del «Arte en silencio» se complacía en escribir versos, colocó un volumen de verbales sonatinas de otoño bajo la invocación de Schumann; Jiménez tiene como patrono de su libro musical y melancólico, al melodioso Schubert. Antes de cada división de sus poemas, aparecen, á manera de introducción, las notas de «El elogio de las lágrimas», de la «Serenata», de «Tú eres la paz». Se penetra así á la influencia de la música, á uno como parque de dulzura y de pena en donde, el amor de la luna, un alma dice, como el ruiseñor, sus arias crepusculares ó nocturnas. Nunca como ahora se ha cumplido el precepto de Pauvre Lelian*: De la musique avant toute chose... Ya antes dijo el celeste Shakespeare:

---

* Seudónimo de Verlaine.

The man that hath no music in himself,
Nor is not mov'd with concord of sweet Sounds,
Is fit for treasons, stratagems, and spoils,
The motions of his spirit are dull as night,
And his affections dark as Erebus...

Conozco de esos seres. Y veo, en cambio, á través de esta poesía de sinceridad y de reserva á un tiempo mismo, la transparencia de un espíritu fino como un diamante y deliciosamente sensitivo. He aquí un lírico de la familia de Heine, de la familia de Verlaine, y que permanece no solamente español sino andaluz, andaluz de la triste Andalucía. Es de los que cantan la verdad de su existencia y claman el secreto de su ilusión, adornando su poesía con flores de su jardín interior, lejos de la especulación «literaria» y del mundo del arribismo intelectual. Su cultura le universaliza, su vocabulario es el de la aristocracia artística de todas partes, pero la expresión y el fondo son suyos como el perfume de su tierra y el ritmo de su sangre.

Desde Bécquer no se ha escuchado en este ambiente un son de arpa, un eco de mandolina, más personal, más individual. Pudiendo ser obscuro y complicado es cristalino y casi ingenuo. Se diría que tiene timideces de orfandad, como el Maestro, —*priez pour le pauvre Gaspard!*— si no se viesen brillar, á la luz de la luna, las espuelas de oro de sus pies de príncipe que estimulan los bríos de un pegaso joven y ardiente cuyas crines están húmedas de rocío matinal.—El poeta dice, como la Ifigenia de Moreas: «Es dulce el sol», pero sus ansias y sus visiones están alumbradas por el *clair de lune*. Y hay allí en esos versos admirables y exquisitos, las mismas visiones y las mismas ansias que en las coplas populares que cantan las mozas enamoradas y los sonoros y aullantes cantadores. Allí está la irremediable obsesión de la muerte, de la podredumbre sepulcral, de los corazones partidos, de la tristeza matadora. Sólo que el artista tiene una cultura europea, y si no fuese su «acento» mental no se le conocería el origen y la patria y sus arias podrían ser lieder germánicos, ó sonatinas parisienses que acompañaría la música de Debussy. Hay un olor á violetas. Hay paisajes entrevistos como por una ventana, cielos y campos de viñeta. Hay una gran castidad poeana, á pesar de los gritos de la vida; hay valles que tienen un ensueño y un corazón:

> El valle tiene un ensueño
> y un corazón, sueña y sabe
> dar con su sueño un son triste
> de flautas y de cantares;

hay flautas pánicas, dulces flautas campesinas. Deliciosos romances:

> Río encantado; las ramas
> soñolientas de los sauces,

en los remansos dormidos
besan los claros cristales.
Y el cielo es plácido y dulce,
un cielo bajo y flotante,
que con su bruma de plata
va acariciando los árboles.

Ese romance suena á la música del divino Góngora, y para nosotros, los americanos, á la música de un rimador de encantos y de tristezas, de un adorable orfeo cubano. Esas notas las hemos oído en las cuerdas que acariciaba la mano de Zenea.

Oíd á Jiménez:

Llora el ángelus de otoño
la campana de la iglesia,
un ángelus mustio, muerto
entre la lluvia y la niebla.

Recordad á Zenea:

Baja Arturo al occidente
Bañado en púrpura regia
Y al soplar el manso alisio
Las eolias arpas suenan...

En todo el libro de Jiménez hay una, diríase sonrisa psíquica, llena de la suavidad melancólica que da el anhelo de lo imposible, antigua enfermedad de soñador. Los que hablan de un arte enfermo juzgo que se equivocan. No hay arte enfermo, hay artistas enfermos; y en las almas es como en la naturaleza. Hay maneras de expresión que da el oscuro destino. Los antiguos no andaban errados cuando hablaban de la influencia de los astros. Hay maneras de expresión que da el obscuro destino, y no exijáis á una pálida flor de lis que tenga los colores violentos de una rosa roja, ni modestia á la cola del pavo real, ni un solo de ruiseñor al papagayo. El poeta nace, sí; todas las cosas naturales nacen; lo que no nace es lo artificial. Así, no penséis en que Francis Jammes ó Juan R. Jiménez, harían mejor en pensar en el porvenir político de sus respectivas naciones, que en decir los sentimientos que brotan al calor apacible de sus dulces musas. No seas alegre, poeta, que naciste absolutamente amado de la tristeza, por tu tierra, por la morena y amadora y triste Andalucía; y porque tu sino te ha puesto al nacer un rayo lunático y visionario dentro del cerebro.

Hay en este libro vagas reminiscencias literarias, por ahí pasa por un momento un enlutado misterioso; semejante al de la estrofa mussetiana, el enlutado «quime ressemble comme un frére»; suena uno que otro acorde de fiesta galante —íntima, sin decoración ni preciosismo;—y se alzan bajo la claridad lunar, los chorros de agua de Lelian, «sveltes parmi les marbres.» Y Febe, aquí, allá, más allá, siempre:

Las noches de luna tienen
una lumbre de azucena,
que inunda de paz el alma
y de ensueño la tristeza.
    Yo no sé qué hay en la luna
que tanto calma y consuela,
que da unos besos tan dulces
á las almas que la besan.
    Si hubiera siempre una luna,
una luna blanca y buena,
triste lágrima del cielo
temblando sobre la tierra,
los corazones que saben
por qué las flores se secan,
mirando siempre la luna
se morirían de pena.
    Mi jardín tiene una fuente
y la fuente una quimera
y la quimera un amante
que se muere de tristeza.

Hay de cuando en cuando, entre los sedosos romances, estrofas que
hacen vibrar sus consonantes de harmónica, sus acordes de ocarina. Lo
preciso se junta á lo indeciso. Y el amor del astro en todos los siglos
misterioso lo melancoliza todo. El poeta explicará su atracción: «Libro
monótono, lleno de luna y de tristeza. Si no existiera la luna, no sé
que sería de los soñadores, pues de tal modo entra el rayo de luna en el
alma triste, que, aunque la apena más, la inunda de consuelo: un consuelo lleno de lágrimas, como la luna. Los que os hayáis estremecido
bajo las estrellas, oyendo venir en la brisa la sonata de un piano, sintiendo qué pobre es la vida entre la noche y ante la muerte, dejad caer
la mirada sobre estas rimas iguales, de un mismo color, sin otros matices que los que en la noche surgen confusamente de los macizos del
jardín, allá donde están las flores casi ahogadas en la negrura. Y soñad
conmigo con las visiones blancas de siempre y con los poetas muertos
—Enrique Heine, Gustavo Bécquer, Paul Verlaine, Alfredo de Musset;— y lloremos juntos por nosotros y por todos los que nunca lloran».
Mirad con simpatía esa juventud que en estos impudentes tiempos,
tiene el franco valor de las lágrimas: *Lacrimabiliter*. Juzgar que ha elegido bien el patronato de Schubert. «Llave de plata de la fuente de las
lágrimas», dice Shelley de la música. El poeta nuevo toca esa llave y
hace caer el agua de la fuente, una vez más. Así, Andalucía, entre todos los tocadores de guitarra y de pandereta, entre todos los que hacen
literatura alegre con tu color y tu exuberancia, te ha nacido un soñador
de viola, de arpa, que sabe contar noble y deliciosamente, á la sordina,
la recóndita nostalgia, la melancolía que llevas en el fondo de tu
pecho. En tu copioso y fuertemente perfumado jardín lleno de claveles, ha abierto sus pétalos armoniosos una rosa de plata pálida espolvo-

reada de azur. Y yo tengo fe en la vida y en el porvenir. Quizá pronto, una nueva aurora pondrá un poco de su color de rosa en esa flor de poesía nostálgica. Y al ruiseñor que canta por la noche al hechizo de la luna, sucederá una alondra matutina que se embriague de sol.

Málaga, Febrero, 1904.

[*Helios,* Madrid, XIII, 1904.]

JUAN R. JIMÉNEZ

Éste es un poeta lleno de tristeza, tristeza que vierte sobre las cosas y sobre los recuerdos. Ha publicado ahora un nuevo tomo de poesías, *Arias tristes*. Sus composiciones son como cuadritos a la aguada de gran sencillez, suavidad y ternura. Los campos que en un atardecer tranquilo tiemblan dulcemente bajo el humo de las chimeneas blancas de una aldea, jardines de evonimus y rosas que a la noche tienen una calma inquietante, como habitada por almas, lejanas visiones de momentos sentimentales; todo esto libertado de líneas duras, de contrastes, como visto en recordación y sugerido por medio de imágenes tenues, enfermizas, va pasando a través de las páginas bellísimas de este libro. El poeta, al mirar las campiñas y los jardines y las noches, halla por todas partes la sombra melancólica de su espíritu, tendida como un velo.

Casi todo el volumen está compuesto en romance octosílabo: de este metro, que ha sido heroico o satírico en nuestra literatura y que Campoamor sutilizó, Juan R. Jiménez ha hecho un ritmo exquisito, delicadísimo, en engaje precioso en que envuelve su tristeza.

A continuación copiamos dos admirables poesías de esta colección:

«La aldea cansada y triste...»
y «Viene una música lánguida...».

[*Los Lunes de «El Imparcial»*, Madrid, 28 de marzo de 1904.]

---

* Esta reseña apareció sin firma, pero la pista para dar con su autoría la ofrece el propio Juan Ramón Jiménez en «Recuerdo a José Ortega y Gasset», *Clavileño*, n.º 24, noviembre-diciembre de 1953 (recogido en *La corriente infinita*).

JOSÉ ENRIQUE RODÓ

RECÓNDITA ANDALUCÍA

Al margen de las *Elegías* de Juan R. Jiménez

Quien en el verbo lírico ame, sobre toda otra cosa, la verdad de la expresión personal, lea el libro de Jiménez. Esta poesía es personalísima del poeta, en la esencia y en la envoltura; en su alma misma, puesta en la más limpia y transparente expresión que alma humana pueda darse en palabras. Influye el poeta de tal modo su espíritu en los caracteres de la forma, que nuestra lengua, de duro bronce resonante, semeja pasar en sus versos por una entera transfiguración. Nunca se la hizo tan leve, tan vaporosa, tan alada. Leyendo estas *Elegías* se reconocen, con sorpresa y arrobamiento, todos los secretos de espiritualidad musical, de sugestión melódica, que cabe arrancar al genio de una lengua tenida por tan exclusivamente pintoresca y estatuataria.

Y si en la forma es singular, en la manera como el poeta siente la poesía de las cosas, su personalidad aparece aislada, y como nostálgica, en su medio. Jiménez nació y vive en la más meridional Andalucía. Sabiéndolo, alguien me preguntaba después de leer conmigo este libro: ¿Dónde está aquí el sol andaluz?»... Y en efecto, el sol que el poeta canta no es el que ven los demás en Andalucía: es el *suyo;* es el sol velado, melancólico y mustio que difunde sobre los campos su «pena de enfermo», en una admirable página de las *Elegías.* El cielo que el poeta refleja no es el que inspiró los encendimientos de gloria en las *Concepciones* de Murillo; no es el que inflama de oro y de púrpura el ambiente del *Viaje* incomparable de Gautier: es el cielo gris que ha dejado, para siempre, en el arroyo donde ve el poeta la imagen de su corazón, un fondo de ceniza, según otra página muy bella de este libro. Los jardines por donde el poeta vaga no son los que visten las márgenes del Betis y el Genil con las pompas triunfales de una primavera inmarcesible: son aquellos á cuyos tristes rosales prestó la dulce y pálida paseante de otra de las *Elegías,* la gracia melancólica de sus maneras... —¿Será esto razón para concluir que no es Jiménez un poeta de Andalucía?— Yo creo que sí lo es, y que lo es de la manera más honda.

Leopoldo Alas decía, á propósito de *El Patio andaluz* de Salvador Rueda, que no hay una sola Andalucía, sino varias. Hay seguramente muchas; pero, por mi parte, yo también sé, ó tengo vislumbres, de varias. Hay una que detesto; otra que admiro; otra, muy vagamente sabida, que quiero y me encanta. La que detesto es la de la plaza de toros, y el alarde vulgar, y la alegría estrepitosa, y el gracejo de los chascarrillos. La que admiro es la de los poetas sevillanos, y los pintores fervientes de color, y la naturaleza ebria de luz, y las pasiones violentas é insaciables. La que quiero y me encanta es una que, por muy delicados indicios, sospecho que existe: una muy sentimental, muy suave, muy dulce; como nacida de la fatiga lánguida y melancólica que siguiera á los desbordes de sangre, de sol y de voluptuosidad, de aquella otra Andalucía, la admirable, la solamente admirable; no la adorable, la divina, la hermética... Y Jiménez es el poeta de esta última Andalucía, soñada más que real, y tiene de ella el alma y la voz.

[*El Mirador de Próspero*, 1916.]

RAMÓN GÓMEZ DE LA SERNA

EL OJO DE JUAN RAMÓN

Ya en otra ocasión me ocupé de la sensibilidad del oído de nuestro gran poeta Juan Ramón Jiménez, y hoy me tengo que ocupar de lo que le pasa en la vista, porque también es algo maravilloso.

Juan Ramón tiene un ojo prismático, y todo lo que ve por él lo ve como los cubistas o con esa visión optimista con que se ve el mundo a través de una tallada cuenta de cristal, aquel mirificador monóculo que usamos en la infancia y que nos dio la visión más divertida del mundo, monóculo que ayer sostenía yo, que por un momento se ha puesto el gran Bagaría para pintar sus frescos del Kikodrilo.

Juan Ramón ve todos los días, a todas horas, todas las cosas con esa variedad de colores y ese desarrollo de las formas que acrece la realidad. Hasta los cuadros académicos se convierten a la vista de Juan Ramón en cuadros cubistas. ¡Qué suerte la suya! (Claro que ante los cuadros cubistas tiene que entornar ese ojo para no verlos convertidos en terribles adefesios académicos.)

Todos ante Juan Ramón nos presentamos vestidos de arlequines, con trajes de muchos colores. La monotonía de la vida moderna en que todos visten de obscuro se transforma ante Juan Ramón.

Toda imagen se colorea a sus ojos y se cubre de aureolas. El cielo está lleno de arcos iris y las estrellas son de muchos colores...

¡No es nada lo del ojo! ¡Tener asegurada la visión poética y pintoresca del mundo!

Primero Juan Ramón se alarmó mucho. ¿De qué sería anuncio aquel fenómeno? ¿Le anunciaba su muerte aquella visión paradisíaca e hilarante del mundo...?

Se fué a ver al admirado Marañón, y éste le recomendó a uno de nuestros mejores oculistas, al doctor Poyales.

Juan Ramón impresionó al doctor desde que apareció en su consulta con su rostro de fakir o de santón.

—¿Y qué le sucede a usted? —le pregunta el doctor creyendo que

Juan Ramón le iba a contestar que tenía la vista cansada o que no veía «cuatro en un burro»; pero Juan Ramón, con su voz de profeta, le dijo:

—Pues ha de saber usted que cuando miro al suelo lo veo cubierto de papeles de colores...

—¿Cómo?

—Sí; lleno de papeles de colores, de aleluyas de color y luz...

El doctor Poyales se quedó pensativo y atemorizado. Nunca se le había presentado un caso por el estilo... Miró profundamente los ojos del sobrehumano poeta, escudriñó sus pozos profundos, encendió los sutiles focos de automóvil que los oculistas tienen para ver el fondo de los ojos, y sólo después de una larga sesión de estudio prolijo y difícil, poniéndole ejemplos en el cinematógrafo de los oculistas y poniéndole números y letras en el escenario luminoso del fondo como se ponen para anunciar los números en los «music-halls», descubrió que lo que tenía era un ojo prismático, caso verdaderamente extraordinario en la ciencia, caso que desde hace ochenta y cinco años no se había dado en la historia de la medicina española y que el doctor Poyales no habría conocido si no hubiese estado en un Congreso Oftálmico celebrado últimamente en Nueva York, en el que precisamente por su rareza fue presentado el caso de un ojo prismático.

Juan Ramón salió, por lo tanto, de casa del oculista satisfecho y orgulloso. No significaba enfermedad lo que sucedía en su ojo. Era más bien una superación —no poner supuración— del ojo. No había que curar aquello, porque tampoco tenía curación.

Así Juan Ramón ve como dos poetas, con dos visiones distintas: la del ojo prismático y la del ojo normal. Cuando la realidad no sea muy práctica entornará el ojo que ve las cosas como son de verdad, y cuando la realidad merezca mirarse tal cual es, entornará el ojo cubista, arlequinesco, kaleidoscópico, polifacético, multicolor y cromático como él solo.

En este momento es la actualidad intelectual el ojo prismático y envidiable de Juan Ramón, y en las librerías, que es donde más se le suele encontrar, los escritores dedican elogios a su ojo estupendo y querrían verlo, que lo desprendiese un momento de su órbita y les dejase atisbar el mundo a través de su rareza.

El otro día, «Xenius» le decía haciendo valsar sus palabras con esa cortesía que le caracteriza:

—Así, no sólo pasará usted a la historia de la literatura, sino que quedará también en la historia de la medicina...

[*El alba y otras cosas,* Madrid, Ed. Calleja, 1923, páginas 147-149.]

CARMEN CONDE

ENCUENTROS CON JUAN RAMÓN JIMÉNEZ

En febrero de 1929 fui a Madrid por vez primera; tenía veintiún años y una salud nada firme junto a un trabajo excesivo, crónicas dificultades económicas familiares, amor y poesía, que contribuyeron a llevarme a un trance difícil de salud. Urgía consultar a un médico de Madrid porque los habituales locales así lo aconsejaban. Un notable médico joven, pariente de mi novio, se encargará de acompañarme en la corte a la consulta de uno de los ases étnicos de entonces. En el fondo, lo que yo deseaba mucho más que mi salud era conocer a Juan Ramón y a Gabriel Miró personalmente. Con el segundo también me escribía y sobre todo con su hija menor, Clemencia.

Llegué a Madrid en tren y *consignada* a un matrimonio amigo de mis padres que tenía un hijo mayor, casado, y una hija jovencita sólo de años. Vivía en la calle del General Porlier muy cerca de una iglesia ya desaparecida para dejarle sitio a un inmenso almacén; *Beato Orozco* era el nombre de la iglesia. Estuve entristecida al ingresar en un ambiente que no era el mío; pero duró poco, pues acudí a doña María de Maeztu y ella me instaló en la residencia universitaria de su creación y dirección, en un bastante inconfortable pabellón llamado «el verde» por su *inmersión* —sin calefacción— entre los árboles del jardín de la calle Fortuny.

A la primera casa fue a buscarme Ernestina de Champourcin, mi primera amiga escritora joven (con doña Concha Espina y doña Sofía Casanova llevaba tiempo carteándome) que, generosa y cordial, habiéndome conocido por Juan Ramón Jiménez, ya se había ocupado de mí en el diario *La Época*, en donde colaboraba literariamente. También mantenía yo correspondencia con Juana de Ibarbourou, María Monvel, Dulce María Loynaz —Uruguay, Cuba— aparte de otros grandes escritores españoles: Azorín, los hermanos Quintero, etc.

Ernestina, cuya actividad literaria y social era muy entusiasta, me quiso acompañar en seguida a casa de Juan Ramón Jiménez; pero yo, que era y soy muy tímida, sentía mis apuros por enfrentarme con el ídolo delante de otras personas, Resistí varios días el deseo de verle en persona (él ya conocía mi estancia en Madrid) por no hacerlo acompañada y, a la vez, era incapaz de presentarme a él sola. Sin embargo, había ido ya a casa de Gabriel Miró más de una vez; claro que *protegida* por Clemencia, singular y extraordinaria criatura a la cual había yo puesto en relación, desde Cartagena, con Ernestina para que se hiciesen amigas también.

Por fin se fijó el día improrrogable de visitar a Juan Ramón Jiménez en su casa de la calle de Velázquez, por la tarde. Almorcé en casa de Gabriel Miró con toda su familia (aún vivía su madre, hermana de un gran médico que ejercía en mi tierra, don Antonio Ferrer). Nunca olvidaré ninguna de mis estancias en aquella casa, pero, en especial, la de aquel día. Sentada junto al escritor, atendida paternalmente por él, le oía bromear sonriente sobre mi cercana visita de la tarde. No estaban muy amistosas las relaciones entre ambos autores, y no a causa de Miró, por cierto. Sin embargo, éste no manifestaba acritud; sólo me lo elogiaba pomposamente haciéndose él como disminuido ante su importancia. Su voz enfática, sus palabras cálidas e irónicas a un tiempo, contribuyeron a inquietarme más en relación con mi tarde. Lamento no haber tomado notas de todo aquello que viví de febrero a marzo de 1929, pero tardé más de cuarenta años en apuntar, lo más escuetamente posible, las cosas que llenaban o rozaban mis días. Acaso entre lo que decía Miró se deslizaban palabras parecidas a: «...ahora comienzo con este pobrecito escritor y luego merendando con el genial poeta, tan exquisito, tan...». Pero no estoy segura de que lo dijera así, lo confieso.

¿Fue Ernestina a buscarme o acudí yo a reunirme con ella para ir juntas a casa de Juan Ramón? Lo que sí «veo» claro es el momento de llamar a la puerta del poeta: la puerta se abre y aparece en seguida Zenobia, la incomparable Zenobia, que me contempla con asombro y dice en voz alta para que la oiga su marido: «¡Pero, *Juan Ramón* [Juan *Gamón*, dijo ella], *si Carmen Conde es una niña!*»

De la mano de aquella criatura sin par, seguidas por mi querida amiga Ernestina, asomé la cabeza a un pasillo breve que, ¡Santo Cielo!, me puso delante de «El Cansado de su Nombre», «K. Q. X.», «El Andaluz Universal»... Ignoro lo que siguió. No debía estar despierta. En un sueño ocurrió todo aquello, estoy segura. Comprendo que los jóvenes y hasta los adultos de ahora encontrarán chocante o absurdo lo que escribo. Unos porque no alcanzaron a estar juanramonizados y otros porque no han nacido ya capacitados para entregarse a una admiración desinteresada y apasionada que ni pide ni espera y que toma solamente lo que ama. Lo escribo porque se lo debo a mis veintiún años ilusionados y amantes, puros y libres. ¿Qué podría importarme, entonces y siempre, no volver a encontrar al poeta que conocí aquella tarde, y cómo lo conocí, si la fecha 3 de marzo de 1929 reunió en él mismo, para mi adoración poética, cuanto de bueno y de mágico existía en el mundo?

Con la imagen de Juan Ramón sobre las otras imágenes —cual es una *transparencia* cinematográfica— vuelvo al gabinete o sala a que me llevaron. Me instalo en un silloncito, bajo e incómodo para mí, junto o cerca de un ventanal o balcón que da a la calle que no veo desde la altura en que estamos. Ernestina de Champourcin está frente a mí, a la derecha, y Zenobia, incomparable va y viene atendiéndonos en la merienda, mientras Juan Ramón, sentado a mi izquierda, habla... ¿de qué? Una prosa mía, escrita ya en Cartagena y publicada años después, me sirve *algo* para saber de qué hablaba el poeta: de Jorge Guillén y de su *Cántico* primero recientemente publicado; a Juan Ramón le parecen mucho diez años para escribir un libro, porque él —lo dijo y era verdad— cada año escribía diez libros, aunque los rompiera o no los editara. También se ocupó de Bergamín: *Sepepito* Bergamín dijo. En fin, hubo un ágil desfile de figuras literarias estimadas o no por él; algunas sirvieron para unirse a los *Españoles de Tres Mundos*. Tampoco dejó de reprocharme mi tardanza en acudir a visitarle: llevaba una semana en Madrid (o más, me parece) y hasta hoy no fui a visitarle. Me disculpé ante sus hermosos e implacables ojos y estuve segura de que Zenobia me comprendía. Más tarde, Ernestina me dijo que a Juan Ramón no le había hecho gracia que yo no le pidiera un prólogo para mi libro primero, *Brocal*. Esto me aturdió más todavía. No se lo pedí porque ni siquiera pensé que pudiera otorgármelo, y además creía que a mi novio no le habría complacido que se lo pidiera... a pesar de su fervor por el poeta; estaba demasiado enamorado y entre nosotros no cabía ni un soplo de aire. *Brocal* había nacido por él y para él. Tenía que ir desnudo. Es decir, sin más apoyo que el de nuestro mutuo amor.

Aquella tarde imborrable tuvo un intermedio inesperado. Sobrevino una visita para Zenobia y hubo que afrontarla, no sé por qué, precisamente en donde nos encontrábamos con el poeta. Llegó una mujer joven y hermosa, acompañada acaso por su madre, y se puso a hablar con Zenobia acerca del alquiler de uno de los pisos que ésta mantenía en la ciudad, principalmente para visitantes americanos. Mientras Zenobia se fue a otra habitación a concertar aquella pretensión con la acompañante de la joven, ésta se quedó sentada en un sofá, junto a Juan Ramón y charlando con él como si tal cosa. Después supe que era Carmen de Madrid o algo por el estilo, una guapa de concurso proclamada «Miss Madrid» si no me equivoco. Mi asombro era inmenso ante aquella charla banal mantenida por Juan Ramón sonrientemente. La joven hacía el elogio de la casa, por ejemplo: «Tienen ustedes una casa muy bonita; es muy grande, ¿verdad?».

Y el poeta asentía amable, hasta feliz de corroborar cuanto aquella *miss* decía. Desde mi incómodo asiento yo escuchaba desconcertada, pues no conseguía reunir a los dos Juan Ramón que tenía delante: el poeta glorioso de verso e incisivo de palabra humana y este hombre curiosón y preguntante y respondiente que se prestaba tan campante a dialogar sin ton ni son con una visita que había irrumpido en el, hasta su llegada, momento inefable para mí.

Volvió Zenobia con su transitoria compañía y se despidieron las dos visitantes muy satisfechas. Entre el matrimonio se comentó la personalidad de la *miss* y que, sin duda, el piso lo requería un magnate norteamericano de los del cine. Nada más supe ni sé. Fueron varias horas de una larga tarde. Cuando llegó la noche oímos el insistente claxon de un coche de su casa, conducido por su hermana Fifí, que venía a buscarnos. Nos despedimos y reunimos con las hermanas y la madre de Ernestina, que me llevaron gentilmente a mi residencia. Durante el camino, Ernestina refirió la visita antes citada y todas celebraron la agudeza conversacional del poeta, así como la ilimitada generosidad de su mujer y abnegada protectora, cuya admiración y comprensión fueron desbordantemente incomparables.

Añadiré que ni al día siguiente ni al otro pude salir de mi habitación: estuve enferma a causa de todo lo vivido. Conocer a Juan Ramón Jiménez, oírle, verle, admirarle también físicamente, recibir el halago tierno de Zenobia y... comprobar dividido en dos hombres distintos al que sólo podía ser indivisible, celestial poeta mágico de mi fanática adolescencia, fueron demasiadas impresiones para la joven que acababa de llegar de una ciudad apretada en torno suyo, de un amor que la aislaba aún más dentro de aquel ámbito y de una obstinada ansiedad por encontrar al mundo fuera del mundo.

Afortunadamente vi varias veces más al poeta, en años anteriores a 1936.

[*Revista de Letras,* tomo VI, núms. 23-24, Universidad de Puerto Rico en Mayagüez, 1974, págs. 450-454.]

HISTORIA DE UNA AMISTAD

Los recuerdos que voy a evocar son ya recuerdos muy lejanos. Cuando la doctora Gómez Bedate me pidió que enviara algunas reminiscencias sobre Juan Ramón Jiménez para su hermosa revista me pareció que no podía darle más que detalles personales que tendrían poco interés para el público. Sin embargo, llegando ya al final de mi vida y no habiendo cesado de leer, a lo largo de los años, los escritos de nuestro poeta, he comprendido que el conocimiento de su carácter me había ayudado a penetrar más profundamente su obra. Ésta es, sobre todo, una proyección estética de su personalidad. Su poesía brota de las exigencias más íntimas de su naturaleza y hay una perfecta correspondencia entre su vida y sus libros. Por ello, intentaré dar aquí algunas imágenes entrañables del pasado.

Nos hallamos en 1934 en Valencia donde vivo con mi familia desde hace dos años. Nos interesamos por la literatura y nos impresiona el esplendor de la poesía española. Antonio Machado cumple cincuenta y nueve años. La generación del 27 alcanza su apogeo. Pedro Salinas, Jorge Guillén, Vicente Aleixandre, Federico García Lorca están en la plenitud de su producción. Juan Ramón Jiménez es reconocido como el mayor poeta contemporáneo. Ha publicado ya sus obras más perfectas si no las más profundas: *Sonetos espirituales, Eternidades, Poesía, Belleza.* En una labor constante de depuración, ha dominado el sentimentalismo un poco decadente de sus primeros libros. Su estilo es ahora más sencillo y más elemental. Ha aumentado en densidad, llegando a la pura esencia poética.

Ese lirismo contenido que entrega sólo la vibración suprema de su emoción me reveló la belleza en su integridad.

Mientras yo estaba enfrascada en *Eternidades* y *Belleza,* mi hija, que tenía entonces diez años, leía *Platero y yo.* El milagro de este libro es que su prosa diáfana atrae tanto a los niños como a los mayores. Gazou no hablaba más que de Platero. Un día le dije: «¿Por qué no escribes tu entusiasmo a Juan Ramón?» Me parecía que un gran poeta podía sentirse conmovido por la admiración ingenua de una niña. Y añadí: «Naturalmente, no esperes contestación.» Pero cuál fue nuestra sorpresa al recibir una carta finísima de Juan Ramón invitando a la niña a que fuera a verle. Y un día nos presentamos en Madrid.

Llegamos con gran emoción al piso de Padilla, 38, y dejé a mi hija en manos de Juan Ramón. Habíamos convenido que iría a recogerla a la hora del té. Aquel gran poeta, aquel hombre famoso y ocupadísimo, dedicó el día entero a una niña desconocida y la colmó de atenciones. La extraordinaria simpatía que demostró siempre con los niños es célebre. En efecto, entre él y mi hija, e independientemente de la nuestra, se trabó una amistad que siguió viva, a pesar de la separación, hasta la muerte del poeta.

Cuando volví a recoger a Gazou, recibí también una acogida muy generosa. Juan Ramón tenía entonces cincuenta y tres años. De todo su ser emanaba una elegancia natural y un gran refinamiento. Tenía unos ojos admirables, oscuros y profundos, una voz grave y sonora. Era de tipo andaluz puro. En su barba y su pelo, hilos de plata se mezclaban ya a los negros. Sus manos eran muy delgadas y aristocráticas. Su persona impresionada por la dignidad. Zenobia, que estaba a su lado, cosa muy natural porque los que les conocían no podían separarlos nunca, era toda alegría, viveza y sonrisa. Su sencillez era encantadora.

El piso, puesto con buen gusto, sin pretensiones; muebles de caoba, ambiente discreto que completaba la impresión de suprema distinción de sus ocupantes. Se sentía uno envuelto en una atmósfera de paz. Esta visita fue el preludio de otras muchas. De esta manera se inició una amistad que se estrechó con el tiempo. Cuando íbamos a Madrid, Juan Ramón y Zenobia venían a recogernos al aeropuerto y a despedirnos cuando regresábamos. Ese gran señor andaluz demostraba el sentido de la hospitalidad del pueblo español.

Su trato era exquisito, muy sencillo, pero al mismo tiempo de una delicadeza infinita. Zenobia y él, por su nobleza innata, elevaban siempre el ambiente a un nivel espiritual superior. No les oí nunca expresar pensamientos mezquinos o envidiosos. Tenía Juan Ramón el sentido de su superioridad, pero era en él una cosa natural que no se afirmaba con discursos ni palabras. Hablábamos a menudo de literatura. Nuestro poeta tenía una vasta cultura, un profundo conocimiento de la literatura francesa y de la española. Sus juicios, muy personales, resultaban a veces severos. Pero uno se daba cuenta de que el único criterio que dirigía su vida era el amor a la belleza.

Cuando le contábamos nuestras excursiones por España, Juan Ramón nos ayudaba siempre con sus consejos. Aquel hombre que tenía fama de vivir encerrado en una torre de marfil había recorrido todos los rincones de su tierra y se sentía atraído por la hermosura de su patria. Daba gusto oírle hablar con gran finura artística del paisaje español.

Por lo general, su conversación era amena e inteligente y conocía muy bien la vida contemporánea.

Sin embargo, estaba entregado a la creación poética de una forma absoluta. La poesía era su vida y vivía para ella. A pesar de que su sistema nervioso era muy frágil y de haber tenido siempre una naturaleza enfermiza, trabajaba infatigablemente y con mucha regularidad. Y Zenobia fue a su lado la compañera capaz y abnegada que creó en su hogar un clima de serenidad, la secretaria ideal que supo asumir todas las responsabilidades materiales para que pudiese el poeta consagrarse libremente a su vocación.

El afán de perfeccionamiento de Juan Ramón le llevaba a un trabajo constante de depuración estilística. En la época en que le conocimos estaba ocupado en una vasta labor de refundición y unificación de su obra. Sólo una parte de este extenso programa se publicó. En octubre de 1934 salió una nueva edición de *Platero y yo* completamente revisada. Durante el año 1935 se dedicó principalmente a la composición de su libro *Canción,* en el cual recogía la mayoría de sus canciones. Es un libro admirable que contiene únicamente poesías perfectas. Apareció en una magnífica edición en mayo de 1936, pues Juan Ramón cuidó siempre mucho la calidad de sus ediciones. Le parecía que la belleza forma un conjunto y que una obra hermosa tiene que estar presentada esmeradamente.

Por las mismas razones de respeto al valor artístico intrínseco y también con la idea de ayudar pecuniariamente a su marido, Zenobia había abierto con una amiga una tienda de «Arte Popular Español». Era una tienda preciosa donde se encontraban únicamente artículos auténticos salidos de manos del pueblo: obras de artesanía tales como manteles bordados, lámparas, alfombras, cerámicas, mueblecitos... Aquel comercio luchaba contra la afluencia de objetos de pacotilla y mal gusto que invadían el mercado y representaban para el turista lo pintoresco español. El recuerdo de Zenobia es inseparable de los de su casa de arte popular, donde se la podía encontrar casi todos los días.

En 1936 alquilamos para el verano una casita de campo en la Costa Brava y habíamos convenido con los Jiménez que vendrían a pasar un mes con nosotros. Pero, desgraciadamente, se preparaban acontecimientos trágicos en el mundo. ¿Quién hubiera creído que no volveríamos a ver a nuestros queridos amigos? La guerra civil española estalló en julio. Regresamos a Bélgica; Juan Ramón y Zenobia se fueron a América sin que pudiésemos comunicar con ellos. Nos preocupó mucho su suerte. En 1939, cuando empezó el conflicto mundial, recibimos un telegrama: «Our home awaiting you», firmado Juan Ramón. Esta generosa prueba de fiel cariño nos conmovió mucho. Mas no pudimos reanudar las relaciones epistolares sino después de 1945.

¡Nuestra amistad había salido victoriosa de la revolución, de la guerra y de la distancia! Desde entonces nos escribimos con regularidad. La última carta de Zenobia, fechada en febrero de 1956, nos confiaba su preocupación porque Juan Ramón se negaba a volver a España. Ella se sabía muy gravemente enferma y le angustiaba abandonar a su marido lejos de su tierra y de su familia.

Todo el mundo conoce los acontecimientos finales, la muerte trágica de Zenobia en octubre de 1956, tres días después de haber recibido Juan Ramón el Premio Nobel, la desesperación del poeta que sobrevivió apenas dos años a su mujer.

Casi cuarenta años han pasado desde que vimos a Juan Ramón y a Zenobia por última vez, pero su recuerdo perdura en nuestra existencia como un gran rayo de luz. El haber conocido a seres tan nobles da confianza en la Humanidad y ayuda a vivir.

[*Revista de Letras*, tomo VI, núms. 23-24, Universidad de Puerto Rico en Mayagüez, 1974, págs. 487-491.]

GERARDO DIEGO

NOSTALGIA DE JUAN RAMÓN

Nostalgia de Juan Ramón. Nostalgia suya y nuestra, del poeta y de España, de los amigos aquí de su poesía y de su poesía allá buscándoselos. Añoranza, saudade, soledad, soledad sonora, pero no olvidanza. Van siendo ya demasiados los años de ausencia abúlica, gratuita y, sin embargo, tan costosa para que no los acusemos en el registro más íntimo donde las heridas no cicatrizan. Al principio, todo va bien. La lejanía permite contemplar a pleno sabor. La esencia, la visión se concentra en el campo de una lente telescópica, clarísima, y la tenemos ahí tan inmediata y tentadora que instintivamente alargamos la mano al otro extremo del tubo óptico para atraparla. Después, este juego espejista de todos los días en que la inteligencia halla tanto deleite como arañazos sufre el corazón, se va convirtiendo en una amorosa tortura. Deleites y torturas son aquí, bien entendido, mutuos, recíprocos. El poeta astronomiza a su España y España sideraliza a su poeta. El brillo así ¿es más puro, más desnudo? El camino de la luz, el lecho del ritmo ¿más diáfanos, más leales? Quizá, sí. Pero ¿a qué precio, con qué riesgos para el porvenir inmediato?

El Juan Ramón Jiménez de Florida o de Washington nos parece (lo sentimos a través de algún mensaje poético, demasiado infrecuente para nuestra avidez, de algún testimonio epistolar o referencia viajera) más Juan Ramón y, sobre todo, más Jiménez que nunca. Quiero con su nombre simbolizar su mítica personalidad poética y con su apellido su condición española. Un poco menos andaluz y un poco menos universal, para hacerse simplemente español de este, de otro y de todos los mundos posibles. Y luego, más tiernamente humano. Yo bien sé, bien sabemos cuantos le conocimos y queremos, que en su implacable y santa intransigencia latía una fluidez cordial. Pero tan imperioso absolutismo poético y ético-estético le arrastraba a veces a una insolidaridad con el prójimo innecesaria y despiadada. En la vida, la poesía es imprescindible; pero si no sólo de pan, tampoco de poesía sola vive el hombre

— 46 —

y ni siquiera el hombre poeta. Y, lo que es más importante aún, ni siquiera la poesía del poeta. La poesía de Juan Ramón había llegado a ese punto de peligrosa perfección, se subida pureza en que ya sólo se alimentaba de sí misma. Poesía rodeada de poesía por todas partes, sin istmo umbilical que la atase a la humanidad o realidad de contraste, manantial o referencia. Poesía embriagada de sí misma, loca de su propia esencia, creadora de un clima de exaltación en el lector o en el poeta que acudían a sus linfas virginales para expresarse a la creación o al ensueño, en una gimnasia espiritual cotidiana y matutina.

Completaba el trazo psicológico del poeta la línea en sombra de su otro hemisferio sensitivo, la prosa corrosiva de la caricatura, la epístola, el epigrama, la andanada polémica, en que la gracia y la felicidad infalibles de la dicción se aliaban con el espíritu miltoniado de ángel rebelde y tizón con calidades de carbunclo. Poesía también, pero poesía del revés, apoyada en las palabras, ala negra del vuelo necesario.

Pensemos ahora que la nueva poesía de Juan Ramón Jiménez, sin olvidar ninguna de sus excelsas virtudes, se está tornando más compasiva a la par que el poeta se siente más inmerso en la onda de dolor universal que nos arrastra a todos en estos años de desolación y de barbarie. Sí. Cada vez el poeta tiene que afirmar más su independencia, su pureza esencial, su incompromiso en tanto que poeta. Y cada vez también, en tanto que hombre, su hermandad cristiana o, al menos en el descreído, su compañerismo social con todos, abrazando en un gesto de inmensa caridad lo bello y lo feo, y tratando de salvar con el ejemplo de su vida y de su obra al poeta que duerme en el pozo escondido de cada ser humano. Juan Ramón lo dijo en memorable parábola poética: *Soñábamos, soñábamos para que ellos vieran.* Ése es el lema de toda poesía verdadera. A ver si a fuerza de soñar ellos, los ciegos, siquiera aprenden a ver, primera escala en el vuelo de la perfección poética.

El último libro de Juan Ramón que nos ha llegado es como el testamento de todos aquellos años críticos, desde 1923 a 1936, y comprende una parte, bellísima, de su obra en ese período central de su madurez. Se titula *La estación total con las canciones de la nueva luz,* y en él volvemos a encontrar inolvidables maravillas de embriagada enajenación inteligente al lado de otras para nosotros desconocidas, como inéditas totalmente que eran. Por ejemplo, esta canción del «Huir azul»:

> El cielo corre entre lo verde.
> ¡Huir azul, el agua azul!
> ¡Hunde tu vida en este cielo,
> alto y terrestre, plenitud!
> Cielo en la tierra, esto era todo.
> ¡Ser en su gloria, sin subir!
> ¡Aquí lo azul, y entre lo verde!
> ¡No faltar, no salir de aquí!
> Alma y cuerpo entre cielo y agua.

¡Todo vivo en entera luz!
¡Este es el fin y fué el principio!
¡El agua azul, huir azul!

¿Cuándo llegarán, se editarán los nuevos libros del poeta? Contentémonos con los anticipos que alguna revista o libro como el de Carlo Bonos ofrece de tarde en tarde. Ninguno tan generoso y prometedor como esa «estrofa» de un «Espacio», cuyas dimensiones innumerables quisiéramos abrazar en su totalidad. Para Juan Ramón un poema inmenso cabe en tres versillos del arte menor. Y, cosa nueva en su biología poética, una sola estrofa puede necesitar —y sin experiencia, intento ni empresa, como tiene buen cuidado de confesarnos previamente— latitudes centenarias e inusitadas. La órbita ceñida de la estrofa habitual se pierde en ese océano de plenitud y de hermosura, y el corazón del poeta se nos abre y sangra pródigo e inagotable. Poesía humanísima, que se traiciona en su ternura, que nos transparenta el espectro de un alma española que sufre, recuerda, espera y canta. Cuántas cosas habría que decir de esa estrofa de un poema sin principio ni fin, si fuéramos a considerarla desde el punto de vista técnico. Sería importuno hoy. Baste decir que el poeta ha descubierto sin proponérselo la ecuación imposible del movimiento continuo, la poesía automática en que cada verso dispara el siguiente con la inocencia y la divina incongruencia cordial con que [1] onda del riachuelo se sucede a sí misma. Sí, Juan Ramón. El perro que ladra al sol caído ladra, no ahí, sino en el Monturrio de Moguer, o cerca de Carmona o en la calle Torrijos de Madrid. Ladra como canta la poesía eterna, donde realmente —real, verdadera y poéticamente— se le oye, se la oye.

Última hora.—Juan Ramón acaba de explicar en Buenos Aires unas conferencias en medio del justificado fervor de una ya «inmensa mayoría» que se atropellaba por verle y acercársele. Y justamente hoy me llega un número de *La Nación* con tres hermosos poemas suyos sobre «Dios deseado y deseante», fechados en la capital argentina, septiembre de 1948. En el primero de ellos se siente el poeta la fruta de su flor propia:

> La fruta de mi flor soy, hoy, por ti,
> Dios deseado y deseante,
> siempre verde, florido, fruteado,
> y dorado y nevado y verdecido...

Hermosa plenitud y definitivo encuentro de un poeta con su maestro, el Maestro que le supo esperar, que le enseñó hace medio siglo a cantar. Y el cantor de aquí abajo concluye con esta confesión desde su todo interno, desde su abierta órbita:

> Dios, ya soy la envoltura de mi centro,
> de ti dentro.

[*Alférez*, Madrid, año II, núm. 21, octubre de 1948.]

ADRIANA RAMOS MIMOSO

JUAN RAMÓN, ENIGMA DE UN PREMIO

Por largas noches sonó en mis oídos el tarareo casi imperceptible del villancico «Ábreme la puerta, Niñito Jesús». Zenobia lo cantó insistentemente durante sus últimos días, alternándolo con fragmentos del Padre Nuestro, con otro villancico cuyas estrofas terminaban «en el Portal de Belén» y el clamor: «Rece usted, Adriana. Hay que rezar».

Juan Ramón frente a la cama de la moribunda, como en estado de ensoñación, se mantenía estático, reclinado sobre el brazo derecho de una butaca, semiatravesado en el asiento, con las piernas estiradas una sobre otra y sus manos grequianas juntas, hacia delante[1]. De rato en rato parecía entonar una remota «berceuse»: «Duérmete, mi vida, descansa... No cantes, duérmete, mi amor»... Su voz desbordante de ternura me llevaba a pensar en el canto aterciopelado y triste de la madre en el silencio de una noche.

«¿Doña Zenobia, usted no se cansa de cantar?», inquiría la diligente enfermera. Y como chiquilla mimada: «Sí me canso, pero canto», y el tarareo continuaba en el compás interrumpido. Así pasaron los días. La muerte se presentó varias veces, y en el entretanto se cumplían los deseos de aquella admirable mujer[2]. Ocurrieron acontecimientos inolvidables, de profunda trascendencia.

---

[1] En la «Sala Zenobia-Juan Ramón», de la Universidad de Puerto Rico, se exhibe un retrato pintado por Sorolla, donde el poeta tiene la misma posición.

[2] Recuerdo haber escrito tres cartas a solicitud de Zenobia. Ella no ignoraba «que se iría», como decía. Su grande, profunda y angustiosa preocupación era el futuro de Juan Ramón. Por eso, el sobrino Francisco Hernández Pinzón se hallaba en Puerto Rico. Lo había hecho venir a la Isla con la esperanza de que al morir ella, el poeta quisiera irse para España. La estancia de Paco aquí significaba un sacrificio. Así lo comprendía Zenobia y quiso expresarle su agradecimiento a Carmen de Hernández Pinzón, que en vísperas de nacerle un hijo no objetaba la ausencia de su marido.

Hasta el último momento de su vida, Zenobia insistía en cumplir con todos. La señora Muñoz Marín le envió un hermoso cesto de flores. Zenobia quiso hacer saber el gusto

Los amigos de Juan Ramón y Zenobia anhelábamos con todo el rigor de nuestro espíritu —y lo teníamos como un hecho— que a Juan Ramón se le concediera el Premio Nobel de Literatura del año 1956. Los rumores alentaban nuestros deseos. Y un domingo (el anterior a la muerte de Zenobia) se presentó en el Hospital Mimiya el periodista sueco Olle Lindquist. Connie Saleva, buena y noble amiga de los Jiménez, y yo, lo recibimos llenas de curiosa excitación. La presencia de un periodista sueco en aquellos momentos era como una confirmación de los rumores. En la madrugada de aquel día Zenobia había sufrido una grave crisis. ¡Que llegue pronto la noticia!, era nuestro clamor interior.

El diario sueco *Stockholm Tidningen* le había pedido al señor Lindquist que abandonara la Convención Republicana que se celebraba en Chicago, y que inmediatamente se trasladara a Puerto Rico, con la encomienda de entrevistar a Juan Ramón Jiménez.

Las preguntas ansiosas y tal vez indiscretas, que tanto Connie como yo hacíamos, resultaban infructuosas. El señor Lindquist, quien se mostraba sumamente reservado, insistía una y otra vez que sólo estaba autorizado para entrevistarse con el poeta.

De pronto, a Connie se la ocurre una idea luminosa que no vaciló en expresar. Zenobia estaba al filo de la muerte; sería cuestión de un día, tal vez de horas ¿Por qué no hacer una llamada telefónica a Estocolmo, informando de la extrema gravedad, y suplicarles que, de ser cierta la noticia, que a Juan Ramón se le había otorgado el Premio Nobel de Literatura año 1956, le autorizaran a comunicarla inmediatamente? Olle Lindquist acató con rapidez. Bien, aquello era factible. Y con rapidez salió del Hospital, dirigiéndose al Hotel La Rada, donde se hospedaba. Pasaban las horas. Nuestra inquietud se exteriorizaba. Ya como a las tres de la tarde de aquel domingo apareció el sueco con sus ojos azules, brillantes y su cara sonriente. Había logrado comunicarse con el señor Hestromm del *Stockholm Tidningen;* éste, a su vez, debió comunicarse con el Dr. Anders Osterling, Secretario Permanente de la Academia Sueca. Le confirmaron los rumores y le autorizaron a comunicar la noticia a Zenobia. Había una condición que nos mantuvo angustiadas por varios días. La noticia no podría trascender a la prensa, ni a ninguna otra persona, hasta el anuncio oficial que se haría el 25 de octubre. Nos juramentamos prácticamente. ¡Jamás secreto alguno pesó tanto en mi espíritu![3]

---

que le proporcionaba aquel obsequio; otro tanto hizo con su íntima amiga Inés Muñoz, que desde Nueva York le había enviado unas sábanas de hilo. A ésta, su amiga, le declaraba que al usar las sábanas sentía como que se sumergía en un baño de agua de rosas.

[3] Para aquellos días, mi hermano, el Dr. José R. Ramos Mimoso (Q.E.P.D.), convalecía en el Hospital Mimiya, de un ataque cardíaco. Cuando por la tarde me llegué a su habitación, lleno de alborozo me dijo: «¿Conque le dieron el Premio Nobel a Juan Ramón?» Me llené de pavor. ¿Cómo lo supo? La enfermera de Zenobia lo había comentado con la de mi hermano. Le expliqué la situación y mi intranquilidad. Ante las circunstancias, me prometió convencer a ambas enfermeras de que el asunto del Premio Nobel no debía comentarse, hasta que no se recibiera la notificación oficial.

Connie y yo nos apresuramos a entrar a la habitación de la enferma, que mantenía los ojos cerrados y aparentemente estaba dormida. «¡Zenobia, Zenobia, tenemos una noticia maravillosa para usted!» Una vez más la moribunda respondió a la llamada, que me cuidaba de hacerla muy quedamente. Aún veo sus ojos azules y transparentes. «¿Qué, Adriana?» Quise que Connie diera la noticia. «¡Qué bien!»; y como para cerciorarse: «¿De veras?» Entonces le propuse que fuera ella quien enterara a Juan Ramón, que pronto llegaría al hospital. No tardó el poeta en llegar. Se había cruzado con el sueco que esperaba en el pasillo. De nuevo llamé a Zenobia, instándola a que dijera lo que sabía. Hubo necesidad de ayudarla. «Diga lo que le comunicamos hace unos momentos», y con sorprendente prontitud: «¡Ya!» Y con voz apenas audible pudo dar la noticia a Juan Ramón, quien sólo con amargura y desilusión comenta: «¡Ahora!».

Nos confrontábamos con un dilema. El señor Lindquist traía a Puerto Rico la única y exclusiva misión de entrevistarse con Juan Ramón Jiménez. Las observaciones, los ruegos, todo fue inútil. El poeta no había cambiado en nada su actitud. Tampoco recibiría a este periodista. Le indiqué que como acto de cortesía saliera de la habitación y saludara a aquel señor que aguardaba en el pasillo. Inútil. Afortunadamente entre Juan Ramón y yo se había establecido una fácil comunicación. Le convencí, como en otras ocasiones, para que me contestara vertidas al español las preguntas que el señor Lindquist escribiera en inglés. Al fin accedió. Y helas aquí:

«1.—¿Cree usted que iría a Estocolmo a recibir el Premio Nobel el 10 de diciembre?

—En las circunstancias actuales sería absolutamente imposible.

2.—¿Conoce usted a algún autor sueco?

—He leído a los autores suecos más conocidos en Europa, en traducciones francesas.

3. —¿Cuál escritor —español o extranjero— prefiere usted?

—Hay varios que tienen mis preferencias por distintos motivos. Me es imposible señalar a ninguno como el mejor.

4.—¿Qué comentarios tiene usted que hacer en relación con el Premio Nobel que se le acaba de otorgar?

—A mi juicio, antes que yo, lo merecían otros españoles de más edad. En los momentos de enfermedad de mi mujer, primero, y luego la mía, me causa profunda tristeza todo esto.

5.—¿Qué proyecto tiene usted para el futuro? ¿Qué se propone hacer con este premio?

—En este momento toda mi obra está detenida y tengo mucho sin publicar. Mi propósito hubiera sido siempre y lo es ahora entregárselo a mi mujer. ¡Esto sí que hubiera sido la alegría mayor de mi vida!

6.—Cuando usted dictaba una conferencia en Estados Unidos, ¿la interpretaba su esposa doña Zenobia?

—He leído siempre en universidades en que mi auditorio conocía el español; pero cuando leía en español ante un público americano, las conferencias eran luego interpretadas por profesores norteamericanos.

7.—¿Tiene usted correspondencia con Gabriela Mistral?

—Siempre la he tenido, pero no es frecuente; aunque somos muy buenos amigos.

8.—¿En caso de que usted no fuera, enviaría a alguien a recibir el Premio Nobel? Porque es costumbre que se le entregue al Embajador de su país en Estocolmo. ¿O enviaría usted a un emisario particular?

—No lo he decidido todavía. Tendré que pensarlo, porque nunca se me había ocurrido que llegara la ocasión.»

De esta manera escueta se le presentan las contestaciones al periodista sueco. Muchos otros comentarios surgían. Muchos se apuntaban y después se eliminaban por el deseo del poeta; otros, con un fino movimiento de mano y la frase: «Diga usted, Adriana», evitaba que se escribieran. Todos interesantes. Las contestaciones finales tras los comentarios revelaban al escritor con una finísima habilidad para esquivar compromisos.

Al comentar la tercera pregunta, nombró a varios poetas españoles. En particular a Antonio Machado. Luego mencionó el hecho de que tanto Alfonso Reyes, como don Ramón Menéndez Pidal, eran merecedores del Premio Nobel. Recordó, entonces, que en años anteriores él había impulsado la candidatura de Menéndez Pidal.

La pregunta octava mereció los más prolongados comentarios. Algunos de ellos ya se presentían. ¿Quién le aseguraba a él, en aquellos momentos, que efectivamente se le había otorgado el Premio Nobel? ¿No habría una equivocación? Además, de ser el Embajador de España en Suecia su amigo, le encomendaría la misión de representarlo en Estocolmo; si no lo fuere, entonces mandaría a Federico (se refería a don Federico de Onís) o al Rector (don Jaime Benítez).

Temiendo no siempre haber expresado los deseos del poeta, le leí las contestaciones varias veces, las que pulía o corregía según su costumbre.

En el transcurso del tiempo el poeta se mostraba más tranquilo y me pareció razonable insistir en que recibiera al señor Lindquist. Venir desde Chicago, haber abandonado la Convención Republicana, el haberse prestado a llamar a Estocolmo, significaba un gran esfuerzo que ameritaba otra acogida. Además, no sería amable ni cortés no recibir a aquel señor. Los argumentos pesaron. Habíamos, al fin, conquistado la plaza.

El periodista tendría que ver a Juan Ramón en la habitación de la enferma, y sólo cambiaría un saludo con él.

Al entrar Olle Lindquist, Juan Ramón se puso de pie con gallardía y, al estilo europeo, se besaron en ambas mejillas. La conversación se sostuvo en francés. Mi asombro crecía. Se prolongaba la entrevista. Aparentemente Zenobia estaba inconsciente. Lo cierto es que estaba atenta a la conversación. De pronto llamó al señor Lindquist y hablándole también en francés, le suplicó que le recordara a su esposo, que era muy olvidadizo, que no dejase de agradecer a la Academia Sueca el Premio Nobel. Hablaron unos minutos más, algo más bajo [4]. Zenobia extendió su mano y el periodista, despidiéndose, la besó.

El 25 de octubre de 1956, como a las dos de la tarde, la señorita Connie Saleva recibe un telefonema. Acababa de llegar un cable oficial notificándole a Juan Ramón Jiménez que la Academia Sueca le había conferido el Premio Nobel de Literatura para el año 1956. Una vez más, fue Connie la portadora de mensaje de tanta trascendencia (para los Jiménez y los suyos, y para la Universidad de Puerto Rico). Una vez más el poeta exclamó: «¡Ahora!», con visible dolor.

Tres días más tarde, el 28 de octubre de 1956, moría Zenobia, a las cuatro de la tarde, rodeada de algunos de los seres más allegados a ella en esta Isla de Puerto Rico.

Hay escenas que no palidecen en la memoria y voces que se oyen por largo tiempo. Todos, menos Juan Ramón, veíamos que Zenobia acababa de morir. Al doctor Batlle, amigo dedicado y médico de cabecera aún con la mano de Zenobia en la suya, le corresponde despertar a Juan Ramón de aquel estado de ensimismamiento que sin cambiar mantuvo.

«Don Juan, doña Zenobia ha muerto». Entonces el poeta, estremecido, se levanta y grita: «¿Muerta?»; y, con paso tambaleante, se llega a la cama, se ase de ella y deslizándose se deja caer de rodillas, y sobre la mano izquierda de su mujer reclina su cabeza y murmura un «No» que se repite en un crescendo hasta exhalar un grito estremecedor: «No, no es verdad. Zenobia, tú no estás muerta. No, tú eres inmortal», y volviéndose hacia nosotros con voz suplicante: «Denme una píldora, un revólver. Tengan dolor de mí. Quiero morirme. Tengo que irme con ella. Se lo prometí».

El doctor Batlle y yo logramos sentarlo; pero, de nuevo, el poeta se acerca a la cama y ya, con voz sedeña: «Zenobia, tú no estás muerta. No, mi chiquitina», y la acariciaba con ternura conmovedora. Lo creíamos más tranquilo y se aprestaban el doctor Batlle y Paco, el sobrino del poeta, a sacarlo de la habitación, cuando, con desesperación, exclama: «Dios no existe: ¡Zenobia, Zenobia..., Zenobia!»

---

[4] Pasados seis años, el señor Lindquist vuelve a Puerto Rico. Entonces nos entera que Zenobia había creído que él era uno de los miembros de la Academia Sueca. Por no fatigarla, ni desilusionarla, prefirió no explicar la realidad.

En la Universidad de Puerto Rico, en la Sala de la Biblioteca «Zenobia-Juan Ramón», se expuso en capilla ardiente el féretro de Zenobia. Los amigos del poeta no lograron que abandonara el recinto en toda la noche. Con insistente fortaleza se mantuvo alerta aquel hombre que me imaginé tan frágil. Y aún recuerdo la voz queda y lamentosa del poeta: «No, no, no! Zenobia, ¿qué piensas? Mi vida, mírame... Abre los ojos. ¡Mi madrecita! Rece, Adriana. ¿Está rezando? No la abandone». Y creo ver al poeta acariciar y besar los pies de aquella excelsa mujer, que le ofrendó su vida.

[*La Torre,* revista general de la Universidad de Puerto Rico, año X, n.º 39, julio-septiembre de 1962, páginas 143-149.]

CINTIO VITIER

HOMENAJE·A JUAN RAMÓN JIMÉNEZ*

LOS PARQUES

Se confundían nuestros parques y los suyos. Nuestros álamos, pinos, almendros, flamboyanes, mezclaban sus ramas con las de sus tilos, chopos, lilas, magnolieros. Al fondo del mundo, deslumbrados con sus ilusiones nuestras, cuando ya él, cerradas las verjas de sus parques románticos, estaba mirando el enredo espiritual del oro en la copa del árbol alto, entrábamos nosotros por los parques de la adolescencia, volviendo a abrir la verja chirriante, invisible ahora, para ver, entre las hojas de lustroso verde, la hoja mustia que caía en suspirante remolino; para oler, más allá de la llovizna oblicua del otoñazo puro, el aroma de un lirio ultramarino; para oír, junto a los ecos de la ciudad perdida, el eco de una gota de agua en la arboleda.

Todo oculto ¿de qué?

No lo sabíamos, ni lo sabía él, indeciso con nosotros en su parque doble, suntuosidad ruinosa, realeza del trasmundo; indecisos en nuestro parque triple, seguros sin embargo de hallar un día la salida, él hacia la copa alta de las palomas únicas, nosotros hacia la imantación fatal de la ciudad, fascinante candela de la vida; y, después, a la batalla con los días mitad oro y mitad polvo, consintiendo cada uno, de otro modo que Darío, en «la pérdida del reino»... Pero los parques que a nuestra vez habíamos cerrado eternamente, están volviendo a abrirse como grutas feéricas, con todas sus joyas veladas, encendidas —

...Sólo un algo ...
de amatista, ¿de qué mundo?,
de oro ignoto, de azul májico... —

* Leído en el Lyceum de La Habana, la tarde del 15 de enero de 1957.

para otros dos que atraviesan, con su otro poeta acompañante, en absorta lejanía, los espacios del amor.

¿TRISTEZA O DEMENCIA?

Ella se miraba en el gran libro oro, *Canción,* de ricas páginas radiantes, que el poeta le había dedicado con la escritura aljamiada de su madurez. Yo juraba por la profusa, atesorante *Segunda Antolojía,* librito azul y negro, de páginas amarillentas, que había estado leyendo, sin fin, durante meses, Y, fascinados los dos por el mismo oro último, discutíamos las variaciones, sin cejar en la defensa de nuestra respectiva iluminación primera.

¡Qué herejía, para mí, aquella «demencia», dura e increíble, en lugar de la «tristeza» natural y húmeda de un Bécquer más intenso, más agudo!

> HA querido la luna
> —¡esa luna de llantos!—
> acercarse a la tierra.
> ¿Para qué? ¡Quién lo sabe!
> ¿Para darme tristeza?

Pero después las dos palabras —tristeza, demencia— se fueron abriendo, echándose su hálito una en la otra, soltando sus ocultos rayos confundidos, como una flor amarilla en otra blanca, un perfume ardiente en otro cándido; como si una luna interior y más violenta iluminara todo el campo ya enlunado, triste y puro, del idioma. Era tristeza, era demencia. Era el trastorno del anhelo —

> ¿Para qué? ¡Quién lo sabe!
> ¿Para darme demencia? —

que está variando y desvariando más allá de toda fijación primera, de todo límite segundo, rompiendo como el sueño las murallas de la luz y del perfume, hasta alcanzar el texto de su definitiva emanación inextinguible.

EL EXAMEN

Había mandado él a cortar mis papeles de un tamaño que a mí me pareció, no sé por qué, precioso e importante. Algo dijo de su gusto por el orden, y en su modo de decirlo yo sentía la lección de pureza, de distinción, de apartamiento: una galería de estancias ordenadas por la poesía...

> (¡QUE quietas están las cosas
> y qué bien se está con ellas!...)

Solos en el comedor vacío del Hotel Vedado (la luz, el mar, los pinos vibrando afuera), su naranjada evocaba para mí, no sé por qué, todo lo que él había puesto en la palabra *sur*. Disponía las páginas cuidadosamente. Por fin sacó, igual que una joya cuya aparente insignificancia no lograba ocultar la materia escogida de que realmente estaba hecha, su lápiz amarillo, único, exacto.

> (TODO dispuesto ya, en su punto
> para la eternidad
> —¡Qué bien! ¡Cuán bello!
> ¡Guirnalda cotidiana de mi vida...)

Con el lápiz a mano leía en voz intensa, profunda y transparente, mis pobres versos que salían, tropezando como niños mendigos disfrazados de príncipes, a deshacerse en el rayo blanco de la belleza. Con un *1* hermosamente deformado, como la torre o la palmera en el temblor del agua, me calificaba los poemas mejores; con un *2* que era el cisne salvado de los lagos de Darío, me premiaba los poemas peores. Yo iba pasando mi examen como una fiebre atroz, larguísima, dichosa.

Qué tardes infinitas estuvimos allí, seguimos estando allí, sobre la ausente ciudad agradecida, él con su lápiz terrible, divino, yo con mi sangre golpeándome el pecho y las sienes, oscuro, enloquecido de esperanza.

De pronto se levantó, imponente y bondadoso. En un papel insigne había escrito, enlazando las palabras como un enredo de luces y de sueños, el título que le daba a mis nadas primerizas. Y tendiéndome la mano, sin testigos, con la majestad llana de su único tribunal insuperable, me dijo: *sí*.

¡Oh pinos, estrellas, mar de aquella noche!

LAS NUBES

En el camino hacia mi casa, asomándose ávido a la tarde, Juan Ramón exclamaba: ¡Qué nubes!

Esas nubes maravillosas, que no vi entonces ni veré completamente nunca, están siempre en mis cielos, mezcladas con las otras, dándoles un prestigio, un interés y una emoción secretas.

¡Qué nubes! El vistazo en apariencia incidental, entre las nadas de la conversación, abría el todo entrevisto de la hermosura y el destino. ¡Qué nubes! ¡Qué reconocimiento lejano e impedido, del rostro del *más,* de la verdad! Y la exclamación esponjaba la materia encendidamente oculta de la tarde cubana, sevillana, moguereña, superpuesta en el luciente palimpsesto de las tardes.

Por su obra he buscado esas nubes y no están iguales. Cierto que allí las hay insignes, inflamadas con los colores del iris de la tierra, del mar y del espíritu. Cierto que allí está, en *Laberinto,* la nube reina de la nostalgia, coronando los ponientes con su insaciable exigencia, abierta al imposible:

> ¡No esta ciudad, ni esta mujer
> de esta ciudad, ni otra de otra!...
> ¡Siempre, sobre ellas, tú,
> nube de ocaso, desviada, roja!

Pero no son, no pueden ser, aquellas nubes secretamente sorprendidas para mí, regalo involuntario de un derrochador fatal; aquellas nubes hijas de la gracia abierta, que no tuvo tiempo *El Vencedor Oculto* de llevarse a sus corrales celestes, pero que, habiéndolas tocado con la luz de su deseo, yo guardo en los míos como tesoro libre. ¡Inescritas nubes aumentándome los cielos poéticos de la vida, los cielos naturales de la vida!

EN ESTE OTOÑO AZUL (1936-1956)

Cuando Juan Ramón era la atmósfera ideal de mi vida, no pude nunca, aunque consciente o inconscientemente lo intentara, asimilarme su escritura. Aquello era un paraíso, no una influencia. Y para serle fiel, incluso como influencia de raíz, tenía que salirme de ella hacia otras intemperies, como un lenguaje bárbaro y ávido, en que únicamente los ojos de la sed brillaran.

Hoy que aquella atmósfera es sólo un recuerdo hermoso de mi vida, que me parece que estoy separado de él por una línea mágica, puedo saturarme naturalmente de su estilo. Y puedo hacerlo ahora sin remordimientos, evocando libre y gustosamente, en este otoño azul del homenaje, no una perspectiva de alcores superados, sino una sensación príncipe que fulge en la memoria y, desde luego, en la esperanza, como estrella inaccesible.

LA EMANACIÓN

La emanación del aroma es el orbe de la nostalgia, no sólo del ayer, sino sobre todo el hoy y del futuro; la añoranza del ¿cuándo?, ¿dónde?,

¿qué?; y no sólo de lo que no se tiene, sino sobre todo (¡oh sur!) de lo que se tiene; total explosión sagrada de la «nostaljia», que es el Eros misterioso del aroma.

La emanación, la exhalación oscura y turbadora, la fragancia mojada, seca o mate, comprimida o errante, con sol o luna, ¡qué consuelo inmenso, y también, qué anhelante angustia de una dicha que está siempre más allá, o más adentro, o más hondo! ¡Vaga infinidad, infinitud penúltima, ansiosa lejanía del entrañable olor que nos embriaga con fantásticos dobles de este mundo, de aquel mundo!

En los patios silenciosos, en los parques románticos, en los jardines impresionistas, en los idilios agrestes al fondo de las casas andaluzas, en las estaciones donde el tren para en la aurora o al ocaso, desde las remotas marismas, ¡cuántos perfumes enlazados, cerca, lejos, sobre el mar, qué maraña dulce de perfumes desvariantes! ¡Qué ámbito trastornador y vano del perfume! ¿Y quién puede reinar en este ciclo esencialmente equívoco, sino la mujer que es sólo aroma, abismo de su propia esencia, rosa sin cogollo ni sustancia?

Sí, la mujer es la rosa, como ella fronteriza entre la carne y el espíritu: el *desnudo* aspirado que se evapora, contagiándolo todo de su inconsistente esencia, de un hechizo irreductible a la posesión; y la rosa (bella forma limitada, secreto emanar ilimitado) es el símbolo del arte, del poema, que no busca tanto ser entendido por la mirada, aunque la resista con excelsitud, como perturbar con el aroma. («Ni importa que la minoría entienda del todo el arte; basta con que se llene de su honda emanación.»)

Una especie de emanatismo, en fin, poético, hecho de puras hipóstasis sensuales (la rosa, la mujer, la estrella), cuyo Uno evidente será su creador, en el jardín de los sinfines, esperando al Otro divino que lo busca para ajustar la rosa cóncava y convexa, la oleada suma del deseo, la total aspiración correspondida.

LOS COLORES

«Los colores componen la vida», decía Juan Ramón en sus lejanos *Tercetos melancólicos.* Esmaltados como en la tabla cándida de un primitivo italiano; traspasados, deshechos en la luz o encendiendo las sombras, como en la tela vehemente de un impresionista francés; de las gamas tiernas a los prismas agrios, hasta llegar a la alquitara sustantiva de sus iris, los colores juanramonianos no son nunca decorativos o lujosos, sino vitales. Por eso, con ser en él tantos y tan agudos, no dan la imagen última de un «colorista». Aunque hondamente atmosféricos, y con una realidad óptica que llega a la hiperestesia, son los colores espirituales de la pasión, del desangramiento misterioso de la vida; y, por lo mismo, tienen ellos su vida propia, su drama simbólico, su historia secreta.

Ligada a su peculiar sensación del «trastorno», hay en Juan Ramón una visión ya maliciosa, o de segundo plano, de la policromía modernista, que había anticipado en España, Salvador Rueda. Mirando el campo a través de unos cristales de colores, en uno de sus *Poemas impresionistas* de 1912, nos habla, por ejemplo, de un celeste que vela el blanco del azahar, de un morado superpuesto en la sangre del clavel, de un cobre traslaticio a los jazmines amarillos, de un naranja echado sobre los lustrosos laureles, de un carmín que invade las cándidas magnolias... Pero todo esto, voluptuosamente acogido como juegos de la luz, es calificado en el mismo poema de «policromía falsa, brillante y lírica». Es decir, no un lirismo falso, que ingenuamente *pone* los colores fantásticos, sino un lirismo verdadero ante el fenómeno, bello y melancólico en sí, de la policromía ilusoria.

En una zona más profunda, se verifica la creciente complejidad del colorismo vital juanramoniano. Los tonos limpios y celestes, o brumosos de nostálgica ensoñación, se van recargando, haciéndose más opulentos, concentrándose en pastas más violentas y sombrías. El proceso que resume el famoso poema «Vino primero, pura..» de *Eternidades,* lo expresa también un poema de *Estío* cuyo protagonista no es la desnudez sino la blancura: «Blanco, primero; de un blanco — de inocencia...» Junto al valor simbólico del blanco (desnudez, pureza, eternidad), se destaca su sentido del azul como absoluto ámbito inmanente de lo divino, que va desde aquel juvenil «Dios está azul» de las *Baladas de Primavera* hasta la *Conciencia hoy azul,* en *Animal de fondo.*

Sentimos siempre en Juan Ramón la superposición, expresa o tácita, de los colores. A veces, sin él decirlo, sabemos que hay una grana acechante, un malva que aureola, un amarillo imantando un morado. Presentimos una especie de terrorismo del color:

> ¡Qué espanto en la siesta azul!
> ¡Negro!
> ¡Negro en las rosas y el río!
> ¡Qué miedo!

A partir de *La Estación total,* cada color, puro o mezclado, alcanza en Juan Ramón una intensidad de carbón encendido. Nos miran sus colores, desde el fondo de la vida, con ojos exigentes de brasa, con ojos de estrellas que alucinan el negror, con ojos centrados de mujer o joya dolorosa, aunque estén mereciéndose en el abierto paraíso de la luz. De la mirada del poeta, pozo mágico, saltan los rayos que rompen la abstracción del mundo, partiéndose en «mundos de amor», que se quedan después sedientos de su ignota unidad, como heridas súbitas en el aire del espíritu.

El oro

El oro que no es un color, sino la iluminación del imposible; que no está sobre un objeto, sino lo deshace en áurea nostalgia, como la apariencia infinita, que no alude a una sustancia, en el mundo islámico; el oro ya sin metal, desprendido de su sol, flotante éxtasis o traspasamiento sólo de la luz, señorea la poesía de Juan Ramón.

Junto a los oros de Darío, con raíz en la cultura solar del encendido trópico de su infancia, los suyos componen una familia más pensativa, más íntimamente deslumbrada.

Al principio se confunden con los malvas, rosas y violetas; poco a poco van ganando, a través del iris que se recarga, su sitio regio, su maravillosa difusión. El oro fulge, gotea, sueña, se invisibiliza. Tesoro, ilusión, gloria, mirlo, bruma, chopo, todas las palabras, todas las cosas, todos los sentimientos, como a un Midas andaluz, se le tornan oro. Es la trasmutación soñada por la alquimia, la crisopeya mítica, realizada por la poesía. Y hay un momento, que dura años, en que parece que la obra de Juan Ramón va a encallar en una espesa niebla lírica de oro; que va a detenerse para siempre, sofocada de dulzura, abrumada de melancólica realeza. El barco, entonces, al soplo de un viento delgadísimo, remonta lentamente los ocasos, con las velas desplegadas hacia primaveras más agudas.

El oro —verdeoro, rojioro, orinegro, oro blanco— sigue fascinando su pupila, y saliendo de ella, en cruce mágico —inacabable camino ideal de la belleza; ardiente pesadumbre, como un manto arrastrado, del adiós de la belleza; inmanencia divina, sentidos que el espíritu traspasa de sí mismos, de la eternidad temporal de la belleza. ¡Y nervadura del mundo, hoja amarilla al trasluz, transfigurado! Y sigue en la vibrante mina del cénit espiritual forjándose su palabra última de átomos de oro, hasta que, pálida y terrible y con una dulzura ya de ascua férrea, se le desprende la palabra física, sin letra ni sonido de palabra, tan blanca, enceguecedora y mística como un planeta del idioma.

El agua

Sentimos tanto en su poesía la sugestión del agua (idílica, romántica, impresionista, simbólica...), que, como en los jardines rumorosos de la Alhambra, no necesitamos verificarla. Ella está ligándonos a todo con su virtud envolvente, penetrante. Y, sin embargo, como en esos mismos jardines, hay un sitio donde el agua reina sola para la sensitiva imaginación: allí el mundo juanramoniano y el palacio andaluz se corresponden absolutamente, coinciden hasta la identidad. Este sitio, centro real e ideal, es el *Generalife*, de un lado cima de la cultura árabe del agua, del otro poema exhaustivo de su frenesí, con su sereno complemento en prosa, *El regante granadino*.

¿Qué agua es ésta? No el agua manriqueña, senequista, del río fatal y discursivo; ni mucho menos el agua deleitosa y pastoril de Garcilaso; ni el agua mitológica de Góngora; sino la alucinación de las Escalerillas, el agua del enredo, del trastorno, del contagio, de la enajenación desvariante y totalizadora: «¡Qué espantosa confusión — de aguas, de almas, de lágrimas...» El agua llena de dramas inmensos y vanos, semejante al alma deshecha de la mujer, apariencia sin fin. «Por el agua —dice en la prosa aludida— yo me comunicaba con el interior del mundo». Y esa comunicación con un fluir que es el de la sangre del misterioso desangramiento interminable, con un interior que es todo, con ese adentro abierto que no acaba nunca, ni da a otra cosa que a sí mismo, suficiente delirio de belleza o vida suma, ¿no nos recuerda las revelaciones inmanenciales del aroma?

> Me metí en el arbusto.
> ¡Ay, cómo olía,
> cómo olía a la vida!

¿No nos recuerda, también, las transfiguraciones de la luz?

> ¡Los inmensos imposibles
> que nos trasparentan! ¡Oro
> eterno nos quema los ojos!—
> ¡No acaba la hoja con sol,
> ante nuestro corazón!

Sí, la nostalgia del aroma y el traspasamiento de la luz se corresponden esencialmente con el desvarío del agua.

Infinitud; imposible; huida.

EL TRASTORNO

...Pero, el aroma, ¿no es una cierta luz?; la luz, ¿no es una cierta música?; la música, ¿no es un cierto desnudo?; el desnudo, ¿no es como un agua?; el agua, ¿no coge a la estrella?; la estrella, ¿no alude a la mujer?; la mujer, ¿no suplanta a la flor? «Pero ¿no es nadie la flor?»

¿No es agua, viento, ilusión? «¿Y no es nadie la ilusión?» ¿Ser no es parecer?

Y luego, ¿no se mezclan los pasos en la arena, no se enredan los pensamientos de los amantes, no se confunden batallando el instinto y la inteligencia, no es la aurora una vacilación y una duda, no se superponen las tardes transparentes, no se contagia la mano de hacer las cosas «como ella las hacía», no está más cerca lo que está más lejos, no se moja la sonrisa de llanto en el adiós, no beben los amantes sus llantos confundidos, no es una trama inextricable la de los cuerpos y las almas, no somos ligados y entrañados unos en los otros, no se truecan lo finito y lo infinito, no está hecho el tiempo de «eternidades», no es el cielo, tierra, y la tierra, cielo? ¿No es el ser, siempre, otro?

¿Y quién sabe el misterio que todo quiere decir, está a punto de decir, y no puede? ¿Por qué el tren de hoy alborota los rebaños de ayer? ¿Por el recuerdo? ¿Y qué es el recuerdo? ¿Por qué la luna humana parece que mira a la pared divina? ¿Por la imaginación? ¿Y qué es la imaginación? ¿Por qué viene una errancia, en el perfume, que sentimos ajena y nuestra? ¿Por el deseo? ¿Y qué es el deseo? ¿Y no está el verde del agua en el oro de la luz, el naranja del agua en el naranja de la luz, el oro del agua en el verde de la luz; no hay una noche en que anhelamos ser la sangre de los muertos; que nuestras estrellas sean sus flores; y la mujer, gloria y certidumbre, no es la «ambigua rosa»? ¿Y quién sabe si sostiene la hoja a la luz o la luz a la hoja? ¿Y cómo invaden las imágenes del sueño a las imágenes de la vigilia, en una doble mutilación y lucha ansiosa; y cómo sale el adentro y entra el afuera, igual que las palomas místicas en la copa del «árbol alto»?

Y si todo es así, esta ordenación de los libros (Naturaleza espiritual, quizá como la otra), ¿no podría ser distinta? ¿Y ellos también, después de aparentemente fijados, no se tornan en deshacer por dentro siguiendo la ley de su emanación, a difundirse y derramarse por dentro, ansiando otros cauces, otras formas que superen la fatalidad de la cronología, la sucesiva cristalización exterior, buscando la libérrima unidad inextinguible, como la está buscando el mundo por el alma?

Y todo este enredo, en fin, este infinito trastorno de belleza, expresado con la sintaxis tantálica del aroma, laberíntica del agua, ¿dónde sucede? ¿Y a quién?

LA EXTRAÑEZA

En las horas indecisas del alba y el crepúsculo, en las flotantes sensaciones de la duermevela, en los súbitos cambios atmosféricos que les mudan a las cosas su apariencia familiar, bañándolas en una iluminación desconocida, el *dónde* no es un sitio definitivo, el espacio parece que se desdobla o que se parte como una imagen en el agua, el mundo se descompone en un indisoluble estar aquí desde allí , ser allí desde aquí, en una doble lejanía que no se puede superar; y en esos estados, que tenemos tan poco derecho a llamar subjetivos como objetivos, porque en ellos el mundo y nosotros formamos una sola unidad en suspensión, como un rompecabezas nebuloso y un calidoscopio que no ajusta sus imágenes, el *quién* no es tampoco un sujeto definido, sino que es uno que es otro, otro que nos recuerda al otro sucesivo y simultáneo de su ser, alteridad imaginaria y sensitiva de un expectante *yo*.

Sobreviene entonces la extrañeza, que no es el trastorno, aunque de él muchas veces emerja, sino el trastrueque, la deshora, el fundamental desquicie de la vida, en la que descubrimos el entremundo hecho de mitades que no se corresponden, de mentiras verdaderas y verdades falsas; en la que, despegados de la tierra y de nosotros, sin saber ya qué es ella ni qué somos, se nos trasluce la soledad inaudita del ser, la separación espantosa de la conciencia: «eres estraña, estraños somos; solos somos, sola eres». Y la amenaza oculta en esa irrealidad incomprensible, desligada de sí misma, atroz, vigilándonos «desde la infinita estrañeza solitaria», como en los nocturnos espacios silenciosos de Pascal, es el descarnado sinsentido, lo «feo» absoluto que inenarrablemente nos acecha. (5 y ½ de la mañana, en Belleza.)

Unas veces será la luz crepuscular la que sumerja al poeta en su ser indeciso: «No es mi vida a quien veo, — ni soy yo quien la miro.» (Ya oscuro, idem.) Otras, la madrugada le hace sentir la inconsistencia espectral del mundo, con esa dama, vago trasluz goyesco, que «es un traje de máscara — de una nada que va, en simón, a un sueño». (Calle, en Poesía). ¡Cuántas albas, como en la prosa maciza de Gómez de la Serna, en la poesía transparente de Juan Ramón! Si el madrileño se ha llamado, en un libro memorable, «el espía del alba», el andaluz se nombra, en un poema definitivo, «el sorprendedor del alba rara». Las albas de uno dan a la seca inmediatez quimérica, el materialísimo fantasma de la realidad (lo que más se parece a lo que debieron ser las albas de Alonso Quijano); las del otro, a la extrañeza interrogante. Y esa interrogación extrañada, esencial, donde las sensaciones alcanzan su trasfondo metafísico, encalla en lo que es la sustancia de lo que, en nosotros, interroga: la anterioridad inmanente, absoluta, constitutiva, que está latiendo en el fondo de lo que llamamos devenir, mera superficie del tiempo; que es el amanecer perenne, «el profundo aún oscuro de este mundo», la tempranía cósmica donde la inminencia revela sus espacios reversibles, pero donde sobre todo vislumbramos el dinamismo de la creadora alteridad desconocida. Es, en Otro como el otro, de La Estación total, el alba suma de este mundo poético:

> inmenso morear, única mina,
> manzana de evasión, huidora rosa,
> del pensamiento en sí,
> de nuevo hermosamente incomprendido.

LA PESADILLA

A veces parece que nos va a dar la pesadilla de lo juanramoniano, con la fantasma de Anilla la Manteca, o con el demoníaco Crítico de su Ser hablando en jerigonza, o el delirio del Zaratán, o con mujeres bellísimas en un paisaje de mármoles, plenilunio y surtidores, o la neuralgia del perfume, o la visión escalofriante de la belleza pura, o los fondos de arañas encendidas que hay en los colores —esas mismas pesadillas que a él tienen que haberle dado tantas veces y de las que le han salido muchas prosas o versos crispados, nerviosos, extraños.

LO SEGUNDO

Ligada al trastorno y la extrañeza, y a sus fundamentos en la calidad evocadora del perfume, palimpséstica de la luz, penetrante del agua, está siempre la sugestión de «lo segundo», decisiva para la forja del verso y de la cláusula juanramonianos.

El doble guión que ya usaba en sus primeros poemas, el punto en lugar de las comillas que introduce en *Canción*, el manejo insistente e intencionado de la coma, el paréntesis, el guión simple y la bastardilla, las exclamaciones e interrogaciones superpuestas, son signos formales de una sola necesidad intuitiva. En alguna página ha escrito: «La sintaxis es una cuestión de ortografía». Pero esa sintaxis, que efectivamente la resuelve cada escritor con los peculiares diseños y contrapesos de su puntuación, ¿no es a su vez una cuestión de alma?

La enlaberintada sintaxis normal de Juan Ramón se halla dominada por la obsesión de lo otro, de lo que surge adentro o detrás, de lo que se superpone o trasluce, de lo segundo o tercero alternante, simultáneo. Pero eso segundo no es como una sustancia de la cual lo primero, o primario, o superficial, fuese atributo, sino que alumbra otra apariencia tan esencial como la otra, que ya ella también es segunda, otro velo inmanente, otro fondo entrevisto de la gruta donde está, disperso y unido, el tesoro. Por eso la poesía es para él un tanteo delicado, y a oscuras, del lugar exacto, cambiante siempre —«casi otro, casi el mismo»— donde poner el pie en el estribo oculto, y esa justeza del jinete, ese tino como en sueños, esa lucidez entre las moles de lo inerte, para alcanzar lo vivo eterno, es lo que permite «hacer la señal leve — segundamente inmortal».

(EL HIJO)

La mañana se cierra, gris, y se abre, oro, como un suave abanico inmenso, mientras copio otra vez, dichoso de haberlas leído y olvidado tanto, tus palabras indelebles. Y no sé por qué me cae el gris, parado el viento afuera, sobre unos versos; ni por qué el oro esplende, con el viento afuera barriendo la hojarasca y empujando las nubes, sobre otros. No lo sé, pero a medida que leo y copio, de retorno por las tierras sagradas, me imagino que hay una oculta justicia imprevisible que castiga dulcemente, con un tiernísimo ceño falso, algunos versos tuyos, y premia otros con un beso radiante de verdad, como una madre jugando, absorta y extasiada, con su hijo pequeño.

LO LEVE INMENSO

...«Este hacer la señal leve...» Sí, porque en lo leve está lo inmenso, la inmensidad que no depende del peso ni el tamaño, sino del ámbito que abre, del deslumbre que enciende, de la esencia que libera, como el pájaro, la chispa o la flor; porque en el soplo vago que mueve al visillo de la madrugada está latiendo la vida universal, la plenitud del mundo; porque los brazos finos de la mujer son, un instante, más fuertes que el mar; porque lo eterno es el fondo súbito y extático del instante; porque la vocecilla de un niño llena y conmueve la naturaleza; porque la gracia divina de la creación consiste en que «lo breve nos basta»; porque, no el pensamiento especulativo, ni el esforzado actuar, sino la humilde sensación, fresca y pura, da a todo; porque, en fin, así es, «blanco, leve y rosa», el ser insombre, fiel, ligerísimo, infante, de la libre poesía.

Y esta pasión gustosa de la inmensa levedad, tan sencilla y refinada, tan popular y aristocrática, que viene de la lírica arábigo-andaluza, de San Juan de la Cruz, de Bécquer, encierra la clave de la poética juanramoniana, de su horror por lo pesado, largo, ancho, en la materia; por la composición, la estructura, el ingenio, en la forma; por lo gigantesco, tremendo o cósmico de pacotilla, en el tono. Su prevención, inclusive, ante la tiranía del tema, que ya supone una opacidad inicial. Por eso desde la madurez que orienta el *Diario de un poeta recién casado,* prefiere las formas libres, inventadas, que se pliegan a la onda fugitiva de la corriente totalizadora o al toque imprevisible del hechizo, dejando atrás el romance, la estancia, la silva, el soneto. Y nos describe su poema deseado «como un inacabable diamante ideal, breve, hecho con aura inmensa». Y añade en esa espléndida carta a Luis Cernuda, documento definitivo para conocer su formación y estética: «El amor, que es la poesía y la ciencia supremas de la vida humana (...) es fatalmente breve; también la rosa y la oración son sólo apoyos para la totalidad. Y la poesía inmanente es ella y todo. Lo inmanente sin tamaño. ¿Qué es tamaño?»

¿Y, sin embargo, no se le va haciendo la poesía, por dentro y por fuera, más vasta; no le va saliendo un lenguaje como una naturaleza de rotundos hombros, olas, frondas, lunas, soles de ambicioso dinamismo de embeleso, con supremas estaciones completadas? ¿No se le torna lo leve inmenso, también, *grande*?

EL MAR

No la nostalgia del mar lejano, entre los pinos, ni de las golondrinas que emigran de Africa a Andalucía («¡Negror de oro en el azul, a veces, de idílicos estratos!»), sino el mar océano, abierto, de su primer viaje a América en 1916, ida y retorno, significó una nueva apertura en las visiones y el estilo de Juan Ramón. El mismo nos lo dice, en la citada carta: «La conciencia de amor y mar grande, y América, obró el prodijio. El oleaje, la comunicación de cielo y mar, la nube, le dió a mi sentimiento y a mi pensamiento libres mi verso desnudo.» Hasta entonces, con señorial independencia, y aparte su linaje español más secreto, se había movido dentro de las sugestiones del simbolismo francés (bien entendido que ese simbolismo histórico tiene, a su juicio, como el impresionismo en la pintura y la música, una gran dosis de influencia española). A partir de aquel viaje, se vuelve hacia la lírica inglesa, irlandesa y norteamericana, menos retórica y compuesta, más «concentrada, natural y diaria».

El mar del *Diario de un poeta recién casado* provoca así, en su historia espiritual, dos sucesos importantes: lo que él llama su «baja de Francia», y el hallazgo de su verso desnudo, tan distinto, por la flexibilidad y la cadencia, del recio verso blanco de Unamuno: todo ello acompañado, también, de una prosa más compleja e incisiva. El espacio interior de su poesía se ensancha visiblemente en el diálogo con este mar pleno, como si el poeta, llegado a su primera madurez, hubiera encontrado el igual de su palabra, el oyente y hablante natural para su plenitud humana. Y ese coloquio apasionado con el innúmero mar de identidad siempre distinta, dinamismo extático perenne, imposible soledad desconocida, lejanía eterna de sí mismo, autocreación infatigable, que le responde de un idioma de enamoradas certidumbres o misteriosas exigencias, ¡cuánto le enseña sobre su propio ser y su destino! ¡Cuánto le debe, pecho contra pecho, frente y oleaje confundidos, a este mar que lo sorprende, que le dice que *no* hasta el infinito, o que *sí* en el ocaso inalcanzable; que lo mira ciego, chorreante de espumas, como un idiota sin sentido, o inocentemente lúcido, a través de la sonrisa universal, con los ojos dulces de su niño serio, enigmático, en el fondo! ¡Cómo es él también, ese mar exaltado, abatido, imprevisible; ese mar de la inspiración y *menos;* que acierta o se equivoca en el secreto incesante; que tan entrañablemente lo ilustra sobre pintura, música, amor y poesía!

El segundo mar juanramoniano, el de su venida a América, autodesterrado, en 1936, lo conocemos sólo por los fragmentos del *Diario Poético* que publicó en La Habana, durante su fecunda estancia entre nosotros. Es, al contrario del primero, tan elocuente, un mar inexpresivo, ensimismado, sordo y mudo. El poeta no le entrega a éste, convexo y de mercurio, como a aquél, cóncavo en su magnitud comunicante, su corazón y su esperanza. «Mi ser, cuerpo y alma (nos dice), no estaba este segundo viaje a América, tan distinto del primero, con el presente mar tranquilo, estúpidamente tranquilo, sino con la lejana, enloquecida tierra.»

El poeta estaba entonces, para el mar, fuera de sí, como su patria.

Cuando vuelve a estar cerrado, en y frente al Océano, durante su viaje de 1948 a la Argentina, el mar que tiene ya una calidad tremenda, única, total. ¡Qué mar, y con qué cielo, con qué nubes, espumas, estrellas magnas! Si el primero era un mar sensitivo, éste de *Animal de fondo* es el mar unitivo, planetario y místico a la vez, totalizado por la posesión absoluta del deseo. No mira ya el poeta al mar, sino que ve, en el seno, trono, rayo, de su armonioso movimiento material, espiritual, de su continuo abstracto concreto indisoluble, que vuelve siempre a entrar en su onda varia como lo eterno en sí, la conciencia plena del ser aparecer, de la belleza suma consciente, de la consciencia obrante universal; es decir, en el hombre y en el mar, en lo que los une y los separa, lo divino que es el fin de la obra natural y humana, el dios que llena y es llenado, que lo desea todo y es deseado de todo. Porque ya no es el mar del sentir ni el pensar, sino el mar invisible visible del «clariver», de lo inmanente iluminado, más solo y más unido que nunca: el espejo hermoso, dios palpitante él mismo, del «nombre conseguido de los nombres». Y si aquel primer mar le dio, en la integración poética, el equilibrio de los Nortes, que continuaba acendrando (con lecturas y traducciones de E. A. Robinson, W. B. Yeats, G. W. Russell) en su segundo mar Atlántico o Caribe, este tercero mar lo lleva a la completez de su otro sur: totalidad al fin que había soñado siempre, desde las nostalgias del litoral andaluz, deseando el «ultramar», la «ultratierra», el «ultracielo», y que sólo América (su inmensa mitad oculta del español americano que fue siempre) la podía dar, con la transparentación, en cielo, tierra, hombre y mar, de su sentido religioso último.

LA OBRA

La visión del primer mar, con sus redondos horizontes, seguramente influyó en las primeras intuiciones de la totalidad simultánea de su escritura sucesiva. Cuando un año después de aquel viaje, en *Piedra y Cielo,* empieza Juan Ramón a hablar de la Obra con mayúscula, convirtiendo su poesía, como unidad ideal, en tema de su propia poesía, las imágenes de sugestión marina —«¡Obra pujante y de picos— retraídos, agitadamente lenta —redondeada como el mundo...»—, alternan con las imágenes de jinete, que ya tenían en él tradición: «A caballo va el poeta...»; «Cobre la rienda, — di la vuelta al caballo — del alba...»

Como el potro, «libre esclavo de su dueño», así será la Obra; y como la ola, «leve e infinita, — conciencia divina —y mía— / de todos los momentos de mi ser!» Junto a las imágenes marinas y ecuestres, a veces combinándose o fundiéndose con ellas, se destaca la línea de imágenes vulcánicas, alusivas a un trabajo de forja lleno de fervor, peligro, orgullo. Así vemos, heridoras, esas «mil puntas libres de oro y

fuego»; ese «hervor constante y sin fin, — de mi trabajo»; esa «chispa
inmensa — y breve, de puntas libres — y de redondez esclava» (síntesis
del valor simbólico de potro y mar); esa «ola ardiente; sentimiento — y
fuego»; esa «flor fácil de los yunques naturales», esa «incontaminable
nitidez», atributo de «mis chispas, mis flechas y mis rayos». Todo lo
cual se concentra en un apretado poema de *Belleza*:

> ¡QUE puro el fuego cuando se ejercita,
> —¡corazón, hierro, Obra—.
> ¡Cómo salen de claras
> sus llamas, del trabajo rojo y negro!
> ¡Con qué alegre belleza se relame
> con sus lenguas de espíritu,
> en el aire por él trasparentado,
> —¡corazón, Obra, hierro!—,
> despúés de la pelea y la victoria!

La Obra será completa y redonda, imagen suficiente del mundo,
como el mar; dividida y una, infinita y leve, como la ola; pujante,
libre y frenada, como el potro en el puño y el estribo del jinete; ígnea
y pura, trasunto del espíritu, como las llamas de la forja. Y todo ello
¿qué sentido tiene sino el de trasmutación de lo visible en lo invisible,
de la vida oscura mortal en eterna vida luciente; la burla, por el trabajo
del espíritu, del trabajo arruinador de la muerte? Cuando la Obra se
consume, el alma toda, y por lo tanto el cuerpo vivo, será de ella; la
muerte habrá de conformarse, como un mendigo, con los huesos;
como un depredador inútil, con la «cáscara vana» y el «capullo seco»;
como un verdugo burlado, con el «pelele negro» que se entregará en
sustitución del verdadero ser. Convertir la «carne caída» en verbo,
entrar en la tierra como un bello libro terminado, semilla a su vez de
imprevistas flores; esconderse el alma, sonriente, salvada, en la Obra...
Pero entonces, ¿qué es esa Obra: literatura poética nada más, palabras
y palabras en unos libros fácticos que los hombres leen o no leen, que
durará más o menos tiempo en su memoria, que al cabo fatalmente se
disipará «lo mismo — que una pintura en el aire»; Obra, sobre todo,
que no se siente ni sabe de su hermosura, igual que el sol que no sabe
de su luz; Obra ciega, incoherente y sin sentido para sí misma como la
soledad imposible, tenebrosamente imposible, del mar? Son éstas, preguntas que habría que dilucidar con auxilio de las meditaciones, a ratos
escalofriantes, de Maurice Blanchot sobre la «soledad esencial» de la
escritura. Pero Juan Ramón, audaz espiritualista siempre, descubre por
su parte la salida. No, la Obra no es un mundo literario que se cierra
en sí; es, precisamente, la apertura de ese mundo hacia la inmanencia
creadora universal, hacia lo que siempre, en la sustentación eterna de
la instantánea vida, está creando su propia consciente o inconsciente

inmensidad; hacia las orillas, en fin, de la «divina y májica imajinación». Por eso nos dice:

> —¡No, no; ella, un día, será
> —borrada— existencia inmensa,
> desveladora virtud;
> será, como el antesol,
> imposible norma bella;
> sinfín de angustioso afán,
> mina de escelso secreto...—
> ¡Mortal flor mía inmortal,
> reina del aire de hoy!

Ese «hoy» no puede ser, en definitiva, otro tiempo que el *hoy* místico, absoluto. Por eso no importa que su palabra no penetre en «ellos», en el «no dicho misterio de sus almas», porque esa «mudez», esa «sordera pura», más allá de la opacidad aparente, vive también de lo que es la vida, «y felices ellos», que no tienen que dar la batalla del decir. Y esa batalla se resuelve en una interminable despedida, no sólo de los otros, sino del sí mismo mortal, padre oscuro y contento del hijo cuyo pie toca la «orilla segunda», que es ya «el hijo inmortal», el que volará «refigurado», con nueva figura eterna, de la mina áscua sol del «papel blanco», y de la al fin lograda ondeante desnudez de la «poesía no escrita», Obra suma, a su universo de belleza inefable, en cuya gracia, sin saberlo, estuvo siempre.

EL ESPACIO

Pero también lo que no es eternidad, y precisamente por no serlo, quiere ser expresado. La sucesión anhela colmarse de un suceso puro; la extensión, fundirse de un cuerpo vivo —todo lo cual se cumple simbólicamente en el discurso poemático. Por eso se justifica tanto el poema-fluir como el poema-instante, partiendo de que la poesía, extensa o breve, tiene en su centro un éxtasis de dinamismo ajeno al transcurso y al tamaño, aunque los sature de sentido.

Cuando en 1941, a la salida del hospital de la Universidad de Miami, Juan Ramón fue poseído, según él mismo dice, de «una embriaguez rapsódica », eso que no sabemos qué es, pero que tenemos que llamar «lo americano», se apodera de su impulso expresivo. Es el acontecimiento formal más importante que le ocurre desde que, en 1916 y también al contacto con América, descubre su verso desnudo.

Lo que ahora se le revela, en la estrofa interminable de *Espacio,* es la incesancia fundamental de su palabra, ese monólogo (hecho de intuición e ideología resultante de toda su obra) en principio infinito, que se desovilla sin pausa: ondas y ondas de la corriente lírica, tierras y tierras del espíritu pasando ante la mirada absorta, como si la imagen y el pensamiento encontraran su denominador común en el continuo insomne de la impulsión verbal.

El espacio desplazado y la sucesión anhelante que, con sus diferentes exigencias e intenciones, caracterizan a la más ambiciosa poesía norte y suramericana, es la nueva inesperada conquista de Juan Ramón, que desde luego la marca al rojo vivo de su destino y de sus soluciones peculiares. No hay aquí tema ni desarrollo. El eje sigue siendo el instante; se trata de una suma seguida de instantes, sorpresas, meditaciones, imágenes, una especie de diario poético sin fin. Pero la inspiración americana está en la avidez de esa escritura sucesiva, cuyo objeto profundo parece ser la invasión lírica del tiempo y el espacio, y que tan extraña resulta a la articulación, a la dialéctica y retórica europeas del poema extenso.

«La Florida es (dice Juan Ramón en carta a Díez Canedo), como usted sabe, un arrecife absolutamente llano y, por lo tanto, su espacio atmosférico es y se siente inmensamente inmenso.» Y en el poema citado, exclama: «Yo con la inmensidad. Esto es distinto, — nunca lo sospeché y ahora lo tengo.» Esa nueva ganancia de un espacio sin valles separados, sin costas nostálgicas, sin mares que unen y dividen, sin montañas ni países ni lenguas aisladoras, uno y solo espacio abierto, es el medio donde su palabra puede sumarse en perpetua sorpresa libre, donde su vida puede constituirse en equidistancia universal. El perro que ladra en Coral Gables, donde él está, lo oye en Moguer, en Sevilla, en Madrid, donde no está: el «aquí» lo oye, lo siente, lo vive «allí», y viceversa. Porque es igual «el allí desde aquí» que el «aquí desde allí»: por eso debajo de Washington Bridge pasa «el campo amarillo» de su infancia. Ya en *Sitio perpetuo*, de *la Estación total*, decía: «Viajan los lugares, a las horas propicias.» Ahora no son ya solamente los lugares entrecruzados, o superpuestos, que eran normales en su poesía, sino los ámbitos comunicantes dentro de un ámbito completo de apertura y equivalencia: «y esta New York es igual que Moguer, —es igual que Sevilla y que Madrid». Los sitios están en el espacio integral de la visión, con el tiempo libertado, de absoluta nostalgia reversible, que lo llena.

¡OJO CON EL *ENSAYO*!

Ahí viene, ciego, el toro lógico y bruto del ensayo, Juan Ramón, a obligarnos a torearle en el ruedo inútil. ¡Qué difícil eludirlo, cuando miramos obstinadamente un punto, fijo y lógico, cualquiera que éste sea! De pronto se abre el toril: ya está ahí, con sus astas imantadas. O como el río que transcurría encantado por amenos paisajes, de pronto sentimos la atracción del abismo que se acerca, esperando el salto fatal, irresistible. ¡Pero toro negro y cascada blanca son tan hermosos, a pesar de todo, Juan Ramón, y es tan feo un ensayo que va haciendo la cadeneta de sus enlaces previsibles tejiendo la red para el pez muerto de la poesía!

No, dejémoslo así. ¿Qué iba a decir yo ahora? ¿Acaso me quedaba elección? ¿Después de «la Obra», no tenía que hablar del «Creador sin escape»: de tu ideal del yo, del uno, del dios? ¿Y no tenía que perseguir, entre otras que saldrían de la sombra causal en que me internaba, tus vislumbres de la muerte, del «fondo», de los nombres? ¿Y cómo dejar fuera —¿de qué?, preguntarías tú—, el comentario de tus prosas? ¿Y cómo no considerar tu idea, si es una idea, tan activa de la gracia, y tu visión del «hado español de la belleza» tan refulgente como un astro que se agranda de mirarlo mucho? ¿Y no habría que completar lo anterior con unas páginas sobre «lo feo», «la mujer», «el que va al lado»? ¿Y no sería conveniente esbozar tu paralelo con Rubén Darío, con Antonio Machado, con Miguel de Unamuno? ¿Y en lontananza no se dibujan además unos temas tremendos, sobrecogedores, vagamente formulados: Juan Ramón y la imaginación islámica; y Spinoza; y Rilke?

Pero no, la poesía no se merece que la entreguemos desollada en eso que llaman «un estudio sistemático». No seré yo, por lo menos, quien lo haga contigo. Porque si tu obra, en ti, se ha ido volviendo un sistema («No es suficiente ser un hombre; hay que ser un sistema», escribió justamente Balzac), y en verdad la fascinación de ese hecho es la excusa de la pendiente por donde ya resbalaba, no creo que haya que marchitar ese abierto sistema fragante con un duplicado analítico, especulativo, que ni a ti ni a mí, ni a nadie serviría de nada. Y luego yo creo que el jugo de todo sistema válido está en la fragmentariedad esencial que es su centro anhelante. Y es ese anhelo que se nos comunica, y no la coherencia fatal de su mundo, lo que en suma va a continuar en el creador y en los otros, como aquella misteriosa «corriente infinita» de que tú tantas veces nos hablaste.

DE TANTO MIRAR TU OBRA

De tanto mirar tu obra, Juan Ramón, nos habíamos olvidado de mirar al cielo. Y el cielo ahora está cerúleo y vago, con largas nubes lilas o terrosas, de borde cárdeno, huyendo hacia el acaso. Y un viento fresco, sin perfume y casi sin nostalgia, viento de pura magia física, como el que acaricia el rostro de los que nunca, sin saberlo, te han leído, sale de la inminente noche planetaria. Pero este mismo cielo, sobre las copas quietas de los álamos y las azoteas ya sedientas de lo oscuro, ¿no es también un cielo posible de tu Obra, que a esta hora se abre como un mar eterno, aplacado y doloroso, para que encima pasen los cielos que a nosotros nos parecen imprevistos, escapados a la posesión de tu palabra? ¿Y entonces no hay salida fuera de la luz que ya manda tu corazón completo; más allá de las olas universales de tu frente; o es tu poesía, levantada de la página en que se tendió un instante a descansar, la única salida cerrada, la clausura abierta de lo vivo, de lo único, de lo que piadoso nos recoge siempre, con nuestras gigantescas pesadumbres de imposible, en su ingrávido jazmín inmenso, que no huele?

EL MILAGRO

En la margen cristalina de tu obra, sin duda ajeno al creciente hervor de su discurso, *Platero* es el milagro, la gracia regalada, aunque tú lo hayas escrito con tu esfuerzo normal de creador en aquellos días radiantes, hoy indelebles y partidos como una hogaza de pan bueno para todos.

Saliste de Moguer con el idilio magistral, que parece que existió siempre, que no se acaba de leer nunca, que es la florecilla renovada, levedad y fragancia inmarchitables, de la poesía eterna, escrito en unas hojas caedizas —buscando quizá, como el grana del ocaso encima del malva de la tarde, una palabra más justa en algún sitio.

¿Donde hallaste esa prosa de exquisitos elementos naturales? ¿En los ojos azabaches de Platero, en el agua viva del arroyo, en la fuga cándida de las mariposas, en los saltos ardientes de Diana, en el frescor augusto del pino de la Corona? ¿En las voces de los niños?

Por donde quiera que abrimos tu libro, él se nos da todo unido, lleno cada vez de su propia absoluta distinción, chorro encantado del agua, estrella blanquísima, con suave viento primaveral moviéndole sus lumbres extasiadas, en la frente del idioma.

Cada flor, piedra, nube, árbol, bestezuela, hombre o niño, vive allí rodeado de una aura de luz, nítidamente dispuesto para entrar, sin mengua de su cotidiana y polvorienta gravedad, en la gloria silvestre del idilio, en la hermosura sin mancha que nos alivia el corazón.

Todos los elementos de tu poesía están aquí, pero más pasados de un sol dulce, con raíz sana y copa de blanca majestad, como si fuera el libro de la convalescencia general, y ya sin tiempo, de tu propio martirio de belleza.

Descubriste la pareja ideal de la poesía, que no es la del poeta y el perro, más demagógica, ni siquiera el poeta y la mujer, excesivamente fatal, sino la del poeta y el asnillo de planta ingrave, que da el apoyo suficiente para un lirismo sosegado, para una exaltación que no pierde el contacto con las pobres cosas y las pobres gentes.

¡Con qué deleite dispones en *Platero* los colores, como un pintor de gamas tiernas y doradas, un primitivo que supiera, sin haber perdido su frescura, los secretos de Turner y Renoir!

¡Con qué fino escalofrío, sin violentar el reposo de las cosas familiares, sagradas en su humildad, con qué distinta ráfaga de aromas agrestes y marinos, sentimos en estas páginas el hada del trastorno, el fulgor de lo segundo, la joya pálida de la extrañeza!

¡Y cómo está penetrada y envuelta tu palabra, cada palabra tuya de este libro, como una gota densa y redonda de miel encendida. de una melancólica piedad hacia tu pecho desvalido y ciego, hacia la blancura deslumbrante y pequeñita de tu sur!

Habrás tocado el misterio muchas veces, y habrás entrado en él, con tu fija ambición española, muchas veces, pero nunca como en este libro has *sido* tú el misterio, dentro del rayo de luz que cae sobre tu enlutada silueta y tu cabalgadura gris, por los campos rientes.

Habiendo sabido afrontar el ridículo puro, como un Quijote, no de la justicia, sino de la ternura, mereciste el estado de gracia en la palabra.

Tu vida y tu obra, en su lucha jadeante con la tentación de lo divino, son la vida y la obra de un héroe. Tu poetizar es una gesta larga, dichosa y dolorosa, lentísima en su intensidad, como fue una gesta fulminante el poetizar adolescente de Rimbaud. No perteneces a la línea de los fruitivos artesanos, sino a la de los conquistadores vehementes de la poesía; y entre ellos, en un sentido, no tienes par. Nadie ha llevado, hasta la ancianidad, una vida tan absolutamente trasmutada en poesía, instante por instante, nube por nube, fuego por fuego, como tú.

Llega un momento en que, cuando nombras una cosa, nombras su individuo y su género simultáneamente. Has alcanzado la totalidad platónica de la palabra. El universo todo se te ha vuelto un solo fondo rayeante, lo vivo todo un solo animal glorioso, la conciencia toda un solo dios que se desea. Y entonces tienes que decirnos, dándonos tu lección suprema, la que sin saberlo aprendimos de tí hace veinte años: «el más, el más, camino único de la sabiduría».

Pero el auténtico *más* tuyo, ¿no será *Platero*? ¿*Platero*, sí, que es el milagro sencillo, lo que no se explica por el esfuerzo, ni la pasión, ni el genio; al que volvemos siempre, como a un agua limpia y manante, a saciarnos la sed que da la palabra cada vez más desértica, fanática y alucinada de la poesía; en cuyos campos no fulge el dios que tú te has hecho con tu deseo, sino el Dios inocente que te hizo, el Dios encarnado de tu infancia, de tu madre, de tu pueblo?

¿No será *Platero*, amantísimo Juan Ramón, hecho de *menos* misterios, de sustracciones invisibles, tu verdadero *más* —y tu bienaventuranza?

FINAL

No era fácil ni alegre abandonar aquellos paraísos, aquellos libros preciosos, exactos y fragantes, donde la vida cotidiana y la poesía eterna realizaban las nupcias más bellas de su historia. ¿Y qué buscábamos afuera, en los extramuros de las transparentes «eternidades»? ¿Una penetración más oscura y desgarrada, un deseo que rompía sus esfinges, una absorta memoria inalcanzable, un no saber dónde se está, un oculto delirio clandestino, un espacio vacío que no se puede atravesar, un árbol deslumbrante goteando y destellando, un guijarro. una lámpara, un jinete: la interrogación entrecortada, y feliz, y amarga, y remota, de la vida? ¡Qué sé yo! Era todo esto y más, y más.

Queríamos entrar en otra dimensión, ajena a la polaridad de lo bello y lo feo, lo suficiente y lo excesivo, lo armonioso y lo desordenado, porque no vivíamos en un ámbito (historia grave, geografía resonante), donde la soledad, y sus hermosas compañías, tuviera sentido, sino en una isla (sacrificio, frustración) de *intemperie cerrada,* con el tesoro palpitando como un caos ardiente en lo seco y en lo húmedo, alumbrando en cada cosa un ídolo hueco para el hambre de posesión.

Queríamos coger las cosas con las palabras, y las palabras se nos volvían herméticas, inapresables. Queríamos decir nube y decíamos azotea, caballo, ira; queríamos hacer un poema despierto y nos salía un poema dormido; queríamos decir una cosa enorme y no decíamos nada; queríamos amanecer, y anochecíamos.

Nuestra extrañeza no era de las sensaciones y su trasfondo metafísico, sino de más abajo, de las entrañas, de los huesos, de la raíz.

Hoy he vuelto a repasar sus libros, Juan Ramón Jiménez (y perdóneme si en estas páginas de testimonio, arrastrado por una íntima devoción, me he permitido tutearlo), qué nostalgia de aquel mundo que dejé, que tenía que dejar, como un pobre una joya prestada. Y, sin embargo, cómo veo que usted iba también, por su camino distinto y más alto que todos, a un concentrado frenesí abierto, a un delirio insaciable de posesión que le atormenta la palabra, tan lejos ya de sus predios deleitosos. América y el sufrimiento hicieron de usted otro poeta, ejemplo áureo de vitalidad creadora, continuador diferente de su único destino. Y ahora veo que su semilla cierta en nosotros fue la sed, el deseo, la ambición de una fama del ser que está siempre, despedazada y fiera, en los límites del idioma, a las puertas de la huraña, gloriosa e indecible Realidad.

[*Asomante,* año XIII, núm. 2, San Juan de Puerto Rico, abril-junio de 1957, págs. 31-53.]

JUAN RAMÓN JIMÉNEZ

Con su palidez ojerosa de califa desvelado, ojos tristes perdidos en el cielo, barba bruna salpicada de nieve, sonrisa mustia de flor desvanecida, soledad de alta mar en tierra desolada —todo él un aire de convaleciente irremediable— arribó a La Habana, allá por 1939, Juan Ramón Jiménez. Y de su brazo, comunicándole con el mundo, radiante claridad tranquila, numen y refugio, ímpetu compartido en el dolor y la desgracia, lazarilla infatigable de su ciega levedad divina, Zenobia Camprubí, su esposa.

Venían de España, hoguera de amores y odios universales, tiznados aún del ardiente hollín de la histórica hecatombe: él, «convencido eterno de la virtud del trabajo propio y libre y de la expansión del convencimiento, a cumplir con deberes ideales impuestos por su conciencia»; ella, aliviándole la angustia, el insomnio y la nostalgia. Así conocí yo a Juan Ramón Jiménez, redentor del pollino, arquitecto de nubes, andaluz reconcentrado, solitario y solo como su verso desnudo y, también como éste, henchido de avideces por una vida bella, digna y creadora, en la que cada hombre sirva a los demás guardándose para sí eso que, al transferirse, lo disuelve en barro. Era un alma electa con sustancia de pueblo.

En España había vivido —desvivido— recluyéndose en soledades inventadas o en extraños habitáculos de algodón ornados de chopos y cipreses. En sus primeras neurosis, llenas de visiones lívidas y de morados espantos, Simarro, un loco genial, médico de psiquis conturbadas, le ahuyentaría la muerte con terrones de azúcar. No atreviéndose a afrontar el espacio vacío de los oyentes de Paul Valéry —veinte personas en el amplio salón del Ateneo— le envió un ramo de rosas, lírico desagravio a su obligada ausencia de un «acto de masas». Luego viajó por Europa y por España, fabricando paisajes, sorbiendo vivencias, metiéndose bien adentro lo que veía, sentía y pensaba. Los versos le brotarán cada vez más limpios, claros, aéreos, aromosos, hondos. Menos artificio y más arte en cada nuevo libro. El modernismo, que le había hechizado, era ya un recuerdo sin acorde en su lira, y Rubén Darío una estatua en el bosque. Era de su tiempo y con su tiempo iba. No tardó en cuajarle en miel propia el néctar ajeno; y, al enajenarse, fijó el deslinde. Por obra y gracia suya, la poesía española reivindicaba su acento, tornaría a mandar de sí misma sin dejar de nutrirse del caudal foráneo. Cuando la raíz se riega con agua múltiple, la savia se alquitara y el sabor del fruto se refina.

Si Enrique González Martínez le torció el cuello al cisne, Juan Ramón Jiménez le cortó el ala a la anécdota. Comenzaba la ingente pelea consigo mismo: toda su obra es sometida a pulcra y rigurosa revisión. La depura de realidad inmediata para transfundirle realidad eterna. Traduce sus hervores íntimos en puras esencias y en metáforas de cristal. «El poeta —define— es creador oculto de un astro no aplaudido.» «Creo —sentencia— en la realidad de la poesía. Y la entiendo como la eterna y fatal belleza contraria que tienta con su seguro secreto a tal hombre de espíritu ardiente.» «Yo —confiesa— tengo escondida en mi casa, por su gusto y el mío, a la poesía, como una mujer hermosa. Y nuestra relación es la de los apasionados.» Es la hora de plenitud de su preciosismo interno: la rima adviene sin contactos con la ganga que fluye. Su desdén por Pablo Neruda —voz prodigiosa ya seducida por el poema empapelado de consignas— origina sonada pendencia literaria.

En Cuba la contienda que desgarraba a España suscitó enconos y temores de guerra civil. No eludió Juan Ramón Jiménez sus deberes y responsabilidades. Asistía, con fervor de mílite, a todas las asambleas de afirmación republicana. La pureza de su verso cobraba peculiar significado en aquellas descomunales orgías de palabras encendidas y afiladas. Nunca levantó la suya; pero jamás arrodilló su conciencia. Su culto a la dignidad humana explica el misterio de su dignidad estética.

A menudo yo le visitaba en su recatado hotelito, o venía él a mi casa, a pocas cuadras de donde vivía. Era una delicia inefable oírle el espíritu trasmutado en verbo. La gracia andaluza matizaba sutilmente su grave melancolía de árabe neoplatónico. Mi hijo, a la sazón en los dos años, se le trepaba hasta las barbas, y Juan Ramón, que amó a los niños con la ternura angélica de José Martí, le dejaba hacer toda clase de diabluras. Sobre el Quijote cubano, aquel «caballero andante, que tendió un hilo de amor y odio nobles entre rosas, palabras y besos», escribió una de sus más finas y coruscantes prosas. Se adentró por «esa Cuba verde, azul y gris, de sol, agua o ciclón, palmera en soledad abierta o en apretado oasis, arena clara, pobres pinillos, llano, viento, manigua, valle, colina, brisa, bahía y monte»; le preocupó su destino —tragedia griega con puntas de choteo— y movió entusiasmos, inquietudes, afanes y esmeros en la gente de letras, especialmente en la mocedad que irrumpía. A nuestro mensuario *Baragua* —aspillera de francotiradores acosados— le regaló, para su estreno, una oleada de fulgurantes espumas. La poesía entrañada y melódica de Angel Gaztelu —cura de misa y canto, olla y deliquio— muestra, todavía, la cicatriz resplandeciente de su garra exquisita. El grupo de la revista *Orígenes,* uncido al bastón de mariscal de imaginífero y encaracolado José Lezama Lima, fue centro de sus predilecciones. Y ahí está, como prenda de su interés por los poetas cubanos nacientes a su paso, una generosa antología.

Un día los vientos del éxodo se llevaron a Juan Ramón Jiménez a Puerto Rico. En la «isla mágica» soñó, sufrió, meditó, añoró, creó. Se le rodeó de mimos, silencios y distancias. Y así, insensiblemente casi, el destierro se le trocó en transtierro, España y América prendidas a su corazón como «una enredadera de ascuas». Allí Zenobia expiró, inmóvil blancura rociada por la lluvia invisible del llanto de un poeta, su poeta, el poeta por antonomasia de una época al ras del suelo. La consagración universal del Premio Nóbel le llegó en plena luna de hiel con el luto; y la depositó corona de luceros, sobre la tumba recién cerrada. Y tapió el jardín, apagó las luces y se enclaustró herméticamente en ansiosa espera de la muerte, otrora temida. Sus despojos yacerán en tierra de sus antepasados. Fue su última voluntad. En esta América queda su espíritu —limpio, claro, desnudo y libre como su verso— en tanto España permanezca soterrada o peregrina. También fue su última voluntad. Leal a su poesía, a su vida, a su patria, a la cultura. Puro poeta y hombre puro. Su conducta vale tanto como su genio.

[*Cuadernos,* París, núm. 32, septiembre-octubre de 1958, páginas 26-27.]

RAFAEL ALBERTI

PRÓLOGO

Subí yo aquella tarde
con mis primeros versos
a la sola azotea
donde entre madreselvas y jazmines
él en silencio ardía.

Tenía yo poco más de veintidós años cuando por vez primera te di la mano, Juan Ramón, en tu azotea de Madrid, Alberto Lista, 8. ¡Oh día señalado! Tú conocías ya algunos versos míos, aparecidos en la hoja literaria de *La Verdad*, que Juan Guerrero, «el cónsul de la poesía española», como luego lo llamara García Lorca, dirigía en la ciudad de Murcia. ¡Qué extraña mezcla de confusión y miedo me produjo de pronto tu presencia, aquella negra y violenta barba en tu perfil de árabe andaluz, levantado ante mí en el descenso de la tarde! Yo te llevaba estrofas frescas de *Marinero en tierra*, mi primer libro, aún sin publicar, canciones en las que se apretaban todas mis nostalgias gaditanas, lejos de la cegadora bahía, que tú, desde tus años escolares en mi mismo colegio jesuita del Puerto, guardabas también, como destellador relámpago, en el recuerdo de tus ojos. Aquella tarde de primavera, con las cumbres azules del Guadarrama al fondo, quedó abierta nuestra amistad, clara y constante, a pesar de los grandes altibajos, propios de tu carácter exigente, cuando no arbitrario y lleno entonces de cuchillos temibles.

Ahora que ando contigo, releyendo aquí en Roma con Aitana tu millonaria obra de poeta, vacilando en la elección de este o aquel poema, de tal capítulo de *Platero* para esta *Antología*, me estremezco pensando en aquellos primeros años de tus desvelos por la nueva poesía que con tanto apasionado fervor se iba dibujando. Antonio Espina, Jorge Guillén, Pedro Salinas, Dámaso Alonso, García Lorca, Bergamín, yo... y algo después Altolaguirre, Prados, Cernuda, Aleixandre,

— 79 —

íbamos siendo registrados, señalados por ti como estrellas nacientes en el cielo poético de España. Pienso que nunca volverá a existir otro poeta más escuchado, más querido que tú en aquellos años. Luego, luego... las peleas comenzaron, casi siempre por motivos minúsculos, de orden literario. Tú, el «Cansado de su nombre», comenzaste a cansarte de algunos de nosotros, llevando las cosas a extremos caprichosos, absurdos, hasta lograr que algunos se cansaran también de ti. Mas a pesar de los pesares, se te siguió queriendo a distancia, perdonándote, aunque no siempre de buena gana, tus evidentes injusticias. Después, durante los años de la República, seguiste atendiendo tanto al perfeccionamiento de tu ya larga obra como a la apreciación de las nuevas voces, entre las que supiste destacar la «del sorprendente muchacho de Orihuela», Miguel Hernández.

En el verano de 1936 te encontré una mañana —ya era la guerra— en la Plaza de España. Te ibas. Voluntariamente. A Norteamérica, creo que me dijiste... Y yo también tuve que irme, aunque más tarde. Y así pasaron más de veinte años, hasta que un día supimos de tu muerte, allá, en una isla del Caribe.

> ...Y yo me iré. Y se quedarán los pájaros
> cantando.

Hacia 1913, pensando ya en tu viaje definitivo, cantabas así, todavía en tu Moguer natal, frente a la mar atlántica de nuestro sudoeste andaluz.

> ...Y yo me iré. Y estaré solo, sin hogar, sin árbol
> verde, sin pozo blanco,
> sin cielo azul y plácido...
> Y se quedarán los pájaros cantando.

Han pasado grandes poetas por la tierra del mundo, de destellos brillantes, cegadores. Pero llama tan encendida, tan desvelada, tan sostenida día y noche, sólo a ti te tocó consumir. Te marchaste, es verdad, se nos apagó dolorosamente el alma que la sostenía, pero, como ya lo habías predicho en tu juventud, se quedaron los pájaros cantando. Y aquí están. Estos son. Se llaman: *Arias tristes, Jardines lejanos, Pastorales...* Primeros libros tuyos, Juan Ramón. En ellos —entre los fuegos, a veces verdaderamente artificiales, del modernismo, del que Rubén Darío fuera, entre todas sus voces, la más genial y capitana— apareces con una mágica palabra, un verso suave, corto, desprovisto del halagador repiqueteo de la rima, que en aquellos días indagadores de rarezas, ofrecía, como hallazgos, los ripios más absurdos. Tu verso mágico, tu enorme acierto en la elección, fue el octosílabo, el verso asonantado, pobre en apariencia junto a la rima, de nuestro tradicional romancero epicolírico. Pero el romance en ti va a ser más expresivo y melódico, no va a narrar batallas fronterizas al modo de los viejos poemas, ni a relatar sucesos actuales, como Machado en *La tierra de Alvargonzález*. Tampoco tu romance va a tener lo que el de García Lorca tendría luego: dramatismo, plasticidad, enguirnaldados de metáforas destelladoras. Tú, Juan Ramón, vas a crear en esos primeros libros tuyos el romance puramente lírico, inasible, musical, inefable. En él vas a ensoñar tus paisajes campesinos y marineros, tus iniciales amores, la flauta del pastor, tus cielos y jardines lejanos, velado todo de esa honda tristeza andaluza, que Rubén señalara al elogiar en *Arias tristes* la forma de expresión inconfundible, tu acento, tan personal ya desde entonces.

Cuando años más tarde vagabas por los campos moguereños a lomo de Platero, tu burrillo inmortal, inauguras en *Baladas de primavera* la canción, casi siempre breve, a la que volverás con frecuencia a lo largo de toda tu obra. No es todavía la canción nuestra, de acento a veces popular, de los poetas andaluces posteriores. Y, sin embargo, qué deje y qué gracia más del sur los de estas canciones que te inventas. Te inventas, sí, pero llenándolas de apoyaturas tradicionales, de estribillos para cantar, en los que ya pueden escucharse ecos de nuestros viejos cancioneros musicales, anticipos de García Lorca y —perdóname— también míos.

> Morado y verde limón
> estaba el poniente, madre.
> Morado y verde limón
> estaba mi corazón.

Casi al centro de tu vida, aunque sin abandonar nunca el poema asonantado —romance o canción— aparece en tu obra, con insistente frecuencia, la rima, que va desde los alejandrinos de *La soledad sonora* hasta los endecasílabos de *Sonetos espirituales*. Una rima que en sus mejores momentos no lo parece, pues el poema crece de una manera natural, sencilla, sin que se note el andamiaje arquitectónico, como sucede en el verso marmóreo de los parnasianos, y que no trae por eso el recuerdo de Rubén Darío, como a veces ciertos poemas rimados de Machado, la falta de libertad que suele casi siempre imponer la rima no se nota, no salta en los oídos. Tu palabra, por lo general, sigue siendo desnuda, trasparente, enriquecida aún más por un agudizamiento de sus sentidos, un mayor poder de contemplación. Los «extraños ropajes» —palabras tuyas condenatorias— que sobrecargaron un momento tu poesía, corresponden a las de *Laberinto* y otras parecidas que tú quisiste olvidar.

A partir de *Estío*, tu palabra única, Juan Ramón, va a inaugurar el verso blanco, que se irá haciendo cada vez más libre, hasta llegar —pasando por *Diario de un poeta recién casado, Eternidades, Piedra y cielo, Poesía, Belleza, La estación total, En el otro costado*— a *Dios deseado y deseante*, con su *Animal de fondo*, tu último gran libro cuyas pruebas tuve el honor de corregir, aparecido en Buenos Aires, en la Colección Mirto, que yo dirigía. Tu palabra poética se ha independizado de todo formalismo impuesto, alcanzando, en una clara y tenaz línea ascendente, su plena madurez. El poema se te atomiza, prendiendo en él la eternidad de un instante, la fugacidad de los estados de alma más imprecisos. Nunca prescindes de lo que te rodea. Lo anecdótico, por muy pequeño que sea, ha desaparecido. Los minutos trasfigurados de tu vida interior los vas registrando, los vas clavando diaria y pacientemente como rastros de luz, como pequeñas mariposas cazadas al vuelo. Has entrado por fin en la estación total de tu vida, llegando al cénit —quizá no comprendido ni gustado por muchos— de la Poesía, pudiendo preguntarse cualquier lector ingenuo, ante los poemas de estos últimos libros, si son del mismo poeta de los romances de *Arias Tristes,* las *Baladas* o los *Sonetos.* Y sí lo son, a pesar de su fisonomía diferente, del rostro nuevo y vivo del mundo de la palabra. La constante depuración de ésta, te condujo hasta el logro de una de las expresiones líricas más sorprendentes de nuestro tiempo.

Y así tú, Juan Ramón, poeta andaluz, que diste a lo andaluz un sol universal, como Picasso, en un arder constante, en una sostenida elevación, pocas veces lograda en nuestra lírica, alcanzaste, en lo que tú mismo llamaras «lo penúltimo de mi destinada época tercera», tu deseado y deseante dios, un dios sólo posible por el camino, cavado hacia lo alto, de la poesía. Era, al fin, justo que tú, místico de mirada quemante recibieras, como un Ben Gabirol de nuestros días, después de tan largo desvelo —ya éxtasis de amor o anhelo de eternidad— el premio de ese dios de tus últimos días, que se levanta, dentro de la categoría de lo humano, a la de más humano, que pudiera ser la de divino.

Podrá Antonio Machado, ahora más en carne viva su presencia, llenar una realidad nuestra, propicia todavía para ello, pero pienso que en nada disminuye el gran espacio que ocupa Juan Ramón, presencia poética quizá hoy menos viva para muchos, aunque quizá también de mayor porvenir.

Roma, noviembre de 1969.

[En *Antonio Machado, Juan Ramón Jiménez, Federico García Lorca. Antología,* Barcelona, Ed. Nauta, 1970, págs. 183-187].

III

DE LOS *BORRADORES SILVESTRES* HASTA *EL NOMBRE CONSEGUIDO*

RICHARD A. CARDWELL

LOS *BORRADORES SILVESTRES*, CIMIENTOS DE LA OBRA DEFINITIVA DE JUAN RAMÓN JIMÉNEZ

A pesar de las influencias de un Campoamor o un Núñez de Arce en los poemas que publicó Juan Ramón Jiménez entre 1898 y 1900 en revistas y en sus dos primeras colecciones —*Ninfeas* y *Almas de violeta*—, sus versos señalan una ruptura con las tradiciones anteriores y una evolución hacia nuevas formas. Al principio, los de la peña poética sevillana —Montoto y Rautenstrauch, Lamarque de Novoa, Velilla, Guerra Ojeda, Muñoz San Román, Ramos García— elogiaron los esfuerzos del joven moguereño. Los artículos críticos y los poemas dedicados a Juan Ramón reflejaban su estimación y su aprecio, sentimientos que eran recíprocos. Sin embargo, al cabo de muy poco tiempo, como recordó Jiménez en *El modernismo poético en España y en Hispanoamérica* (1946) y en otras partes, iban a condenarle los aspectos «románticos» y «modernistas» de su obra. El día 3 de noviembre de 1899 Francisco Ramos García, editor de *El Programa*, introdujo a Juan R. Jiménez a sus lectores en un artículo conmemorativo y destacó un aspecto peculiar:

ese delicado romanticismo..., ora con lamentaciones de arrebate, parecidas a las de Lorbeiron (sic), ... ya con tendencias, un poquito amaneradas, a los excepticismo (sic) de Espronceda.

E. Gómez de Baquero puso los mismos reparos al «romanticismo» y al «escepticismo» de *Ninfeas* y *Almas de violeta* en una «Crónica literaria» en *La España Moderna* (núm. 159) en 1902. Timoteo Orbe, liberal, krausista, alumno de Unamuno y amigo del poeta llegó a amonestarle acerca de los «mercuriales franceses» en su reseña de *Ninfeas* en *El Porvenir* en 1901. Lo que sorprende, más que esta hostilidad, es la reacción de Juan Ramón mismo frente a sus obras primerizas, reacción que ha de ser de repudiación y aversión. «Llegó a creer», escribió Francisco Garfias en el prólogo a *Primeros libros de poesía* (Madrid, 1959) *(PLP)*, «que sus "borradores silvestres" eran nocivos, no sólo en el terreno del arte, sino en el de la moral» (16). Tenemos, pues, que plantear dos problemas. El primero es ¿cuáles fueron los motivos de los reparos de los críticos contemporáneos además de cuestiones de innovación estilística? El segundo es ¿por qué afirmó Jiménez que «mis libros anteriores, los de mi primera juventud enfermiza y triste sobre todo, que a nadie pueden beneficiar con su lectura, no debieran figurar ni ahí ni en ningún sitio»? La respuesta a estas dos cuestiones se hallará en un examen crítico más serio de los «borradores silvestres». *Ninfeas* y *Almas de violeta* son, sin duda alguna, obras importantes en la historia del modernismo español. Precedieron a la obra de los hermanos Machado, Oteyza, Ortiz de Pinedo, Leyda, Urbano, y son contemporáneas de las publicaciones tempranas de Martínez Sierra y Valle-Inclán. Entre los jóvenes sólo Villaespesa publicó antes que él. Es extraño que tan consistentemente se hayan desatendido estas colecciones y aún más teniendo en cuenta que las escribió el mayor poeta del modernismo español.

Se ha descartado la obra juvenil como «balbuceos líricos», «versos ingenuos» y «un mero preludio mocil». A esta obra nunca le ha sido otorgada la atención seria que merece como indicio de la perspectiva poética del poeta en los años finiseculares y una parte esencial de la voz de su generación. Comentó Palau de Nemes de mala gana en *Vida y obra de Juan Ramón Jiménez* (Madrid, 1957) que «estos primeros versos... no eran más que ensayos modernistas y demostraban una confusión de procedimientos natural en un principiante romántico y desorientado ante las tendencias poéticas en pugna; pero aún en la forma tenían valor» (69), juicio que es bastante representativo del punto de vista de los otros biógrafos y críticos juanramonianos. La afirmación de Guillermo Díaz-Plaja en *Juan Ramón Jiménez en su poesía* (Madrid, 1958) de que «no procedemos a un análisis crítico de estos versos que el poeta repudió en seguida» (95), es probablemente, el ejemplo más extremo.

No obstante, dentro de la poesía juvenil, se expresan una perspectiva y un criterio sobre la vida que compartieron comúnmente no sólo el grupo modernista, sino también la Generación del 98 contemporáneo. Hay muchos críticos que han descrito el modernismo en términos de «la crisis universal de las letras y del espíritu, que inicia hacia 1885 la disolución del siglo XIX... un hondo cambio histórico», «un estado de conciencia» o «an age of spiritual unrest» («una época de desasosiego espiritual»)[1]. Otros, como Gullón, Schulman y González han hablado de los aspectos ideológicos y «románticos» del movimiento sin destacar el tipo de romanticismo del cual se trata[2]. Mi posición coincide con la

[1] F. DE ONÍS, *Antología de la poesía española e hispanoamericana* (1882-1932), Madrid, 1934, XV; A. ZUM FELDE, *Crítica de la literatura uruguaya*, Montevideo, 1921, 18; I. GOLDBERG, *Studies in Spanish American Literature*, Nueva York, 1920, 1-2.
[2] R. GULLÓN, *Direcciones del modernismo*, Madrid, 1963, y *La invención del 98 y*

de D. L. Shaw, de H. Ramsden[3] y de los comentaristas contemporáneos que reconocieron que la ideología dominante del movimiento en España fue la forma «negativa» o «escéptica» del pensamiento romántico. Es una cuestión de desorientación espiritual y duda metafísica. En 1884 Luis Ruiz Contreras se quejaba en *Desde la platea (Divagaciones y crítica)* de que «la moderna sociedad sintió que un gusanillo cercenaba sus más profundas raíces ... La fe se desvanecía, y la desconsoladora duda se hizo reina» (111). En *Alma contemporánea* (Huesca, 1899) J. M.ª Llanas Aguilaniedo atestiguaba que «han aparecido ... síntomas equívocos de vejez y decadencia; el pesimismo, ... la solemnidad de un Nietzsche, ... el gesto del escéptico y del desengañado» (47). En 1903 se lamentó U. González Serrano de una manera parecido en *La literatura del día (1900 a 1903)* (Barcelona, 1903) de que «huye la juventud con honda melancolía de la fe perdida» (33). Todavía a una fecha tan tarde como el año 1907 encontramos a Antonio de Zayas que notaba en *El Modernismo (Ensayos de crítica histórica y literatura)* (Madrid, 1907) que «la mayor parte de los adalides del modernismo (espíritus inquietos) han llegado a considerar la vida ... como un verdadero tópico, [como un] concepto desconsolador y enervante ... [con] cínico desdén ... [hasta] un escepticismo gélido» (394-96). Fue sobre la cuestión de la pérdida de valores absolutos, religiosos, morales, éticos o filosóficos, que una hueste de críticos —Antonio de Valbuena, Leopoldo Alas, Joan Maragall, Juan Valera, Marcelino Menéndez Pelayo, P. Blanco García, Emilio Bobadilla, etc.— se juntaron para atacar y condenar la heterodoxia de la joven generación naciente. Emilio Ferrari, discípulo de Núñez de Arce y portaestandarte de las tradiciones poéticas del siglo anterior, fue uno de los más enérgicos en su censura del modernismo. En 1905 ante la Real Academia Española pronunció un discurso sobre el problema de «La poesía española en la crisis actual». En el centro del modernismo encontró que

la incertidumbre se ha hecho vértigo, la escisión dolorosa se ha tornado en disgregación atomística, las líneas paralelas del dilema se han dislocado en zis-zas innumerables entrecruzándose locamente hasta producir un laberinto sin salida (14).

Como Alas y Valera, señaló dónde se había originado esta «filosofía del dolor absoluto e irremediable ... el análisis corrosivo». Para él se remontaba su ascendencia hasta el romanticismo y el racionalismo del

---

otros ensayos, Madrid, 1969; I. A. SCHULMAN, «Los supuestos precursores del modernismo hispanoamericano», *Nueva Revista de Filología Hispánica,* 12 (1958), 61-64, y «Reflexiones en torno a la definición del modernismo», *Cuadernos Americanos,* XXVII, 1 (1968), 268-70; M. P. GONZÁLEZ, *Notas en torno al modernismo* (México, 1958).
[3] Ver D. L. SHAW, «*Modernismo:* A Contribution to the Debate», *Bulletin of Hispanic Studies,* XLIV (1967), 195-202; Idem, *Historia de la literatura española. El siglo XIX,* Barcelona, 1975, y «Il concetto di finalità nella letteratura spagnola dell 'Ottocento'», *Convivium,* XXVIII (1960), 553-561. H. RAMSDEN, *The Spanish 'Generation of 1898',* The John Rylands University Library of Manchester, 1974.

siglo XVIII. Para él y sus contemporáneos ortodoxos el problema era espiritual: «una superstición metafísica, ...un fanatismo del misterio ... un vacío gris ... modernismo ... desesperación ... la nada» (15-16)[4].

Creían muchos que este fenómeno, el *criticismo* romántico, había puesto en peligro la estabilidad de la sociedad y las creencias colectivas, intelectuales, religiosas o morales, en las cuales se fundaba. «Pronto», fulminó Ferrari, en palabras que recuerdan al prólogo a las *Poesías* de Zorrilla escrito por Pastor Díaz en 1837, «sobreviene un desasosiego enfermizo, que, al turbar la conciencia colectiva, enerva el espíritu público, y al pervertir la voluntad común, destruye los resortes del civismo» (16). Este, pues, es el motivo del antagonismo frente al arte modernista en España y frente a la poesía temprana de Juan R. Jiménez en particular. La desorientación espiritual es el fenómeno central del movimiento modernista tanto español como hispanoamericano. Si consideramos el «Nocturno» de Silva, «Lo fatal» de Darío, *Alma* de Manuel Machado o *La copa del rey de Thule* de Villaespesa, encontramos de modo creciente que mientras estos escritores sentían asco por la época en la cual vivían y su carencia de *idealismo* (como se lamentó Jiménez en su reseña de *Rejas de oro* de Timoteo Orbe en *Vida Nueva,* 87, 4-II-1900) *(VN)* echaban la culpa no tanto a la sociedad o a sus dirigentes, sino a la pérdida de la fe religiosa. El resultado fue una conciencia angustiada de su incapacidad para recobrar su fe a fin de llenar el vacío espiritual. «Busco en vano una estrella que me alumbre», gritó Nervo en «Al Cristo», «busco en vano un amor que me redima; / mi divino ideal está en la cumbre, / y yo ¡pobre de mí! yazgo en la sima». «Plegó la fe sus alas de paloma / en mi angustiado espíritu», escribió Reina en «Desde el campo», y «rasgando el velo brillador que ocultaba / la espantosa miseria de los hombres / el árbol de mi vida ... / ... cayó herido / por el hacha fatal del desengaño». «Dícese, y con razón», hizo observar Gregorio Martínez Sierra en *Alma Española* (6-III-1904), «que la juventud actual, si no es frívola, es triste; yo creo que su frivolidad o tristeza son sencillamente desconcierto, por falta de finalidad. . Antiguamente hablaba la Iglesia y daba la fórmula del vivir ... hoy todo es silencio». «Nada ha amargado más las horas de meditación de mi vida», anotó Darío en su *Historia de mis libros,* «que la certeza tenebrosa del fin. Y cuántas veces me he refugiado en algún paraíso artificial, poseído del horror fatídico de la muerte».

Pero, diría uno, ¿tiene que ver todo esto que estamos discutiendo con un poeta que dedicó toda su vida y toda su Obra a la creación de la Belleza y el descubrimiento del Dios deseado y deseante? La respuesta se encontrará en los poemas que aparecieron en las revistas y en las

[4] Para un estudio más amplio del aspecto criticista del movimiento romántico en España, ver D. L. Shaw, «Towards the Understanding of Spanish Romanticism», *Modern Language Review,* LVIII (1963), 190-95, y «The Anti-Romantic Reaction in Spain», *Modern Language Review,* LXIII (1968), 606-11

dos primeras colecciones publicadas en Madrid en el otoño de 1900. Comenta correctamente Palau de Nemes en su biografía renovada *(Vida y obra de Juan Ramón Jiménez: La poesía desnuda)* (Madrid, 1974) que «la angustia y la inquietud de vago tipo religioso estaban presentes en la primera poesía juanramoniana, escrita antes de 1900» (312). «En el fondo», continúa, «[le] movía la voluntad de vencer el escepticismo de la época ... [El] alimentab[a] anhelos de salvación a través del arte» (492). Esta afirmación recuerda a las palabras de Darío que arriba se acaban de citar. Tenemos en la poesía juanramoniana, tanto como en la de Darío, el mismo fenómeno. Si analizamos todo esto como he sostenido en el caso de Darío[5] descubrimos el problema central del *criticismo* posromántico y el recurso deliberado al Arte (el «paraíso artificial» por antonomasia) como opio y autoengaño. Es de lamentar que Palau no aproveche el testimonio de las poesías juveniles para confirmar exactamente lo que fue «la angustia» del poeta y «el escepticismo de la época».

Un breve análisis de algunos poemas juveniles serviría, entonces, para confirmar mi punto de vista. En fecha tan temprana como 1895 cuando el poeta estaba todavía en el colegio jesuita escribió «Plegaria» *(VN,* 67, 17-IX-1899) que recuerda a Espronceda y a los poemas de la duda de Núñez de Arce. En este poema encontramos la búsqueda de una respuesta satisfactoria a los problemas de la Verdad, la muerte y la finalidad última y el rechazo de cualquier solución religiosa convencional. En «Vanidad» *(El Programa (ElP),* 15, 2-III-1899, y *VN,* 50, 21-V-1899) se da cuenta de que «hemos a la nada» como en «Triste ley» *(ElP,* 20, 30-VI-1899)[6] reconoce que la hermosura de la naturaleza y del mundo que le rodea no es eterna sino que «al fin vuelve a parar todo en la nada». En «Nocturno» *(VN,* 26-III-1899), «Horrible mascarada», *(VN,* 76, 19-XI-1899), «El paseo de carruajes» *(ElP,* 15, 2-III-1899), y «Farsa triste» (inédito) subraya Jiménez la locura de confiarse en los placeres sensuales y destaca la vanidad de las ilusiones y el carácter efímero de la felicidad humana. En pocas palabras, expresa Juan Ramón la nada de la existencia y el fracaso de la ilusión frente a la ausencia de cualquier forma de divinidad o una interpretación armoniosa de la vida. En «Campanas» las campanas no ofrecen una consolación religiosa, sino una conciencia de la índole pasajera y fugaz del tiempo y la futilidad del vivir. En «A un día feliz» *(VN,* 85, 21-I-1900)

---

[5] Ver mi artículo «Darío and *el arte puro:* The Enigma of Life and the Beguilement of Art», *Bulletin of Hispanic Studies,* XLVII (1970), 37-51.

[6] Los poemas publicados en *El Programa* los ha reproducido R. PÉREZ DELGADO en «Primicias de Juan Ramón Jiménez», *Papeles de Son Armadans,* año XIX, tomo LXXIII, número CCXVII (1974), 13-49. En el apéndice a mi artículo «Juan Ramón Jiménez and the Decadence», *Revista de Letras,* 23-24 (1974), 291-343, reproduzco estos poemas y varios poemas inéditos de la misma época. G. Palau de Nemes en su biografía renovada también incluye varias poesías publicadas en las revistas andaluzas. Los poemas publicados en *Vida Nueva* aparecen en el artículo de M. GARCÍA BLANCO, «Juan Ramón Jiménez y la revista *Vida Nueva», Homenaje a Dámaso Alonso* (Madrid, 1961), II, 31-72.

la tarde no lleva la paz esperada, sino el reconocimiento del decaimiento, la tristeza y la muerte, el tema de *Nevermore* de Poe tan común en la literatura modernista. Reaparecen estos temas u otros similares en las «Traducciones de Ibsen» *(VN,* 83, 7-I-1900). Allí pone Juan Ramón más énfasis en la impotencia del hombre ante una arbitraria fuerza cósmica, la cárcel de la vida, el engaño del hombre y el derrumbamiento de la ilusión. Todos estos temas son románticos y pertenecen a la tendencia negativa del movimiento que expresaron en España Larra, Espronceda y, al volver del exilio, el duque de Rivas. En «Nubes» *(Almas de violeta)* el sentimiento y el pensamiento buscan un ideal consolador —«puras tintas nacaradas»—. Descubren también «fatídicas notas enlutadas / y luz y fría sombra». El pensamiento («Sol») llega a disfrutar de «vida» y «colores», pero de vez en cuando le llegan visiones como «un muerto ... en sudario fúnebre cubierto». Aquí Juan Ramón se hace eco del espíritu de las famosas líneas byronianas: «Sorrow is knowledgez; they who know the most / Must mourn the deepest o'er the fatal ruth, / The Tree of Knowledge is not that of Life» (Manfred) («El conocimiento es del dolor: los que saben más son los que son angustiados por la verdad amarga, el árbol de la ciencia no es el árbol de la vida»). También se hace eco del descubrimiento de Mallarmé y otros simbolistas, el que dentro de la belleza misma, del ideal tan anhelado, yace una verdad, pero una verdad que amarga antes que consuela.

Quizá se encuentra el mejor ejemplo de la confrontación con los problemas metafísicos en «La niña muerta». La cuestión fundamental que pone el poeta es ¿cómo acomodará la mente racional un sino arbitrario e inexplicablemente inmerecido (planteado por el sufrimiento y la muerte de los inocentes) con una creencia en una explicación de la existencia últimamente armoniosa y providente? Esta cuestión ya la habían planteado en España Espronceda en el último canto de *El diablo mundo,* Rosalía de Castro en «Era apacible el día» *(En las orillas del Sar)* y pronto la planteará el héroe de Baroja al fin de *El árbol de la ciencia.* Escribe Juan Ramón:

> Señor, dos cosas me hicieron dudar siempre de Ti; una cosa negra y una cosa blanca: que nacieran seres monstruosos y que se mueran los niños:

> ¡Que se mueran los niños! El hombre puede soportar con un pensamiento, dolor y pesar, pero el niño muerto es solo dolor, todo dolor, una llaga blanca sin orillas.

> > *(Libros de prosa* [Madrid, 1969], 1189)

La existencia de lo feo y lo injusto; dos problemas metafísicos, el uno estético, el otro ético y moral.

Era la herencia romántica de un pesimismo sistemático y de duda en la obra juanramoniana y las varias posturas que adoptó el poeta para solucionar el dilema —Decadencia, esteticismo, exoticismo de evasión[7]— que ocasionó la crítica en las columnas de las revistas contem-

---

[7] Mi libro *Juan R. Jiménez: The Modernist Apprenticeship,* de próxima aparición, somete estos aspectos a un análisis detenido y destaca el aspecto negativo y escéptico del

poráneas y provocó la ruptura con Rueda quien pronto formará una alianza con Ferrari[8].

¿Por qué rechazó posteriormente su obra juvenil? Si el Arte se convirtió en el único baluarte frente a la duda y los enigmas insolubles y la única fuente de autoengaño, también se convirtió en el último absoluto y el punto de apoyo final para la vida. En 1947 escribió Juan Ramón: «Para mí la poesía ha estado siempre íntimamente fundida con toda mi existencia. ... Y ¿cómo no había de estarlo en lo místico panteísta la forma suprema de lo bello para mí? ... Lo poético lo considero como profundamente religioso». *(Tercera antolojía poética* 1016). En este ensayo y en muchos otros de esta época se ve claramente que ha sustituido Juan Ramón la religión tradicional por el Arte (la Belleza, la Poesía) como el absoluto final. No hay que olvidar tampoco la observación de Jiménez de que «Me río de todo lo humano y de todo lo divino y no creo más que en la belleza». Esta afirmación sugiere la exaltación consciente de la belleza a expensas de los ideales convencionales divinos y humanos. En poemas tan tempranos como «Ofertorio» y «Somnolenta» *(Ninfeas)* encontramos los primeros relatos del viaje poético hacia alguna forma de ideal estético. Pero a pesar de todo, como se ve en «Mis Demonios» y «Titánica» en la misma colección, el viaje hacia la «Verdad» de la Belleza no solamente trae *ensueño, delirio,* «esplendidos fulgores de un Sol pródigo en vida y colores» («Nubes») (que simbolizan el conocimiento del Ideal y la consolación que lo acompaña), sino «el sarcástico Desencanto que deja al poeta gimiendo entre las sombras del frío abismo de la Verdad»... Lo que sigue en los próximos dieciséis años es la exploración de esta paradoja. Se encuentra en estos poemas un concepto de la Belleza como el único absoluto, y, al mismo tiempo, se ve que encierra en su centro la conciencia misma de la nada que este ideal anhelado debía de haber sustituido.

En *Elegías puras* (XI) Juan Ramón busca en la belleza «una ilusión de aurora que encante la tristeza». En *Laberinto* la belleza sería

> ¡Dicha que es en la vida miserable y difícil
> como un oasis verde en un seco desierto,
> ráfaga de la gloria que pasa por la carne
> como algo inenarrable, encantado y eterno!
>
> («Voz de Seda», IX)

---

pensamiento finisecular como el motivo mayor en la formación de la estética juanramoniana.

[8] Ver N. ALONSO CORTÉS, «Armonía y emoción en Salvador Rueda», *Cuadernos de Literatura Contemporánea,* 7 (1943), 36-48; IDEM, «Salvador Rueda y la poesía de su tiempo», *Anales de la Universidad de Murcia,* 2 (1933), 71-185; J. M. MARTÍNEZ CACHERO, «Salvador Rueda y el modernismo», *Boletín de la Biblioteca de Menéndez Pelayo,* 34 (1958), 41-61.

un ideal para el cual «rodaría a un abismo de dolor y verdades» («Voz de seda», XV). Otra vez la paradoja «dolor/verdad». Sin embargo, en *Melancolía* se pregunta:

> ¡De qué nos sirve andar detrás de la belleza!
> La belleza se queda en la paz de que huimos;
> poco vale la angustia; absurda es la tristeza
> que quiere conseguir aquello que perdimos.
>
> ....
>
> La hora augusta se va con su sandalia alada
> y es inútil seguir su hermosura entrevista;
> ¡siempre ha de hundirse en los abismos de la nada
> la maravilla ignota que nunca ha de ser vista!
>
> («Hoy», XI)

La experiencia de su matrimonio y el viaje trasatlántico, junto con un conocimiento más profundo de las teorías de Bergson y la literatura de Rabindranath Tagore, Yeats, Blake [9] y la poesía oriental, le mostraron a Jiménez que la nada que yace en el corazón de todo y el flujo inexorable del tiempo puede considerarse de un modo menos racional. Es decir, que dentro de la muerte, la mudanza, el decaimiento y la nada yace un espíritu de continuidad, una conciencia, un flujo espiritual que es la esencia misma de la eternidad. «Ni más nuevo, al ir, ni más lejos; más hondo»; escribió en el prefacio de *Diario de un poeta recién casado*. Lo que buscaba era «la igualdad eterna que ata por dentro lo diverso en un racimo de armonía sin fin y de reiteración permanente». La mutabilidad es, en el fondo, permanencia; la nada una sustancialidad. Por eso describió Juan Ramón el *Diario* como «un libro metafísico». Es aquí que empieza aquella *Obra en marcha,* la búsqueda por aquel flujo, aquella conciencia, la «sucesión». «Es decir», escribió en el prólogo del *Dios deseado y deseante,* «que la evolución, la sucesión, el devenir de lo poético mío ha sido y es una sucesión del encuentro con una idea de dios ... una realidad de lo verdadero suficiente y justo. ... Y comprendí que el fin ... de mi vida era esta aludida conciencia mejor bella ... expresión de la belleza». Descubrió Juan Ramón su «dios» (la Belleza, la Poesía) y logró evadirse del abismo de la nada, *tormento, dolor, tristeza, angustia* y *sarcasmo* (un renacimiento del *criticismo* romántico provocado por el fracaso de la fe y las creencias al fin del siglo en la Generación del 98 y en la generación modernista) para dirigirse a una interpretación más armoniosa de la existencia.

---

[9] El eminente juanramonista profesor Howard T. Young está preparando actualmente un estudio de la influencia de los poetas ingleses Shelley, Blake y Yeats sobre Juan Ramón.

Pero, a fin de cuentas, fue la duda que formaba el motivo, la dinámica que propulsaba al poeta hacia su Ideal. Era el constante anhelo por un valor que le sostuviera, que le fuese duradero y eterno, denegado por los reparos de su escepticismo que creó lo que llamó Jiménez su «éstasis dinámico». Era un movimiento que se realiza, pero al mismo tiempo parece deshacerse frente a la duda. Como decía Unamuno, era una fuerza que «se teje y se desteje a un tiempo». Esto es la «sucesión» juanramoniana, un constante devenir hacia un dios posible por la poesía. Su fuerza impulsora fue la duda como explicó en «Sobre mis lecturas en la Argentina» en 1949. Se dio cuenta al fin de su vida que su ideal no se realizaría por un proceso consciente, sino por el solo hecho de desearlo y dudar que se realizara. Entonces el ideal se hará por sí mismo en proceso de evolución natural. Pasó Juan Ramón por la duda racional hacia un desasosiego espiritual hasta la idea o la intuición de un devenir constante, la «sucesión». Dijo:

Yo tengo un amigo norteamericano que cree que todas las utopías concebidas por el hombre puede el hombre realizarlas, y realizarlas ya, ahora; seguro él de que todo está, nada más, en la medida del deseo. Yo creo lo mismo. ¿Pero cuándo vamos a dejar la realización de nuestras ambiciones ideales? En lo que a mí toca, puedo asegurar que esa letra melancólica que ha goteado en la cóncava penumbra de mucha de la escritura de toda mi vida no vino, no es de ninguna de las fuentes ni por ninguno de los motivos que una crítica noble o soez ha querido suponer en mí, sino sólo por esa ansia, temblorosa de duda, de querer realizar una clarividencia sucesiva.

(La corriente infinita, Madrid, 1961, 258.)

Esta afirmación, como la repudiación de las poesías primerizas, es un ejemplo del autoengaño del poeta. No quiso admitir el aspecto negativo de la duda de los años finiseculares. Después de haber concebido, como concibió Unamuno, una «feliz incertidumbre» no quiso volver atrás. Estos párrafos han querido clarificar lo que no ha querido suponer «una crítica noble o soez».

Encontró su «dios» no fuera del mundo dentro de una Belleza ideal que existe sin tiempo y sin espacio sino dentro de este mundo, dentro del fluir, dentro del espacio, no como absoluto eterno en un sentido racional, sino como una constante sucesión, un devenir. Por eso rechazó la poesía racional que analizaba el problema metafísico obsesionante. Volvió las espaldas a la duda para abrazar la certeza y la paz intelectual de «la conciencia mejor bella». Esta evolución explicará también la crítica cortante que lanzó Jiménez a la Generación de la Dictadura y especialmente a Alberti, García Lorca y Cernuda. Se ha sostenido que les atacó por despecho mezquino porque rehusaron aceptar sus avisos y sus consejos en cuestiones de la creación poética. Quizá se tiene un poco de razón. Pero Juan Ramón los denunció como hombre que tiene la razón moral, como hombre que ha visto la verdad, una verdad que no se acepta por los demás, como un redentor de las masas que quiere convertirlos en una inmensa minoría. Una lectura detenida de sus ensayos poco antes de la Guerra Civil y después por los años cuarenta revelaría este sentido de redención [10]. También una lectura cuidadosa de artículos como «Acento. Poetas de antro y dianche» y «Acento. Satanismo inverso» (*La Gaceta Literaria,* noviembre de 1930 y enero de 1931) demostraría que temió Juan Ramón que los jóvenes poetas hubieran emprendido el mismo camino hacia la disolución metafísica y hacia la angustia posromántica. Tenía razón [11]. Después de haber descubierto el ideal del Dios-Belleza no le gustaba que le recordasen los años angustiados y terribles que había necesitado para lograr la paz y el sosiego. Además, dada su adhesión al ideal de la Belleza como «la Verdad» y como «lo Bueno» (según el idealismo de los krausistas, Shelley, Emerson y Tagore que tanto influyeron en su formación intelectual) consideraba que la meditación sobre cuestiones especulativas de metafísica nociva y pesimista era inmoral. Otra vez la relación estética con la ética, lo bello con lo bueno, que contrasta tanto con el problema temprano de la relación de lo feo con lo injusto o lo malo. La destrucción de lo «bello» (es decir, lo «bueno») será pernicioso y malo. Por lo tanto, la depuración constante de su obra era tanto un esfuerzo por purificar la obra de sentimientos e ideas inmorales (no estéticas) como un esfuerzo por producir la perfección estética de la rosa.

Así, como observó correctamente su biógrafo Francisco Garfias, «no es posible ... hacer un estudio crítico de la poesía juanramoniana sin conocer a fondo sus libros, aun aquellos que el poeta desdeñaba y que son, sin duda alguna, los cimientos en donde la obra definitiva encuentra su inconmovilidad» (*PLP,* 17). Si no comprendemos a fondo los «borradores silvestres», la poesía posterior y sus conferencias pierden la perspectiva esencial de las intenciones del poeta hacia una *ética-estética.* *

[*Peñalabra,* Santander, n.º 20, 1976.]

---

[10] Ver mi ponencia «Juan Ramón Jiménez, ¿noventayochista?», que aparecerá en las *Actas del Simposio Internacional de Estudios Hispánicos* (Budapest, 1976), que investiga el pensamiento de Jiménez y lo compara con algunas ideas que promovieron Unamuno, Ganivet y Maragall.

[11] Mi «The Persistence of Romantic Thought in Spain», *Modern Language Review,* LXV (1970), 803-12, demuestra que el aspecto pesimista de la poesía de la Generación de la Dictadura no es nada más que una prolongación del *criticismo* romántico.

* Quisiera agradecer la ayuda prestada en la versión española a Luisa Ros de Anderson.

JUAN RAMÓN JIMÉNEZ Y LA REVISTA *HELIOS*

En diciembre de 1901, Juan Ramón Jiménez tiene 20 años. Ha publicado dos libros, *Ninfeas* y *Almas de violeta,* Ha vivido en Moguer, su pueblo, en Sevilla, en Madrid. Ha tenido un deslumbramiento: Rubén Darío, y una amistad: Francisco Villaespesa («mi amigo inseparable de entonces»). El otoño de ese año lo ha pasado en Arcachon y en Burdeos, en la «Maison de Santé de Castel d'Andorte», donde escribe su tercer libro, *Rimas,* publicado al año siguiente. Allí —nos dirá más tarde— «empezó mi reacción contra el modernismo agudo, que me hizo caer demasiado del lado opuesto»[1], clara alusión a la influencia becqueriana, visible en el título mismo de ese libro de su período bordelés, que duró año y medio. Pero, de pronto, el poeta siente la nostalgia de España, y se viene a Madrid, al Sanatorio del Rosario, de la calle del Príncipe de Vergara (General Mola) 14, al que luego llamará «Sanatorio del Retraído», dirigido por las Hermanas de la Caridad. En aquel ambiente de convento y jardín, pasó el poeta, según propia confesión, dos de los mejores años de su vida: «algún amor romántico, de una sensualidad religiosa; una paz de claustro, olor a incienso y a flores, una ventana sobre el jardín, una terraza con rosales para las noches de luna... *Arias tristes*[2]. Allí van a verle algunos de sus amigos, como Antonio y Manuel Machado, Gregorio Martínez Sierra —la otra gran amistad, que iba a sustituir a la del disperso Villaespesa—, Rafael Cansinos, Pedro González Blanco, Julio Pellicer, Valle Inclán y, si estaban en Madrid, Ruben Darío y Salvador Rueda[3].

---

[1] J.R.J., «Recuerdo al primer Villaespesa», en *El Sol,* 10-V-1936.

[2] En una nota autobiográfica publicada en la revista *Renacimiento,* que dirigía Martínez Sierra, t. II, 1907, págs. 422-426. Interesantísimo número dedicado a los poetas del momento, cuya lectura es hoy apasionante. La nota de Juan Ramón puede leerse también en el libro de Enrique Díez-Canedo, *Juan Ramón Jiménez en su obra,* México, El Colegio de México, 1944.

[3] J.R.J., «Ramón del Valle Inclán (Castillo de quema)», en *El Sol,* 26-I-1936.

En ese ambiente de paz conventual, de perfumado misticismo, Juan Ramón habla a sus amigos de crear una nueva revista literaria. La llegada de Rubén a España, el impacto profundo que sus primeros libros —*Azul, Prosas profanas*— causaron en los jóvenes poetas de entonces, y aquel viento renovador del modernismo que impulsaba Rubén, no podían menos de estimular a aquellos poetas de talento que, como Juan Ramón Jiménez, sentían ansia constante de belleza. Con más o menos consciencia de lo que significaba el modernismo, todos se adhirieron con entusiasmo al nuevo movimiento o se sintieron impregnados por él, viendo en Darío al nuevo maestro de la poesía española. Pero el balbuciente modernismo español difícilmente podía creer o extender su ámbito sin una revista literaria que fuese su órgano y el punto de reunión de las distintas voces que estaban naciendo o formándose. Juan Ramón y sus amigos eran conscientes de ello y decidieron fundar una nueva revista: *Helios*. La primera gran figura a quien piden colaboración es precisamente Rubén Darío. En febrero de 1902 Juan Ramón le escribe a París esta carta:

Querido maestro: Cinco amigos y yo vamos a hacer una revista literaria seria y fina: algo como el *Mercure de France,* un tomo mensual de 150 páginas, muy bien editado. Nosotros mismos costeamos la revista; así, puedo decir a usted que vivirá mucho tiempo; es cosa madura y bien calculada. Nada de lucro: vamos a hacer una revista que sea alimento espiritual; revista de ensueño; trabajaremos por el gran placer de trabajar. En fin, baste esta afirmación: es una cosa seria. Yo agradecería a usted infinitamente que nos enviara algo de lo que haga o tenga hecho: versos, prosas. Y, además, que nos concediera usted permiso para copiar algunas cartas o fragmentos de las cartas que usted escribe para *La Nación.* ¿Recibió usted mis *Rimas?* Si puede usted, no deje de enviarme un ejemplar de su último libro —*Peregrinaciones*— que no he encontrado, y me ocuparé de él —no porque usted me lo mande, sino por mi propio placer— en el primer número de la revista, que saldrá, según ahora pensamos, el día 1.º de abril. No eche usted en olvido mis peticiones, mi querido maestro, pues ya sabe usted que le agradeceré sus envíos con toda mi alma. Le abraza su verdadero amigo,

Juan Ramón Jiménez

P.S. Debo decir a usted que la revista sólo publicará versos de tres o cuatro poetas, y prosa de muy contados escritores[4].

La respuesta de Rubén no se hizo esperar, pero no era la que sin duda esperaba Juan Ramón:

Me alegra la noticia de la revista, y mucho más la propuesta de usted, mas he de decirle una cosa, que usted comprenderá muy bien: por motivos especiales, no doy una sola línea a ningún periódico, que no sea pagada. Escribo en pocos órganos... Claro es que con ustedes no tengo ninguna exigencia. Me pagarán poco, más poco, casi nada, un *sou,*

---

[4] Esta carta, como otras de las que publicamos fragmentos en este artículo, fue publicada por Alberto GHIRALDO en su interesante libro *El Archivo de Rubén Darío,* Buenos Aires, Editorial Losada, 1943.

¡no importa! Pero dirán: «La colaboración del Sr. Darío nos cuesta tanto como la de los señores de la Academia». ¿Comprende? Esto se lo digo a usted íntimamente. Les mandaré versos, sobre todo. Y prosa, si prefiere. Cuando haya que tratar un asunto que ustedes quieran, me lo dicen. Además, no he de ocultar que es la condición de seriedad, en que usted insiste, la que más me halaga. Hay que demostrar con hechos, con obras, con ideas, con muchas ideas, a los «otros», que se sabe tanto como ellos, que se puede ser tanto como ellos y que se vuela más alto que ellos...[5]

Esos «ellos» eran, por supuesto, los poetas tradicionales y academizantes: Grilo, Ferrari, Manuel del Palacio..., enemigos de la nueva literatura, de la nueva poesía, de ese gran movimiento espiritual que era el modernismo. A la carta cordial de Rubén, contestó Juan Ramón con otra que era un sutil *chantage* para que el autor de *Azul* se rindiera. He aquí su texto:

Queridísimo maestro: Recibí su carta, y al día siguiente dije a mis compañeros todo lo que usted me indicaba en ella. La revista, como es natural, no puede desde ahora mismo pagar una colaboración escogida; ojalá pueda pagarse ella misma, o costarnos poco —desde luego no queremos ganar dinero—. Tenemos colaboración de Benavente, Valle Inclán, etc., gratuita, y además todos nosotros, los jóvenes, trabajaremos mucho, y se traducirá bastante del alemán y del inglés. Los originales franceses no se traducirán Así, pues, lo de menos sería pagarle, y pagarle a buen precio, pero entonces los demás querrían también que les fuesen abonados sus trabajos, y la revista nacería muerta, pues, aunque tenemos una gran voluntad —y hemos quitado los elementos corrosivos, aun de talento—, no estamos muy ricos, y menos ahora, que hay que abonar muchas cosas —papel, cubiertas, cabeceras, anuncios, etc.— por adelantado. Claro es que usted dirá: —Entonces, ¿a qué se ha dirigido usted a mí? ¿Voy a trabajar por gusto? Es verdad, mi querido maestro, y tiene razón; perdóneme. Ahora bien: si dentro de tres o cuatro meses la revista puede —como creemos— pagar, acudiremos a usted nuevamente y en primer término. Todo esto se lo digo por encargo de mis cinco compañeros, tres de los cuales son Agustín Querol, Martínez Sierra y Ramón Pérez de Ayala, este último un poeta joven de bastante talento y muchísima cultura. Ahora le hablo yo solo: como quiero que usted colabore a todo trance, y en sitio de honor, porque creo que usted es el primer poeta de los que hoy escriben en castellano, y con una gran superioridad sobre todos, y porque, aunque le traté pocos días, le profeso un cariño entrañable, he de trabajar constantemente con mis amigos a ver si muy pronto conseguimos encargarle trabajos pagados, y pagados espléndidamente, mi querido poeta. De modo que esperemos a entonces. Y no se enfade usted conmigo. En el primer número me ocuparé extensamente de *Peregrinaciones;* pienso decir muchas cosas...[6]

Esta carta, que tanto debió halagar a Rubén, y que muestra hasta qué punto estimaba Juan Ramón importante conseguir una colabo-

   [5] Carta en la «Sala Zenobia-Juan Ramón Jiménez». Véase Graciela PALAU DE NEMES, *Vida y obra de Juan Ramón Jiménez,* Madrid, Gredos, 1957.
   [6] Véase el texto íntegro en el libro de Ghiraldo citado en la nota 4. Todavía en el artículo publicado por Juan Ramón en *El Sol* el 10 de mayo de 1936 y citado más arriba en la nota 1, escribe: «La revista *Helios* era una revista *seria,* presidida siempre, más lejos o más cerca, por Rubén Darío».

ración suya, no logró, sin embargo, conmover al maestro, y el primer número de *Helios* tuvo que publicarse sin su ansiada colaboración.

Como Juan Ramón había anunciado, el primer número de la nueva revista apareció en abril de 1903. En la cubierta, color gris claro, un dibujo representando a una especie de diosa guiando unos caballos. El pie de imprenta reza así: Ambrosio Pérez y Compañía, calle de Pizarro, n.º 16.

El manifiesto que abre este primer número, bajo el título de *Génesis* y un lema latino —*Flores apparuerunt in terra nostra*— es ya, como ha escrito Guillermo Díaz-Plaja[7], un manifiesto del modernismo militante. En efecto, las dos principales dianas que persigue la revista, son dos constantes del Modernismo: la adoración de la belleza (mejor Belleza, con mayúscula), y la libertad del arte. Destaquemos el interés de estas frases, probablemente redactadas por Juan Ramón o quizá por Pérez de Ayala:

Hénos aquí, paladines de nuestra muy amada Belleza, prontos a reñir cien batallas de verbo y de espíritu. ¡Guárdanos tú, la Dilectísima, por quien osamos entrar en lid!

Siendo el espíritu de la revista juventud —y conste que sabemos eternamente jóvenes muchos rancios laureles—, su verbo-bandera ha de ser libertad. Todos lograrán sitio en este lugar de artistas, cuantos digan, dijeron o hayan de decir, siempre que sus decires —regocijos o melancolías, oraciones o desesperanzas, vidas o ensueños— sean hermosos y estén galantemente relatados.

Firman el manifiesto Juan R. Jiménez, Ramón Pérez de Ayala, Gregorio Martínez Sierra, Pedro González Blanco y Carlos Navarro Lamarca.

La colaboración de Juan Ramón en este primer número es importante. Aparte la probable participación en la redacción del manifiesto inicial, publica seis poesías breves, bajo el título de su libro *Arias tristes*, que había de aparecer ese mismo año —1903—, y la prometida reseña del libro de Rubén Darío *Peregrinaciones*. Juan Ramón aprovecha la oportunidad para afirmar rotundamente su gran admiración por el autor de *Azul:* «Rubén Darío —escribe— es uno de los más grandes poetas españoles de todos los tiempos y de los menos comprendidos y más injustamente atacados por enanos literarios...» «Es indiscutible que Rubén Darío es el poeta más grande de los que actualmente escriben en castellano... Muerto Zorrilla, lejanos Bécquer y Espronceda, ¿qué gran aliento hay en esta lengua gloriosa, sino ese aliento de bronce o de rosa o de encanto que da al viento *Azul*... y *Prosas profanas*?»

Estas entusiastas palabras de Juan Ramón debieron conmover a Darío, y en el mes de diciembre de 1903, hallándose aquél en Málaga descansando, escribió una postal a Juan Ramón, a la que el poeta de Moguer contestó con esta carta:

---

[7] En *Modernismo frente a 98*, libro en el que ya se alude a la importancia de *Helios* como revista del modernismo.

Querido maestro: He recibido su tarjeta, fechada en Málaga, y crea que siento hondamente no estar con usted a orillas de ese mar de mi tierra; sobre todo no estar con usted, porque el mar me espera siempre... ¿Qué versos ha hecho usted en Málaga? Supongo que el Mediterráneo no dejará de poner su azul en muchas rimas de usted. ¿Por qué no me manda para *Helios* algo de ese mar? Nosotros seguimos trabajando. *Helios* irá con muchas reformas desde el 1.º de enero. Dentro de unos días mandaré a usted mis *Arias tristes.* Martínez Sierra habla de *La caravana pasa* en este número de *Helios...*

Alberto Ghiraldo, en su libro *El archivo de Rubén Darío,* se equivoca al afirmar que después de esta carta y de otras anteriores, Rubén cede y envía su primera colaboración para *Helios.* En realidad, la primera colaboración de Darío en la revista es el «Soneto a Cervantes», que, dedicado a Ricardo Calvo y fechado en París en 1903, apareció en el número 6 de *Helios,* en septiembre de ese mismo año. La carta a Juan Ramón que acabamos de citar, y en la que pide nuevos versos a Darío, es posterior —diciembre de 1903—, y a ella contesta el autor de *Azul* enviando a Juan Ramón una nueva colaboración para *Helios,* es de suponer que también gratuita, a pesar de su resistencia inicial a colaborar gratis: el famoso poema «A Roosevelt», que se publica en el número de febrero de 1904. Cuando aparece el número, Juan Ramón escribe a Rubén. «Queridísimo poeta: Lo contesté a Sevilla, y le mandé el número de *Helios* con sus versos de hierro y de flores...»

Pero volvamos al primer número de *Helios* para señalar el interés de un artículo que, bajo el epígrafe de *Poesía,* y aunque probablemente escrito por Ramón Pérez de Ayala, parece inspirado en la nueva lírica de Juan Ramón Jiménez[8]. Yo me atrevería a definirlo como un breve manifiesto poético del modernismo español. Copiaré, para que el lector juzgue, algunos de sus principales párrafos. Después de advertir con júbilo el articulista «los albores luminosos de un Renacimiento en la poesía», escribe lo siguiente:

Las almas de los poetas modernos, abandonan los antiguos asuntos baladíes y poco nobles, la contemplación impersonal, limitada, de lo externo en el cosmos, para seguir con ritmo de arrobamiento, en sus estrofas místicas, el vuelo de la Sophia santa. A la antigua concreción, machacona y vulgar en la métrica, de un pensamiento prosaico, ha sustituido el poema simbólico que tiene iniciaciones de sentimientos inefables, nebulosidad evocadora de música, y entraña bajo las gráciles ondulaciones rítmicas, conceptos universales, no por abstrusos menos poéticos. El aparato formal, el juego externo de la rima y de las unidades métricas, todo lo que antaño caía bajo el imperio cominero y meticuloso de Polymnia, ha sufrido honda renovación y se muestra en fragante florecimiento. Los fuegos de artificio se oscurecen ante la luz interior de las almas videntes; al pueril entretenimiento de la difícil facilidad, perniciosa por lo acomodaticia, sigue la concienzuda producción atormentada, fecunda, el parto laborioso de una obra viable y que ha de perdurar. Una concepción estética más íntima, más humana, anima los gene-

---

[8] El artículo no va firmado, pero las notas críticas que siguen llevan la firma de Pérez de Ayala, lo que hace suponer, aparte semejanzas de estilo, que éste es el autor.

rosos espíritus que aman a la Belleza, y en el solemne renacimiento que alborea se unen por igual todas las Bellas Artes, como rosas gemelas que al impulso de un viento blando se unen para besarse.

No será necesario insistir en la importancia de este texto de estética poética en los albores de nuestro modernismo. Es quizá uno de los primeros en que figura ya la expresión de *poetas modernos,* y en que el ataque a la poesía anterior, es decir, a la de Campoamor y sus seguidores, con su prosaísmo y sentimentalismo vulgares, está más claramente expresado.

En los números siguientes de *Helios,* las colaboraciones de Juan Ramón se hacen cada vez más frecuentes, y ofrecen un gran interés para un estudio sobre la etapa inicial de su obra como poeta y como crítico. En el número dos —mayo de 1903— publica Juan Ramón unas páginas en prosa con el título de «La corneja. De un libro de recuerdos», fechados en Burdeos en 1901, y dos reseñas críticas: una sobre *Odios,* de Ramón Sánchez Díaz, y otra, entusiasta, sobre *Corte de amor,* de Valle Inclán. He aquí cómo Juan Ramón caracterizaba, en 1903, el estilo de Valle Inclán:

> Todo el refinamiento sensual de Valle Inclán es un romanticismo. Él es un romántico: alma a lo Espronceda, a lo Zorrilla, y frase rica de exquisitas ondulaciones. Todo lo demás, los claros de luna, la noche, triste de brisa y de quejas, los perros negros llenos de maleficio, tiene de Musset y de Heine y de Bécquer, mejor dicho, tiene de esa sombra profunda y florida de donde siempre ha salido tanta fragancia, tanta cadencia y tanta lágrima.

En el número de junio encontramos tres veces la firma de Juan Ramón, que publica unas «Páginas dolorosas» —once prosas poéticas fechadas en Burdeos en 1901—, unas *traducciones libres* de poemas de Paul Verlaine («Claro de luna», «Mandolina», «La hora del pastor» y «Romanza sin palabras») y, finalmente, una reseña muy cordial del libro *Canciones de la tarde,* del poeta malagueño José Sánchez Rodríguez, hoy lamentablemente olvidado, pero que en el umbral del modernismo tuvo cierto nombre, y fue citado con elogio por Rubén en *España contemporánea.*

El número de julio tiene un especial interés. No sólo porque contiene la primera colaboración de Antonio Machado en *Helios*[9], y dos originales de Juan Ramón —cinco poesías bajo el título de «Paisajes», y una elogiosa reseña de *Antonio Azorín,* del todavía poco conocido escritor J. Martínez Ruiz—, sino porque nos descubre y confirma lo que casi adivinamos desde el primer número de *Helios:* que las glosas y comentarios que figuran en la sección anónima titulada «Glosario del

---

9 El estudio de las poesías publicadas por Antonio Machado en *Helios* ha sido ya hecho por Dámaso ALONSO en el número 11-12 de la revista *Cuadernos Hispanoamericanos,* consagrado a Machado, septiembre-diciembre de 1949, Madrid.

Mes» —como *un libro de memorias de la redacción*, según se dice al enunciarla en el primer número— son casi todos, si no todos, de la pluma de Juan Ramón. En efecto, en una de las glosas del número de julio, leemos estas líneas:

Algunos simpáticos compañeros se han empeñado en añadir tres letras a mi pobre R y en creer que yo —Juan Ramón Jiménez— me llamo Juan Ruiz, como el divertido Arcipreste de Hita. Y aunque bien quisiera ser yo otro Juan Ruiz, reconozco que mi alma tiene poco tesoro de refranes, de sátiras, de sales y de chistes. Séame concedido abreviar mi nombre vulgarísimo; y en este deseo encuentro ya mi parecido con el eximio Arcipreste:

> Quiero vos abreviar la predicación:
> Que siempre me pagué de pequeño sermón,
> E de dueña pequeña, et de breve ración...

Así, pues, a los compañeros que me llaman tan cariñosamente Ruiz, les ruego con encarecimiento que no me lo llamen, y que después de mi R pongan sólo un punto[10].

En el número siguiente —agosto—, aparte las impresiones del *Glosario*, sólo un trabajo de Juan Ramón: una reseña admirativa de *Jardín umbrío*, de Valle Inclán. Pero el número rebosa interés, como casi todos los de la colección. Leemos en él unas agudas «Consideraciones sobre los versos de Núñez de Arce», de Martínez Sierra, y un trabajo de Unamuno, «Vida y arte», en forma de carta a Antonio Machado.

En el número de septiembre —estamos aún en 1903— hallamos cinco prosas líricas de Juan Ramón bajo el título «Los rincones plácidos», y en el de octubre dos artículos con su firma: uno sobre «Pablo Verlaine y su novia la luna», que nos muestra hasta qué punto Verlaine era una de las grandes admiraciones de Juan Ramón en aquellos años, y otro sobre el libro de Amado Nervo *Éxodo y las flores del camino*.

En noviembre, aparte una colaboración poética —siete «Nocturnos»— y una reseña sobre el libro de cuentos de Rafael Leyda *Valle de lágrimas*, Juan Ramón nos ofrece dos glosas de interés: una sobre Rubén Darío, que le acaba de escribir desde París anunciándole su viaje a Málaga, y otra sobre la bailarina Eugenia de Fougère, *muerta en la sombra del otoño*, y a la que dedica esta breve elegía:

> Sus rosas frescas cayeron
> en otoño; las quimeras
> negras de su vida, fueron
> un luto de primaveras.
> Por sus piernas que trenzaron
> tantas danzas, nuevas rosas;

---

[10] El primer libro en que Juan Ramón se decide a que figure su nombre completo, Juan Ramón Jiménez, es la traducción de la *Vida de Beethoven*, de Romain Rolland, Madrid, 1915. Hasta entonces, había firmado Juan R. Jiménez.

por sus ojos que clavaron
tantos dardos, mariposas.
Por lo negro de sus ojos,
por lo blanco de sus piernas,
pidamos a Dios de hinojos
que a sus piernas y a sus ojos
dé las caricias eternas.

Ninguna colaboración firmada de Juan Ramón en el número de diciembre. En carta a Rubén Darío, que ya hemos citado, Juan Ramón le anunciaba: «*Helios* irá con muchas reformas desde primero de enero». En realidad, tales reformas apenas son visibles, aunque la revista mantiene en el nuevo año la calidad de sus colaboraciones y la gallardía de su independencia. En el número de enero, un editorial probablemente escrito por Juan Ramón, da las gracias a los amigos y lectores por su apoyo y por «el calor de amistad de casi todos los literatos, lo que justifica que pueda llamarse a la revista *la ahijada de las letras españolas*». El editorial termina con esta afirmación de vida y libertad: «Adelante, pues, y venga la vida, que sólo por ser vida sabe a gloria. Queremos decirte, lector, antes de abandonar tu grata compañía, que nuestro espíritu continúa llamándose *libertad*». El editorial va firmado por Juan R. Jiménez, G. Martínez Sierra, R. Pérez de Ayala, Carlos Navarro Lamarca y Santiago Pérez Triana. Vemos que se ha producido un cambio en el equipo de la revista. Pedro González Blanco, que firmaba el manifiesto inicial, ha sido sustituido por Santiago Pérez Triana [11], que suele firmar las crónicas de política internacional.

Este primer número de 1904 es excelente. Juan Ramón colabora con tres poesías de *Jardines lejanos,* Azorín —que todavía firma J. Martínez Ruiz— con un artículo sobre su predilecto Montaigne, Pérez de Ayala con un poema, Manuel Machado con una crónica parisina, Navarro Ledesma con un buen artículo sobre Ganivet; Martínez Sierra reseña *La caravana pasa,* de Rubén.

En el número de febrero, Juan Ramón glosa el poema «A Roosevelt», de Darío, que aparece en el mismo número:

«...las estrofas de bronce y rosas que el poeta dedica a Roosevelt están aprendidas en el trueno espumoso de las olas. Hay dentro de ellas una marina apoteosis de gloria, presidida por Dios, en un fondo de cielo abierto, entre guirnaldas de lirios, con trompetas sonoras, alegres clamores y cánticos celestes de niños y de vírgenes. Y sobre el oleaje de los versos pasa una legión blanca de ibis, hacia las verdes serpientes. A la playa, poeta, llegarán gritos de cariño que han salido esta tarde de mi corazón, ensombrecido y triste tierra adentro.»

En el mismo número, dos artículos sobre el libro de Juan Ramón *Arias tristes,* uno de J. Ortiz de Pinedo y otro de J. Ruiz Castillo,

---

[11] Santiago Pérez Triana, diplomático y escritor colombiano, fue ministro de su país en España y en Inglaterra, y dirigió en Londres la revista *Hispania*. Murió en 1916.

quien señala como «nota dominante, casi única» en la poesía de Juan Ramón, la tristeza.

En el número de marzo, vuelve a escribir Juan Ramón sobre Darío en el Glosario, con motivo de su estancia en Madrid. Se queja Juan Ramón de que la prensa, la gente, siga ignorando a Rubén: «Rubén Darío es el poeta más grande que hoy tiene España»... y apostrofa a los periodistas: «Vosotros no sabéis, imbéciles, cómo canta este poeta».

El fin de *Helios* se aproxima. El número de abril es el penúltimo que se publica. Juan Ramón ofrece un anticipo de *Pastorales,* y comenta, en el Glosario, muy románticamente, el primer aniversario de la revista:

«*Helios* ha cumplido un año. Nació en primavera, y parece que no quiere coger las rosas de su cuna. Ha dado algunos buenos pasos, ha tropezado, ha caído, se ha vuelto a levantar... Todo ello, claro está, con cierta gallardía. Y a los doce meses de nacer, se encuentra con que es un niño; está rosa, está sonriente, tiene los cabellos de oro. Resistió sus nodrizas... y algún ayo —aunque prematuramente. Cuando esos cuadrúpedos negros han querido asustarlo sonoramente, los ha despedido a flores. Anduvo siempre entre jardines; despreció el cieno de la tierra... Ha cantado bien, ha reído discretamente, ha llorado sobre toda la blancura marchita de la vida. Si pasáis las hojas de este libro, hallaréis sólo fragancia; está por todas partes florido de bellas flores, de madrigales a ojos de mujer, de amoríos sentimentales, y, en el verano, de alguna otra amapola —no hay quien se liberte de la tiranía del sol—. Su palabra ha sido suave; ha sido una palabrería de estrellas y rosas. Y si este niño ha herido alguna vez, ha puesto una flor sobre la herida, o su puñal ha sido un lirio. Como sólo tiene doce meses, aún le queda juventud. Hay alguien que esté dispuesto a matarlo cuando cumpla veinte años.»

En este número penúltimo, Rubén vuelve a colaborar con su famoso artículo «La tristeza andaluza», fechado en Málaga en 1904, y que había aparecido antes en *La Nación* de Buenos Aires. Es uno de los mejores artículos consagrados a comentar la poesía de Juan Ramón —del primer Juan Ramón—, y Rubén lo recogió en su libro *Tierras solares.*

Y con esto llegamos al último número de *Helios,* que se publica en mayo de 1904. En él hay una novedad. El «Glosario del mes», normalmente escrito, aunque sin firma, por Juan Ramón, va esta vez firmado por Gregorio Martínez Sierra. En cambio, hay un curioso artículo de Juan Ramón con el título de «La estancia en penumbra. Comentario sentimental». En él comenta un anunciado banquete literario a Azorín. A Juan Ramón le parecen muy bien estos banquetes, pero siempre que sean «a una hora serena» y sin comer ni beber mucho. «Yo al menos —escribe—, a las dos de la tarde, con sombrero de copa, comido y bebido, no soy capaz de admirar a nadie». Y él personalmente prefiere ir sólo a la hora de los postres:

«uno sale de su aislamiento, le da un apretón de manos al verdadero poeta que se festeja, y después, tranquilo, satisfecho, sin odio, sin vino, se vuelve a su aislamiento, con la admiración intacta, bien dispuesto a continuar una vida de trabajo, entre la luz violeta de la estancia y la suave fragancia de las rosas».

Es ésta la última colaboración de Juan Ramón en *Helios*. Duró *Helios* un año y dos meses, desde abril de 1903 hasta mayo de 1904. Nada sabemos de las causas que provocaron la muerte de la revista. Pero no será arriesgado suponer que fueron las mismas que suelen acabar con tantas revistas juveniles de literatura, es decir, la falta de medios económicos para sostenerla[12].

El mismo año que muere *Helios*, 1904, Juan Ramón publica su quinto libro, *Jardines lejanos,* editado por Fernando Fe, y cuya primera parte está dedicada «a la divina memoria de Enrique Heine». Y al poco tiempo deja Madrid, y pasa una larga temporada en la sierra del Guadarrama, que le inspira un nuevo libro, *Pastorales,* no publicado hasta 1911.

Para el estudio de los comienzos de Juan Ramón, como poeta y como crítico, y del recién nacido modernismo español, la preciosa colección de *Helios,* con sus 14 números tan inquietos, tan ávidos de novedad y de belleza, ofrece un interés excepcional. *Helios* es el fruto temprano y trémulo del espíritu de Juan Ramón, que pronto iba a ofrecer algunos de los libros más hermosos de su extensa obra creadora.

[*Clavileño*, Madrid, n.º 42, noviembre-diciembre de 1956.]

---

[12] El mejor trabajo sobre *Helios* ha sido publicado en la revista *Abaco* por Patricia O'RIORDAN; «*Helios,* revista del modernismo (1903-1904)», núm. 4, Madrid, Ed. Castalia, 1973.

ALLEN W. PHILLIPS

SOBRE EL POETA Y LA NATURALEZA EN LAS PRIMERAS OBRAS DE JUAN RAMÓN JIMÉNEZ (1902-1905)

> ...Hay en la naturaleza un secreto de melodía, un suave secreto de llanto... No sé si todos tienen este mismo amor por el paisaje; yo, cuando voy por el campo, comprendo más que nunca la inmensa ternura de mi corazón... Las mejores estrofas, las que tienen una estrella que rima con una flor, un ruiseñor que rima con un beso, las vi entre aquellas hojas, bajo aquellas piedras, junto a aquel arroyo...
>
> ...mi corazón parece un paisaje de campo
>
> J.R.J., *Pastorales*

En el presente homenaje al poeta Juan Ramón Jiménez, quisiera ocuparme de cuatro de sus tempranos libros, todos ellos emparentados entre sí y que constituyen una definida época en su obra total: *Rimas* (1902), *Arias tristes* (1903), *Jardines lejanos* (1904) y *Pastorales,* poemas escritos en 1905, pero que no se publicaron hasta 1911. Dejamos fuera los dos volúmenes de 1900, que corresponden a la ortodoxia modernista, repudiados después por la autoexigencia de su autor. *

Puede justificarse la delimitación de este breve ciclo de unos cuatro años en la evolución poética de Juan Ramón por razones tanto exteriores, de tipo circunstancial, como interiores, de índole estética. Como es sabido, en aquellos años de principios de siglo sufría el poeta toda una serie de enfermedades nerviosas; delicada condición de salud que motivó, primero, su reclusión en un sanatorio en Le Bouscat (Burdeos) durante el año 1901 y, después, por un par de años, en el del Rosario, en Madrid, donde reside desde 1902 hasta 1905. La importancia de esta segunda etapa de vida madrileña fue considerable, principalmente por la publicación de la revista modernista *Helios* (1903-1904), así como por los «domingos poéticos» del Sanatorio del Rosario, en los que acudían a visitar a Juan Ramón las principales figuras de la nueva generación literaria. En 1905 regresa a Moguer, con lo que se cierra un período de su vida, Según veremos luego, un mismo mundo sentimental e impresionista, a la vez que la rápida superación de un moder-

---

* Todas las citas en el presente trabajo de la poesía de Juan Ramón Jiménez, salvo indicación contraria, corresponden a los textos originales reimpresos en *Primeros libros de poesía,* edición de Francisco Garfias, Madrid, 1959.

nismo exterior, da cierta unidad artística a las cuatro obras mencionadas.

No sin el temor y el riesgo de incurrir en ciertas repeticiones, por lo mucho que se ha escrito sobre los primeros años de Juan Ramón, vuelvo yo en las presentes páginas a tan lejana porción de su producción literaria. También hay que reconocer que ésta es la parte que menos interesa hoy de la lírica de Juan Ramón, quien alcanzará sus mejores logros poéticos a partir de 1917, con la publicación del *Diario*. Creo, sin embargo, que los libros tempranos, además de su importancia histórica, no sólo evidencian los tanteos del escritor, sino que señalan también un camino que con el tiempo llevará a la anhelada poesía pura y desnuda. Comienza ya, con esas obras, la firme vocación artística del autor, que encuentra su propia voz en aquellas páginas distantes.

Hechas estas breves justificaciones, me propongo primero caracterizar aquí el mundo poético de los libros iniciales del poeta. Luego pasaré a estudiar un tema más preciso: la actitud de Juan Ramón Jiménez ante la naturaleza y la manera como funciona en su poesía de la primera etapa. Pero antes que nada, algo tiene que decirse sobre el modernismo de Juan Ramón, con lo cual es posible empezar la descripción general de sus citadas obras.

Muy pronto se dio cuenta el joven poeta de lo que tenía de superficial y externo el mero modernismo de escuela que pretendía asimilar hacia 1900. Poco amigo del barroquismo estilístico, lo quiso borrar de su propia obra lírica, superando una retórica y reaccionando contra una moda que él llamaba colorista en época posterior. Así, en los poemas que aquí estudiamos, después de ser sometidos a una depuración que le permitió lograr un modernismo esencial y no meramente decorativo. Por otra parte, Juan Ramón nunca eliminó de sus preocupaciones críticas el tema del modernismo; algunas de las palabras más luminosas sobre este complejo fenómeno se deben a él. Es más, siempre recordará con vivo afecto aquellos días de sus comienzos literarios, días de fervor y de esperanza. Grande es, pues, su mérito como memorialista de la época.

En sus páginas críticas, Juan Ramón intentó ensanchar el concepto del modernismo, y acertadamente reconoció que tenía muchas variantes. Para él, era el siglo XX: toda una época y una actitud renovadora. Un nuevo renacimiento o tendencia general, que alcanzó a todo, y la frase clave que siempre merece repetirse: «era el encuentro de nuevo con la belleza ... un gran movimiento de entusiasmo y libertad hacia la belleza». Aunque no niegue Juan Ramón un posible preciosismo interior suyo ni la visión exquisita de las cosas, añade en seguida que jamás le fascinaron los exotismos modernistas. Era éste el modernismo hecho para Villaespesa. Jiménez rechaza todo lo artificioso y afirma que el modernismo, para él, era sencillamente otra cosa: «libertad interior». Muerto el parnasianismo decorativo, comienza el hondo simbolismo derivado de Verlaine, quien quiso interiorizar la poesía: este simbolismo sería el que más influyera en el primer Juan Ramón. Así, después de experimentar la momentánea seducción del movimiento, repudió el modernismo frondoso y no tardó en salir de él, para lograr una voz propia.

También ha hablado el poeta, concretamente, de su salida del modernismo agudo. La reacción comenzó en Francia, hacia 1901; escribe *Rimas* y termina su amistad con Villaespesa. Valle Inclán le hace notar que el romance de *Rimas* viene de Espronceda, y el poeta, que quiere explicar su desencanto, añade otros motivos y fuentes de inspiración: Becquer, Ferrán —a quien cita al frente de sus *Rimas*, en 1902—, Rosalía y los poetas regionalistas. Hay que agregar de inmediato lo popular andaluz. Refiriéndose a ese momento, ha escrito Juan Ramón: «Reacción brusca a una poesía profundamente española, nueva, natural y sobrenatural, con las conquistas formales del modernismo». Lo mismo Jiménez que Antonio Machado hacia la misma época fueron desnudándose y, al distanciarse de un solo aspecto de la poesía del maestro Darío, se acercaron fatalmente a Bécquer y al intimismo lírico. Por lo tanto, bajo la influencia de Bécquer y de los simbolistas, en los libros publicados entre 1902 y 1905, nuestro poeta se ha despojado de los ropajes vistosos aludidos en su conocido poema de *Eternidades*, para lograr una poesía escrita bajo el signo del mejor romanticismo («Y traigo en mi corazón / un tesoro que he encontrado / entre las rosas fragantes / del jardín de los románticos», 583). Ha afirmado ya su voluntad de interiorización y de pureza.

Frente al modernismo deslumbrante, los primeros libros de Juan Ramón revelan una marcada inclinación a lo formalmente sencillo y tradicional, con un predominio del verso corto —el romance— y de la rima asonante. El mundo de esta poesía de tono menor es neorromántico; en él destacan los bellos ambientes desfallecidos de los mustios jardines y los viejos parques, tópicos muy de la época. En aquellos versos transparentes y musicales, de emoción elegíaca y tono nostálgico, se recrean delicados y vagos estados del alma, asignándose un papel especial a las percepciones sensoriales. De una dulce melancolía, suave y soñadora, brotan los versos sugestivos, que a veces relatan episodios sentimentales o describen impresiones de un paisaje espiritualizado con todos sus colores y aromas. En un viejo poema *revivido* más tarde se cuenta una anécdota sentimental, y el fondo natural se representa así: «El paisaje soñoliento / dormía sus vagos tonos / bajo el cielo gris y rosa / del crepúsculo de otoño», 142. El poeta, ahora, prefiere acercarse a las cosas desvanecidas para recrearlas y prestarles al mismo tiempo su propia tristeza innata. Los temas principales —el amor, la muerte, la naturaleza— se desenvuelven dulcemente, con una melancolía resignada, sin estridencias de ningún género. Se trata de una poesía esencialmente bella, aunque no falte de vez en cuando la nota macabra, relacionada con la muerte; la emoción íntima, expresada con cierta vaguedad o perspectiva de lejanía, constituye la esencia de su fina expresión lírica.

En la poesía de *Rimas,* Juan Ramón se complace evidentemente en sus eternas lágrimas y en sus penas de vivir. Goza más con ellas, siempre fieles amigas, que con las alegrías; el solitario poeta se entrega con resignación a ese dolor embellecido. También son de raíz romántica los otros motivos suyos: las mujeres muertas en la flor de la vida, los amores lejanos o soñados, los besos dulces e inocentes, las hojas secas y las flores marchitas. El poeta, triste y solo con la pena de su alma, oye en el crepúsculo las romanzas melancólicas de un viejo piano o recuerda con emoción las quejas de las esquilas pueblerinas. Una delicada ternura es característica de su actitud ante las cosas mínimas; frecuentes son las alusiones al cementerio aldeano y a la luna, blanca o amarilla, que embriaga al joven poeta. En ese mundo poético impera, casi siempre, un ambiente de paz y de dulzura. Pocas notas discordantes rompen la armonía; sombras y brumas, luces tenues e indecisas, suelen configurar el bello paisaje, a pesar de leves sugestiones, en algunos casos fatídicas. Los siguientes versos ejemplifican lo más típico de esa temprana poesía:

> Estos crepúsculos tibios
> son tan azules, que el alma
> quiere perderse en las brisas
> y embriagarse con la vaga
> tinta inefable que el cielo
> por los espacios derrama,
> fundiéndola en las esencias
> que todas las flores alzan
> para perfumar las frentes
> de las estrellas tempranas (89).

En sus aspectos más generales, *Arias tristes,* libro calificado de admirable por Antonio Machado, continúa la misma temática y la misma tonalidad nostálgica presentes ya en la obra anterior. Ahora prefiere el poeta de modo exclusivo el verso corto, y logra sin duda una mayor perfección en sus recursos expresivos. Se presta más atención a los motivos aldeanos y al idilio de la vida rural. Se cuentan menos episodios sentimentales, con lo cual gana la poesía en fuerza lírica y riqueza espiritual. Siempre pasan por los poemas del libro las mismas novias blancas, que son en parte la poetización de algunas de las monjas del Sanatorio. Se concede la misma importancia a las impresiones sensoriales, y comienzan a prodigarse las sinestesias. Las estrofas que se copian ahora revelan unas delicadas cualidades líricas propias de esta colección, ya en la plenitud artística del escritor:

> Voy por el camino antiguo
> lleno de ramaje y yerba,
> sin pisadas, con aroma
> de cosas vagas y viejas.

> Paisaje velado y lánguido
> de bruma, nostalgia y pena:
> cielo gris, árboles secos,
> agua parada, voz muerta (212).

Una novedad se advierte en *Jardines lejanos:* la creciente sensualidad, más modernista y con perceptibles ecos de Darío, que aparece en la primera parte del libro —«Jardines galantes»—, lo que no impide que persistan los recuerdos autobiográficos de otras mujeres blancas y tristes. Se establece, ya definitivamente, el romance como forma poética, y se insiste en la fuente romántica del libro. En el fondo, figuran los mismos jardines silenciosos y grises, con lirios y rosas; se oyen vagas y lánguidas músicas que lloran; las tardes tienen largos sueños de color violeta; las tristes estrellas tiemblan en las noches tibias, y vuelve a aparecer el pavoroso hombre enlutado, que tanto miedo inspiraba al joven Juan Ramón. Añoranza sentimental e impresionismo que subrayan la belleza de las cosas.

En *Pastorales* se acentúa más la nota descriptiva del paisaje; al menos en parte, el libro se inspira en una nueva estancia en Moguer (verano de 1904). Un buen poema recuerda el emocionado retorno de Juan Ramón al blanco y apacible pueblo natal. De nuevo, tiende a ser eliminada la mera anécdota; las emociones del poeta suelen fundirse con la naturaleza. Creo ver aquí una mayor influencia de los simbolistas menores: Samain y Francis Jammes. No desaparece el doliente tono romántico; pocas notas de inquietud parecen romper el ambiente de paz y melancólica ensoñación. La misma ternura ante los objetos cotidianos se mantiene, pero ahora se hacen más atrevidas las relaciones imaginativas que el poeta percibe entre las cosas. También afirma Juan Ramón la necesidad de la presencia femenina para aliviar su displicencia («Mujer, perfúmame el campo; / da a mi malestar tu aroma, / y que se pongan tus manos / entre el tedio de mis rosas,» 615), y en general se extiende el papel asignado a las mujeres que llenan el mundo afectivo del poeta. En los versos que siguen aparecen notas típicas de toda esta primera poesía, de sencilla pero eficaz elaboración, cuyo mayor defecto quizá sea el de resultar en general algo monocorde:

> El que tiene el corazón
> bien rimado con la luna,
> sabe llorar estas penas
> recónditas, estas últimas
>
>   nostalgias del campo... cosas
> lejanas, hondas y mustias,
> cosas que vienen y van
> envueltas en tenues músicas (630).

Así pueden resumirse la melodía y el sortilegio emocional de esa bella poesía, de genuino lirismo, recóndito y callado, de finos matices expresivos dentro de una aparente elementalidad que engaña por su maestría.

Un notable aspecto de la obra de Juan Ramón es, desde luego, la compleja e íntima relación espiritual establecida entre el poeta y la naturaleza. La que contempla de modo tan intenso suele ser bella y engalanada, tranquila y sin notas feas. Es también portadora de los sentimientos del escritor. A través de la inefable comunicación espiritual con el mundo de fuera, se le entra la naturaleza («deslizaba la luna en mi alma su amante fulgor», 193; «Ya la brisa suave y llena / de olor de rosas y acacias, / besa mis ojos abiertos / y me perfuma las lágrimas», 290); o bien, en dirección contraria, es él quien proyecta su emoción sobre la realidad exterior («¡Dímelo tú, y yo abriré / mi corazón y mis labios / y volará sobre ti / una banda de cánticos!», 583). La presencia de la muerte repercute claramente sobre el campo: las sendas son más largas, los abrojos hieren más, los árboles se hacen mustios y pensativos y hay lágrimas en el viento (644). Esa naturaleza a menudo realiza las más variadas acciones humanas y aparece llena, además, de contenidos anímicos. Juan Ramón describe seguramente con cierta exactitud la escena natural, inserta siempre en un paisaje poético; pero en esta poesía del melancólico yo sentimental todo se halla dispuesto para expresar su propio mundo interior. La descripción, pues, está en función de su propia alma reflejada en la realidad exterior. Tal sentimiento del paisaje como estado de alma, según Juan Ramón, se inicia con Bécquer; los siguientes versos parecen afirmar un parecido programa estético: «Soñadores, vuestras rimas / tengan luz de luna, y sean / musicales, aromadas / de magnolia y de tristeza» (273).

Resultaría poco menos que imposible agotar aquí, en tan poco espacio, el tema de la naturaleza y su comportamiento en la primera poesía de Juan Ramón. Nos contentaremos con unas aproximaciones someras a tan rico venero de belleza poética, aun dando suficientes ejemplos para medir el alcance de las relaciones que unían al poeta con el mundo natural. Cuando afirma que el mundo está en su alma (102) o que la única voz de la tarde ocupa semejante lugar (397), define una significativa condición de su ser. De manera más específica, en lo que se refiere a la misma naturaleza, insiste en su plena identificación con ella en múltiples formas: «Estoy envuelto en la tarde / como en su sueño violeta» (496); «Siento esta noche en mi frente / un cielo lleno de estrellas» (278); «Mi alma es hermana del cielo / gris y de las hojas secas» (229). Esa misma fusión abarca hasta las percepciones sensoriales: tantas flores se han abierto que el alma tiene fragancia y colores (417). También ha logrado una plena identificación sentimental con el mundo de la naturaleza, que comprende su pesar: «... quiero / dar mis besos al paisaje / que sabe por qué me muero...» (218). Sin embargo, ese deseo de identificarse con la naturaleza, a veces tan sólo se ve como una vaga posibilidad («¡Ah, si el mundo fuera siempre una tarde perfumada. / yo lo elevaría al cielo / en el cáliz de mi alma!», 91) o tal vez como una amenaza («Voy a cerrar mi ventana / porque si pierdo en el valle / mi corazón, quizá quiera / morirse con el paisaje», 207). Imaginativamente, el poeta logra compenetrarse hasta con lo desconocido a través de las manifestaciones del mundo natural (558).

Quisiera ahora llamar la atención sobre algunos momentos en que el poeta afirma su deseo de conocer mediante una plena compenetración con la naturaleza y de trascender, por lo tanto, la mera circunstancia. A la vez que percibe que las estrellas sufren por él, escribe: «¡Qué triste es amarlo todo / sin saber lo que se ama! / Parece que las estrellas /compadecidas me hablan; / pero como están tan lejos / no comprendo sus palabras» (90). En otra composición, su alma desea penetrar el secreto de la arboleda, aunque siempre, al acercarse, el secreto se aleje (281). El poeta a veces encuentra en esa fusión una fuente de placer y un alivio para su tristeza («y las tristes estrellas me daban un blanco reguero / de dulcísimo llanto impregnado de besos de amor», 193); de la luna que consuela escribe asimismo Juan Ramón: «y que mira en silencio a los tristes / con inmensas piedades de santa» (264). Es muy frecuente, además, que la naturaleza sea portadora directa de sus íntimos sentimientos humanos: «y en la noche silenciosa, / el arroyuelo y el viento, / por la pradera espaciosa / van repitiendo mi acento» (337). En otro poema, las penas del poeta y de la luna se igualan (441). En realidad, se acumulan los versos que hablan de los intercambios afectivos entre el poeta y el mundo exterior. Basta un hermoso ejemplo: «Para sentir los dolores / de la tarde, es preciso / tener en el corazón / fragilidades de lirios... Haber tenido luceros / en las manos, y rocío / en el corazón y ser / todo de romanticismo; / amar los dulces espejos, / los oros claros, los visos / de las almas de las cosas, / los parques entristecidos» (476). El mismo vaivén emocional se expresa en los siguientes versos: «Hasta él [un lucero] vuelan por las tardes / mis delirios soñolientos, / y de él vienen a mi alma / las fragancias del incienso» (123).

El mundo natural, con el que se funde su estremecida alma, es a menudo quieto y apacible, de acuerdo con el doloroso, pero nada violento estado de ánimo del poeta. Veamos, por ejemplo, la representación estática de una naturaleza esencialmente inmóvil: «Los árboles no se mueven; / todo está en éxtasis; quietos / están los dulces cristales / de las fuentes, los senderos / parece que no se van; / las flores miran al cielo, / y los árboles contemplan / sus sombras fijas...» (422). También en algún otro momento se ve el paisaje en movimiento dinámico, con gestos inesperados: «Gira el lejano horizonte, / huye la colina, tiembla / el valle, se va el sendero...» (536). Este papel activo de una naturaleza que así actúa se percibe de modo más intenso en *Pastorales*, libro del cual tomo los siguientes ejemplos: «... aquí el cielo / pone sobre el campo verde / su paz y su sentimiento» (559); «Aquí el campo huele bien, / y si la noche está fría, / el corazón de los prados / la embalsama y la suaviza» (567); y «porque el valle sepa cómo / los árboles se enternecen» (552). En las mismas escenas pastoriles toma parte activa la luna: «Se creyera que la luna / desde el oro de sus cielos / moja de oro la fragancia / de los campos soñolientos...» (571) y «La luna hará blanco el patio, / le dará sus pensamientos, / irá pidiendo suspiros, / irá entreabriendo secretos...» (416). También la brisa pregunta por el alma del poeta (220, 257); le ofrece consejos (el de no odiar a la dulce primavera, 272) o se convierte en agente del proceso amoroso (262), capaz de borrar distancias trayendo besos desde lejos (140). En algún otro instante, Juan Ramón quiere que la noche le sirva de cómplice para llevar su alma a donde vayan las notas del piano, las brisas tenues y las finas fragancias (277).

La evidente predilección en las tempranas obras de Juan Ramón por los infinitos motivos tomados de la naturaleza y usados principalmente para crear estados de alma, corresponde a algo más que un mero procedimiento decorativo. Se trata de una relación amorosa, no exenta tampoco de cierta voluptuosa sensualidad; mediante ella, el joven poeta buscaba una pervivencia a pesar de su conciencia de la fugacidad de las cosas. En modo alguno quería ser excluido de la armonía del mundo natural que veía a su alrededor. Con la voluntad de incorporarse al mundo imperecedero de la naturaleza, empieza ya, tal vez de modo inconsciente, su búsqueda de la totalidad que sólo alcanzará en épocas posteriores, a través de un largo proceso de autodescubrimiento. No digo que el Juan Ramón de aquellos primeros libros haya comprendido plenamente el alcance de su intento; es solamente un lejano punto de partida. Tendrá que pasar todavía por muchas experiencias poéticas para llegar a la verdadera unión con lo bello contemplado y hacer un poema trascendente de «la belleza completa» o de «todo verdad presente».

Finalmente, para la trayectoria de la poesía de Juan Ramón Jiménez constituyen, a mi juicio, un posible marco los siguientes versos de *Jardines lejanos* (436):

> ...Noche negra y blanca, ¿sientes
> —yo he entreabierto mi balcón—
> los rosales y las fuentes
> que tengo en mi corazón?

y estos otros del poema «Tal como estabas», de *Animal de fondo,* que expresan el término de una larga vocación lírica:

> Entre aquellos jeranios, bajo aquel limón,
> junto a aquel pozo, con aquella niña,
> tu luz estaba allí, dios deseante;
> tú estabas a mi lado,
> dios deseado,
> pero no habías entrado todavía en mí.

[*Peñalabra*, n.º 20, Santander, 1976.]

ENRIQUE DÍEZ-CANEDO

OLVIDANZAS . I. *LAS HOJAS VERDES*

Inmediatamente después de las maravillosas *Elegías puras*, de que ya hice mención, el poeta Juan Ramón Jiménez ha publicado esta primera parte de una obra que titula *Olvidanzas*. Quedan aún inéditas otras tres partes: *Las rosas de Septiembre*, que serán como una continuación de los *Jardines dolientes; El libro de los títulos*, y los *Versos accidentales*, que, según explica el autor, son versos «para». Despréndese de todo esto el carácter adjetivo que *Olvidanzas* representa en la totalidad de su obra.

Para explicar *Las hojas verdes* nada mejor que transcribir las palabras del poeta, que son á manera de un prólogo lírico:

«Yo hice aquellos ramos de flores?... Escogí las rosas blancas, los jazmines, las adelfas, las violetas, las celindas. Entonces quedaron las hojas verdes.

»Menos fragancia, más frescura. Las hojas verdes están despiertas, tienen agua, brillan, son las primeras que vieron el cielo azul y que oyeron la música de los nidos. No son para los pechos, ni para las penas, ni para las estancias con piano... —Quedó, tal vez, entre ellas una rosa marchita?

»Hojas verdes, que cantasteis con el viento é hicisteis una sombra! Juventud de las hojas secas!»

Sí: entre las hojas verdes quedaron aún rosas fragantes, como la *Serenata triste á la luna de Francia;* delicadísimos capullos, como *Pastoral romántica*, y dalias tan opulentas y vistosas, como esta soberbia *Marina de ensueño*... Y, con remitir á los lectores á una nota muy reciente sobre las *Elegías puras*, daría por terminada mi tarea, si no encontrara en el libro de Jiménez, á·más de una verdadera y honda poesía, otras particularidades que me parecen muy dignas de alguna atención. Refiérense todas á la técnica.

Juan Ramón Jiménez es, en lo técnico, un poeta que se da cuenta de lo que hace. En la sencillez de sus romances ó de sus cuartetas octo-

silábicas hay más sabiduría que en los alejandrinos y endecasílabos de
muchos poetas nuestros de los más señalados. Pero esta sabiduría es
toda interior, y es de la que procede por simplificaciones, no por alardes. Ahora bien: el libro que motiva estas notas es un libro de alardes.
Veamos uno:

> O dame fuerzas para tener es-
> te dolor,
> ó deja que me estrelle, en un traspiés
> del amor.

> *(Ramo de dolor.)*

Y otros, en el mismo orden:

> Tú, que entre la noche bruna,
> en una torreamari-
> lla, eras como un punto ¡oh luna!
> sobre una i.

> *(Otra balada á la luna.)*

> Tengo un libro de Francis Jammes
> bajo una rosa de la tar-
> de. El agua llora en mi cristal.
> Tarde de invierno, lluvia en paz.

> *(XV. Sin título.)*

y otros aún, en los que se vale, para la rima, no de la terminación de
una palabra, sino de una sílaba central. La innovación es peligrosa, y el
mismo Jiménez, que conoce el valor tónico de palabras y sílabas, llega
á claudicar en alguna ocasión. Pero si es peligrosa, no es inadmisible,
porque significa, bien empleada, aumento de riqueza; ni es inusitada,
porque desde las simplicísimas divisiones de Fray Luis de León hasta las
más complicadas de otros poetas nuestros, casi siempre para lograr un
efecto cómico, se ha venido practicando, aunque no en la medida y
con el alcance que en Jiménez presenta; y tampoco es exclusiva de
nuestra literatura, y á esto quería yo venir á parar.

Uno de los más grandes poetas de estos tiempos, Giovanni Pascoli,
hombre versadísimo en literatu a de las lenguas madres, mantenedor
en Italia de una tradición clásica y figura que muchos contraponen á la
de Gabriel D'Annunzio, ha usado, en su idioma, estas divisiones de
palabras; pero las ha presentado de modo distinto. G. Pascoli nunca
divide tipográficamente las palabras; él cuenta con el oído del lector y
escribe toda entera, la palabra que aconsonanta por la mitad sin impor-
tarle que el renglón resultante no parezca verso; limítase, no más, á
dejar en el comienzo del siguiente un espacio en blanco, que es el
correspondiente á la parte que se ha quedado prendida en el anterior.

Por ejemplo, de uno solo de sus libros, el de los *Canti di Castelvecchio*, he recogido, entre otras muchas, las siguientes estrofas:

> ...E sì, prese
> la nonna, la prese *lasciand*ole
> vivere il bimbo. Si tese
> quel capo in un brivido *bland*o,
> nell'ultimo si
>
> *(La Nonna.)*

> Non far piangere piangere *piang*ere
> (ancora!) chi tanto soffri!
> il tuo pane, prega il tuo *ang*elo
> che te lo porti... Zvanî...
>
> *(La Voce.)*

> Don... Don... E mi dicono, Dormi!
> mi cantano, Dormi! *Sussurra*no,
> Dormi! biobigliano, Dormi!
> là, voci di tenebra *azzurra*...
>
> *(La Mia Sera.)*

He indicado, subrayándolas, aquellas partes de las palabras divididas que riman con palabras enteras, también subrayadas. Como se ve, en el segundo ejemplo, la división es doble. Juan R. Jiménez no se ha atrevido á deshacer el verso y ha optado por la división tipográfica de las palabras; acaso no confiaba en el oído de los lectores y ha pensado que era necesaria la vista para una cabal compresión de su teoría.

Pero si esta innovación, que por tal puede tenerse, ya que los ejemplos españoles son rudimentarios y con la manera de Pascoli sólo existe cierta analogía, porque Pascoli no divide más que palabras esdrújulas (véanse los ejemplos), el otro alarde que vamos á citar es indiscutible y de él sería fácil deducir toda una teoría, que yo llamo de los semiconsonantes.

Hay palabras que, siendo en realidad asonantes (por constar en su terminación de vocales iguales y consonantes distintas), ofrecen otro valor á causa del parentesco fonético de las consonantes que las forman, ó de cierta aliteración. Son, pues, más que asonantes, tanto que en una composición aconsonantada, el empleo de ellas no destruye armonía. Juan Ramón Jiménez, en una estrofa de *Lluvia de otoño*, composición de las más hermosas entre las de *Las hojas verdes*, ha escrito:

> ...El agua lava la hiedra,
> rompe el agua verdinegra,
> el agua lava la piedra...

La palabra *verdinegra* está, con relación á los otros dos consonantes, en el caso que hacíamos notar. Y al leer esta composición vino á mi recuerdo un pareado de Lope de Vega, que presentaba el mismo caso y que me propuse citar al escribir estas notas. Buscándolo entre las obras de aquel peregrino ingenio, en quien cada día podemos aprender algo nuevo, di, no sólo con los versos buscados, sino con otros ejemplos que corroboran mi opinión, ahora practicada por Juan Ramón Jiménez. Dice Lope de Vega en el libro II de *La Arcadia:*

> Ya queman vuestros árboles
> y hará ceniza los helados mármoles.

y en el canto alternado de la misma novela pastoril, hacia el final del mismo libro II, estos dos tercetos:

> LEVIANO. ¡Cuántos reinos ahora están estériles
> en Asia, Europa, América y en Africa,
> por unos ojos y unas manos débiles!
>
> GALAFRÓN. ¡Quién pudiera contar la historia trágica,
> ayudado de Apolo y de Calíope,
> de aquella de Jasón, hermosa mágica!

nos ofrecen otros dos ejemplos en apoyo de nuestra tesis *(estériles y débiles, Africa con trágica y mágica).* Y no se crea que sólo en estas palabras esdrújulas la practica Lope, como por casualidad y por falta de consonantes: en una letrilla de *La Dorotea* llega á escribir, como para dejar un ejemplo de esto que muchos llamarán licencia y que es legítimo recurso revelador de una finura de percepción musical extraordinaria:

> Si todo lo acaba el tiempo,
> ¿cómo dura mi tormento?

No es Lope de Vega el único en seguir esta suerte de rima, que, si buscásemos, á poca costa encontraríamos en otros poetas del siglo de oro y en alguno moderno.

Ocasión se nos presentará de volver sobre estas al parecer menudencias del oficio, que bien estudiadas pueden ser fecundísimas y enriquecer fácilmente el campo de la versificación española.

[*La Lectura*, año IX, n.º 98, Madrid, febrero, 1909.]

MARTÍN LUIS GUZMÁN
EN TORNO A *LABERINTO*

Hojeando hoy de nuevo el *Laberinto* de Juan Ramón Jiménez —publicado en 1913, pero formado con materiales que pertenecen a los años de 1910 y 11— he recordado que es éste el último volumen de versos del poeta español. La obra posterior a este libro me es casi desconocida; si bien he oído decir que hay varios tomos dispuestos hace tiempo para la imprenta, y que en ellos brotará la palabra última y verdadera, la palabra definitivamente madura.

El autor de *Laberinto* es un poeta delicado, sutil a veces y siempre agudo de sentidos. Su delicadeza le hace gustar con particularidad de cierto linaje de temas que tienen una existencia apenas susurrante. A cada paso encontramos en él escenas donde la vida, casi en suspenso, se dispone ya al reposo o aún no comienza de nuevo: atardeceres llenos de paz, noches sosegadas, estancias tibias y calladas, mudos comentarios de «un melodioso ondeaje de oro». Ningún paisaje le atrae más que los iluminados por la luna —cuando se «cuelgan de seda los jardines» y

> los vagos terciopelos de la fronda se mecen
> con un rumor de ensueños, desentendido y lánguido.

Nos habla de lunas que por la tarde suben «como una rosa» y dejan «llover un ensueño de paz y sentimiento»; de lunas que pintan lejanas aldeas «con flores y campanas melancólicas»; de lunas que caen, cuando

> Hay una indecisión de cosas inminentes
> entre la vaguedad del monte fantástico...

Asimismo, ama los suaves contrastes del color: las sortijas han «tenido nardos entre su oro»; unas manos cargadas de rosas «entre las hojas blancas surgen lo mismo que pedazos de luceros». E igual delicadeza suele manifestar en la amorosa ternura de expresiones tan tenues como ésta:

> Tus manos
> ¿Se te cayeron de la luna? ¿juguetearon?
> en una primavera celeste? ¿Son de agua?

Es un poeta sutil. La vida ha deslizado en su oído interpretaciones nuevas:

> Vendrá un pájaro a preguntarle una cosa
> a una rama...

Dirigiéndose a su dama, dice:

> Quisiera ser orilla de flores de ribera
> para irte acompañando...

La sensorialidad parece base de su inteligencia de las cosas. Su anhelo espiritual se traduce en relaciones o contrastes de color, sonido, olor; y aun lo más fluido se hace material en sus versos y lo más impalpable cobra tacto: quisiera que el alma

> se bañara en su voz como en un agua fresca,
> en cuyo fondo se cogieran con la mano
> las rosas inmortales...

En ocasiones, este dominio de los sentidos tiene toda la intensidad de lo sensual, amoroso y cálido:

> Todo lo tuyo ¡cómo huele!...
> Huelen hasta tus ojos celestes...

O bien,

> ¿Es que tus ojos huelen a jazmines con sol?
> ....
> ¿al cogerte la carne, cojo, acaso, un jardín
> de guirnaldas quemadas, redondas y morenas?

Este exceso de sensorialidad quizá explique sus tendencias momentáneas a un narcisismo poético que llega a deslizarse hasta el narcisismo físico: unas rosas tienen

> esa blancura pensativa de mis sienes,
> y cuando tú las cojas con tus manos de nardo,
> creerás que las mías te están acariciando

Y más adelante,

> Son de un vago marfil,
> ⋯⋯⋯⋯⋯⋯⋯⋯⋯⋯⋯⋯⋯⋯
> Exaltan la nostaljia de mi frente serena.

Dice en otra parte:

> ¿Acaso vuestras manos, vuestras amadas manos
> ¡ya sin mis manos nobles!

Poeta evocativo, y de tonos lejanos como Bécquer, el autor de *Laberinto* padece de la suave, inefable emoción de las cosas fugaces que se nos escapan. Su espíritu parece caminar eternamente. La lectura de sus versos sugiere esas grandes lunas rodeadas de un halo donde la claridad y las tinieblas se funden en un azul indefinible, y llenas a la vez de luz y de misterio.

El autor de *Laberinto* es un poeta lunar, no un poeta de sol.

Nueva York, 1916.

[*El Fígaro*, La Habana 1917.]

ISIDORO SOLÍS

DIARIO DE UN POETA RECIÉN CASADO

Juan Ramón Jiménez, el inefable poeta cuyos versos amamos dilectamente, ha comenzado la edición definitiva de sus libros; aún en sazón de primavera ha querido lanzar entre la eclosión del florecimiento el ¡evohé! de la recolección. No será ésta tan íntegra como desearía nuestra admiración por su labor total; en la lista de obras la falta de algunos títulos causa la melancolía de los adioses sin retorno; severidad, frecuente en autocrítica literaria que está compensada con la copiosa promesa de las futuras.

La poesía íntima y fragante de Juan Ramón vierte en las palabras más depuradas y bellas los sentimientos más quintaesenciados y sutiles; llega al corazón por el camino de la confidencia, entre las suavidades de la caricia y con las alas del suspiro; nadie como él ha traducido en ritmos de ensueño fugacidades y sutilezas que, antes de su verso, parecían confinadas en la inefabilidad de lo inexpresable.

Por ansia consciente de renovación o por espontaneidad del instinto poético que tiende al avatar, la obra de este poeta, tras la evolución de la ingenuidad primitiva a la actual complejidad, promete ampliarse y enriquecerse, sin claudicaciones de la unidad, como las matices de un color o las facetas de un diamante.

Este *Diario de un poeta recién casado* es tal vez hito lírico en el rumbo del nuevo sendero. Está escrito en prosa y verso; una prosa que es poesía en el fondo y un verso que podrá parecer prosa en la forma a los ojos acostumbrados al pautado oficinesco de la métrica ineludible e inalterable; y tal vez tachen estos versos de prosaísmo exterior, sin comprender que la poesía es esencia de tan exquisita y turbadora fragancia que relega al olvido más secundario el vaso que por milagro de Apolo acierta a contenerla.

La sensibilidad del poeta, agudizada en este libro, halla a cada momento el pensamiento profundo, la descripción nueva, la sensación artísticamente transmitida, la imagen plástica y original.

Predominan en la pintura de la América del Este los violentos ácidos del aguafuerte. El poeta habituado a los cielos verdeazules en que eleva el plenilunio su eucaristía dorada y triste, a los jardines abandonados por los que pasea el otoño sus melancolías de príncipe enfermo, a los valles vesperales sobre cuya penumbra violeta tienen los luceros brillo y temblor de lágrimas, reacciona en humorismo la rudeza del contraste con las ciudades enfebrecidas de industrialismo, trepidantes como un canto de Marinetti y en las que la sórdida grandiosidad de los rascacielos tiene la pesadez de las elevaciones sin alas.

La sombra del amor pasa contadas veces por estas páginas pero suscitando sentimientos tan apasionados y dulces que las dejan todas como esteladas de misterioso perfume.

En todo el libro subsisten las peculiares excelencias del arte de Juan Ramón; la delicadeza para expresar y la divina hiperestesia de la perceptibilidad para sentir, como si toda su carne fuese carne de corazón; esa íntima fusión de Poeta y Naturaleza que ennobleció la literatura peninsular con los hondos panteísmos de Antero de Quental que hace, con voz distinta, preguntarse a Juan Ramón, en la desolación de un véspero, si él mismo es también un matiz del crepúsculo; y vuelve a dar su fragancia la flor de ironía que aromó tantas estancias de *Platero y yo;* suave y aquietada en remansos de benevolencia, en muchos pasajes, adquiere en otros, como «Author's Club» y «Coro de canónigos» acres genialidades de sarcasmo, y es siempre la vibración de una nueva cuerda en la lira que nos ha regalado con tan inolvidables sonatas.

La poesía de Juan Ramón se enriquece con nuevos tesoros de emoción; sin perder su primordial condición cordial se cerebraliza en trascendentes aspectos; el poeta que supo despertar nuestros entusiasmos adolescentes consigue en cada nuevo libro el renovado tributo de nuestra admiración.

[*Polytechnicum. Páginas de cultura general,* Murcia,
Año X, n.° 114, junio de 1917.]

ALFONSO REYES

JUAN RAMÓN Y LA *ANTOLOGÍA* *

El arte de Juan Ramón Jiménez está cifrado en esta poesía:

> ¡Palabra mía eterna!
> ¡Oh, qué vivir supremo
> —ya en la nada la lengua de mi boca—,
> oh, qué vivir divino
> de flor sin tallo y sin raíz,
> nutrida, por la luz, con mi memoria,
> sola y fresca en el aire de la vida!

Donde, a un gran designio de conquistar la gloria —la alta moral del griego— se une un sentimiento de que la obra debe ser cosa purificada de las materialidades del poeta. Sin nada pasajero ni accidental, nada que se vaya con el cuerpo a la tumba. Donde la *palabra eterna* quiere decir, no un elogio que el poeta se aplica a sí propio, sino una actualidad permanente, hecho nítido, todo de hoy, todo vital, sin curiosidades arqueológicas, sin pasado, íntegramente valioso en todos los momentos presentes; y, en suma, el misterio lógico de la perfección como lo define Santo Tomás: acto puro, sin blanduras de potencia o posibilidades dormidas: acto puro, realización absoluta.

Pero meditemos sobre todo —oh maestros y oficiales de la palabra— en la «flor sin tallo y sin raíz», que es también la flor absoluta: la belleza que persigue Platón, arrancada ya a todos los órdenes de necesidad —tallo y raíz— que la sustentan y nutren por abajo; fin último de la creación de las cosas, y única justificación de Dios ante los Titanes que le interrogan.

Así, pues, la obra acabada del poeta tiene que ser una *antolojía*: junta de flores, cosecha de corolas solas.

---

* Con motivo de la *Segunda antolojía poética.* «Colección Universal» de Calpe, Madrid, 1922.

Mientras vivimos —repetía Rodó— nuestra personalidad está sobre el yunque. Tal es la doctrina de la vida como una perenne educación —ideal de Goethe—. Mientras vive el poeta —nos dice Juan Ramón Jiménez— el libro, la obra, tienen que reflejar una mudanza constante, progresando en grados de excelencia. Tal es la filosofía de la vida como una creación perenne.

No basta: la vida toda del creador debe exhalar un poema solo, en que cada instante rinda su tributo necesario al conjunto. Todas las poesías de un poeta —continúa pensando Juan Ramón— son fases de una sola poesía. Y de aquí la doble necesidad, por una parte, de revisar continuamente cada verso, cada poesía, cada página y cada libro— de suerte que cada nueva edición desespere a los eruditos con sus mil problemas de variantes y retoques, más o menos sensibles a los extraños, pero exigidos por la severidad del juez interior; y, por otra parte, de reorganizar incesantemente el conjunto de obras —la Obra— buscando el contorno definitivo de la constelación del alma y el sitio terrible de cada estrella.

Tal, para el poeta infatigable —para el que lo es plenamente— aparece la empresa total de la poesía. De suerte que la labor misma de Juan Ramón tiende a crear una Antología de sus libros, una Antología renovada de tiempo en tiempo, al paso que la vida insaciable promueve en la mente del poeta nuevas acomodaciones del mundo. Juan Ramón asciende por la escala de Diótima, y las bellezas particulares, mezclando sus minúsculas curiosidades y agrados, van recomponiendo a sus ojos una corona superior de belleza, la Belleza única y evidente. No concibo tarea más heroica, tarea más alta, más digna de emplear las fuerzas de un hombre, aun cuando de paso le imponga un sacrificio constante y un diario ejercicio de renunciación.

Porque, sin valor para rechazar, no es dable escoger. El poeta, después de haber acumulado en los libros de ayer algo como los borradores de su obra —que ya bastarían a cualquiera, menos descontentadizo y menos torturado de perfección, para reclamar su derecho al ocio— comienza ahora a preferir; es decir, a rechazar (también a rehacer). No todo lo que se hizo está bien hecho —dice para sí—. Juan Ramón, como director de su biblioteca, nos ayuda a entenderlo como maestro de sus poesías: todos los días rechaza un libro, o cambia una colección de obras completas por un volumen de páginas escogidas; y, a veces, sé que está dispuesto a conservar, de todas las páginas escogidas, una sola. Ahora naufraga todavía —es la palabra— entre un océano tempestuoso de papeles y libros. Paciencia... Todo se acabará mañana. Los libros esenciales quedarán en sus radios; pocos e inevitables, testigos de mayor excepción para la soledad del trabajo. Y las infinitas cajitas donde hoy va guardando, con una exactitud de entomólogo, sus cuartillas de primero y de segundo intento, alcanzarán la recompensa —¡ay, provisional, puesto que la vida se interrumpe!— de cristalizar en una Antología.

La fuerza de rechazar —dice Juan Ramón— mide la capacidad moral de un hombre, en el orden de la conducta; mide la verdad de su estilo, en el orden del arte; mide, finalmente, en el orden de su vitalidad, el peso de su creación. Por eso parece que se queda algo aislado todo el que escoge; algo recluido. Sólo se le ve en ciertos sitios —los sitios ciertos—. Sólo habla con ciertos amigos —los amigos ciertos—. Sólo publica ciertos libros —los libros ciertos—. Vive de lo fundamental: «Piedra y Cielo». Busca sólo lo fundamental: «Eternidades».

[*Simpatías y diferencias,* ed. y prólogo de Antonio Castro Leal, México, Porrúa, 1945.]

PEDRO SALINAS

SUCESIÓN DE JUAN RAMÓN JIMÉNEZ

Hace mucho tiempo que Juan Ramón Jiménez ha renunciado al libro como forma de publicación de su extensa obra inédita. Desde *Belleza, Poesías* (1923), el poeta no ha vuelto a reunir obras suyas en volumen. En una serie de entregas *(Unidad,* 1925-1928, cuadernos) nos ofreció algunas de sus páginas más densas y significativas. Ahora sus admiradores tienen a la mano otra modalidad de publicación muy semejante a aquélla: los pliegos que con el título general de *Sucesión* ha comenzado a dar sin nombre completo de autor, sólo con sus iniciales, pero en todo tan inequívocamente suyos, Juan Ramón Jiménez. Ya aquel título *Unidad,* éste *Sucesión,* dirigen la atención del lector hacia el concepto de creación total, de obra suma concebida con la misma unidad de una vida humana y con el mismo desarrollo en sucesión que ella. Vida humana y poética a la par, una sola las dos, marcada por la inevitable permanencia y la obligada variación, por la unidad y el sucederse. Totalidad. Proyéctase tal concepto de la obra literaria propia en el contenido mismo de los cuadernos de que hablamos. En ellos se encuentra obra poética en verso (doce poesías) y obra poética en prosa; y dentro de ésta retratos de los que Juan Ramón Jiménez llama *Héroes españoles y Españoles variados* (seis en número: Menéndez Pidal, Falla, Jorge Guillén, Antonio Espina y dos retratos de niños); prosas en forma poemática como *El Vendimiador, Sueño de tipo neutro, El Paseante mejor, Enamorada;* tres series de aforismos sobre Etica y Estética. Además se ofrece una media docena de versiones españolas: Shelley, Thompson, «A. E.», Te-Ran-Ye y Amy Lowell. Una mirada superficial atribuiría a estos cuadernos el carácter de misceláneos, de recolección mecánica de materiales. Pero conocido el poeta y su noción de la poesía, en estos cuadernos el alternar de verso y prosa, de poesía y aforismos, de producciones recientísimas y de revisiones de poesías antiguas, de obra propia y de versiones españolas de poetas extranjeros, sólo se puede calificar de integración. Para Juan Ramón Jiménez, sin duda, la poesía, la *vis creati-*

va opera con la misma dignidad, con el mismo rango y altura en toda obra donde se halla presente. La poesía no es cosa de géneros, es pura esencia. Y donde aliente ella está el poeta entero.

Tres fechas llevan estas hojas: 1896, 1932, 19XX. Para decirlo con la terminología de Juan Ramón: actualidad, futuro y ayer. Pero un ayer salvado, revivido. Creación y recreación. El poeta que crea y se recrea en su obra. Así nos encontramos con poesías de 1901, de 1906, de 1908, como extremos en su poesía de ayer, y con poesías de 1930 y 1932 como término de su creación de hoy. *El faisán, La risa y la gloria, La voluntaria,* son lo más nuevo que estos cuadernos aportan de la obra en verso de Juan Ramón Jiménez. *El faisán* aún conserva la mejor gracialidad de las poesías de tono popular, la mejor pompa del momento modernista, pero con una severidad de ejecución que corresponde por completo al momento de hoy. El poeta en nada se niega. Busca, al contrario, el afirmarse en lo más seguro. *La voluntaria* es una elegía de aire libre, una elegía trascendente, más en tono de asunción, todo ello envuelto en una atmósfera campesina de Guadarrama rosa, como dice el poeta.

Continúan las series de los aforismos que ya inició Juan Ramón Jiménez en los cuadernos de *Unidad* bajo el título de *Ética y Estética,* sumamente importantes algunos de ellos en cuanto nos acercan certeramente a su visión actual de la poesía. Piensa de ésta Juan Ramón Jiménez como de algo naturalísimo que nada tiene que ver con la moda, con el hallazgo ni con la novedad. El gran espíritu, dice, el gran arte es siempre igual. En cuanto a la inteligibilidad de la poesía, su punto de vista parece ser contrario al que siguió a Góngora: en Góngora, conforme van cediendo las resistencias que a la inteligencia ofrece la expresión poética, se nos van escapando realidades de las manos, y al llegar a la comprensión final nos hallamos con que la poesía está ya consumida por sí misma, volatilizada. Juan Ramón Jiménez cree que la poesía debe tener apariencia comprensible, pero guardando en su interior una gradación de concesiones que satisfagan la curiosidad más exacerbada sin llegar, sin embargo, a contentarla nunca; en esto, dice él, parecida a los fenómenos naturales. Lo dice también de otro modo: «al secreto más raro, recto, por un camino franco». ¿Debe ser la poesía filosófica? No, metafísica. El trance trágico del poeta está en haber sido llamado a darnos la cifra del mundo por medio del canto. En las fuerzas que contribuyen a la creación poética, sigue Juan Ramón Jiménez preocupado con instinto e inteligencia, «Poesía, instinto cultivado»; y la mayor dificultad estribará en una buena justicia distributiva, en una exacta delimitación de las atribuciones de la inteligencia, que no invada el dominio del instinto; hay en el crear un momento en que es preciso sentirse dominado, hay otro en que se hace necesario ahora dominar. Poco a poco nos va dando Juan Ramón en estos aforismos aparentemente dispersos su sistema de la poesía, y con él sitúa al poeta ante su obra y la opinión ajena; esta opinión ajena nunca debe, ya sea favorable o desfavorable, quitar ni poner nada al hombre creador, siempre afincado en la seguridad de su mundo. Juan Ramón Jiménez es, cada día menos, el poeta inconsciente e irresponsable. Esa conciencia vigilante que desde hace muchos años pone sobre su obra, nunca dormita y se muestra de día en día más exigente.

Parte esencial de estos cuadernos son los retratos de héroes españoles. Héroe, para Juan Ramón, no es el héroe bélico ni el héroe de Gracián; llama héroes «a los españoles que en España se dedican más o menos decididamente a disciplinas científicas o estéticas». En el prólogo a su futuro libro en que coleccionará todos estos retratos, acusa esto que tanto y tantas sensibilidades españolas (para no citar más que lo moderno, Cadalso, Larra, Valera) han registrado repetidas veces: la indiferencia, la hostilidad que en torno suyo encuentra el poeta o el científico. Aquí deja caer Juan Ramón Jiménez una confesión de gran valor para el conocimiento del poeta, y es que su tristeza nunca tuvo otro motivo más verdadero que el sentirse desligado y aparte en su vocación por lo bello. Sigue existiendo la cuarta raza, la heroica, en España, con más dificultades que en parte alguna. Los retratos literarios de Juan Ramón Jiménez que se nos ofrecen en estas series son, los unos, de grandes figuras españolas —Ramón Menéndez Pidal, Manuel de Falla—; otros dos escritores medianos en su vida, pero seguros ya en el rumbo y valor de su producción como Jorge Guillén y Antonio Espina. En estos retratos el poeta nunca copia, inventa, descubre, exagera, estiliza; por eso, a ratos, frisan con una caricatura, en ocasiones están bordeando una exaltación. Quizá nunca ha llegado la prosa de Juan Ramón Jiménez a una precisión tan segura, a un aprehender de la realidad tan personal, tan concreto, tan local, ni a una mayor fuerza de elevación, a una mayor densidad de poesía. Exactitud, y no realista, conquista de una personalidad por el camino más remoto de la copia, por un procedimiento riquísimo, sí en elementos de observación, pero puestos todos al servicio de una facultad adivinatoria. Esta especie de psicología de lo plástico cede —sin desaparecer por ello— el paso a la ternura, a la gracia, en otros dos retratos infantiles («La niña Solita de Salinas» y «Teresa y Claudio Guillén»). Y en cuanto a la producción poética en prosa, fuera de los retratos y de los aforismos, *Sucesión* nos da una serie de poemas que continúan la trayectoria de los contenidos en *Unidad*. A veces, sobre reminiscencias de niños y de adolescentes, como «La casa Azul Marino», «El Vendimiador», «El Eco del Otoño»; otras, de un delicioso humorismo poético como esa breve y densa historia de «Léontine y Padre Dios». Dos de ellos («Sueño de tipo neutro», «Morita hurí») realizan como los mejores, en su profundidad de pensamiento, y en la riqueza de construcción, ese tipo de poema favorito de Juan Ramón Jiménez.

También parece iniciar el poeta, en esa constante reflexión depuradora de su propia obra, un apartado de máximo interés y que él titula «Fuente de mi poesía», bajo cuya rúbrica inserta —en el pliego VI— unos versos de Víctor Hugo, *Nuits de juin,* donde los aficionados a lo que la historia literaria denomina «estudio de fuentes» hallarán una buena presa. Y esta parte de *Sucesión,* en toda su orgullosa honradez

—ya que ningún inconveniente hay en mostrar cuáles son las fuentes de una poesía que en la historia de la lírica española ha sido y ha de ser fuente de tantas otras poesías—, confirma lo que anticipamos al comienzo: es decir, que estos cuadernos, en su brevedad, son, íntegro, total, el mundo inventado por Juan Ramón Jiménez y nos ofrece en sus escasas páginas un denso y riquísimo microcosmos poético.

Noviembre 1932.

[*Índice literario,* publicación del Centro de Estudios Históricos, Madrid, 1932. Recogido en *Literatura Española siglo XX,* Madrid, Alianza Editorial, 1970.]

CARLO BO

LA «POESÍA DESNUDA» DE JUAN RAMÓN

En los últimos años comprendidos entre la muerte de Antonio Machado y la reanudación de la labor y de las relaciones normales después de la guerra, se ha venido puntualizando poco a poco, el desarrollo último de la poesía española, sobre todo de la poesía hecha por los poetas que han establecido su vida en América.

Un problema para mí era el de Juan Ramón Jiménez. Yo había notado, estudiando a Juan Ramón, que ciertos sutilísimos motivos de sus primeros años constituían una de las voces centrales de la poesía europea; una experiencia llena de valor y, al mismo tiempo, sostenida por una vena vigorosa de inspiración.

De otra parte había encontrado singular el comportamiento del Jiménez de la segunda época, que se había opuesto a la definición de tal vena; el poeta parecía preocupado sólo en descarnar su verso, en perseguir a toda costa un motivo esencial, casi una relación derivada de su discurso poético.

A mí me parecía que la fuerza de Jiménez estaba en otro registro, el registro de la sugestión musical, que le hacía familiar a los simbolistas franceses y le calificaba como naturaleza romántica (y se usa esta palabra sin ninguna intención desvalorizadora). En verdad, aún situando la poesía de Juan Ramón Jiménez en el romanticismo, se le da una posición especial; nadie tuvo una voz tan rica de penetración musical como vibrante de finísimas sugestiones. Pero se puede comprender la razón de la mutación del poeta.

Él había llegado a un punto de perfección, en el cual, su «experimento» poético, encontraba su perfecta realización: el público quedaba satisfecho; el poeta, no. El límite de perfección tenía que volver a ser un límite de estímulo para el poeta. ¿Cómo Juan Ramón Jiménez saldría de la ciega medida de la perfección? ¿Buscando aún más lo esencial, o buscando un modo amplio de narración, una poesía episódica? Su historia rechazaba el segundo camino, y por eso, a Jiménez le quedaba la única posibilidad de continuar en el surco de la propia perfección alcanzada, desnudando el verso, la palabra, hasta llegar a la expresión del sentido exacto de la verdad poética de su alma.

El mismo poeta nos habló de su renovación:

¡Oh, pasión de mi vida, poesía desnuda, mía para siempre!

Hay que distinguir entre la poesía que precede al *Diario de un poeta recién casado* y la siguiente. La pureza de la primera no llega al sacrificio de la sugestión musical, era una pureza conseguida a fuerza de una extenuante espera; la pureza de la segunda está ligada estrechamente a una prueba crítica. La notable diferencia anotada deja una gran perplejidad en el crítico. ¿Hubiera podido Juan Ramón Jiménez alcanzar una nueva gran poesía, o deberíamos encerrarle en los límites de la *Segunda Antolojía Poética*, casi su primer testamento poético? La contestación no podíamos darla sin conocer sus obras recientes: ahora, al fin, ha venido de Argentina su libro *La estación total con las Canciones de la nueva luz*. Son poesías de los años 1923-1936, época de la radical transformación. El libro nos da una contestación, pero su respuesta se diferencia notablemente de lo que suponíamos. El peligro de la debilitación de la voz, al esterilizar los motivos humanos, lo ha superado el poeta de manera ejemplar. El contacto con la poesía del primer período permanece en una adherencia viva del lenguaje y en el juego mismo de la memoria.

El nombre exacto de las cosas que constituía la aspiración central de su madurez, ha sido alcanzado, no por aplicación fría y estéril desde lo exterior de términos de uso de absoluta aplicación poética, sino, otra vez, en los límites de imágenes poéticas, aunque no sean imágenes sentimentales, sino intelectivas. El poeta que nos encantaba vivía en el equilibrio sutil de la evocación sentimental, en el gusto del canto apenas asomado, en los pliegues de una melancolía preciosa; el poeta ante el que hoy nos encontramos ha ampliado su teatro, ha añadido una nueva proporción al mundo reducido del pasado: permanece fijo el término «pureza», «poesía desnuda», pero las voces que lo componen han aumentado, aunque no todas aparezcan en el texto, aunque el poeta elimine un gran trabajo de preparación: el tiempo de la espera. Juan Ramón Jiménez es el caso de un poeta que va consumiendo, en lo íntimo de su corazón, toda su no-poesía, sin una señal de conmoción, sin ceder nunca a lo inmediato.

Hay que tener presentes estos treinta últimos años de trabajo, de lenta y profunda especulación poética que pueden, notablemente, modificar la bolsa de los valores poéticos. Hay versos, como los de «Sitio perpetuo», que nos ofrecen un registro nuevo, todavía desconocido, y que nos dan una nueva imagen de Jiménez. Pero el tono más seguro, el que nos permite establecer con exactitud aquel contacto al cual se aludía antes, lo encontramos en otros lugares, por ejemplo, en «Rosa íntima», en que el poeta ha logrado desenlazar una frase penetrada por luces y sonidos, resultando que nos lleva al tiempo de las evocaciones de los estados ricos de sentimiento, de abandonos penetrantes. En fin, es el regreso a la plena personalidad del poeta, la necesidad de volver a tomar, de poseer el antiguo patrimonio de experiencias (solución verdaderamente no esperada para quien se fundara en «Belleza» exclusivamente). Para tener una idea de este regreso de la memoria al plano primero léase: «Es mi alma». La situación es perfectamente confirmada en «El ser uno». Los últimos versos de esta poesía me parece que pueden darnos la razón de su entera evolución: a la primera soledad abandonada (con secundarias desviaciones musicales), el poeta ha sustituido una manera distinta de espera; en fin el abandono melancólico de entonces llevaba fatalmente a una pura extenuación de los motivos poéticos, a una condición de ausencia alumbrada; la postura tomada después de 1920 no ha quitado nada a la necesidad de esa soledad, sólo ha conducido otra parte del mundo, todo el mundo; es decir, a la evocación poética. Si Jiménez hubiera continuado en el primer registro lírico, se hubiera restringido a la enumeración, a la pura pronunciación: aquí, al contrario, ha logrado la poesía desnuda a través de una pronunciación llena. Necesitarían el historiador y el crítico de hoy conocer también la vida del hombre con la poesía del poeta; se tiene la sospecha que esta nueva soledad de Jiménez depende, en buena parte, de muchísimas otras preocupaciones: es una soledad sólida, es un acto de vida.

Por eso podemos decir que la carrera de Juan Ramón Jiménez hoy parece tener nuevas raíces, su poesía, en fin, adquiere otro peso humano. Ahora no hablamos sólo de perfección musical, de un equilibrio extraordinario de elementos poéticos, sino somos libres de hacer alusión a una convicción más profunda.

Dije «hace alusión» de propósito; no hay duda que mañana tendremos otros documentos que añadir al proceso de este nuevo caso.

[Publicado originalmente en *La Fiera Letteraria*, Roma, 6 de marzo de 1949; reproducido en castellano en *Revista de la Universidad*, Río Piedras, Puerto Rico, 18 de julio de 1951.]

GUSTAVO CORREA

«EL OTOÑADO» DE JUAN RAMÓN JIMÉNEZ

El «otoñado» pertenece al grupo de poemas de *La estación total,* escritos entre 1923 y 1936, si bien tan sólo publicados en 1946, juntamente con *Las canciones de la nueva luz*[1]. Destaca inmediatamente el título del poema que se halla en necesaria relación con el del libro. Ambos títulos contienen, en efecto, indicadores estilísticos que son ya en sí portadores de la intuición básica que predomina en esta fase de la creación del poeta: la de embriaguez espiritual por haber entrado él en posesión del universo en el fondo de su conciencia. El estado de embriaguez es el de la saturación que proviene de la inmersión en la *estación total,* esto es, la que contiene en sí a las demás estaciones, las cuales resultan ser solamente variaciones de aquélla en su expresión de totalidad. El estar *otoñado* el poeta equivale a estar saturado de otoño, o más bien, embriagado de otoño, lo cual significa en este caso el estar inmerso en el denso mundo de las emanaciones sensoriales que constituyen en su conjunto la embriaguez otoñal. El sufijo *-ado* del neologismo *otoñado*[2] es el indicador lingüístico de este estado de saturación embriagante y se halla en correspondencia con el adjetivo determinativo *total* del sintagma *La estación total.*

El poema se halla dividido en tres estrofas de endecasílabos sin rima aparentemente organizada (con la excepción de asonancias sueltas en

[1] *La estación total* con *Las canciones de la nueva luz* ([1923-1936] Buenos Aires, 1946; 2.ª ed., 1958). «El otoñado» constituye el tercero y final poema de la secuencia «Paraíso», en la cual los otros dos son «Lo que sigue» (1) y «La otra forma» (2). Véase Agustín CABALLERO, *Juan Ramón Jiménez. Libros de poesía*, Madrid, 1967, págs. 1138-40.

[2] Comp. el sufijo de participio *-ado* en otros vocablos que son indicativos de saturación de la sustancia significada por el sustantivo del radical: *aguado, avinagrado, azucarado.* García Lorca utiliza el adjetivo *lunada* al referirse a la gitana que ha sido expuesta a la luz de la luna y va a recibir la visita del gitano, en su poema «San Gabriel» del *Romancero gitano:* «Anunciación de los Reyes / bien *lunada* y mal vestida». En Juan Ramón Jiménez, el neologismo *otoñado* supone el verbo *otoñar.*

-é-a, -á-a, -í-o y la aguda en *-ó*),[3] de las cuales la primera contiene seis versos, la segunda cinco y la tercera seis, dentro de una estructura simétrica y circular. Veamos el poema en su totalidad:

> Estoy completo de naturaleza,
> en plena tarde de áurea madurez,
> alto viento en lo verde traspasado.
> Rico fruto recóndito, contengo
> lo grande elemental en mí (la tierra,
> el fuego, el agua, el aire), el infinito.
>
> Chorreo luz: doro el lugar oscuro,
> transmito olor: la sombra huele a dios,
> emano son: lo amplio es honda música,
> filtro sabor: la mole bebe mi alma,
> deleito el tacto de la soledad.
>
> Soy tesoro supremo, desasido,
> con densa redondez de limpio iris,
> del seno de la acción. Y lo soy todo.
> Lo todo que es el colmo de la nada,
> el todo que se hace y que es servido
> de lo que todavía es ambición.

Si el título del poema presentaba una perspectiva fuertemente objetiva a causa del demostrativo *el* de tercera persona, tal relación de distanciamiento queda trasladada a una perspectiva de subjetividad al utilizar el poeta exclusivamente en las estrofas el pronombre de primera persona *yo* (estoy, contengo, chorreo, etc.), que señala su participación en el proceso que va a constituir el objeto final de su contemplación: el estar él *otoñado*. Esto es, el poeta se vuelve sobre sí mismo y describe el denso proceso del *otoñamiento* de su ser.

La primera estrofa plantea en términos de significación genérica el proceso embargante y totalizador del otoñamiento: *estoy completo de naturaleza, contengo lo grande elemental*. El universo físico en su totalidad ha penetrado en la conciencia del poeta hasta llenarla por los bordes. El contenido semántico de estas dos frases de intención formulística es a la vez concreto y abstracto. La *naturaleza* en su significación de la totalidad de las cosas creadas es término indicador de lo eminentemente concreto. Sin embargo, la relación sintagmática *estar completo de* es en sí misma abstracta por expresar primariamente la idea conceptual de *lo completo*. Por lo demás, la preposición *de* es introductora de un neolo-

---

[3] Es de notar que la preponderancia de vocales llenas, dentro y al final del verso (añádase a las asonancias señaladas en *-é-a, -á-a* y *-ó*, otros finales de palabra en *-á-o, -é-o, -ó-o*), contribuye a imprimir un efecto fonético de colmo y plenitud. Véase, por ejemplo, el v. 15, en el cual se da una alternancia de vocales llenas: «Lo todo que es el colmo de la nada» *(-o-ó-o-é-e-ó-o-e-a-á-a)*.

gismo sintáctico que destaca precisamente lo abstracto de la fórmula al dar énfasis a la situación relacional: estar completo *de* algo (siendo este *algo* la naturaleza concreta). En el idioma, la fórmula *estar completo* se emplea en tercera persona sin complemento preposicional, para referirse a que *algo está completo*[4]. Al trasladar el poeta tal fórmula intransitiva de la tercera a la primera persona e introducir la relación preposicional determinante de aquello con lo cual se halla completo, transfiere por este hecho una estructura lingüística de distanciamiento a su propia experiencia personal. Mediante esta construcción *neologizante*, el poeta expresa el término final del proceso que él ha experimentado en sí mismo (el de *llenarse de algo*) y que ahora es objeto de contemplación por parte suya, acto éste que implica una connotación abstracta y a la vez concreta. En cuanto al sintagma *lo grande elemental*, la perspectiva abstracta se deriva de la determinación genérica introducida por el artículo neutro *lo* aplicado a los adjetivos *grande* y *elemental*, los cuales, sin embargo, ya contienen determinaciones concretas, en virtud de las especificaciones que vienen en seguida y que se refieren a los cuatro elementos: *tierra, fuego, agua, aire.* Estos últimos son indicadores de la textura, la gravidez, la profundidad espacial y la extensión que se encuentran en la infinita diversidad de la materia física. Por otra parte, siendo los cuatro elementos los depositarios de una larga tradición en el pensar filosófico, la relación de su significación con la especulación acerca del origen de la materia les confiere una evidente significación abstracta[5]. Finalmente, lo profundo, extenso y vario de la naturaleza física culmina en un término, cuyo contenido semántico es de máxima inclusión totalizadora, tanto en su significación concreta como en la puramente conceptual: *el infinito.*

---

[4] El vocablo *completo* se refiere a que alguna cosa se halla íntegra y entera con todas las partes o elementos que normalmente la constituyen, y no requiere del término preposicional. En tal sentido, tiene también la significación de lo colmado y cabal. La utilización de la preposición *de* introduce una construcción sintagmática neologizante (que puede estar basada en *estar lleno de*), cuyo resultado es el de llamar la atención sobre el hecho insólito de estar en este caso el poeta *completo de naturaleza*, por no ser este acontecimiento lo común con la mayor parte de las gentes, ni siquiera con el poeta mismo.

[5] La utilización de los cuatro elementos como una manera de referirse a la elementalidad primigenia de la naturaleza indica que Juan Ramón ha absorbido la vieja tradición filosófica de los presocráticos en Grecia, quienes trataron de explicar a través de ellos la sustancia básica de la materia física. Tal noción le permite al poeta, además, abarcar el mundo de las esencias de las cosas y aludir al mismo tiempo a la variada multiplicidad de manifestaciones sensoriales que emanan de esta visión elemental, lo cual tiene implicaciones en la manera de captación del cosmos en imágenes y en la expresión del sentir lírico. Dicha noción aparece frecuentemente en los poemas de *La estación total.* Comp. la primera estrofa del poema «Ser súbito»: «En la revuelta claridad dudosa / del alba (luna humana casi aún) / se derramó brillando / rojo, rosa amarillo, agudamente / y en súbita cascada de fulgor / venido de su centro, el alto sur, / por el *aire* y la *tierra,* / no sé qué *fuego* o *agua*», en CABALLERO, *Juan Ramón,* pág. 1148. También en «Mirlo fiel»: «La arquitectura etérea, delante, / con los *cuatro elementos* sorprendidos, / nos abre total, una, a perspectivas inmanentes, / realidad solitaria de los sueños, / sus embelesa-

Ahora bien, estas dos formulaciones de carácter conceptual que enmarcan la primera estrofa en su comienzo y su final («estoy completo de naturaleza» y «contengo lo grande elemental») se hallan modificadas por complementos circunstanciales y frases aposicionales que introducen una densa textura imaginística de calidades hondamente líricas y que son anunciadores de la experiencia extática de embriaguez espiritual. El poeta está «completo de naturaleza» precisamente porque hay una plenitud externa que conduce a su plenitud interior. La determinación temporal es la del momento otoñal, revelado en su máxima excelsitud de una iluminación característica a la hora de la tarde y de una coloración de la naturaleza entera que coincide con la de los rayos solares. Las formas plenas son las del redondeamiento otoñal: en plena tarde de áurea madurez (v. 2). Este haz de estímulos sensoriales diversos que tienen que ver con luz, color y formas plenas se halla resumido en el vocablo, a la vez concreto y abstracto, con que termina este verso: *madurez*. La tarde es «plena» (*plena tarde*) por la intuición de madurez total en el universo físico, aureolado por una luz que es parte constitutiva de esta madurez. El adjetivo *áurea* da la coloración exacta al ambiente en su totalidad y hace posible la entrada en el mundo de la ensoñación extática, gracias al simbolismo sostenido de este color en la poesía de Juan Ramón[6]. El carácter aposicional del tercer verso, «alto

doras» galerías (pág. 1261). En el poema «La Gracia», los cuatro elementos son caminos que conducen a la captación de la figura femenina indicada en el título: «Las sendas naturales / que por *tierra, aire, agua, fuego,* / conduce a su cuerpo y a su alma / en oriente, poniente, sur y norte, / las tenemos que abrir con alma y cuerpo, / entra embriaguez embelesada / de pájaro, de flor, de ola, de llama: / la locura conciente» (pág. 1279). El poeta Antonio Machado hace mención de los cuatro elementos al comienzo de su soneto «Rosa de fuego» de su *De un cancionero apócrifo*: «Tejidos sois de primavera, amantes, / de tierra y agua y viento y sol tejidos», en *Obras. Poesía y prosa,* Buenos Aires, 1964, página 298.

[6] El color *oro*, asociado siempre con el atardecer o el otoño, se revela desde muy temprano en la poesía de Juan Ramón como el creador de una atmósfera propicia que conduce al mundo de la ensoñación extática. Para los varios matices simbólicos que presenta este color en la obra de Juan Ramón, véase Sabine R. ULIBARRI, *El mundo poético de Juan Ramón*, Madrid, 1962, págs. 208-24. En *Estío* (1915), toda una sección del libro lleva el título de «Oro». En particular, los poemas «Oro mío» del *Diario de un poeta recién casado* (1916), «Cada otoño, la vida» de *Eternidades* (1916-1917), «Arde, inmenso, el crepúsculo de oro» y «El oro chorreante» de *Piedra y cielo* (1917-1918), «¡Oh, qué sonido de oro que se va» de *Belleza* (1917-1923), y «Un oro», «El silencio de oro», «La hora» y «El oro eterno» de *Canción* (1935), captan el momento extático del contacto con lo eterno, dentro de un oro que se halla cada vez más independizado del paisaje original. Véanse *Libros de poesía*, págs. 459, 685, 770, 822, 1029, y *Canción* (2.ª ed., con Nota Preliminar de Agustín Caballero, Madrid, 1961), págs. 128, 181, 185 y 375. En *La estación total*, el poema inicial «Desde dentro» comienza con el siguiente verso: «Rompió mi alma con oro», *Libros de poesía*, pág. 1135. Juan Ramón dedica asimismo numerosos poemas al otoño propiamente dicho en su amplia obra, entre los cuales se encuentran «Otoño» y «Estampa de otoño» de *Poemas mágicos y dolientes* (1909), los sonetos «Octubre» y «Otoño» de *Sonetos espirituales* (1914-19), «Cada otoño, la vida» de *Eternidades* y «Anochecer de otoño» de *Piedra y cielo*. Véanse Francisco GARFIAS, *Juan Ramón Jiménez. Primeros libros de poesía*, Madrid, 1967, págs. 1945 y 1144, y *Libros de poesía*, págs. 31, 71, 685 y 769.

viento en lo verde traspasado», referido al segundo de la estrofa, completa un elemento constitutivo del paisaje otoñal (las cimas altas de los árboles traspasadas por el viento), dirigiendo la atención a la coloración en verde, en una imagen de compenetración con uno de los cuatro elementos (aire), y de elevación (*alto* viento) que corresponde con el impulso ascensional en la conciencia del poeta. El prefijo *tras-* del participio *traspasado* aplicado a la acción del viento en lo verde y al resultado de *traspasamiento* en este último es indicador al mismo tiempo del proceso que se opera en la conciencia del poeta: el de su *traspasamiento* total por la madurez otoñal hasta quedar él completamente saturado de la acción otoñal. El «rico fruto recóndito» hace referencia nuevamente a la madurez otoñal en términos de riqueza sensorial (*rico fruto*), la cual se ha tornado simultáneamente en riqueza de la conciencia del poeta. La *reconditez* de esta riqueza se refiere igualmente al mundo de las esencias de las cosas que ahora pasan a formar parte del contenido interior de la conciencia. Ésta ha absorbido no solamente la densidad sensorial del otoño, sino la gravidez, extensión y textura de los cuatro elementos, en sus aspectos sensoriales y de esencias, siendo todo ello *rico fruto recóndito* que inmediatamente se desborda en *infinito*.

La segunda estrofa implica que el poeta ha hecho suya totalmente la riqueza del otoño y que él es ahora fuente irradiante de esta gravidez sensorial que es a su vez absorbida por el mundo externo. Los cinco versos de esta estrofa central se hallan referidos a los cinco sentidos y están construidos dentro de una misma fórmula sintáctica[7]. Ésta se encuentra encabezada en cada caso por un verbo que lleva a su máxima capacidad la función sensorial de cada sentido: *chorreo, trasmino, emano, filtro, deleito*. El sustantivo que sigue inmediatamente a los verbos en su función relacional de complemento directo indica la terminación del proceso iniciado en cada uno de ellos, con particular referencia a cada uno de los sentidos: *chorreo luz* referido al sentido de la vista, *trasmino olor* al del olfato, *emano son* al del oído, *filtro sabor* al del gusto, y *deleito el tacto* al del tacto. Por otra parte, los verbos utilizados para cada sentido no son los usuales en el lenguaje ordinario para indicar la función que les es propia (*ver, oler, oír, gustar* y *tocar*), sino, por el contrario, verbos que potencian en grado máximo el resultado gozoso y de exaltación sensorial que le es peculiar a cada uno de ellos. Este efecto se ha conseguido por medio de un *espesor* inusitado en la textura de la materia que origina la función específica de cada sentido y que ahora es recibida nuevamente en forma quintaesenciada por el mundo externo, a través de procesos sensoriales que van de dentro

---

[7] La incorporación puntualizada de los cinco sentidos aprovecha también una larga tradición filosófica. Para Aristóteles, los cinco sentidos constituyen la fuente primera de donde procede todo conocimiento. Véase Guillermo FRAILE, *Historia de la filosofía. I: Grecia y Roma,* Madrid, 1956, pág. 469.

hacia afuera. Así, el poeta no solamente *irradia luz,* en cuanto él se ha convertido en foco de luz, después del *traspasamiento* de la luminosidad del otoño al fondo de su conciencia, sino que la *chorrea,* indicando con ello un espesor inusitado en la textura de la luz[8]. Asimismo, el poeta no solamente despide olor, sino que lo *trasmina,* haciendo referencia a la densidad espesa del olor y a su localización entrañable en el fondo de su ser (*minas* de ser)[9]. Tanto *chorrear* como *trasminar,* referidos a la luz y al olor (perfume del otoño) expresan una calidad máxima de textura espesa de algo que en sí no lo es por naturaleza. Dichos verbos aluden a una intensificación del proceso de aprehensión del mundo por los sentidos habituales. Además, indican que el poeta, saturado de otoño, siente el espesor de dicho saturamiento, del cual debe hacer partícipes a los demás. En la misma forma, las ondas musicales que se refieren al sentido del *oído* han adquirido el espesor de una textura que se abre paso del interior del poeta hacia afuera, gracias a esta nueva capacidad de aprehensión adensada de los efectos sensoriales, con la utilización del verbo *emanar*[10]. En cuanto el sentido del gusto, la capacidad de *gustar,* que ya en sí es connotativa del espesor de la materia que va a ser gustada, también intensifica su función propia, al verse convertido el gusto en un *filtro* que decanta la materia espesa de lo gustado que va hacia el exterior. Por último, el *tacto* no solamente ejerce aquí su función de tocar y percibir tactilmente formas y texturas, sino que experimenta dicho ejercicio en el resultado más apetecible de sus funciones, cual es la de volver espesa y táctil a la misma soledad que habría de parecer en sí vacía de la textura del tacto. Tal hecho es posible, en virtud de una mayor percepción de las formas exteriores, durante la concentración de la conciencia, cuando ésta se halla en soledad consigo misma, en trance de percibir los objetos y el ambiente alrededor. El poeta es el que deleita ahora a la naturaleza, la cual ha adquirido de pronto la capacidad de percepción táctil que le permite absorber las emanaciones que surgen de él. En suma, es el poeta,

---

[8] El vocablo «chorro» de origen onomatopéyico, referido en un principio al sonido del agua que fluye por un canal estrecho, se aplica luego a dicha masa de agua propiamente dicha o a otro líquido cualquiera que sale de un lugar. En el lenguaje ordinario «chorro de luz» señala lo intenso de un haz de rayos de luz que hiere repentinamente un objeto. La expresión «a chorros» da la idea de abundancia, la cual se halla implícita también en la frase «chorreo luz». Comp. la textura de las percepciones sensoriales en el poema «Sentido y elemento» de *Las canciones de la nueva luz:* «El *sabor* / de los aires con el sol!...» (*Libros de poesía,* pág. 1198).

[9] El neologismo *trasminar* (a base de *minar*) está usado en el sentido de dar de sí la *mina* que se halla en el interior del ser del poeta (*mina* de perfume en este caso). Juan Ramón utiliza la palabra *mina* para referirse también al foco de luz que se halla dentro de sí. Comp. el poema «Luz y negro» de *Las canciones de la nueva luz:* «¡Qué *mina* esta de mi luz (*Libros de poesía,* pág. 1179).

[10] El verbo *manar,* en su función tanto intransitiva como transitiva y con el sentido de «brotar», «salir», se refiere originalmente a líquidos (*manar* agua). *Emanar,* en función transitiva, viene a ser en este caso un intensificador de *manar,* con indicación del lugar de origen: *emano* son.

quien, dentro de su otoñamiento, se ha convertido en fuente emanante de una densidad sensorial que puede enriquecer al universo externo. El movimiento de *traspasamiento* inicial del otoño a su conciencia, indicado en la primera estrofa, ha cambiado de sentido, en cuanto ahora va de dentro hacia afuera, en un proceso reversible de saturación irradiante y emanante, en virtud de la nueva condición de saturamiento en su interior.

Las fórmulas sintácticas iniciales de cada uno de los versos en la segunda estrofa se hallan a su vez completadas, en los cuatro primeros versos, por una proposición que desenvuelve el sentido de la fórmula que le precede y que se halla en relación aposicional con ella (tal es el valor del signo diacrítico de los dos puntos), añadiendo específicaciones imaginísticas que amplían no solamente las connotaciones concretas indicadas por los sentidos, sino las de carácter abstracto y totalizador referidas a los mismos. En efecto, en la primera de ellas, *doro el lugar oscuro,* la significación del verbo *dorar* (iluminar con luz de oro) ahonda la coloración otoñal, referida ya al fondo de la conciencia, por la alusión a *lo recóndito* (comp. «Rico fruto recóndito» de la primera estrofa), implícito en el sintagma el *lugar oscuro.* Éste se refiere no solamente a los lugares con sombra que se encuentran en la naturaleza, sino que indica también lo encubierto de las esencias de las cosas, percibidas de súbito por la iluminación otoñal, lo mismo que lo recóndito del fondo de su conciencia otoñada [11]. La segunda frase explicativa del segundo verso, amplía la significación de la cláusula que la encabeza en la forma de una proposición en tercera persona, *la sombra huele a dios,* también de intención abarcadora de lo recóndito *(la sombra),* y confiriendo una connotación de hondo sentido religioso al encontrarse el poeta con que este olor emanante de sus minas del ser («*trasmino* olor»), no es otro que el *olor de dios.* La significación sensorial primaria y eminentemente concreta del olor se amplía de esa manera a una irradiación de sentido conceptual, sin dejar por ello de ser una experiencia concreta: el hallazgo mismo de dios (escrito con minúscula por Juan Ramón, a fin de que no se identifique con el Dios tradicional). La tercera proposición explicativa, también en tercera persona, *lo amplio es honda música,* capta las extensiones espaciales (el espacio infinito), dentro del propio *son* que emana de su conciencia («*emano* son»). Su experiencia del sentido del oído, transformada en producción de música tiene la amplitud de las esferas celestiales. Esto es, el poeta habiendo sido traspasado, en su saturación otoñal, por la música entera del universo, en este instante de «plena tarde de áurea madurez», emana de sí *música amplia,* sin duda, en alusión a las doctrinas pitagóricas [12].

---

[11] Lo recóndito está relacionado con la idea de «centro» en el interior de la conciencia, tal como se encuentra en el primer poema «Desde dentro»: «Lo infinito / está dentro. Yo soy / el horizonte recogido» (*Libros de poesía,* pág. 1135).

[12] La alusión a «lo amplio», equivalente a «lo extenso», expresado en forma musical

— 138 —

Nuevamente, la experiencia muy concreta de producción de sonido (*son*) se amplía en ondas conceptuales. La cuarta proposición, asimismo en tercera persona, *la mole bebe mi alma,* amplía el significado de su fórmula anterior («*filtro* sabor»), utilizando un término que se refiere a la materia física en bloque (*la mole*), del mundo externo, para representarla como impregnada del propio *sabor* del alma del poeta. La denominación de sí propio como *alma* indica una vez más que el traspasamiento de lo sensorial del otoño a su interior (paladeo gustativo en este caso), y luego de éste al mundo externo, es una operación de filtro de cariz eminentemente espiritual. Por fin, el verso quinto se separa del esquema de los cuatro anteriores, por no mostrar una cláusula aposicional. El desenvolvimiento del sintagma *deleito el tacto,* que se halla situado en la misma posición de encabezamiento que los anteriores y es equivalente a ellos en el orden de los vocablos, difiere de ellos en cuanto a su complemento es el término relacional con preposición, *de la soledad.* Sin embargo, esta relación de término es amplificadora de algo concreto. (*deleito el tacto*) por dotar de corporeidad sustancial a algo que en sí no la tiene y que implica una significación de carácter general y conceptual: *la soledad*[13]. El deleite del otoñamiento y la consiguiente capacidad del poeta de emitir de sí este deleite táctil, queda transmitido a la naturaleza, la cual percibe a su turno la presencia de poeta. Éste devuelve a aquélla las esencias quintaesenciadas de sus experiencias tactiles, al encontrarse en soledad propicia, en confrontación consigo mismo y con el mundo. Es decir, esta transmisión de deleite sólo es posible en la radical soledad de sí, frente al mundo externo otoñal, en el momento intransferible de la contemplación.

Esta estrofa central, sólidamente organizada en sus esquemas sintagmáticos, es indicadora de la experiencia embriagante de la saturación otoñal por parte del poeta, quien ahora es productor de esencias otoñales, en grado eminente, de las cuales hace partícipe al resto del universo. De él emana el otoño, en un enriquecimiento múltiple que es el suyo propio, en cuanto poeta, pero el cual pertenece también a los demás entes de conciencia, a quienes les es dado contemplar al *otoñado,* a través de este poema que es precisamente «El otoñado».

La tercera estrofa revierte a esquemas de significación general que

---

(«lo amplio es música»), hace referencia a la armonía del cosmos, según las doctrinas pitagóricas. Véase FRAILE, *Grecia y Roma,* pág. 120. Ricardo Gullón ha indicado la absorción de las doctrinas pitagóricas por el modernismo a principios del siglo. Véase su *Pitagorismo y modernismo,* Santander, 1967. Antonio Machado se refiere a la *lira pitagórica* en el fragmento VII de su composición «Galerías» de *Nuevas canciones:* «En el silencio sigue / la lira pitagórica vibrando, / el iris en la luz, la luz que llena / mi estereoscopio vano» (*Obras,* pág. 242).

[13] *Soledad* es sustantivo abstracto que implica en este caso, sin embargo, una connotación de carácter concreto, al referirse a la naturaleza que requiere el contacto con el poeta para elevarse a una situación destacada de presencia.

habían sido anunciados en la primera, pero que ahora se revelan con un sentido perfectivo de lo ya terminado y concluso. Si la primera estrofa iniciaba su formulación con la variación verbal *estoy,* indicadora de procesos en trance de ser adquiridos, o que acaban de llegar a su terminación, la forma verbal con que se inicia la tercera estrofa, *soy,* sitúa la experiencia en la perspectiva de lo que ha llegado a ser permanente, en virtud de la función definitoria del verbo *ser.* Las fórmulas *soy tesoro supremo* (v. 12 del poema y primero de la estrofa), y *lo soy todo* (v. 14) son concluyentes y totalmente abarcadoras en su significación. La primera fórmula recoge las experiencias concretas de las emanaciones sensoriales de la anterior estrofa, resumidas en el concepto global de ser ellas un *tesoro.* Este último es, además, *supremo* en el sentido de haber sido quintaesenciadas y expandidas tales experiencias sensoriales, hasta su máxima capacidad. Por otra parte, es perceptible la connotación abstracta de haber sido reducido todo ello (la densa y abigarrada variedad de experiencias sensoriales) a una significación única: la de ser *tesoro supremo.* Tal significación abstracta se intensifica con el adjetivo especificativo *desasido* que indica que el *tesoro* obtenido ha alcanzado la calidad de lo virtualmente independiente en sí mismo, una vez que ha sido adensado en la conciencia. De esa manera, el poeta sigue siendo partícipe del proceso que se ha verificado en él de traspasamiento del milagro otoñal a su alma, siendo ahora él foco emanante de esa riqueza sensorial, pero al mismo tiempo le es dado contemplar el resultado final como algo que se halla *desasido* y que por esta razón ha pasado a ser hecho de contemplación. El complemento preposicional que sigue, «con densa redondez de limpio iris», procura aún connotaciones sensoriales (colores y formas redondas de las frutas del otoño, juntamente con la visión del arco iris), situándolo, sin embargo, en el plano abstracto de lo que es completo por ostentar una forma circular: la *redondez.* La conceptualización geométrica indicada por la acepción de formas redondas, propias de la madurez otoñal, corrobora el sentido de lo *desasido* en que ha sido colocado este *tesoro supremo* que, después de todo, ha brotado *del seno de la acción* (v. 14). La acción a que se refiere el poeta no es otra cosa que la del proceso del *otoñamiento* que se ha verificado en los estratos más interiores de la conciencia, indicado este hecho por la significación del sustantivo *seno* (comp. *mina* implícita en *trasmino*), en el sintagma *seno de la acción.* La acción se continúa ahora, si bien en la forma de un nítido acto de contemplación del poeta vertido sobre su conciencia misma, ya totalmente enriquecida. El proceso de *desasimiento* para llegar al acto de la contemplación pura, en un plano totalmente abstracto y conceptual, lo consigue el poeta con la formulación genérica y definitoria, *Y lo soy todo.* El poeta ha logrado el abarcamiento de la totalidad del ser, supremo empeño poético que resulta ser al mismo tiempo de carácter filosófico. La *nada* que se halla constituida por una conciencia sin verdadero contenido es sustituida o, más bien, *colmada,* por el *todo,* que se manifiesta como la expresión de un *máximo contenido:* «Lo todo que es el colmo de la nada» (v. 15). El uso de *lo* (*lo todo*), en vez de *el,* y del determinativo de máxima inclusión *todo,* añade un cariz más de abstracción a este proceso final de abarcamiento. En este momento, la intuición poética se expresa en un vocabulario de temple metafísico: el *todo,* la *nada,* y el *colmo* de la nada por el *todo*[14]. Ahora bien, este *todo,* ya independizado en sí mismo, *el todo,* presenta las características de un posterior *desasimiento,* de lo que se basta a sí mismo, y que en tal virtud ha pasado a ser materia de contemplación: «el todo que se basta» (v. 16). Sin embargo, estos resultados perfectivos son aún susceptibles de un mayor estado de perfección, a la que se llega por la inherente inquietud de la conciencia a querer alcanzar siempre más: «el todo que se basta y que es servido / de lo que todavía es ambición» (vv. 16-17). En tal punto, el poeta manifiesta su inconformidad con el presente, a pesar de haber obtenido en su conciencia, a fin de proyectarse hacia el futuro, en nuevas tareas para su obra poética. Esto es, el infinito es susceptible cada vez más de un mayor abarcamiento.

Frente a «El otoñado» nos encontramos con un momento clave de la lírica juanramoniana. Lentamente, a través de numerosos libros de poesía, el poeta ha ido creando un mundo de serena afirmación de todo lo creado. El problema lírico que se presentaba a Juan Ramón era el de resolver en qué forma, el contenido del universo, en tanto que experiencia lírica, pasaba a ser contenido de conciencia. La herencia simbolista había reafirmado la teoría de la magia del lenguaje como instrumento apto para crear mundos poéticos, coherentes en sí mismos, y sostenidos por el poder virtual de la palabra. Sin embargo, el simbolismo desemboca en una actitud nihilista, por cuanto la arquitectura del poema sólo conducía a la intuición de la nada y el vacío[15]. Juan Ramón Jiménez, y con él otros poetas españoles de la vertiente simbolista, entre los cuales se encuentran Pedro Salinas y Jorge Guillén, imprimieron un movimiento reversible a dicha tradición nihilista convirtiéndola en un proceso lírico e intelectual de afirmación. El poder creador de la palabra pasa, así, a ser un instrumento de aprehensión

---

[14] El pitagorismo establecía las oposiciones entre Ser y No-ser, Limitado e Ilimitado, Lleno y Vacío, Par e Impar. Véase Fraile, *Grecia y Roma,* pág. 121. La noción de *el todo,* equivalente a la de un cosmos compacto y completo, corresponde a la Unidad Primordial, también de los pitagóricos (comp. el v. 10 del poema: «la *mole* bebe mi alma»). Juan Ramón parece haber tenido presente asimismo la concepción del *absoluto* de Mallarmé que este último identifica con la *nada* y a la cual él llegó a base de la antítesis del *Ser* y *No-ser* de Hegel. Véase Guy Michaud, *Mallarmé: L'homme et l'œuvre,* París, 1953, págs. 53-66. En el soneto «Al gran cero» del *Cancionero apócrifo,* Antonio Machado proyecta la noción de *nada* como una creación del *Ser que se es,* esto es, de Dios. Véase *Obras,* pág. 311.

[15] Véase a este respecto el libro de Hugo Friedrich, *Estructura de la lírica moderna,* Barcelona, 1959.

del universo, y la poesía se constituye en vía de conocimiento y de exploración de los contenidos afirmativos de conciencia [16].

El proceso de súbito *henchimiento* o *colmo* de la conciencia sobre un fondo de nada o de vacío nos hace pensar, por otra parte, en los procedimientos que se hallan a la base del éxtasis místico. El poeta, en efecto, tiene la experiencia de una *nada* (la de su propia conciencia) que repentinamente se colma con *el todo*. Tal experiencia lleva implícito el encuentro con lo divino: «la sombra huele a dios»[17]. Por tal razón, la trayectoria del poeta es similar a la de los místicos. San Juan de la Cruz persigue el anonadamiento de su alma, a fin de conseguir el total vacío de su espíritu y experimentar por esta suerte la súbita presencia de Dios[18]. Sin embargo, existen fundamentales diferencias. El poeta no renuncia como el místico a las incitaciones sensoriales. Por el contrario, acude a ellas para conseguir el *colmo* de su conciencia enrarecida. El místico, en cambio, sistemáticamente provoca el vacío de toda sensación espiritual y corporal[18]. Con todo, la experiencia exultante del hallazgo repentino de un contenido abrumador en el fondo de la conciencia es similar en ambos casos y conduce, en uno y en otro, a la creación poética. El *místico-poeta* (San Juan) prorrumpe en canto para expresar el gozo inefable de la presencia de Dios en su espíritu. El *poeta-místico* (Juan Ramón) canta la extática experiencia de encontrar su alma colmada con un algo superior de carácter embriagante y fascinante. Por lo demás, ambos, el poeta y el místico acuden a un lenguaje de gran riqueza sensorial e imaginística para dar expresión al contenido de dicha exultación[20]. El poeta Juan Ramón, sin embargo, acentúa la perspectiva de conceptualización de su experiencia. El dinámico entrecruzamiento de lo abstracto y lo concreto se reflejan en el poema tanto en el vocabulario como en la arquitectura y las estructuras sintagmáticas. La intuición lírica es, así, visión extática, pero al mismo tiempo contemplación y fijación de la misma y del proceso de adentramiento del mundo externo en la conciencia por medio de la palabra. Por otra parte, la palabra poética se eleva de los contenidos concretos que tienen su raíz en las incitaciones sensoriales a una dimensión arquetípica del

---

[16] Comp. el poema «Poeta y palabra» de *La estación total*, en el cual el poeta reafirma la índole creadora de la palabra en el poema.

[17] El *colmo* de la conciencia le permite al poeta encontrar dentro de sí mismo el centro divino de su existencia. Comp. el poema «El ser uno» de *Las canciones de la nueva luz*: «Yo dios / de mi pecho. / ... Yo solo / universo.) / ... Yo uno / en mi centro» (*Libros de poesía*, pág. 997).

[18] Véanse Santa Teresa de Jesús, *Obras completas*, 2 vols., Madrid, 1951, y P. Crisógono de Jesús, *Vida y obras completas de San Juan de la Cruz*, Madrid, 1960.

[19] Véanse los tratados en prosa de San Juan de la Cruz, «Subida del Monte Carmelo» y «La noche oscura», en *Vida y obras completas*.

[20] Característica de la poesía de San Juan es la utilización de una imaginería intensamente sensual, como la que se relaciona con el matrimonio espiritual, a fin de expresar los arrobos de la unión mística.

mundo contemplado. El momento otoñal y demás visiones fragmentarias de las cuatro estaciones convergen a la *estación total*, la *quinta estación* [21], la que se encuentra por encima de todas ellas como arquetipo permanente de belleza en el cosmos.

Singular en la manera de aprehensión lírica del universo en el poema de Juan Ramón es asimismo la similitud que su experiencia poética guarda con el proceso de autoconocimiento del *espíritu absoluto* que el filósofo Hegel postula como supremo fin del arte [22]. Según la dialéctica de Hegel, la conciencia individual del hombre se enfrenta con el mundo exterior en el ejercicio de la actividad que le es inherente, acto por el cual cobra ella misma la noción del *absoluto negativo*. Este último consiste en el descubrimiento de la otredad del ser, que resulta de la negación de la conciencia por sí misma, frente a lo que no es ella. La conciencia, sin embargo, vuelve sobre sí para reafirmar su propia esencia y en tal acto se constituye en conocimiento absoluto de sí propia y del acto mismo de conocerse [23]. En la esfera del arte en general, la conciencia del artista actúa sobre formas plásticas de representación, imprimiendo en ellas el sello de su propia autorrevelación. En poesía propiamente dicha, el moldeamiento de la materia artística lleva implícito desde su raíz un sesgo abstracto, toda vez que la conciencia se apoya en signos lingüísticos de carácter abstracto (la palabra), para dar forma a las visiones plásticas que le procura la imaginación poética [24]. En «El otoñado» sorprendemos la dialéctica hegeliana, por cuanto la estructura del poema sigue la fórmula, *tesis-antítesis-síntesis*, la cual se manifiesta en la manera de ordenación de imágenes y sintagmas conceptuales en las estrofas. La primera estrofa, en efecto, parte del movimiento inicial de la conciencia en su función de posarse sobre sí misma para registrar el hecho súbito de la aprehensión lírica del universo, en un momento particular del tiempo («Estoy completo de naturaleza, / en una tarde de áurea madurez»). La segunda estrofa se con-

---

[21] Juan Ramón aplica la denominación de «quinta estación» a la *estación total* en el poema «Samuen» de este libro: «Las escaladas granas que andas / te siguen todas, señaladas / por la *quinta estación*, / donde ni adelfa ni reguero / ni silencio ni alondra / se alteran con tu rápida presencia» (*Libros de poesía*, pág. 1143).

[22] Véase su introducción a sus *Vorlesungen über die Aesthetik*, traducida por Bernardo Bosanquest, y publicada por J. Glenn Gray con el título de «On Art», en *G.W.F. Hegel, On Art, Religion, Philosophy*, Nueva York, 1970, págs. 22-127.

[23] Para el concepto del *espíritu absoluto negativo*, y en general la dialéctica de Hegel, véase J. N. FINDLAY, *The Philosophy of Hegel. An Introduction and Re-Examination*, Nueva York, 1966.

[24] En su introducción «On Art» dice Hegel respecto de la poesía: «In poetry the mind determines this content for its own sake, and apart from all else, into the shape of ideas, and though it employs sound to express them, yet treats it solely as a symbol without value or import. Thus considered, sound may just as well be reproduced by a mere letter, for the audible, like the visible, is thus reduced to a mere indication of mind. For this reason the proper medium of poetical representation is the poetical imagination and intellectual portrayal itself» (*G.W.F. Hegel*, pág. 126).

centra en la apercepción eminentemente concreta de la materia sensorial que ofrece el mundo alrededor. Las emanaciones sensoriales adensadas convierten al poeta en fuente emanante de dichas sensaciones. Tal proceso de adensamiento implica, por otra parte, una operación suma de abstracción, por cuanto la materia sensorial se halla decantada y traspasada de un hondo enriquecimiento espiritual («la sombra huele a dios»). En la tercera estrofa se efectúa la identificación de mundo exterior y mundo interior, en un proceso conceptual que incluye tanto lo sensorial como la actividad pensante, en el fondo de la conciencia del poeta. Esta final experiencia se resuelve en plenitud totalizadora y equivale a la aprehensión de lo *concreto universal,* según la terminología de Hegel. El encuentro del mundo objetivo a través de formas plásticas de representación que emanan de los cinco sentidos, en la segunda estrofa, es equivalente el descubrimiento del absoluto negativo en la estructura dialéctica, y conduce al encuentro de la conciencia consigo misma, en la tercera estrofa, dentro de una jubilosa afirmación de totalidad («Lo todo que es el colmo de la nada»). El poeta apunta, sin embargo, hacia futuros enriquecimientos, en cuanto su propia conciencia se halla siempre apta para una más cabal posesión del infinito («de lo que todavía es ambición»). Por último, en virtud de dicho movimiento dialéctico, le es dado al poeta contemplar el proceso del otoñamiento de su ser, resuelto al final en contenido perfectivo de conciencia. Al mismo tiempo, el poeta puede contemplar su propio acto de contemplación, a través del cual su conciencia se revela a sí misma en su dimensión de infinitud y en tanto que fuente creadora de mundos de belleza (el poema).

El poema «El otoñado» revela, por consiguiente, un mundo lírico de gran densidad plástica y conceptual que es característica de la última etapa de la poesía de Juan Ramón Jiménez. Este mundo lírico habrá de dirigirse cada vez más al esclarecimiento de lo que la propia conciencia de poeta representaba para sí y en tanto que ésta se encontraba situada dentro del concierto universal del cosmos. La culminación de esta búsqueda la realiza el poeta años más tarde en *Animal de fondo* (1949). En los poemas de este último libro, Juan Ramón hace el final hallazgo de dios en el fondo de su conciencia creadora. «El otoñado» revela, por lo demás, la fusión de diversas tradiciones poéticas y filosóficas, tales como la de la explicación del origen de la materia por los cuatro elementos, la del conocimiento del mundo por el ejercicio de los cinco sentidos, la de la ascensión platónica de los objetos y nociones concretas hacia arquetipos universales, y la de la revelación del ritmo universal sugerida por las doctrinas pitagóricas. También podemos advertir en él la aproximación del éxtasis poético al éxtasis místico y la presencia de un movimiento dialéctico que pone al descubierto la naturaleza del fenómeno lírico, en cuanto significa la aprehensión del mundo y de la propia conciencia del poeta en su acto de poetizar. El *poeta-filósofo* se vierte sobre su propia conciencia, a fin de contemplar y describir poéticamente los hechos espirituales que suceden en ella, dentro de su función creadora[25].

[*Hispanic Review*, Filadelfia, volumen 41, número especial, 1973.]

---

[25] La actitud de contemplación de los contenidos de la propia conciencia que Juan Ramón pudo conocer en Hegel se halla reforzada por el método fenomenológico de Husserl, quien expuso con todo rigor el conocimiento de los hechos de conciencia, en tanto que objetos espirituales, en su tratado de *Las ideas* (1913). El doble aspecto de absorción de experiencias sensoriales, por una parte, y de conceptualización de las mismas y su reducción final a poema a través de la palabra, por otro, dentro de una actitud contemplativa, hace pensar asimismo en la herencia de la poesía simbolista. Mallarmé, en su poema como *Prose pour des Esseintes*, formula una teoría poética a base de su experiencia de un viaje a una isla, durante el cual ocurre la división de su conciencia en los dos aspectos de intelecto razonador y ente «sintiente». La historia amorosa relatada en dicho poema, con la actuación de los personajes alegóricos, el *poeta* (personaje masculino) y su *hermana* (personaje femenino), subraya la relación de estos dos aspectos de la conciencia en el proceso creador, desde el momento inicial hasta su final concreción en poema. Véase el texto de dicho poema en Stéphane MALLARMÉ, *Poésies*, París, 1945, págs. 78-81, y la interpretación de Wallace FOWLIE en *Mallarmé*, Chicago, 1953, págs. 192-209. Es de notar que la preocupación por el tema de la poesía y de la creación poética en el contexto del poema, en la poesía española del siglo XX, encuentra su origen en la poesía de Mallarmé, quien a su vez influyó en Paul Valéry. Tanto Mallarmé como Valéry dejan sentir su huella en la poesía de Juan Ramón Jiménez.

ANTONIO SÁNCHEZ ROMERALO

JUAN RAMÓN JIMÉNEZ EN SU FONDO DE AIRE

Va a hacer diez * años que Juan Ramón Jiménez publicó *Animal de fondo*[1]. Va a hacer diez años que este libro bello y extraño aguarda un estudio completo y puntualizador.

No es que su aparición careciera de resonancia. En revistas literarias, o en libros dedicados a la obra general del poeta, le han dedicado interesantes páginas Eugenio Florit[2], Ricardo Gullón[3], Francisco Aparicio[4], Luis Felipe Vivanco[5], Graciela Palau de Nemes[6], Agustín Caballero[7], Concha Zardoya[8], Francisco Garfias[9]. Pero la complejidad de *Animal de fondo* dista mucho de haber sido estudiada con la amplitud y el detalle que merece y necesita.

---

* Así en original, escrito en 1958, al demorarse la publicación del artículo dos años, la redacción de la revista cambió *diez* a *doce*. [Nota de la editora.]

[1] *Animal de fondo* se publicó en 1949, en hermosa y cuidada edición bilingüe española y francesa, por la Editorial Pleamar, de Buenos Aires. La versión francesa fue hecha por Lysandro Z. D. Galtier. Reed. en *Tercera Antolojía poética*, Ed. al cuidado de Eugenio Florit, Madrid, Biblioteca Nueva, 1957. Las citas de *Animal de fondo* se harán por la *Tercera Antolojía poética*, en adelante *T*. Las citas de *T* van siempre por el número del poema mientras no se diga otra cosa.

[2] «Juan Ramón Jiménez, *Animal de fondo*», *Revista Hispánica Moderna*, 15: 1-4 (1949), 120-122.

[3] «Un canto para la poesía», *Insula*, 48 (1949), p. 3; y «El dios poético de Juan Ramón», *Cuadernos Hispanoamericanos*, 14 (1954), 343-349.

[4] «Nota de lector al último libro de J. R. Jiménez», *Razón y fe*, 143: 638 (1951), 292-304.

[5] «La plenitud de lo real en la poesía de Juan Ramón», *Insula*, 122 (1957).

[6] *Vida y obra de Juan Ramón Jiménez* (Madrid, Gredos, 1957).

[7] «Juan Ramón desde dentro». Prólogo a su edición de *Libros de poesía* (de Juan Ramón Jiménez), Biblioteca Premios Nobel, Madrid, Aguilar, 1957, pp. lvi-lx. [Este libro será citado en adelante como *LP*, las citas de *LP*, siempre por el número del poema, mientras no se indique otra cosa.]

[8] «El dios deseado y deseante de *Animal de fondo*», *Insula*, 128-129 (1957), páginas 10, 20.

[9] *Juan Ramón Jiménez*, Madrid, Taurus, 1958.

Estas páginas se proponen ayudar a la fijación y esclarecimiento de los problemas de fondo que el libro presenta.

«ANIMAL DE FONDO» ANTE LA CRÍTICA

La crítica, en general, ha señalado las dificultades del libro. «Las ideas de *Animal de fondo* —dice Graciela Palau— están expresadas en un plano de abstracción tal que difícilmente podrían ser interpretadas a primera vista. A la luz de la vida y obra completa del autor, aparecen más claras» [10]. Por su parte, Francisco Garfias estima que «a simple vista es un libro extraño, cerrado, brumoso. Es preciso, para llegar a su esencia, amor y afanosa lectura. Es preciso, sobre todo, antecedentes...» [11]. En 1957, Luis Felipe Vivanco insiste en lo necesitado que está el libro de un comentario iluminador [12].

En cuanto a las interpretaciones que se han dado a *Animal de fondo,* escribe Agustín Caballero: «...es increíble que hayan podido menudear de tal modo las interpretaciones erróneas...» [13].

No obstante, muchos de los problemas que encierra *Animal de fondo* creemos que han sido ya vistos y resueltos. Desde el primer momento se vio que el dios de *Animal de fondo* no era el Dios del Evangelio: «...no hay en él un sentido cristiano —escribía Francisco Aparicio S. J., en 1951—; desde el primer poema —insuperable poema, por otro lado— aparece excluido un Dios redentor, ejemplo, personalmente distinto de la conciencia íntima del poeta» [14]. Efectivamente, el primer poema —«La trasparencia, dios, la trasparencia»— no deja lugar a dudas a este respecto. Deliberadamente, puntualiza el poeta:

> No eres mi redentor, ni eres mi ejemplo,
> ni mi padre, ni mi hijo, ni mi hermano

Se ha dicho que se trata de un dios limitado, si bien no todos los autores han hecho resaltar hasta qué punto es limitado. Y se ha puesto de manifiesto lo que resulta esencial para la comprensión del dios de

[10] No estoy, sin embargo, de acuerdo con su interpretación del dios juanramoniano: «El dios deseado y deseante que invoca Juan Ramón en su etapa final —continúa diciendo la autora— es dios, no en el sentido de incorporación o expresión concreta del ideal... Este dios «deseado y deseante» continúa siendo al mismo tiempo ansia de superación. Considerados en total, en los últimos versos de J. R. hay indicación de que su ideal va aún más alto, la Belleza es sólo una expresión perfecta en sí por su expresión de lo total perfecto, pero no suma total en sí o por sí misma. El canto triunfal del poeta por su obra, por su poesía, por su Belleza, final éxtasis espiritual de *Animal de fondo,* es comprensión total e individual de sólo un aspecto del Dios verdadero, «el nombre conseguido de los nombres» (*Vida y obra de Juan Ramón Jiménez,* pp. 363-364).
[11] *Juan Ramón Jiménez,* p. 180.
[12] «La plenitud de lo real en la poesía de Juan Ramón».
[13] *LP,* p. lx.
[14] «Notas de lector al último libro de J. R. Jiménez», pp. 388-389.

Animal de fondo; a saber, su carácter inmanente, como dios de la conciencia. Pero sobre esto hemos de volver más tarde, y con más extensión[15].

EL TEMA DE DIOS EN LA POESÍA ESPAÑOLA DE NUESTROS DÍAS

Quiero señalar ahora cómo este recrudecimiento de la preocupación por el tema de Dios en la poesía de Juan Ramón[16] coincide con una análoga actitud, general en la poesía española de nuestros días. Nunca ha estado totalmente ausente el tema de Dios en la lírica española, pero sí ha conocido momentos de hipotensión e hipertensión. Unamuno y Machado fueron, desde su angustia o su soledad, buscadores de Dios, como Fray Luis de León o San Juan de la Cruz fueron, desde la seguridad de su fe, cantores de Dios[17]. Pero en los días que vivimos, el tema ha vuelto a la poesía española con una intensidad y una complejidad quizá no igualada desde el siglo XVII. Así lo ha hecho resaltar Vicente Aleixandre: «Rosales, Panero, Carmen Conde, Vivanco, y otros de la promoción anterior; y de la propiamente generación última, Gaos, Bousoño, Valverde, Hidalgo, Otero, Morales, Maruri y tantos más de análogos valores (sin olvidar la obra actual de los maestros de las generaciones anteriores)[18] adoptarán este tema como el fundamental en sus producciones o como uno de los fundamentales, y cantarán, unos a la manera oscura, rebelde y solitaria, y otros, al modo rendido, confiado y sereno»[19].

Sin embargo, hay que precisar que el proceso lógico y emocional que ha conducido al tema de Dios tiene raíces diferentes en una y otra poesía. La actual, especialmente la de los poetas más jóvenes, ha sido escrita bajo el signo del «tú», movida por una preocupación social y hu-

---

[15] No cabe duda, sin embargo, que han menudeado las interpretaciones erróneas, como dice Agustín Caballero en su magnífico prólogo a la edición de Aguilar. Y es también indiscutible que son muchos los problemas —relativos algunos a la misma esencia del libro— todavía sin resolver.

[16] «With Jiménez —dice Eugenio Florit— the constant preoccupation with beauty as an essential idea has evolved into a religious concept coinciding with the idea of divinity, of a God "possible through beauty", in his own words. His last book published in 1949, *Animal de fondo...* represents the culmination of a process of searching for the religious». (Eugenio Florit, Prólogo al libro *The selected writings of Juan Ramón Jiménez,* ed. E. Florit, trad. H. R. Hays, Nueva York, Farrar, Straus and Cudany, 1957, p. xxviv.

[17] Por otra parte, se refleje o no en su obra, la despreocupación por el tema de Dios y el último fin del hombre —la «tontería del corazón», como diría Unamuno— es difícilmente imaginable en un pensador. «Si no se me diese entrada a este problema —decía ya Séneca, «Consolatio ad Helviam» (cap. 8)— no valía la pena de haber nacido».

[18] Entre ellos, se podría citar a Gerardo Diego y a Dámaso Alonso.

[19] «Algunos caracteres de la nueva poesía española», discurso ante el Instituto de España, en 29 de octubre de 1955, Madrid, 1955, p. 18.

mana, repetidamente puesta de manifiesto[20], y ello es también perceptible cuando abordan lo religioso. La poesía religiosa de Juan Ramón, como toda la suya, tiene al «yo» como raíz eterna y permanente.

«ANIMAL DE FONDO»: EL LIBRO

Animal de fondo comprende veintinueve poemas. Desde el primero —«La trasparencia, dios, la trasparencia»— hasta el último —«Soy animal de fondo»— existe una unidad ideal, una continuidad, que ya ha sido señalada por la crítica[21].

No es que el libro sea un solo poema, en el sentido en que, por ejemplo, lo es *Espacio*. En *Animal de fondo* podríamos alterar el orden de los poemas, e incluso suprimir algunos de ellos, sin que el libro perdiera su sentido. La unidad viene del espíritu, que es uno; y ese espíritu uno emana de la singular experiencia que Juan Ramón vive a lo largo del libro; suceso tan extraordinario y poderoso que sirve él solo para dar unidad a los veintinueve poemas.

El primer problema interpretativo surge ya en el umbral del libro, en el título: *Animal de fondo*. ¿Qué quiere decir esto? Comentándolo, Agustín Caballero escribe que, casi con absoluta seguridad, le fue inspirado a Juan Ramón por unas palabras de Sandburg en *Poetry Reconsidered*: «Poetry is the journal of a sea animal living on land, wanting to fly in the air. (La poesía es el diario de un animal marino que viviese en tierra y quisiese volar por los aires)»[22].

Careciendo de evidencia documental, resulta siempre arriesgado precisar las fuentes literarias de una obra. Hay que advertir, en todo caso, que el «aire» no es el espacio o destino en donde aspira a volar el «animal de fondo» sino por el contrario el espacio en que, en su limitación destinada, se debate. El poeta, en cuanto «animal de fondo», *está en* el aire, en un fondo de aire, y en él se siente preso. El sentido está claro en los versos finales del poema 29: «...en el fondo de aire en donde estoy / donde soy animal de fondo de aire...» Todo el sueño de eternidades e infinitos está, nos dice Juan Ramón en el último verso del poema, «después... del aire».

Claro es que este fondo de aire en que el poeta se encuentra no es sino su vida limitada de hombre. Otros poetas religiosos la han llama-

---

[20] «Confieso que detesto la torre de marfil —dice José Hierro en *Antología consultada*—. El poeta es obra y artífice de su tiempo. El signo del nuestro es colectivo, social. Nunca como hoy necesita el poeta ser narrativo, porque los males que nos acechan, los que nos modelan, proceden de hechos». Cit. por José Luis CANO. *De Machado a Bousoño. Notas sobre poesía española contemporánea*, Madrid, *Insula*, 1955, p. 203.

[21] Concha Zardoya dice: «Los poemas... dejan de ser unidades independientes y no sólo se enlazan sino que, más bien, se continúan.» («El dios deseado y deseante de *Animal de fondo*», p. 10).

[22] *LP*, p. lix.

do también cárcel y prisión. En un poema de Juan Ramón —«Riomío de mi huir»— publicado en la *Tercera Antolojía poética* como parte del libro *Una colina meridiana*, 1942-1950, libro anterior a *Animal de fondo*, aparece este significado claramente. Dice en él (T, 664):

> que si soy un ser de fondo
> de aire, una bestia presa
> por las plantas de los pies
> que me sientan la cabeza...

Pero lo peculiar de este fondo de aire es que a él va a venir dios, y en él va a estar con el poeta. Con lo que el fondo de aire va a dejar de ser cárcel y el poeta va a sentirse —como veremos— tan eterno e infinito como todo el sueño de eternidades e infinitos que están después —sin ya más que ahora él— del aire (poema 29).

«ANIMAL DE FONDO», CULMINACIÓN DE LA OBRA

Animal de fondo es la culminación de toda la obra de Juan Ramón Jiménez [23].

---

[23] También lo es formalmente. Al lado de novísimos neologismos —pleadios, pleacielo, riomar, sonllorante, circumbre, etc.—, aparecen otros ya utilizados en las obras inmediatamente anteriores. También hay precedentes de metáforas e imágenes de *Animal de fondo*. Así dice el poeta en «Canción», poema 54 de *Belleza* (*LP*, no, 343):

> Arriba canta el pájaro,
> y abajo canta el agua.
> . . . .
> Mece a la estrella el pájaro,
> a la flor mece el agua.

Después dirá en *Animal de fondo* (poema 17):

> Los pájaros del aire
> se mecen en las ramas de las nubes,
> los pájaros del agua
> se mecen en las nubes de la mar...

Animal de fondo está muy en la línea, sobre todo, de *La estación total* y de *Espacio*. Aunque el ritmo de *Espacio* no acaba de ser el de *Animal de fondo*, ambos tienen un indudable aire de familia. Fijémonos, por ejemplo, en el uso del endecasílabo, tan frecuente en *Espacio*, y que servirá en *Animal de fondo* como «poder moderador» de la libertad del verso. Tomemos un párrafo de *Espacio* (T, p. 873), poniendo en cursiva los endecasílabos: Allí la vida está más cerca de la muerte / *la vida que es la muerte en movimiento* / *porque es la eternidad de lo creado* / el nada más, el todo / *el nada más y el todo confundidos* / *el todo por la escala del amor* / *en los ojos hermosos que se anegan* / en sus...

Ahora tomemos un poema de *Animal de fondo* y fijémonos en sus endecasílabos. En

En las notas finales, que sirven de epílogo y clave al libro, decía el poeta: «Estos poemas son una anticipación de mi libro *Dios deseante y deseado*, lo último que he escrito en verso, posterior a *Lírica de una Atlántida, Hacia otra desnudez* y *Los olmos de Riverdale*». En 1957, al publicarse la *Tercera Antolojía poética* se incluyeron en ella siete poemas más, como una segunda parte de *Animal de fondo*, bajo el título general, ambas secciones, de *Dios deseado y deseante*, el mismo que llevan como título específico los nuevos poemas[24].

Los poemas añadidos en la *Tercera Antolojía* están en la misma línea de *Animal de fondo*. Son un recordar o un insistir en lo alcanzado en éste, en la revelación y en la experiencia vivida. ¿Qué otra cosa podrían ser? Después de haberse sentido poseedor de la ultimidad en *Animal de fondo*, volver a tocar el tema no podía ser más que un revivir lo conseguido o un recrear con perspectiva, un volver a ver las cosas desde la cima alcanzada. A no ser que el poeta hubiera emprendido una última y más alta ascensión, o hubiera renunciado a toda idea de dios.

Por eso, *Animal de fondo*, último libro publicado por Juan Ramón, es culminación y coronación de su obra, de la Obra. Todos los problemas que le inquietaron, cada vez más hondos y recortados a través de sus largos años de creador, hallaron solución en *Animal de fondo*. A todas las preguntas les dio respuesta, y la respuesta que más podía satisfacer al poeta. No puede extrañarnos el sentimiento de sosiego, de paz alcanzada que encierran los versos:

> Ahora puedo yo detener ya mi movimiento
> como la llama se detiene en ascua roja... (poema 2.º)

¿Qué problemas eran éstos? Los temas esenciales de la poesía de Juan Ramón, los mismos al partir, los mismos al llegar, son bien conocidos. El mismo Juan Ramón Jiménez habla de tres normas vocativas

---

el poema 1, por ejemplo, aparecen hasta once:

> «Dios del venir, te siento entre mis manos»,
> «No eres mi redentor, ni eres mi ejemplo»,
> «eres dios de lo hermoso conseguido»,
> «no es sino fundación para este hoy»,
> «como está en el amor el amor lleno»,
> «tú esencia eres conciencia; mi conciencia»
> «y tu esencia está en mí como mi forma»
> «estuvieron de ti; pero tú ahora»,
> «que corona y sostiene siendo ingrave»,
> «el gozo del temblor, la luminaria»,
> «la trasparencia, dios, la trasparencia»,

[24] Es curioso este cambio en el título. Ahora el participio pasivo va delante del activo. ¿Se debe solamente a razones de eufonía? ¿O pretende fijar el orden en que ese mutuo desearse se realiza en el tiempo?

de toda su vida: la mujer, la obra, la muerte[25]. Junto a ellas podemos encontrar otras constantes temáticas o constitutivas de su hacer poético: soledad, intimismo, perfección, eternidad, belleza, dios...

Ahora bien, todos estos temas o problemas pueden ser reducidos a una última y doble problemática, que los penetra y traspasa como un cuchillo de doble filo: *ansia de eternidad* («angustia dominadora de eternidad» la llamaba el poeta en 1932)[26]; y *necesidad de inmanencia*. Observemos que casi todos los temas de Juan Ramón pueden ser reducidos a «eternidad» (la Obra, la muerte, la perfección, la belleza, dios...), o a «inmanencia» (la soledad, el intimismo...).

1. *La eternidad:* Estudiar la «angustia dominadora de eternidad» en Juan Ramón sería casi tanto como estudiar toda su obra. Los temas de la muerte, del ideal, de la belleza, de la Obra, de dios...; su cada vez más acuciante anhelo de eternidad están presentes en toda su poesía, desde los primeros libros. Hojeando la *Segunda Antolojía poética*, nos salen al encuentro constantemente: poemas 2, 9, 19, 21, 57, 63, 95, 121, 127, 130, 152, 153, 194, 195, 204, 215, 245, 249, 282, 283, 284, 286, 291, 295, 299, 300, 331, 335, 344, 355, 409, 413, 448, 459, 460, 478, 496, 500, 501, 505, 513, 520. En los poemas posteriores, a partir de *Poesía*, recogidos en la *Tercera Antolojía poética*, estos temas son cada vez más frecuentes y más hondos. *La estación total y Espacio*, ya al final, son obras escritas bajo el signo de lo eterno y lo inmanente al mismo tiempo.

2. *La inmanencia:* El intimismo y la soledad fueron constantes vitales y líricas del poeta de la «torre de marfil», sensual y ascética. En las declaraciones autobiográficas de 1932, a que ya se ha hecho referencia, distinguía el poeta seis períodos en su obra, y adjetivaba cinco de ellos con una palabra: soledad. Agustín Caballero señala que casi toda la poesía de Juan Ramón está escrita en primera persona. «Y si no escrita, pensada: cuando abandona el monólogo por ,el diálogo, el interlocutor, muchas veces, es su propia alma»[27].

Poco a poco, intimismo y soledad se van a convertir en una necesidad de inmanencia total. Ya cuando escribe «Estío», hacia 1915, había elegido el camino:

> Lejos tú, lejos de ti,
> Yo, más cerca del mí mío;
> afuera tú, hacia la tierra,
> Yo hacia adentro, al infinito[28]

---

[25] *T*, p. 1018.
[26] Ver Agustín CABALLERO, *LP*, p. xl.
[27] *LP*, p. xl.
[28] *LP*, 149; *T*, 294.

Y en *Eternidades* (1916-1917), remedaba el viejo «Noli foras ire» agustiniano con lírico y sentencioso decir andaluz:

> No corras, ve despacio,
> que a donde tienes que ir es a ti solo![29]

Todavía, por aquellos años, distinguía un universo dual:

> Sólo mi frente y el cielo.
> ¡Los únicos universos![30]

Pero, poco a poco, irá incorporándose el universo externo y haciéndolo uno en el suyo interno:

> ¡No estás en ti, belleza innúmera...
> ....
> ...estás en mí, que te entro
> en tu cuerpo mi alma
> insaciable y eterna![31]

No sóis vosotros (ricas aguas / frescas alas / dulces ramas / altas voces)... es mi alma[32].

> Sé bien que soy tronco
> del árbol de lo eterno.
> ....
> Sé bien que cuando el hacha
> de la muerte me tale,
> se vendrá abajo el firmamento[33].

Cuando escribe «El otoñado» (*La estación total*), uno de los más bellos poemas de Juan Ramón, el poeta se siente «completo de naturaleza».

> Rico fruto recóndito, contengo
> lo grande elemental en mí (la tierra
> el fuego, el agua, el aire) el infinito[34].

Así, con esta plenitud, quería el poeta enfrentarse con la muerte; después de incorporarse toda la riqueza del Universo. Porque Juan Ramón no quiere como el misticismo hindú diluirse en el mundo, despersonalizándose. Lo que quiere es justamente lo contrario: potenciar su perso-

---

[29] *LP*, 440; *T*, 355.
[30] *Estío*, 73; *LP*, 128; *T*, 288.
[31] *Piedra y cielo*, 112; *LP*, 653; *T*, 447.
[32] *La estación total*, 32: 2; *LP*, 991; *T*, 605.
[33] *Eternidades*, 122; *LP*, 526; *T*, 378.
[34] *La estación total*, 3: 3; *LP*, 921; *T*, 572.

nalidad incorporándose el mundo, diluido en su espíritu; en términos de Ortega, «hacerse esponja» de la naturaleza.

> Quisiera que mi vida
> se cayera en la muerte,
> como este chorro alto de agua bella
> en el agua tendida matinal;
> ondulado, brillante, sensual, alegre,
> con todo el mundo diluido en él... [35]

Quedaban dos inmanencias por conquistar: la Eternidad, y Dios. El drama está planteado, vivo y angustioso, al final de *Espacio:*

Conciencia... Cuando te quedes libre de este cuerpo, cuando te esparzas en lo otro (¿qué es lo otro?) ¿te acordarás de mí con amor hondo; ese amor hondo que yo creo que tú y mi cuerpo se han tenido...? «Dime tú todavía: ¿No te apena dejarme? ¿Y por qué te has de ir de mí, conciencia? ¿No te gustó mi vida? Yo te busqué tu esencia. ¿Qué sustancia le pueden dar los dioses a tu esencia, que no pudiera darte yo? Ya te lo dije al comenzar: «Los dioses no tuvieron más sustancia que la que tengo yo.» ¿Y te has de ir de mí tú, tú a integrarte en un dios, en otro dios que éste que somos mientras tú estás en mí, como de dios? [36]

Contemplando *Animal de fondo* desde este ángulo, lo mismo podríamos decir que fue la conclusión de un silogismo, en el que la primera premisa era el ansia de eternidad, y la segunda la necesidad de inmanencia; como ver en él la solución del poeta a su doble angustia constitutiva: inmanencia y eternidad.

Las dos cosas fueron: consecuencia de un planteamiento conceptual, y solución gozosa a un problema dramático. La solución, adelantémoslo, consistió en traer a dios a la propia inmanencia, y juntamente con él, la eternidad.

AL FINAL DEL CAMINO

En las notas epilogales de *Animal de fondo* —la constante referencia a ellas es una necesidad— hace historia Juan Ramón de las distintas fases por que pasó su entendimiento de lo divino.

Al final de mi primera época, hacia mis veintiocho años, dios se me apareció como en mutua entrega sensitiva; al final de la segunda, cuando yo tenía unos cuarenta años, pasó dios por mí como un fenómeno intelectual, con acento de conquista mutua; ahora que entro en lo penúltimo de mi destinada época tercera, que supera las otras dos, se me ha atesorado dios como un hallazgo, como una realidad de lo verdadero suficiente y justo [37].

---

[35] *Belleza*, 119; *LP*, 660; *T*, 525.
[36] *T*, p. 878.
[37] *T*, p. 1017.

Antes de proseguir, convendría estudiar el proceso que condujo a Juan Ramón a su final concepción de lo divino. En esa su final etapa —nos lo cuenta el mismo poeta— se puso a meditar en la posibilidad de encontrar un dios posible por la poesía. Es entonces cuando se da cuenta de que el camino hacia dios es el camino, cualquier camino, de lo vocativo, cualquier vocación. Comprende, por consiguiente, que en su poesía, en su obra, en el mundo que está creando se encuentra el camino para llegar a dios:

> Si yo, por ti, he creado un mundo para ti,
> dios, tú tenías seguro que venir a él... [38]

Por ese camino se le aparece la solución a su problema religioso, una solución que, como dijimos, venía ya determinada de antemano, pero que ahora se le aparece para satisfacerle todas sus aspiraciones y resolverle todas sus dudas. El gran hallazgo se llama, una vez más, *inmanencia*. Para encontrar a dios no necesita salir de sí, sino buscarlo en su conciencia. Y dios se le atesora como un hallazgo, como una realidad de lo verdadero suficiente y justo. Un dios que define como «una conciencia única, justa, universal de la belleza que está dentro de nosotros y fuera también y al mismo tiempo». (Ya veremos en qué consiste ese estar fuera.)

Desde ese momento, todo se impregna de dios y aparece ante su conciencia una triple revelación: que el vuelo del espíritu humano podía llegar a ser en sí divino; que el hacer humano reflejado en una obra podía también divinizar; y, por último, que el hombre podía conseguir la eternidad dentro del tiempo limitado de su existencia: «Mis tres normas vocativas de toda mi vida: la mujer, la obra, la muerte se me resolvían en conciencia, en comprensión del "hasta qué" punto divino podía llegar lo humano de la gracia del hombre; qué era lo divino que podía venir por el cultivo; cómo el hombre puede ser hombre último con los dones que hemos supuesto a la divinidad encarnada, es decir, enformada.» [39]

Por el camino de la inmanencia, Juan Ramón había llegado a conquistar la última luz, una luz que había buscado cada vez con más ahinco:

> Y en esa luz estás tú
> pero no sé dónde estás,
> no sé dónde está la luz [40].

Ahora lo sabe. Ese tú estaba en el siempre «yo» de Juan Ramón. Ir a dios consiste en ir a sí mismo. Encontrar a dios es hacer a ese «sí mismo», dios.

Y con dios se le entrega, como decíamos, la eternidad. Su norma vo-

---

[38] *T*, p. 677.
[39] *T*, pp. 1018-1019.
[40] *T*, p. 656.

cativa de la muerte se le resuelve en conciencia, en comprensión de «cómo el hombre puede ser hombre último con los dones que hemos supuesto a la divinidad encarnada...»[41]. De cómo el hombre puede hacer, crear, ser eternidad, como había adivinado mientras escribía *Espacio*.

> ¡Yo, universo inmenso —decía el poeta— dentro, fuera de ti, segura inmensidad! Imájenes de amor en la presencia concreta; suma gracia y gloria de la imajen. ¿Vamos a hacer eternidad, vamos a hacer la eternidad, vamos a ser eternidad, vamos a ser la eternidad? ¡Vosotras, yo, podemos crear la eternidad una y mil veces, cuando queramos! ¡Todo es nuestro y no se nos acaba nunca! ¡Amor, contigo y con la luz todo se hace, y lo que haces, amor, no acaba nunca![42]

Es, pues, una eternidad creada por el poeta dentro de lo que él llama «su limitación destinada»,[43], es decir, dentro de su existir limitado por el tiempo. La palabra «fundante» de Juan Ramón[44] ha creado algo que él presentía tenía que haber: «...un punto, una salida; el sitio del seguir más verdadero, con nombre no inventado, diferente de eso que es diferente e inventado que llamamos, en nuestro desconsuelo, Edén, Oasis, Paraíso, Cielo...»[45]

Y esa eternidad que ha «creado» le hace tan plenamente eterno como todo el sueño de eternidades e infinitos:

> ...todo el sueño
> de eternidades e infinitos
> que están... sin más que ahora yo...[46]

Su concepción de la eternidad había de ser la misma que su concepción de la belleza y de su Obra. No una eternidad lineal sino una eternidad hacia dentro, una eternidad en profundidad. Lo mismo que la belleza no está en la cantidad sino en la hondura[47], un momento puede ser la eternidad, como decía ya el poeta de *Belleza*:

> ¡Qué bello este vivir siempre de pie
> —¡belleza!—
> para el descanso eterno de un momento![48]

Porque la eternidad no es —como nos dice Juan Ramón con bella definición— sino una «hora ensanchada». Si en *La estación total*, un pá-

---

[41] *T*, pp. 1108-1109.
[42] *T*, pp. 862-863.
[43] *T*, p. 1019.
[44] «fundante», con el rico sentido heideggeriano.
[45] *T*, p. 853.
[46] *Animal de fondo*, 29; *T*, 704.
[47] «Grande es lo breve, y si queremos ser y parecer más grandes, unamos sólo con amor, no cantidad» (*Espacio, T*, p. 856).
[48] *T*, p. 703.

jaro fiel, descendiente de aquél de Fray Virila de la cantiga alfonsí,

> ...ensancha con su canto
> la hora parada de la estación viva,
> y nos hace la vida sufiente.
> ¡Eternidad, hora ensanchada...![49]

el canto del dios conseguido —de su «yo-dios»— ¿cómo no había de ensancharle la hora de su limitación destinada hasta hacerla eterna?, ¿cómo no había de hacerle a él —al poeta— «eterno»?

LO RELIGIOSO, LO MÍSTICO Y LO TEOLÓGICO EN «ANIMAL DE FONDO»

Se ha discutido si *Animal de fondo* puede ser considerado como poesía religiosa. Naturalmente, todo depende de lo que entendamos por religión. Para Hegel «la religión comienza con la conciencia de que existe algo superior al hombre»; «la religión implica que el hombre reconoce un ser supremo, que existe en sí y por sí, un ser absolutamente objetivo, absoluto, determinante, una potencia superior frente a la cual el hombre se sitúa como algo más débil, como algo inferior».[50]. ¿Podríamos calificar de religiosa a la poesía de *Animal de fondo* en este sentido? Me parece que no.

Sin embargo, Juan Ramón así la considera, calificándola de místico-panteísta. «No que yo haga poesía religiosa usual —aclara—; al revés, lo poético lo considero como profundamente religioso, esa religión inmanente sin credo absoluto que yo siempre he profesado»[51]. Del mismo modo, la crítica, casi unánimemente, ha admitido el carácter religioso de *Animal de fondo*[52].

Yo creo que no hay inconveniente en reconocerle al libro ese carácter, siempre que demos al término «religioso» su sentido más amplio, el sentido que le da Schleiermacher, por ejemplo, poniendo el énfasis en el interiorismo más que en el concepto de «religatio».

Unida a ésta suele ir otra pregunta: ¿existe realmente una experiencia mística en *Animal de fondo*? Concha Zardoya así lo cree, señalando las diferencias que separan la vivencia de Juan Ramón del misticismo de San Juan de la Cruz[53]. Vivanco llama a Juan Ramón místico al re-

---

[49] *La estación total*, 46; *LP*, 1016; *T*, 615.

[50] J. W. F. HEGEL, *Lecciones sobre la Filosofía de la Historia Universal*, trad. de J. Gaos, vol. I, 3.ª ed., Madrid, Revista de Occidente, 1953, p. 191.

[51] *Animal de fondo*. Notas. *T*, p. 1016.

[52] Así, escribe VIVANCO: «¿podemos considerarla como actitud realmente religiosa la de J. R. J.? Con Ricardo Gullón... creo que sí. Lo que pasa es que su concepto de dios con minúscula, o de lo divino inmanente, no tiene ya nada que ver con el Dios personal trascendente de los creyentes cristianos o de otras religiones monoteístas.» «La plenitud de lo real en la poesía de Juan Ramón», p. 4.

[53] «Si para San Juan de la Cruz, Dios comenzaba a reinar en el «Alma vacía y des-

vés[54]. Agustín Caballero niega todo carácter místico a *Animal de fondo:* «¿Qué clase de relación mística puede haber, salvo la puramente metafórica, entre el hombre y este dios poético hijo y criatura suya, este dios necesidad y espejo de la conciencia y de la vida humana, este dios que en cuanto verbo sólo es participio? No es, en modo alguno, una mística *Animal de fondo;* sí, en cambio, una teología...»[55]

Tal vez, en el fondo, la cuestión no sea realmente importante. Por experiencia mística suele entenderse una cierta unión del alma con Dios por el amor. Entendido el carácter limitado del dios de *Animal de fondo,* no veo inconveniente en calificar de místico el éxtasis del poeta ante su verdad hallada, y de mística la unión espiritual del poeta con el dios-conciencia conseguido. En todo caso, me parece que *Animal de fondo* es mística en la misma extensión —ni mayor, ni menor— que es teología.

Ya se ha dicho que Juan Ramón lo calificó de místico panteísta, y, en efecto, todo el libro está escrito como si lo fuera, no sólo en lo que toca al lenguaje sino también en cuanto al espíritu. Hay una emoción desbordada en las páginas de *Animal de fondo,* una sinceridad no fingida ni imitada, que nos impiden ver en él cualquier clase de retórica o «manera». Digamos, en todo caso, que la vivencia que nos narra ha sido vivida y sentida místicamente.

Claro es que *Animal de fondo* también es una teología, especialmente en los cuatro primeros poemas. En esos poemas se nos define y explica a dios ontológicamente con la rigurosidad de un teólogo, de un teólogo poeta. Esto no se encuentra en místicos como San Juan de la Cruz o Santa Teresa, por la sencilla razón de que parten de un Dios ya perfectamente definido por una teología —la cristiana— que ellos aceptan. No necesitan darnos a conocer a Dios porque ya lo conocemos. El caso de Juan Ramón es diferente. Tiene que explicarnos «su» dios, y hacer por tanto «su» teología. Después, surgirá la mística, pero antes tiene que explicarnos su «hallazgo», antes de narrarnos su «encuentro».

He entrecomillado las palabras hallazgo y encuentro porque quizá estas dos palabras puedan ayudarnos a comprender el proceso de gestación de *Animal de fondo.* En las notas finales del libro dice Juan Ramón, aludiendo a la escritura poética religiosa, que ésta como la política, militar, agrícola, etc., está para él «en el encuentro después del hallazgo». En el proceso de gestación de *Animal de fondo* hubo primero un hallazgo y después un encuentro. El hallazgo está narrado en el

---

nuda», para el poeta moguereño su dios le ha estado rodeando desde su infancia y sólo entra en él cuando su alma y su vida se han colmado de dones y han llegado a la máxima plenitud». «El dios deseado y deseante de *Animal de fondo*», p. 20.

[54] «La plenitud de lo real en la poesía de Juan Ramón», p. 4.

[55] *LP,* lx.

poema 25: El poeta, por pretender buscar a dios fuera de sí, no podía cogerle en su esencia. Pero un día...

> No sé qué día fue ni con qué luz
> vino a un jardín, tal vez, casa, mar, monte...

Ese momento, que Juan Ramón deja en una doble indeterminación temporal y local, es el momento del hallazgo, hallazgo conceptual, intelectivo.

Pero posteriormente vino el encuentro, el encuentro místico, la moción mística, posterior al hallazgo, que engendró a *Animal de fondo*. Y este encuentro fue en el «tercero mar» —no en un jardín, tal vez casa, mar, monte— sino precisamente en el mar y en este tercero mar del viaje a la Argentina, en 1948[56].

> ...y aquí, en este ultramar, mi hombre encontró,
> norte y sur, su conciencia plenitente.[57]

Animal de fondo fue escrito para narrar este encuentro. ¿Teología? ¿Mística? Posiblemente las dos cosas, o ninguna. Lo evidente, en todo caso, es que ese encuentro y sus efectos están vividos y narrados «místicamente» a lo largo de *Animal de fondo*. Veámoslo:

1. Por lo pronto, el poeta se siente invadido de un sosiego y una paz sedantes: «paz, claridad, delicia iguales a sus nombres» (poema 9); *Ahora puedo yo detener ya mi movimiento, / como la llama se detiene en ascua roja... / en el ascua de mi perpetuo estar y ser* (poema 2).

2. Para dar evidencia del encuentro con dios, las nubes arden y acuden en congregación fúlgida a abrazarse con vueltas de esperanza a su fe *respondida* (poema 5).

3. Dios le habla y canta; y le da seguridad, confianza, conformidad (poemas 5 y 13).

4. El poeta se siente transformado:

> ¡qué dinamismo me levanta...! (poema 13)
> ¡Qué trueque de hombre en mí, dios deseante...! (poema 20)
> Y estoy alegre de alegría llena... (poema 24)
> Esta es la gloria, gloria sólo igual que ésta... (poema 27).

5. Finalmente, las imágenes con que el poeta expresa haber llegado a la misma esencia de dios y a su disfrute aparecen constantemente:

> pero tú ahora, / no tienes molde, estás sin molde... (poema 1)
> ...en el trueque más gustoso / conocido, de amor y de infinito. (poema 8)
> Y hoy... la tengo [la esencia de dios] entera, entera... (poema 25)

---

[56] Graciela PALAU DE NEMES afirma que los viajes precedentes fueron los del poeta del *Diario de un poeta recién casado*, en 1916. (*Vida y obra de Juan Ramón Jiménez*, página 362.)

[57] *Animal de fondo*, 24; *T*, 699.

¡Qué bien se comunican nuestras venas; / y el amor, el amor solo y todo circula entre los dos, / circula rico, entero, uno entre los dos! (poema 28).

EL DIOS DE «ANIMAL DE FONDO»

Pero entremos ya en el concepto del dios de *Animal de fondo*. Tratemos de captar su esencia y analizar sus caracteres. Cuatro son los caracteres esenciales, definidores de este dios: es un dios inmanente, un dios-belleza, un dios panteísta, un dios-amor.

A. *Dios inmanente (dios de la conciencia)*

Dios inmanente: 1. Dios es, en primer lugar, «conciencia»: «...mi conciencia y la de otro, la de todos» (poema 1.º). En otro lugar, dios es definido como «conciencia mía de lo hermoso» (poema 1.º, segunda estrofa).

2. En el poema 6.º, el poeta nos dice que la conciencia de dios, que siempre le rodeó «como halo, aura, atmósfera de mi ser mío», una vez consumado el hallazgo, momento en que la conciencia se vuelve «plenitente», ya no está fuera sino dentro:

> Esta conciencia que me rodeó
> en toda mi vivida,
> como halo, aura, atmósfera de mi ser mío,
> se me ha metido ahora dentro.
> Ahora el halo es de dentro
> y ahora es mi cuerpo centro
> visible de mí mismo...

Ahora, Juan Ramón se siente como envoltura, visible cuerpo maduro de dios, y por tanto de sí mismo, de su yo verdadero y ontológicamente último.

3. En el poema 7.º, dios es un «diamante lúcido» en el centro de su cuerpo.

4. En el 8.º, dios, «centro rayeante», guía al poeta entre los cuatro puntos inmortales (norte, sur, este y oeste de su hacer y su existir), dejándole siempre en su centro, que es al propio tiempo el centro del poeta y el centro de dios. Triple yuxtaposición de los tres centros del mundo, el hombre y dios en un centro común y verdadero: la inmanencia del poeta. Porque, como dice en ese mismo poema 8.º:

> Todo está dirigido
> a este tesoro palpitante,
> dios deseado y deseante
> de mi mina en que espera mi diamante.

5.   Contar a dios es lo mismo que contarse a sí mismo (poema 13).

6.   En el poema 16, uno de los más bellos, las estrellas son imaginadas como palio «descendido por ansia o por amor» sobre la luz, la misteriosa luz de la conciencia del poeta. Conciencia que es al propio tiempo su «dios en conciencia», «luna de inminencia hermosa».

7.   En el poema 17, el poeta se deja mecer en dios, en la conciencia de dios hecha regazo, a la cual llama con bella metáfora «inmanencia madreada». Dios-conciencia de dios-conciencia inmanente, siempre identificadas.

> ¿No es el goce
> mayor de lo divino de lo humano
> el dejarse mecer en dios, en la conciencia
> regazada de dios, en la inmanencia madreada,
> con su vaivén seguro interminable?

8.   En otros muchos poemas aparecen repetidas muestras de inmanentismo:

> El todo eterno que es el todo interno... (poema 21),
> Estuvo, estuvo, estuvo / en todo el cielo azul de mi inmanencia... (poema 15),
> A ser el que yo anhelo / y a ser el que tú anhelas en mi anhelo... (poema 10),
> La gloria tuya en mí, la gloria mía en ti... (poema 27),

> De haberme a mí llenado de ti mismo
> de haberme a mí llenado de mí mismo;
> y mi gozo constante de llenarme tú de ti,
> es tu vida de dios;
> y tu gozo constante de llenarme yo de ti
> es mi vida de dios... (poema 28).

Por eso, el Juan Ramón de los días infantiles de Moguer era ya «niñodios», dios en embrión, larva de dios (poema 15).

9.   El poema 29, último de *Animal de fondo*, es también un último poema a la inmanencia. Soy animal de fondo de aire, dice Juan Ramón,

> Pero tú, dios, también estás en este fondo
> ....
> tú estás y eres
> lo grande y lo pequeño que yo soy,
> en una proporción que es esta mía,
> infinita hacia un fondo
> que es el pozo sagrado de mí mismo (poema 29).

Estamos hablando de «inmanencia», y hemos de darle al término su sentido más radical para comprender el concepto del dios de *Animal de fondo*. Quizá quedará mejor explicado con otro término de mayor alcance: «identidad». No basta decir que dios está en la conciencia. La relación entre dios y la conciencia del poeta no tiene un alcance simplemente gnoseológico, sino ontológico. La conciencia no es sólo conocimiento de dios, sino que *es* propiamente dios[58].

Ahora bien, Juan Ramón no dice solamente que dios es la conciencia individual del hombre; no es sólo «mi conciencia», sino también «la del otro, la de todos, con forma suma de conciencia»[59]. Y en otro lugar define lo divino como «una conciencia única, justa, universal de la belleza que está dentro de nosotros y fuera también, y al mismo tiempo»[60].

¿Qué quiere decir esto? Concha Zardoya, comentando la expresión «el nombre conseguido de los nombres», que aparece en el poema 2.º, dice que el dios de Juan Ramón es un platónico Nombre-Idea[61]. Ahora bien, para Platón las Ideas son las esencias existentes de las cosas del mundo sensible, los entes metafísicos que encierran el verdadero ser de las cosas. Éstas son en cuanto participan de las Ideas[62]. ¿Tiene esta riqueza óntica el dios de *Animal de fondo* en cuanto conciencia general? Desde luego que no. El dios de *Animal de fondo* tiene, como primera realidad metafísica, la conciencia individual. Su primera realidad indiscutible es la inmanencia. A partir de las conciencias individuales *se puede llegar* a una conciencia universal, pero ésta tiene, ontológicamente hablando, una realidad subordinada.

Este sentido está claro en unas páginas de Juan Ramón, escritas con posterioridad a *Animal de fondo*. Decía Juan Ramón desde *La Nación* de Buenos Aires, en octubre de 1949:

Si el fin del hombre no es *crear* una conciencia única superior, el Dios de cada hombre, un Dios de cada hombre con el nombre supuesto de Dios, yo no sé lo que es.

---

[58] Nada tiene esto que ver con la afirmación de Eckhart: «Hay una correspondencia entre pensar a Dios y ser Dios». Para Eckhart, el fondo del hombre es Dios, en cuanto modelo ejemplar según el cual ha sido creado el hombre. (De aquí que hablara de una chispa increada e increable en el hombre, proposición tenida por panteísta, pero que no lo es, como ha demostrado Zubiri). Por eso, el alma humana, luego de cobrar conciencia de sus propios límites, y negarlos por propia voluntad, renuncia —como dice Gilson— a todo lo que hace de ella tal ser particular y determinado. El alma despojada de todo lo que la particulariza, retorna a Dios; y el hombre renuncia a todas las cosas y a Dios mismo, puesto que se confunde con Él. (E. GILSON, *La Filosofía en la Edad Media*, Madrid, 1946). Usando términos de Ortega, Dios pasa de ser «objectum» a ser «injectum». Pero en el caso de J. R. J. la identificación entre dios y conciencia no es retorno a un dios trascendente a la conciencia, es identidad constitutiva.

[59] *Animal de fondo*, 1; *T*, 676.

[60] *Animal de fondo*, notas.

[61] «El dios deseado y deseante de *Animal de fondo*».

[62] La tesis de LUTOSLAWSKI (*The origin and growth of Plato's Logic*, 1897) según la cual Platón, a partir del *Teeteto*, concibió las Ideas como nociones ideales con el mismo sentido que aquellas tienen en Leibnitz o Kant, es decir, con un alcance puramente conceptual, está hoy unánimemente abandonada y rechazada (así, en Brochard, Rodier, Gomperz, A. E. Taylor, Zubiri, Robin, Burnett, etc...).

Y continuaba:

> Pero sí, yo sé lo que es. Que nuestro Dios no es sino nuestra conciencia. *Por ella, por él,* podemos ser desgraciados o felices…[63].

También resultan claras las notas finales de *Animal de fondo*. Después de definir lo divino como «una conciencia única, justa universal de la belleza que está dentro de nosotros y fuera también y al mismo tiempo», añade el poeta: «Porque nos une, nos unifica a todos, la conciencia del hombre cultivado único *sería* una forma de deísmo bastante.» La conciencia única, universal es, por tanto, una conciencia conseguible, pero no está ahí, sin más, como la conciencia individual. Aunque Juan Ramón llama a esa conciencia general «esencia», aclara que la esencia no es sino forma suma de conciencia, la forma suprema conseguible, a partir, naturalmente, de las conciencias individuales.

¿Qué realidad metafísica corresponde a este dios-conciencia general? Es de hacer notar que Juan Ramón, a pesar del carácter místico de *Animal de fondo*, en vez de recurrir a Platón, como pudiera haber hecho, arrastrado por toda la tradición mística occidental, siempre tan cerca del *Symposium*, recurre a Aristóteles. Y así nos habla de «esencia» y de «forma». En este sentido, concibe esa conciencia general como forma de su conciencia individual, a la manera de un universal aristotélico. Por vía de analogía, y lo mismo que el Universal tenía en Aristóteles una existencia, pero no separada de las cosas, sino como un momento de las cosas —no era puro concepto, pero tampoco era «res», sino que era «in re»—; pudiéramos decir que dios como conciencia general tiene existencia, pero no separada de las conciencias individuales, sino en éstas. Y así Juan Ramón se puede ver a sí mismo como materia para un dios-forma, que es esa conciencia universal conseguible.

Con lo que dios y el poeta se dan y reciben el ser uno del otro recíproca y simultáneamente. Dios es *por* el poeta (dios creado y recreado y recreado); y el poeta es *por* dios (porque dios es su «forma», el que le hace ser con su ser más último y verdadero, con el ser que ahora ha fijado para todo el futuro iluminado iluminante, como dice el poema 25).

En el poema 27 queda bellamente expresada esa identificación de dios y poeta, y explicado en qué consiste ese estar de dios en el poeta y del poeta en dios:

> El estar tuyo contra mí
> es tu secuencia natural; y eres
> espejo mío abierto en un inmenso abrazo
> (el espejo que es uno más que uno),
> que dejara tu imajen pegada con mi imajen,
> mi imajen con tu imajen,
> en ascua de fundida plenitud.

---

[63] «Vivienda y Morienda. Las dos eternidades de cada hombre» (*La Nación*, Buenos Aires, domingo 30 de octubre de 1949). [Los subrayados en el texto son míos.]

De aquí el constante juego de participios activos y pasivos: deseado y deseante; iluminado e iluminante; disfrutadora y disfrutada... Dios (conciencia del poeta o conciencia general) es deseado y al mismo tiempo desea en el deseo del poeta[64].

B. *Dios-belleza*

Queda dicho que dios es «una conciencia única, justa, universal de la belleza». Dios es también «conciencia mía de lo hermoso» y «dios de lo hermoso conseguido» (poema 1.°). Así, pues, dios es:

1) La belleza en cuanto conciencia individual de lo bello y de las obras bellas.

2. La belleza en cuanto esencia, es decir, como forma suprema conseguible a partir de las conciencias individuales de lo bello.

Ya hemos visto qué clase de realidad corresponde a esta esencia, a esta conciencia general. Pero ahora queda claro por qué todo el hacer poético de Juan Ramón fue un camino hacia dios, y también comprenderemos el último sentido de su afirmación: «lo poético, lo considero como profundamente religioso.»[65] Porque toda su poesía fue un tratar de aprehender la belleza; sus poemas fueron moldes en que quiso encerrar la belleza, en que quiso encerrar a dios:

> Todos mis moldes, llenos
> estuvieron de ti... (poema 1).

Llegar a dios supone llegar a la belleza; no ya a aspectos parciales de la belleza, sino a la belleza como dios y como una. El encuentro con dios es igualmente comunión mística con la belleza:

> ...pero tú ahora,
> no tienes molde, estás sin molde... (poema 1).

canta con arrebato místico el poeta. La belleza se le ha entregado definitivamente, libre y sin límites. Y de aquí la emoción que respiran los versos finales del poema 1.° en que se lanza a requebrar, arrobadamente, al dios conseguido:

> ...tú, ahora,
> no tienes molde, estás sin molde; eres la gracia
> que no admite sostén,
> que no admite corona,
> que corona y sostiene siendo ingrave.

---

[64] *Animal de fondo*, 10; *T,* 685.
[65] *Animal de fondo*, notas; *T,* p. 1016.

> Eres la gracia libre,
> la gloria del gustar, la eterna simpatía,
> el gozo del temblor, la luminaria
> del clariver, el fondo del amor,
> el horizonte que no quita nada;
> la trasparencia, dios, la trasparencia.

Dios, belleza, libre, total, con la totalidad última de la trasparencia (que no se limita, como el espejo, a reflejar lo que tiene delante de sí, sino que deja ver también lo que hay detrás de ella); y con la plenitud de un horizonte último, sin nada ya al otro lado:

> ...el uno al fin...

dios en la inmanencia del poeta y como coronación de la obra (como dios de lo hermoso conseguido):

> ...dios ahora sólito en lo uno mío,
> en el mundo que yo por ti y para ti he creado.

C. *Dios panteísta*

Ya hemos visto cómo el encuentro con dios equivale a unión mística con la belleza. Ahora bien, en las notas finales de *Animal de fondo* Juan Ramón califica a su mística de mística panteísta.

¿En qué consiste este declarado panteísmo? Dios, como conciencia de lo bello, es una conciencia general no sólo en cuanto conciencia suma conseguible a partir de las conciencias individuales. Es también conciencia general en cuanto «todo es o puede ser belleza y poesía, espresión de la belleza»[66].

De aquí que la unión mística del poeta con dios, que es al tiempo unión mística con la belleza, sea de signo panteísta, y su dios un dios panteísta, en cuanto todo es dios, todo es belleza. (O puede serlo, luego lo es en cuanto potencia o posibilidad.)

Sin embargo, el panteísmo de Juan Ramón ofrece caracteres muy personales. No olvidemos que dios, que la belleza, son, ante todo, conciencia personal inmanente. Esto quiere decir que dios es todo, que la belleza es todo, *pero desde la conciencia* del propio Juan Ramón.

Y así, cuando dios es cantado en la naturaleza, como fuego, como aire, o como agua, no olvidemos que lo que se canta panteísticamente es la propia conciencia de esa naturaleza; porque esa naturaleza, como ese dios y esa belleza —según ya vimos anteriormente— *están en, son* la conciencia del poeta[67].

---

[66] *T,* p. 1017.
[67] Señalemos una vez más cómo *Animal de fondo* es el último estadio de todo un

Examinemos brevemente las imágenes panteístas más significativas de *Animal de fondo*:

1. En el poema 3.º («De nuestros movimientos naturales»), el mar es la imagen de dios. Dios está en el mar esperando el paso de los hombres. Allí se forma con movimiento permanente de luces y colores, como visible imagen del devenir propio de dios y de los hombres, hecho inquietud abstracta, fondo de esa conciencia toda que es dios, como formado ya del todo.

> Aquí estás en ejemplo y en espejo
> de la imajinación, de mi imajinación en movimiento,
> estás en elemento triple incorporable,
> agua, aire, alto fuego,
> con la tierra segura en todo el horizonte (poema 3).

Dios panteísta, agua, aire, fuego y tierra. Dios total, dios-todo.
2. Pero dios es también el «color de todos los colores», y «rumor de todos los rumores» (poema 4). Y Juan Ramón vuelve a cantar su eterna búsqueda de dios, porque ese rumor de todos los rumores es el que

> Siempre perseguí, con el color,
> por aire, tierra, agua, fuego, amor,
> tras el gris terminal de todas las salidas (poema 4).

3. Dios:

> siempre verde, florido y fruteado,
> y dorado y nevado y verdecido otra vez...

es:

> estación total toda en un punto.

Dios está así tan completo de naturaleza como el mismo poeta de «El otoñado».
4. Es «voz del viento / ocupante total del movimiento; / de los colores, de las luces / eternos y marinos». Y es «voz de fuego blanco / en la totalidad del agua» (poema 7).
5. Dios está entre los cúmulos oro del cielo azul, y al igual que sus formas acompasan el movimiento excelso lento, el insigne cabeceo de la proa, dios también acompaña al poeta de su norte a su sur, de su este a su oeste, y le guía entre los cuatro puntos inmortales dejándole en su centro siempre (poema 8).
6. Dios está sobre el mar como luz de luna en el mar. Lo dice Juan Ramón con una bellísima metáfora:

---

proceso intelectual y poético. Recordemos «El otoñado». Y recordemos cómo ya en *Piedra y cielo* afirmaba el poeta: «No estás en ti, belleza... estás en mí...»

> En esa isla que la luna,
> tras una nube negra, echa al mar lejano,
> estás tú, como espejo caído luna arriba...

Como «ojos de plata / fundida en pensamiento miriante / tuyo...», sigue diciendo el poeta, quien ve en ese reflejo de luna y dios «el oasis definido» de su «limpio ideal unánime» (poema 9).

7. En el poema 12, dios será sol, lo mismo que antes fue luna, y el poeta así lo dirá con una afirmación panteísta rotunda:

> ...y cual eras la luna, el sol eres tú solo,
> solo pues que eres todo.

Y seguidamente, con expresión plenificadora, lo llamará «conciencia en pleamar y pleacielo / en pleadiós...».

8. En el poema 14, dios aparece en «la mañana oscura» como un ser de luz, que es todo y sólo luz, luz vividora y luz vivificante, un dios en ascua blanca, que sustenta, que incita, y que decide...

9. En el 17, dios es el movimiento de lo eterno:

> ...que vuelve, en ello mismo
> y en uno mismo;
> esa órbita abierta,
> que no se sale de sí nunca, abierta,
> y que nunca se libra de sí, abierta,
> (porque)
> lo cerrado no existe en su infinito...

10. Y en el poema 21 dios es:

> ...el astro
> que acumula y completa, en unificación,
> todos los astros en el todo eterno.

Y concluye, poniendo en claro, una vez más, su inmanentismo: «El todo eterno que es el todo interno.»

11. Por último, dios es «idea, forma, espejo, fruto y flor, y *todo* único», «porque eres mi música, dios, de *todo* el mundo / *toda* la música de *todo* el mundo con la nada» (poema 28).

D. *Dios-amor*

Para Juan Ramón siempre ha habido una identidad última entre amor y belleza. En el poema 19 de *Animal de fondo* («Para que yo te oiga»), el poeta escucha la infinita rapsodia de amor y del mar y sabe «que es de amor, pues que es tan bella».

Y lo mismo que la belleza es forma de lo bello, y dios-conciencia suma es forma de la conciencia individual del poeta, dios-amor es forma del amor de Juan Ramón, de su conciencia amante.

Así, dios, deseado por el poeta, después del hallazgo y del encuentro, se encuentra en la conciencia deseante del poeta, en su «eléctrica zona»:

> como está en el amor el amor lleno (poema 1).

Dios es el *fondo del amor* (poema 1). Y lo fue siempre, aunque Juan Ramón no lo supiera:

> Tú eras, viniste siendo, eres el amor (poema 4).

Y dios-todo es también un amor-todo, un amor total, todo el amor y todos los amores,

> el amor, el amor solo y todo…,

que circula «rico», «entero», «uno entre los dos», dios y poeta.

Amor de cuerpo y alma, del todo humano, del «cuerpialma», como dice Juan Ramón en el poema 26 con neologismo plenificador:

> …tú eras… el destino
> de todos los destinos de la sensualidad hermosa
> que sabe que el gozar en plenitud
> de conciencia amadora,
> es la virtud mayor que nos trasciende (poema 29).

Amor (vuelve a decir en el poema 4),

> …en fuego, agua, tierra y aire,
> amor en cuerpo mío de hombre y en cuerpo de mujer,
> el amor que es la forma
> total y única
> del elemento natural, que es elemento
> del todo, el para siempre…

A dios-amor-todo se llega a través del amor, del amor-todo también,

> …por la escala
> de carne y alma (repite en el poema 21).

Y dios se le hace evidente al poeta como el «amor más completo», como sustancia aprehendida por los sentidos todos de su cuerpo, y como esencia sabida por todos los sentidos de su alma (poema 4). Amor pleno: amor «gustador y oloroso», «tocante y mirador», que circula cantando porque es «toda la música de todo el mundo» (poema 28).

Dado el fondo volitivo del dios-conciencia, amado y amante, deseado y deseante, la conciencia del poeta («conciencia diosa una») es a la vez «disfrutadora y disfrutada»; disfrutadora de dios (de «lo májico esencial nombrado») y disfrutada por dios. Y también disfrutadora del poeta y disfrutada por el poeta, que todo viene a ser lo mismo (poema 9).

Dios deseante está en el mundo, entre los hombres, y también en el mar en espera del hombre,

> ...como en espera, en plena fe
> de nuestros movimientos naturales (poema 3).

Porque dios no es conciencia en reposo; es el obrar de todos los obrares. Es:

> conciencia en pleamar y pleacielo,
> en pleadiós, en éxtasis obrante universal (poema 12).

Dios se asoma (en el poema 13), «sonriendo con el levante matinero», a ver el despertar del poeta. Dios, ser de luz, sustenta, incita, y decide (poema 14). Dios es el eterno movimiento y el movimiento de lo eterno (poema 17). A todos llega dios por sus mil lados, en todos vive con sus mil ecos, no hay chispa suya que no hiera un ojo alegre o triste (poema 23). Cae sobre el mundo «como un beso completo de una cara entera —en plano contentar de todos los deseos» (poema 27).

La razón de este obrar universal la conocía Juan Ramón Jiménez:

> Porque tú amas, deseante dios, como yo amo (poema 23).

CONCLUSIONES

Resumiendo lo que queda expuesto, creo que podemos llegar a las siguientes conclusiones: *Animal de fondo* es un libro de poesía religiosa, de carácter místico y teológico. Está escrito para narrar el encuentro de un dios. Este dios es un dios inmanente, un dios-belleza, un dios panteísta, un dios-amor. Es una conciencia general. Es, sobre todo, la propia conciencia individual. *Animal de fondo* es culminación de la obra. Con él, el todo eterno y externo ha quedado definitivamente integrado en el todo interno del poeta.

Y así llegó a dios Juan Ramón. Sin salir de sí mismo, antes bien, trayendo a dios a sí, y junto con dios la belleza, el universo y la eternidad.

[*Revista Hispánica Moderna*, Nueva York, vol. 27 (1961), pp. 299-319.]

GRACIELA PALAU DE NEMES

LA ELEGÍA DESNUDA DE JUAN RAMÓN JIMÉNEZ: «RÍOS QUE SE VAN»*

La última parte de la *Tercera antolojía poética,* el último libro publicado por Juan Ramón Jiménez, consta de nueve poemas en verso y en prosa con el título «Ríos que se van». Escritos entre 1951 y 1953, estos poemas son la elegía a Zenobia, su mujer, la de carne y hueso, que se moría. Digo la de carne y hueso, porque Zenobia, la mujer esencial, está confundida y transmutada en el concepto de «poesía desnuda» y sus derivantes, que se definió a raíz del matrimonio del poeta. Los poemas de «Ríos que se van» son de otra índole: son la canción final del amor desnudo, depurado, a la mujer desnuda, privada de sus bellos atributos físicos por una incurable enfermedad. El título general de los poemas refleja la trágica situación de sus vidas: «Ríos que se van» significa *vidas que se van.*

El primer poema, «Sólo tú», es un homenaje a Zenobia que sólo ella debía comprender. Nada más a propósito para un estudio del desnudar juanramoniano del verso, que este pequeño poema de cuatro líneas, porque de él existen varias versiones inéditas. Tres están en una libreta de Zenobia, en su letra, con el título: «Poemas que Juan Ramón me escribió a mí en Boston». Dice la primera versión inédita:

> ¿Cómo puedes tú ser
> estrella de la tarde
> y del amanecer?

Sin apoyarnos en datos biográficos, interpretamos. El «tú» es un detalle delator, se trata de alguien a algo allegado al poeta y exaltado; pero

---

* Los estudios sobre este tema, de los que se deriva este breve ensayo, fueron subvencionados por el «General Research Board of the University of Maryland» en el verano de 1965.

de modo contradictorio, por la interrogación y por aquello de «estrella de la tarde / y del amanecer».

El segundo poema inédito dice:

> ¿Cómo tú, mujer mía, puedes ser
> al mismo tiempo estrella de la tarde
> y estrella del amanecer?

El «tú» queda explicado: es *mujer mía* o *mi mujer*, que así se refería Juan Ramón a Zenobia en la vida corriente. La contradicción persiste en la metáfora «estrella de la tarde / y estrella del amanecer».

En el tercer poema inédito, el poeta profundiza y precisa:

> Sólo tú, mujer mía, puedes ser
> tranquila estrella de mi tarde
> estrella inquieta de mi amanecer?

Nótese que ya no es: «¿*Cómo* tú, mujer mía, puedes ser» sino: «*Sólo* tú, mujer mía, puedes ser.» Persiste la contradicción; pero el poeta modifica doblemente la metáfora: «estrella de la tarde» se convierte en «*tranquila* estrella de *mi* tarde» y «estrella del amanecer» pasa a ser «estrella *inquieta* de *mi* amanecer». El signo de interrogación desaparece del principio del verso; pero persiste la duda puesto que aún cierra el verso.

El poema que pasa a la *Tercera antolojía* es síntesis y versión desnudada de todos los anteriores. Corregido leve y certeramente, llega a ser una exclamación triunfal al mismo tiempo que el concepto más enalte-, cedor de la mujer en la psicología juanramoniana. Lo más curioso es que en él desaparece toda referencia directa a su mujer. Dice esta versión final entre signos de admiración:

> ¡Sólo tú, más que Venus,
> puedes ser
> estrella mía de la tarde,
> estrella mía del amanecer!

> (p. 1033).

Nótese que Juan Ramón se deshace del «mujer mía», que no le era necesario y sustituye la frase «más que Venus» que aclara y da valor a la metáfora. Se deshace de los adjetivos contradictorios «tranquila» e «inquieta», dejando, sin embargo, el posesivo y haciéndolo más enfático: «estrella de mi tarde» y «de mi amanecer» se convierte en «estrella *mía* de la tarde, / estrella *mía* del amanecer!». Al superlativizar a Zenobia en comparación a Venus, diosa del amor y la belleza, Juan Ramón le está haciendo el elogio total.

Apoyándonos en datos biográficos y en la obra, encontramos

muchos significados más en este pequeño poema. La palabra «amanecer» puede referirse al amanecer poético de Juan Ramón, búsqueda
inquietante del amor sensual que terminó en la tranquilidad de su
matrimonio, es decir, en el «atardecer» poético de su vida. Desde otro
punto de vista, cuando el poeta escribió las interrogantes versiones inéditas en carta a Zenobia a Boston, donde había ido ésta en el invierno
de 1951 a someterse a la primera operación contra el cáncer, a Juan
Ramón le amanecía inquietamente por la incertidumbre de la condición de su mujer ausente. Cuando Juan Ramón escribió la versión final
del poema que pasó a la *Antolojía,* Zenobia había regresado a su lado,
curada, según su creencia entonces, del cáncer que había de quitarle la
vida. Con ella al lado, la tarde y el amanecer volvían a ser tranquilos
para el poeta.

Este interesante primer poema de «Ríos que se van» es un preludio
de los otros ocho en los que Juan Ramón va de la descripción exterior o
física, a profundas interiorizaciones, sosteniendo el poema con metáforas o conceptos abstractos; pero directamente relacionados con Zenobia. Como no nos es dado comentar todos los poemas, vamos a dete-
nernos en los más sobresalientes, como el segundo, a continuación,
titulado «Sobre una nieve»:

Ni su esbeltez de peso exacto, tendida aquí, mi mundo, y como para siempre ya; ni
su a veces verde mirar de fuente ya con agua sólo; ni el descenso sutil de su mejilla a la
callada cavidad oscura de la boca; ni su hombro pulido, tan rozado ahora de camelia
diferente; ni su pelo, de oro gris un día, luego negro, ya absorbido en valor único; ni sus
manos menudas que tanto trajinaron en todo lo del día y de la noche, y sobre todo en
máquina y en lápiz y en pluma para mí; ni... me dijeron, por suerte mía:
«Mi encanto decisivo residía, ¡acuérdate tú bien, acuérdate tú bien! en algo negativo
que yo de mí tenía; como un aura de sombra que exhalara luces de un gris, sonidos de
un silencio (y que ahora será de la armonía eterna), incógnita fatal de una belleza liber-
tada; residente, sin duda, más visible, quizás, en los eclipses».
Por mi suerte, quedó la eternidad para más tarde; y ella salió, como después me dijo,
por la otra boca del pensado túnel; y vio salir también el ojo sol sobre la nieve (páginas
1034-1035).

Este poema fue escrito durante la convalecencia de Zenobia, que inmediatamente después de la operación en Boston, aún de cama, regresó a
Puerto Rico para estar con Juan Ramón. De allí que él la describa con
la frase «tendida aquí, mi mundo, y como para siempre ya». Lo más
logrado del poema es la bella descripción de Zenobia sin falsear su estado. Dice el poeta que «su esbeltez de peso exacto» está «tendida».
Recordamos que Zenobia, de estatura y peso medio, siempre tuvo
correcta postura, de allí que su marido la llame esbelta. Usar la palabra
«esbeltez» para la que está tendida es ocurrencia del máximo poeta y
también lo es describir los opacos y nublados ojos azules de Zenobia
enferma con la frase «verde mirar de fuente ya con agua sólo» y al referirse a su fláccida tez y abierta boca muda como «el descenso sutil de su

mejilla a la callada cavidad oscura de la boca». La marchita piel de la enferma recupera la perdida belleza al describir Juan Ramón su «hombro pulido, tan rozado ahora de camelia diferente» y en la progresiva descripción del pelo, partiendo de su apariencia más bella: «oro gris un día, luego negro, ya absorbido en valor único», nos olvidamos que en realidad el poeta describe el cabello gris mate de la Zenobia enferma. Después Juan Ramón ensalza las manos de Zenobia, usándolas como símbolos de devoción y lealtad conyugal.

En el segundo párrafo del poema obra la memoria del subconsciente. Juan Ramón lo separa del resto con comillas. Está pensando en la mujer joven y alegre que él pretendió cuatro largos años, la Zenobia medio casquivana que le hacía burlas por sacarle de su melancolía. De allí que el poeta se refiera a su «encanto» que «residía» en «algo negativo», «más visible, quizá, en los eclipses» o sea, cuando se los nublaba o enturbiaba la armonía.

El último párrafo tiene que ver con el título del poema: «Sobre una nieve», y el subtítulo: «(Entre un sol y la eternidad)». Zenobia, que temía morirse durante la operación, volvió en sí al amanecer, en un nevado día de invierno, y vio salir el sol, todo lo cual dice el poeta en desnudas líneas, es decir, desprovistas de adorno: «Por mi suerte, quedó la eternidad para más tarde; y ella salió, como después me dijo, por la otra boca del pensado túnel; y vio salir también el rojo sol sobre la nieve.» Este desnudo poema, en sus tres breves partes contiene una extraordinaria cantidad de elementos importantes en la historia amorosa de Juan Ramón y Zenobia: la descripción, en una, de la mujer de antaño y la de hogaño; la relación y apreciación de su trabajo y ayuda; la referencia a la difícil conquista del noviazgo y por fin, la relación de su gravedad y su convalecencia. Aparte del valor intrínseco del poema, en el que quedan reducidos a material poético altamente lírico, aspectos negativos de la vida, como la merma de los atributos físicos por la enfermedad, el poema tiene un alto valor humano. Al describir a Zenobia en su aspecto físico en el momento de mayor privación, y dotar su imagen de belleza, sin recursos falsos contrarios a la realidad, Juan Ramón le hace un máximo homenaje de amor y poesía.

En conjunto, el tono de «Ríos que se van» es triunfal, en un sentido de trascendencia, de haber salvado, por el amor, la muerte del cuerpo. Esta actitud es más evidente en los dos últimos poemas, en los que la idea es llevada a una desnudez y exaltación máxima, concretándola en el símbolo «oro», que en la poesía de Juan Ramón de la última época, equivale al concepto de la inmortalidad y la eternidad. El primer poema de los dos últimos, se titula «¡Yo lo quiero, ese oro!». El título del segundo es «El color de tu alma» y en él, el oro es el color del alma de Zenobia que adquiere ese valor al pasar Juan Ramón de la descripción de una situación exterior a una valoración espiritual de su mujer y de allí a una abstracción positiva de su vida. A continuación el poema:

Mientras que yo te beso, su rumor
nos da el árbol que mece al sol de oro
que el sol le da al huir, fugaz tesoro
del árbol que es el árbol de mi amor.

No es fulgor, no es ardor, y no es altor
lo que me da de ti lo que te adoro,
con la luz que se va; es el oro, el oro,
es el oro hecho sombra: tu color.

El color de tu alma; pues tus ojos
se van haciendo ella, y a medida
que el sol cambia sus oros por sus rojos
y tú te quedas pálida y fundida,
sale el oro hecho tú de tus dos ojos
que son mi paz, mi fe, mi sol: ¡mi vida!

(p. 1043)

Creemos que este poema fue inspirado por una situación real. Al frente, a los lados y al fondo de la casa de Hato Rey en Puerto Rico, en donde vivían Juan Ramón y Zenobia para la fecha en que fue escrito el poema, crecían frondosos árboles cuyas ramas daban sobre las alcobas en que ellos trabajaban y dormían. Antes del comentario en más detalle, queremos hacer notar que estamos en desacuerdo con parte de la interpretación que de él hace Sánchez-Barbudo en *Cincuenta poemas comentados* (Madrid, 1963), porque considera elementos esenciales del poema, artificiosos y retóricos. El mismo Sánchez-Barbudo, con gran sentido de equidad, anticipó otras valoraciones de la obra. La suya, con las naturales excepciones, está llena de intuición y apreciación estética. Citamos sus comentarios negativos antes de exponer nuestro punto de vista:

Parece demasiado precioso eso de que el árbol mezca «el sol de oro / que el sol le da al huir...». Quiere ligar el árbol, y la luz en él, con su amor y la luz en ella; mas parece forzado el «árbol de mi amor», en el verso 4. Y no tiene mucho sentido lo del «altor» (que no es lo que de ella ama, sino el color), cuando ya no habla del árbol, sino de ella. Me parece feo y retorcido el verso 6 («lo que me da de ti lo que te adoro»)... Es feo el verso 13, donde habla del alma asomando a sus ojos, del oro saliendo «hecho tú» de sus ojos. Y en cuanto al final, ese gritar que los ojos de ella son «mi sol: ¡mi vida!», resulta vulgar —cosa bien rara en Juan Ramón—, aunque es exclamación que corresponde bien, en este caso, a esa emoción elemental, ese cariño, apegamiento y fidelidad que el poema expresa (pp. 187-188).

Consideramos la frase «el árbol que mece al sol de oro / que el sol le da al huir» un exquisito logro poético, no un preciosismo, como dice Sánchez-Barbudo. El uso de la frase *mecer* en relación a lo movido por la brisa, es común en el trópico, donde la vegetación baja y frondosa está en continuo vaivén. Decir de un árbol bajo y frondoso como los de Puerto Rico, cuya copa a veces se alcanza a ver por entero, que «mece el sol de oro» es captar una realidad que los hijos del trópico conocemos; pero que por no ser poetas no sabemos expresar. Y decir del sol de la tarde que *huye*, es otro logro poético. En ciertas temporadas del año el sol se retira tan de prisa que la sombra de las cosas adquiere calidad de *huidiza*. En cuanto a la frase «el árbol de mi amor» que Sánchez-Barbudo considera forzada, no lo es, por razón de ser el árbol un símbolo constante y viejo en la obra de Juan Ramón para significar arraigo, para expresar lo hondo y lo alto. En el primer libro homenaje que le dedicó a Zenobia, *Canción*, de 1936, aparecen muchos poemas recogidos de la obra hasta entonces, en los que ya están *ligados* el árbol, la luz, el color de su amada, el amor. Por ejemplo, en el poema «Con el pino» Juan Ramón se compara con el árbol: «Firme y solo como el árbol / ... Preso en mi ser como el árbol / ... Hondo y alto como el árbol.» En el juguetón «Viento de amor» le dice:

> Por la cima del árbol iré
> y te cojeré.
> El viento la cambia de color
> como el afán cambia el amor,
> y a la luz de viento y afán
> hojas y amor vienen y van.

Sánchez-Barbudo dice que lo de «altor» cuando ya Juan Ramón no habla del árbol, sino de Zenobia, no tiene mucho sentido. Afirmamos que lo tiene, porque el poeta, desde mucho antes ha establecido la *altura* de su mujer, poniéndola por encima de todas las demás. En el poema «Tú», recogido también en *Canción*, la compara con toda clase de mujeres, terminando cada verso con líneas como: «Tú estás allá arriba blanca», «Tú estás allá arriba plácida», «Tú estás allá arriba clara». En otro poema, «Enredaderas», repite: «Eres como la flor / de la rama más alta / del cielo». Por último, Sánchez-Barbudo considera feo y vulgar, respectivamente, estos dos versos finales: «sale el oro hecho tú de tus dos ojos / que son mi paz, mi fe, mi sol: ¡mi vida!». Creemos que interpreta equivocadamente, debido a una preposición de más en su transcripción del poema. Lo que ha dicho Juan Ramón es que los ojos de Zenobia se van haciendo su alma: «tus ojos / se van haciendo ella» no «*a* ella», como tiene Sánchez-Barbudo; el oro de esa alma, aún en la sombra, asoma a los ojos, por lo tanto, no es exageración decir que son su paz, su fe y su sol, puesto que se está refiriendo a lo esencial de su mujer. Considerando el alto valor metafórico del verso y el hecho de que Juan Ramón estaba haciendo una justísima apreciación de Zenobia, el final del poema nos parece fino y bello. El amor de ella, que era lo que veía el poeta como el oro que asomaba a sus ojos, fue verdaderamente la vida de él y está muy lejos de ser la exclamación que Sánchez-Barbudo califica de «vulgar». Todos sabemos que Juan Ramón Jiménez murió al faltarle el sostén de Zenobia.

En los poemas de «Ríos que se van» el poeta le canta a la mujer total al margen de la muerte de ella y de su propia muerte, de allí que consideremos su canción como una elegía. La expresión amorosa tiene que ver con conceptos esenciales que transcienden los límites del tiempo y el espacio. El poeta usa las formas para él superiores: el verso libre, por su falta de artificio; al poema en prosa, por su libertad; el soneto, por su perfección, y el romance, porque lo consideraba el pie métrico sobre el que caminaba toda la lengua española.

En sus versos, tan aptamente titulados «Ríos que se van», iba su ser, porque como dejó él dicho: «el verso es como un río de agua de la tierra, río de agua que es, asu vez, como un río de la sangre de nuestra carne»[1]. No conocemos, en la poesía española, un tributo más perfecto, por sincero y completo, de un poeta a su amada, que esta elegía desnuda de Juan Ramón a Zenobia.

[*Papeles de Son Armadans,* año XIII, tomo L, n.º CXLIX, Madrid-Palma de Mallorca, agosto de 1968.]

---

[1] Juan Ramón Jiménez, «El romance, río de la lengua española», *El trabajo gustoso,* México, Aguilar, 1961, pág. 146.

PILAR GÓMEZ BEDATE

JUAN RAMÓN JIMÉNEZ EN EL OTRO COSTADO

En septiembre de 1974 se publicó, en las Ediciones Júcar, el libro de poemas de Juan Ramón Jiménez *En el otro costado,* cuya composición había sido proyectada en vida por el poeta con el cuidado y larga meditación que dedicó siempre a las obras que daba a la imprenta. Aurora de Albornoz ha recogido y estudiado los distintos esbozos del libro hallados entre los papeles póstumos de Juan Ramón y lo ha preparado y prologado, ateniéndose en todo a las indicaciones en ellos encontradas y supliendo con gran sensibilidad y conocimiento las que faltaban (como, por ejemplo, la ordenación de los poemas en cada una de las partes del libro o, en algún caso, la inclusión de alguno no escogido por Juan Ramón que, sin embargo, encaja perfectamente con el tono y el tema de los restantes). Los lectores y admiradores del gran poeta hemos de agradecer a Aurora de Albornoz no sólo el esmero con que ha preparado este material lírico haciéndonos, así, llegar un grupo considerable de poemas inéditos que transmiten ecos nuevos de aquella voz perfecta e íntima, sino también las informaciones bibliográficas precisas sobre cada una de las composiciones no inéditas, la excelente idea de hacer figurar en el libro las dos versiones —en prosa y en verso— de «Espacio», y el estudio introductorio que evidencia un conocimiento intenso de la obra y personalidad juanramonianas. Debemos alegrarnos, en suma, por tener esta edición de *En el otro costado* que combina la erudición y la sencillez en el grado adecuado para ofrecer al lector culto una información eficaz y no abrumadora con relación a la obra que se le ofrece.

Parte de los poemas de *En el otro costado* había sido publicada, bajo el mismo título, por Juan Ramón en su *Tercera Antolojía (1898-1953)* —Biblioteca Nueva, Madrid, 1957— en la que ocupa las páginas 813 a 919, situadas entre «La estación total» y «Una colina meridiana». La división de los poemas observada en este apartado de la *Tercera Antolojía* es la misma que se conserva en el libro ahora publicado, es decir, está dirigida por el afán de equilibrio que establece cinco partes, de las cuales la central corresponde a la versión en prosa de «Espacio», poema especialmente denso, y singular por su extensión, en la obra juanramoniana; «Espacio» está precedido de «Mar sin caminos» y «Canciones de la Florida», así como seguido por «Romances de Coral Gables» y «Caminos sin mar». Es evidente el paralelismo antonímico que existe entre la primera y la última parte, así como el sinonímico que se da entre los títulos de la segunda y la cuarta, donde «romances» viene a ser una variante de «canciones» y «Coral Gables» una especificación del lugar de la Florida en que Juan Ramón y Zenobia tuvieron su casa. Por consiguiente, desde el testimonio aportado por la *Tercera Antolojía* es patente el deseo del poeta de dar a su libro una ordenación semejante a la de un tronco de pirámide cuya plataforma la ocupase «Espacio» (tal vez simbólicamente) y este espacio se encontrase sostenido por los puntales de equilibrio que lo preceden y le siguen. Pero, el *En el otro costado* de la *Antolojía* es más la armazón de un libro que un libro en sí, pues «Mar sin caminos», «Canciones de la Florida» y «Caminos sin mar» resultan apartados excesivamente magros y con clara necesidad de ser engrosados. Esto es lo que el poeta deseaba hacer y, en el material destinado a la versión final que ha encontrado Aurora de Albornoz, los poemas que debían ir en cada una de las partes estaban guardados en sobres en los que figuraba el título de la parte en cuestión; bastantes de las composiciones que la *Antolojía* no recoge ya habían sido publicadas en revistas (especialmente hispanoamericanas) y son diecisiete las que Aurora de Albornoz considera inéditas al no haber encontrado ningún dato sobre su posible publicación anterior. En realidad, para el público español —y dada la dificultad de su acceso a ellos— pueden considerarse inéditos todos los poemas no aparecidos en la *Tercera Antolojía* que se publicaron en revistas hispanoamericanas como la *Revista de Cuba*, *Nosotros* de Buenos Aires, *Sur*, *Letras de México*, *Revista de la Asociación de Mujeres Graduadas de la Universidad de Puerto Rico*, etc.

Refiriéndose al libro en su conjunto, creo que una observación importante que puede hacerse es que resulta en verdad un interesantísimo testimonio de algunas de las maneras del último Juan Ramón a que más orgánicamente (si se me permite el uso de tal palabra en este caso) le condujeron sus comienzos de poeta simbolista pues sí, por una parte, nos encontramos aquí con una constante que procede de aquellos orígenes muy sencillamente, como son las «canciones» y los «romances», se trata ahora de versiones esquematizadas, reducidas a sus elementos más sintéticos y sometidas a un juego combinatorio tan estricto y escaso en la introducción de elementos nuevos que recuerda mucho aquellas cantigas lejanas del rey don Dionís del tipo de la que comienza: *Ai flores, ai flores do verde pio / si sabedes novas de meu amigo? / Ai, Deus, e u é? // Ai flores, ai flores do verde ramo, / si sabedes novas do meu amado? / Ai, Deus, e u é?* No es difícil reconocer la semejanza de estas alternancias paralelísticas con las que se dan en canciones de *En el otro costado* como la siguiente:

> ¿Qué cantar canta (dí, orilla azul)?
> Un anillo vive en el mar
> ¿De qué color (dí nube azul)?
> ¿Qué color es el del amor?
>
> Un anillo llora en el mar
> ¿Qué llorar llora, (dí, mano azul)?
> ¿Qué llorar es el del amor?
>
> Un anillo brota en el mar.
> ¿Qué flor entreabre (dí, sol azul)?
> ¿Qué rosa es la del amor?
>
> Un anillo muere en el mar.
> ¿Con qué morir (dí, abismo azul)?
> ¿Qué morir es el del amor?
>
> Un anillo canta en el mar.
> ¿Qué cantar canta (dí, orilla azul)?
> ¿Qué cantar es el del amor?

es que los presupuestos estéticos de que los tres artistas partieron eran semejantes, y que desde aquel «Pájaro de fuego» y aquella «Consagración de la Primavera» tan sonoramente brillantes y nutridos de un patetismo atractivo, el compositor ruso llega, siguiendo el camino del despojamiento, a la época de «Edipo Rey», de «Perséfone» y los «Salmos», donde el intelectualismo sobrio sustituye al aparato romántico que el simbolismo llevaba consigo. Un rasgo de estilo de estas últimas obras es el del sentimiento angustioso que deja de deleitarse en sí mismo y busca el contrapeso de la forma bien realizada y sólida, lo que musicalmente se resuelve en una armonía monótona y plañidera de intenso atractivo intelectual pero no muy halagadora para los sentidos. En cuanto a Picasso, la evolución ocurrida en su obra desde las épocas rosa y azul, tan famosas, hasta las pinturas expuestas en Aviñón durante los últimos años de su vida, pasando por el período cubista, es más espectacular que la de Stravinsky y, seguramente, más fácil de rememorar. En sus primeras obras célebres, como el compositor en las suyas, el pintor español se alimentaba de sentimientos y temas melancólicos a los que prestaba un encanto decadente que muy bien puede compararse con el que Juan Ramón Jiménez imprime a su poesía aproximadamente hasta *Diario de un poeta recién casado*. A medida que pasa el tiempo, las formas dulces y bien terminadas de la pintura de Picasso se van desintegrando, perdiendo adorno externo y ganando en profundidad representativa, se van volviendo, como las composiciones de Stravinsky, agresivas para su medio cultural e hirientes para los diletantes bien educados: sin que estas características puedan predicarse del conjunto de la poesía de época madura de Juan Ramón, si se aplican con propiedad a una parte de ella, que está excelentemente representada en *En el otro costado* en muchos poemas de «Canciones de la Florida», «Romances de Coral Gables» y casi todos los de «Mar sin caminos» y «Caminos sin mar». Como las pinturas picassianas de Aviñón, esta manera del último Juan Ramón es amarga (en la idea y la forma) pero iluminada por una ironía estoica que, conscientemente, se ase a creencias antiguas y las revive a su modo hasta encontrar en ellas un punto de apoyo espiritual que el poeta sabe forjado por sí mismo pero, por ello precisamente, dotado de la virtud necesaria para salvarlo.

Menos feroz que Picasso, Juan Ramón inventa imágenes basadas en la tradición que no son, sin embargo, menos alucinantes que las del pintor, como la alegórica «Venus forastera», del poema del mismo título, que parece una representación ambivalente de la muerte y la vida, un ser fugitivo y total, inalcanzable objeto de deseo que el poeta impreca con palabras enigmáticas a lo largo de cuarenta versos, de los cuales los diez últimos dicen:

> Estraña, que te quedas siempre fuera
> vijilando o ausente,
> totalidad que no has de descender
> a tierra otra, a tumba otra
> palabra oscura que tú ignoras, tú
> tumba hermosa de tí, cuerpo cerrado viajero
> por el gran azul, tumba
> del día y de la noche
> cuerpo desde lo fuera
> huidora inconciente y segura de los mundos.

Como en un solo de violín, el Juan Ramón postrero se lamenta de un mal que le ha aquejado desde sus tiempos de adolescente: el sentimiento de alienación, de soledad extrema que en su época madura se resuelve muchas veces en hallazgos místicos confortantes y hasta jubilosos. A la sensación de plenitud sentimental que domina gran parte de la obra juanramoniana a partir de *Diario de un poeta* parecen contraponerse los poemas destinados a *En el otro costado* en los que prevalece un sentimiento de nostalgia aguda que unas veces asume dimensiones metafísicas (como en el caso de la «Venus forastera») y otras se enraíza directamente en el estado de espíritu propio del exiliado.

La nostalgia por el pasado perdido es el tema que une a este libro el largo poema «Espacio», en el que es muy continua la presencia de uso de los motivos propios del postsimbolismo, como es la percepción simultánea de tiempos o lugares diferentes («En el jardín de St. John the Divine» los chopos verdes eran de Madrid, «Sitjes fue donde yo vivo ahora, Maricel, esta casa de Deering, española, de Miami, esta Villa Vizcaya aquí de Deering, española aquí en Miami, aquí de Barcelona»; «No eran espejos que guardaban vivos, para mi paso por debajo de ellas, blancos espejos de alas blancas, los ecos de las garzas de Moguer? Hablaban, yo lo oí, como nosotros. Esto era en las marismas de la Florida llana, la tierra del espacio con la hora del tiempo»; etc.) que, por ejemplo, se incorpora a la obra de Picasso con el hallazgo del cubismo y queda para siempre en ella aun después de abandonar el pintor su fase cubista. En «Espacio», el poeta rastrea en el presente las huellas del pasado y la participación común de todas las cosas existentes —naturaleza, obras de arte, lugares, personajes, su yo con la conciencia desdoblada— en algunos elementos perdurables que transforman el pequeño espacio vital humano en una inmensa extensión espiritual que, desde las profundidades del pasado, llega al presente y lo sobrevive, y que se expande por ambas orillas del Atlántico. Es una clase de visión cósmica muy típicamente juanramoniana que nuestro poeta refiere a la intimidad de la conciencia pero que viene a ser paralela al mismo tipo de percepción que aparece en otro gran poeta moderno procedente del mismo sustrato simbolista como es Ezra Pound, cuyo tono, sin embargo, es épico y en ello muy diferente del lirismo delicado que fue siempre querido por Juan Ramón.

De los dieciocho poemas que se publican ahora en *En el otro costado* por primera vez, cuatro se relacionan con el tema de la muerte y los otros catorce nacen del sentimiento de destierro, que unas veces se expresa con relación al ideal de eternidad y comunión perfecta con los seres y otras respecto al exilio terreno de la patria. En este último caso se produce un fenómeno inverso del que ocurre en «Espacio» con los signos del pasado y el presente pues ahora el exiliado no desea unir sus experiencias distanciadas en el tiempo sino alejarlas y, así, los símbolos de la actualidad real son rechazados en favor de los que surgen de recuerdos, como ocurre de modo muy llamativo en «La ola de mi pozo», donde al mar, tan frecuentemente nombrado por Juan Ramón como fuente de paz y de reposo, es denigrado y menospreciado al comparársele con la humilde agua de pozo de Noguer:

> Ni quiero más el mar,
> la redonda y movible soledad,
> con los radios constantes del pasar.
>
> Pozo mío, Moguer fatal,
> con su monte, su puerta y su pinar,
> con la piedra y la paz;
> tierra firme al estar
> viviendo y moridero del real
> amante, del que vuelve a su verdad.
> . . . .
> Bebéos todo el mar,
> moríos del ahogo de la esterna sal.

A mí, para el desesperar,
me basta con la ola de mi pozo,
más mar,
más ancho mar,
más alto mar,
más hondo mar.»

Viene a ser, pues, *En el otro costado,* si nos atenemos a los temas y el tono predominantes en él, la expresión de una última voluntad y, si así lo pretendió el poeta, así parece haberlo interpretado fielmente Aurora de Albornoz al hacer de intermediaria en su trasmisión de esta magnífica serie de poemas —en ningún caso obras truncadas por falta de últimos retoques— en los que el sentimiento doliente se alía a una reciedumbre expresiva donde se manifiesta en toda plenitud la maestría suprema con que Juan Ramón Jiménez dominaba su lengua, a la que tanto depuró y pulió para hacerla capaz de decir, en su sencillez extrema, las más profundas cosas. La Obra a que dedicó su vida se muestra aquí como lo que en realidad fue para él: la tabla de salvación de su espíritu, el contrapeso de su tristeza propia y la lección de estoica firmeza en la persecución de lo Bello que legó a la posteridad, a la que, afortunadamente, puedan añadirse ahora páginas de gran valor.

[*Revista de Poesía y Crítica,* Brasilia / São Paulo / Río de Janeiro, n.º 6, primer semestre de 1979.]

HOWARD T. YOUNG

GÉNESIS Y FORMA DE «ESPACIO» DE JUAN RAMÓN JIMÉNEZ

«Espacio», composición larga y difícil, aparece escrita en la Florida en los años 1941, 1942 y 1954. Se ha dado a conocer en tres fragmentos distintos. Los dos primeros corresponden a los años 1941 y 1942, y evidencian plenamente el haberse compuesto en la Florida; el tercero, aunque probablemente empezado al mismo tiempo y en el mismo lugar que los otros dos, fue retocado por Juan Ramón en 1954 en Puerto Rico, y revela un tono que es ya el de las últimas páginas del poeta[1].

_____

[1] El primer fragmento se publicó en *Cuadernos Americanos*, II (1943), núm. 5, págs. 191-205; el segundo en la misma revista III (1944), núm. 5, págs. 181-183. El primer fragmento, copiado de *Cuadernos*, apareció en *Las cien mejores poesías españolas del destierro*, sel. de Francisco Giner de los Ríos. México, Signo, 1945, págs. 4-19. Hasta entonces, el poema fue presentado en verso libre. En 1954 aparece el tercer fragmento junto a los dos primeros, todos ya en prosa, en *Poesía española*, núm. 28, abril 1954. La *Tercera antolojía poética (1898-1953)*, Madrid, Biblioteca Nueva, 1957, págs. 851-880, recoge los tres fragmentos todavía en prosa. Cito siempre de esta edición que abrevio TA. El tercer fragmento en TA omite las siguientes líneas que se hallan en la versión de *Poesía española*: «Caricatura infame ("Heraldo de Madrid") de Federico García Lorca; Pieles del Duque de T' Serclaes y Tilly (el bonachero sevillano) que León Felipe usó después en la Embajada mexicana, bien seguro; Gobierno de Negrín, que abandonara al retenido Antonio Machado enfermo ya, con su madre octojenaria y dos duros en el bolsillo, por el helor del Pirineo, mientras él con su corte huía tras el oro guardado en la Banlieu, en Rusia, en Méjico, en la nada...» Estas referencias forman parte de una lista de ejemplos del Destino que no se puede ni huir ni buscar (TA, pág. 869). Fueron eliminadas de la *Tercera antolojía*, quizá por ser demasiado personales y contemporáneas. Las alusiones al Destino que se conservan son todas de la historia más remota. Esta es la única diferencia importante entre las varias versiones de «Espacio». Lo demás, aun cuando se trata del cambio del verso libre a la prosa, es sólo una cuestión de la puntuación o alguna que otra palabra. «Espacio» en su totalidad, y en prosa se dio en *Pájinas escojidas: Prosa*, sel. de R. Gullón. Madrid, Gredos, 1958), págs. 17-37. (Es la versión de *Poesía española* de 1954). «Leyenda de un héroe hueco», *La Nación*, 11 de enero de 1953, es un trozo del tercer fragmento.

En cuanto a su forma, «Espacio» tiene una historia fuera de lo corriente. Los dos primeros fragmentos aparecieron originalmente en verso libre y fueron más tarde convertidos en prosa al publicarse la versión final en 1954. Las razones de este cambio, como se verá abajo, pueden encontrarse en la ideología poética del autor.

El contenido de este curioso poema en prosa viene a ser una extensión libre que empleó el autor por primera y última vez en su obra. Falta tanto un orden ideológico como cronológico, y por eso el poema acusa momentos muy confusos pero también pasajes de suma belleza, y todo siempre de un interés insólito. Es, sin duda, una pieza singular en la obra juanramoniana, y merece atención detenida[2].

Además, las fechas con que se empieza y se cierra jalonan momen-

---

[2] La crítica, salvo algunas excepciones, sólo lo ha tratado de paso. Francisco Giner de los Ríos, limitado a seleccionar para su antología muestras de la poesía española escrita en el destierro, incluyó el primer fragmento, pero con una pregunta, «¿Ha perdido Juan Ramón, o se ha ganado y nos ha ganado para siempre con ese "eco del ámbito del hombre" que le llega en sus días más altos?» *(op. cit.,* pág. xv). Gerardo Diego, refiriéndose a «Espacio», lo llama el más «grandioso» de los poemas de Juan Ramón («Premio Nobel a JRJ», *Clavileño,* VII, núm. 42 [1956], pág. 2). El poema mismo en sus conversaciones literarias con Ricardo GULLÓN recuerda que Gerardo DIEGO fue uno de los primeros en situar justamente a «Espacio», y así lo reconoce en la dedicatoria *(Conversaciones con JRJ,* Madrid, Taurus, 1958, pág. 149). Graciela PALAU DE NEMES en su biografía *Vida y obra de JRJ.* (Madrid, Gredos, 1957, págs. 358-361) hace una descripción somera de nuestro poema, destacando un par de temas —la misantropía y el sentido de inmortalidad en el Destino— que ella considera deficiencias. Gullón ha reconocido la importancia fundamental de «Espacio» y encabeza su selección de prosa con los tres fragmentos completos. «Este singular trozo de poesía», dice, «representa con toda plenitud el genio del poeta» *(op. cit.,* págs. 9-10). También Gullón en el prólogo que puso a una traducción de la poesía juanramoniana, nos ofrece un atisbo al hablar de lo que él llamó «remembering imagination» como impulso básico de la obra. Véase *Three Hundred Poems, 1903-1953,* trad. Eloise Roach, Austin, U. of Texas Press, 1962, pág. XXVIII. Guillermo DE TORRE se fija en la mezcla de retrospección e introspección que caracteriza la pieza y opina que es la culminación de la fase «humana» de JRJ. Véase «Cuatro etapas de JRJ», *La Torre,* V (1957), pág. 60. Jean-Louis SCHONBERG se contenta con denominarlo un «interminable monologue» en el cual el poeta «...couche le pêle-mête onirique des pensées qui lui passent par la tête». Véase *JRJ ou le chant d'Orphée,* Neuchâtel, Editions de la Baconnière, 1961, pág. 159. Por su parte, SÁNCHEZ-BARBUDO en su admirable *La segunda época de JRJ.* Madrid, Gredos 1962, págs. 135-140, 204, 214-216, hace hincapié en el poema. Busca en él muestras del «tema central» (el deseo de plenitud por medio de la identificación con el mundo contemplado), y ve claramente la diferencia en tono y contenido entre los primeros fragmentos y el tercero. Dos criterios han visto de paso el «aire de familia» que tiene «Espacio» con *Animal de fondo:* Antonio SÁNCHEZ ROMERALO, «JRJ en su fondo de aire» *RIIM,* XXVII (1961), pág. 302 n. 23, y Roberto FERNÁNDEZ RETAMAR, «Tercera antolojía de JRJ», *RHM,* XXIV (1958), pág. 213. El presente autor nota la falta de continuidad entre el hombre exiliado y su nuevo mundo tal como aparece en el poema: *The Victorius Expression,* Madison, U. of Wisconsin Press, 1964, págs. 118-121. Es curioso notar que Zenobia opinaba que «Espacio» no representaba al verdadero Juan Ramón. Véase Donald F. FOGELGUIST, «JRJ: Vida y obras», *RHM,* XXIV (1958), pág. 150 n. 39. En cambio, el poeta, al grabar su voz en 1949 para los archivos hablados de la Biblioteca del Congreso, dejó capturada para siempre su voz fina leyendo entero el primer fragmento. La selección, por extensión, comprueba la importancia que concedía Juan Ramón a su poema en prosa.

tos importantes en la trayectoria poética del autor. La primera (1941) marca su vuelta a la poesía después de una ausencia causada por la zozobra de su traslado al Nuevo Mundo en 1936. Relata a Díez-Canedo, «En la Florida empecé a escribir otra vez en verso. Antes, por Puerto Rico y Cuba, había escrito casi exclusivamente crítica y conferencias. Una madrugada me encontré escribiendo unos romances y unas canciones que eran un retorno a mi primera juventud...»[3]. La segunda fecha (1954), que es cuando retocó por última vez el tercer fragmento[4], señala un punto que es ya casi el término de la vastísima obra iniciada hace más de medio siglo. Seguramente, el tercer fragmento de «Espacio», aunque el borrador data de la época de los otros fragmentos, nos llega con sus revisiones y adiciones de 1954, como una de las últimas cosas nuevas que Juan Ramón dio a la imprenta[5]. «Espacio», es, pues, una composición que abarca casi la totalidad de la vida creadora de Juan Ramón en América y, por lo tanto, nos permite ver de cerca al poeta en la etapa final de su vida.

En el presente ensayo, pretendo estudiar la génesis y la inspiración del poema, y por último, las razones que explican los cambios de forma. Dejaré para otra ocasión el análisis de la técnica y el comentario del desarrollo temático, asuntos los dos que exigen más espacio y tiempo.

---

[3] *Cartas (Primera selección)*, ed. F. Garfias. Madrid, Aguilar, 1962, pág. 374. En 1939 los Jiménez se establecieron en Coral Gables, sede de la Universidad de Miami (PALAU, *op. cit.*, pág. 302). Sánchez Barbudo piensa que uno de los primeros poemas de Juan Ramón escrito «en el otro costado» es «Árboles hombres», que se dio en *Taller*, 1940, núm. X, marzo-abril, págs. 10-11, y se incorporó como el poema XXVIII de «Romances de Coral Gables» (TA, págs. 901-902). Véase *La segunda época de JRJ. Cincuenta poemas comentados*. Madrid, Gredos, 1963, pág. 143. Es evidente que la génesis de «Espacio» en 1941 coincide con este renovar de la poesía.

[4] SÁNCHEZ-BARBUDO (*La segunda época*, pág. 216) opina que el fragmento tercero se empezó en Florida y se terminó en Puerto Rico. Al principio de este fragmento, escribe el poeta «...como yo un poco antes, ya por La Florida» (TA, pág. 867), lo cual hace pensar que está recordando a Coral Gables; otras secciones dan la impresión de haber sido escritas allí. De todos modos, como nota Sánchez-Barbudo, las tres páginas finales «...debieron ser muy corregidas y revividas... entre 1952 y 1954» (*op. cit.*). Los dos primeros fragmentos parecen una introducción al éxtasis de *Animal de fondo*; el tercero parece una retirada de él, especialmente el episodio del cangrejo comentado por Sánchez-Barbudo (págs. 214-216). La abundancia de neologismo en el fragmento tercero coincide con la misma técnica de *Animal de fondo*, y es otra prueba de que gran parte de este trozo de «Espacio» viene de los últimos años de la vida del autor.

[5] Mientras no se publique la bibliografía completa de los papeles de JRJ, es difícil saber de cierto cuáles son sus últimos textos. SÁNCHEZ-BARBUDO (*op. cit.*, pág. 218) cree que quizá «Quemarnos del todo», composición en prosa, «...debió de ser escrito a principios de 1956, lo más tarde, antes de la enfermedad de Zenobia; pero quizá sea anterior, del período 1952-1954». En efecto, lo es. Véase *El trabajo gustoso*, ed. F. Garfias, Madrid, Aguilar, 1961, págs. 189-194, donde a la pieza en cuestión se le asigna la fecha de 1954.

GÉNESIS E INSPIRACIÓN

En julio de 1943, Juan Ramón, replicando a un artículo de Luis
Cernuda, discurrió sobre las influencias e historias poéticas de su tiempo, y luego hizo la primera referencia pública existente sobre «Espacio». «Ahora, hace tres años, tengo en mi lápiz un poema que llamo
"Espacio" y sobrellamo "Estrofa", y llevo ya de él unas 115 pájinas
seguidas»[6].

Un mes después (el 6 de agosto) desde Washington, D.C., en una
carta al crítico Enrique Díez-Canedo, quien le había pedido informes
para un curso que daba en México, Juan Ramón expuso sus proyectos
literarios y discutió sus labores de entonces. La carta, como debe espe-
rarse, es mucho más personal que el artículo dirigido a Cernuda, y por
lo tanto constituye un documento valioso para la historia espiritual de
nuestro poeta en su segunda y última estancia en América. Ofrece
muchos detalles sobre el poema que estudiamos:

La Florida es, como usted sabe, un arrecife absolutamente llano y, por lo tanto, su
espacio atmosférico es y se siente *inmensamente inmenso*. Pues en 1941, saliendo yo
casi nuevo, resucitado casi, del hospital de la Universidad de Miami... una embriaguez
rapsódica, una fuga incontenible empezó a dictarme un poema de espacio, en una
sola interminable estrofa de verso libre mayor. Y al lado de este poema y paralelo a él,
como me ocurre siempre, vino a mi lápiz un interminable párrafo en prosa, dictado por
la estensión lisa de la Florida...[7].

De esta cita se pueden destacar dos elementos importantes en lo
que toca a la génesis de «Espacio». En primer lugar, según indica G. Palau de Nemes *(op. cit.,* pág. 316), el poeta había estado en el hospital
debido a uno de esos estados depresivos que le asediaban desde su
adolescencia. Estados de depresión dan paso en muchos casos a etapas
de exagerado optimismo, o a lo que en la creación poética puede llamarse momentos de «embriaguez y rapsódica». Estos altibajos son comunes en la vida de personas ultrasensibles como Juan Ramón. La
alegría, siempre breve en él, alterna constantemente con arranques de
hundimiento espiritual, como revela aun la mirada más superficial a
su poesía. Esto explicaría, en parte, el tono rapsódico del primer frag-

---

[6] «A Luis Cernuda», *El Hijo Pródigo,* I (1943), pág. 340.
[7] *Cartas,* págs. 374-375. El subrayado es mío. JRJ dijo a Cernuda que había empezado «Espacio» hacía tres años, o sea en 1940. Sin embargo, la fecha que le dio a Díez-
Canedo, a raíz de su salida del hospital, parece más plausible. De las 115 páginas que le
menciona a Cernuda, tenemos sólo los tres fragmentos, a no ser que artículos dispersos
como «Espacio: La central ciega», *Sur,* junio-julio 1948, y «Espacio», *Los anales de Buenos
Aires,* III (1948), núm. 23, pág. 5, constituyan una parte de la composición original.
Véase Sánchez-Barbudo, *op. cit.,* pág. 204 n. 65.

mento de «Espacio», y también el embeleso verbal, el enajenamiento que produce la fuga de imágenes y recuerdos que constituyen la médula de este singular poema.

Dejando aparte tales aseveraciones psicológicas, por temor a forzarlas, sería imposible insistir demasiado en la conexión íntima y entrañable que existe entre «Espacio» y el paisaje donde se compuso. «La Florida llana, la tierra del espacio», se nos dice en el tercer fragmento (TA, pág. 876), y es, en efecto, la llanura interminable de esta península lo que opera a manera de impulso y de inspiración mayor del también interminable poema en prosa. En el retrato de Rubén Darío que escribió en 1940, ya muy cerca del nacimiento de «Espacio», se refiere el poeta a «estos inmensos horizontes lluviosos de la Florida llana y costera...»[8]. Y en 1954 cuando revisaba el tercer fragmento le recordó a Gullón que Miami «... es un arrecife de coral que se presenta como una línea horizontal, recta. Pues, bien, esa línea y ese paisaje me hicieron concebir según es el poema ''Espacio'', en cuya revisión estoy trabajando»[9]. Sin duda, el terreno de la Florida dejó en el poeta una impresión honda y permanente.

Datos sobre la juventud del poeta nos explican en parte el carácter penetrante y perdurable de esta impresión: existen en la vida de Juan Ramón, joven, momentos que revelan cierta predisposición hacia la llanura o la inmensidad. Cuando Juan Ramón residía en Madrid en su época de más fructífera producción, evocó una experiencia que tuvo a la edad de dieciséis años tras de oír por primera vez a Chopin en la casa de Feliciana Sáenz, una aficionada moguereña a la música. Salió el poeta de la casa, enloquecido por la dulzura del romántico polaco, marchó sin rumbo por el pueblo desierto y al fin:

...me salía al alto del Cristo, sobre la ribera, *estensión, ámbito inmenso,* perspectiva total, mar, marisma, monte y río bajo un ciclo *enorme* que siempre era la *salida,* el lado mejor, *el escape* de mi fantasía... me quedaba fijo no sé cuánto tiempo en una ausencia vertical completa[10].

Aunque se recuerda y describe la experiencia utilizando un vocabulario que no hubiera empleado el adolescente, resulta evidente «la embriaguez rapsódica» ante el fenómeno de la extensión, esta vez de paisaje nativo que se explayaba hasta el mar.

Sin duda fue esta extensión inherente del mar la que tentaba y aturdía al poeta en las páginas del *Diario.* Ya embarcado, el segundo poema implícitamente toca la grandeza física que le rodea:

---

[8] *Españoles de tres mundos,* ed. R. Gullón. Madrid, Aguado, 1960, pág. 122.
[9] *Conversaciones,* pág. 149. Gullón recuerda que esta charla tuvo lugar el 4 de marzo y «Espacio» apareció completo en el número de abril de *Poesía española.*
[10] *Por el cristal amarillo,* ed. F. Garfias, Madrid, Aguilar, 1961, págs. 278-279. El subrayado es mío. Viene de una sección llamada «Vida y época», que consta de once evocaciones breves, mayormente de tipo autobiográfico. Debió escribirse entre 1925 y 1935.

> Cielo, palabra
> del tamaño del mar
> que vamos olvidando tras nosotros[11] .

El resto del viaje será un conocerse mutuo entre el poeta y la enormidad de agua y cielo.

De vuelta en Madrid, no olvida el mar, que aparece con bastante frecuencia en la prosa de entonces. Registra también otras experiencias semejantes a las del adolescente, y son, a menudo, el resultado del enfrentamiento físico del poeta con una vasta extensión de terreno. De noche, en lo alto de la Colina de los Chopos, contemplando la ciudad y el campo, recibe otra vez la embriaguez:

¡Trote embriagado, de pronto, cuesta arriba, escalera abajo, derecho contra el Guadarrama vagamente amaranto que se viene encima!... ¡De todas partes salgo corriendo, sonriente, feliz en multiplicada rosa abierta, de mi olvido, a abrazarme[12]!

Subrayamos en el pasaje citado sobre su reacción juvenil ante la música de Chopin y la llanura alrededor de Moguer, las palabras «salida» y «escape», conceptos que aparecen mucho en su poesía posterior a 1916 y que representan, hasta cierto punto, el tema central delineado por Sánchez Barbudo, la «gana celestial» de su alma que él reconoció claramente en el *Diario*:

> ...así empezaba aquel comienzo, gana
> celestial de mi alma
> de salir, por su puerta, hacia su centro...[13] .

Ya en el primer fragmento de «Espacio», asido por la «embriaguez rapsódica», vuelve a insistir en esta idea: «Enmedio hay, tiene que haber, un punto, una salida...» (TA, pág. 853).

La salida que anhelaba el espíritu del poeta, su desprendimiento de lo circundante, se lo ofrecía siempre la extensión grande de su ambiente, la enormidad geográfica, fuera mar, llano, arrecife, o marisma. Primero le hechizó el litoral andaluz, luego la mar con su cielo sorprendió al amante en busca de su novia, convirtiendo el viaje en excursión simbólica por los linderos del espacio. Y en el otoño de su vida, repuesto de una depresión nerviosa, encuentra otra vez una salida en el arrecife de la Florida «...llano, amplio, sin una colina ni un obstáculo que se oponga a la vista: todo es espacio, abierto, libre[14]».

---

[11] *Libros de poesía*. Madrid, Aguilar, 1959, pág. 242. Para los efectos del mar en el *Diario* y en *Animal de fondo* véanse G. CORREA. «El simbolismo del mar en la poesía española del siglo XX», *RHM*, XXXII (1966), págs. 63-87, y la obra ya citada del que escribe, págs. 101-107.

[12] *Cuadernos*, ed. F. Garfias, Madrid, Taurus, 1960, pág. 110.

[13] *Libros de poesía*, pág. 448.

[14] *Conversaciones*, pág. 149. La idea de lo abierto inherente en el espacio es capital

Al finalizar el primer fragmento el poeta y la inmensidad se funden gozosamente, en una nota de triunfo que presagia la última salida del poeta, la cual habrá de llevarse a efecto en *Animal a fondo*:

¡Inmensidad, en ti y ahora vivo; ni montañas, ni casi piedra, ni agua, ni cielo casi; inmensidad, y todo y sólo inmensidad; esto que abre y que separa el mar del cielo, el cielo de la tierra, y, abriéndolos y separándolos, los deja más unidos y cercanos, llenando con lo lleno lejano la totalidad! ¡Espacio y tiempo y luz en todo yo, en todos y yo y todos! ¡Yo con la inmensidad! Esto es distinto; nunca lo sospeché y ahora lo tengo. (TA, pág. 862).

FORMA

Como se ha dicho ya, los dos primeros fragmentos de «Espacio» se imprimieron en sendas estrofas de verso libre mayor; luego se trocaron, con el tercer fragmento, en prosa. Las razones que motivaron esta transición están muy vinculadas a preocupaciones que Juan Ramón expresó en las conferencias y conversaciones de sus últimos años. Pero el cambio también responde a necesidades impuestas por el contenido mismo. Toquemos éstas primero.

«Espacio» es una «fuga raudal» (TA, pág. 851) de recuerdos y divagaciones que se suceden sin más molde que la sucesión misma. (Por esta razón, añadió Juan Ramón en la versión final como subtítulo la palabra «Sucesión»). La «embriaguez rapsódica» impulsó una serie interminable de imágenes que desde el principio amenazaba con desbordarse aun de los límites elásticos del verso libre. Desde el momento de su comienzo, pues, la forma de «Espacio» resultaba problemática, pero el poeta optó entonces por el largo verso libre sin la interrupción de divisiones estróficas.

Hay que recordar que Juan Ramón era un escritor que odiaba el ripio y que ensalzó en numerosas ocasiones la brevedad («...la gran poesía casi siempre es breve. Los éstasis no pueden ser muy duraderos ni necesitan serlo...»[15]). Además, a partir de *Estío* (1915) se había con-

---

para JRJ. Además de encontrar el adjetivo «abierto» esparcido por su obra a partir de 1915, se convirtió en un concepto para generalizar sobre la poesía. Véase «Poesía cerrada y poesía abierta» en *El trabajo gustoso*, págs. 83-115. Relacionada a la misma idea aparece su obsesión por la lejanía, y también por el adjetivo «inmenso». Véase Fernand VERHESEN, «Tiempo y espacio en la obra de JRJ», *La Torre*, V (1957), págs. 102, 107. La estrecha relación entre JRJ y el paisaje en todos sus aspectos queda bien estudiada en Michael P. PREDMORE, *La obra en prosa de JRJ*. Madrid, Gredos, 1966. Según Predmore, Juan Ramón desarrolló una visión coherente del mundo basada en la naturaleza y el paisaje del sur de Andalucía. «En América», escribe el crítico, «nunca pudo establecer nuevamente el contacto vital con la naturaleza que necesitaba su creación poética y su bienestar espiritual» (pág. 69). Tal observación debe corregirse en vista de la honda impresión de la Florida sobre su imaginación, aunque es verdad que el autor veía toda la Florida en términos de Andalucía. En una carta fechada el 29 de noviembre de 1939, dice «Tenemos aquí (en Coral Gables) una casita andaluza (todo esto ¡recuerda! a Andalucía, blanquísima, limpísima, suficiente» *(Cartas,* pág. 358). El subrayado es de Juan Ramón.

[15] «Poesía y literatura» en *El trabajo gustoso*, pág. 49.

sagrado a ser poeta de la esencia, vate del instante dilatado. Así es que la largura instante dilatado. Así es que la largura de lo que iba saliendo inspirado por el arrecife floridiano bien podía resultar en algo desconcertante. Quizá por eso, en el ya citado prólogo al primer fragmento, declara el poeta que no le gusta el poema largo con asunto, y tras anunciar a Cernuda las «115 pájinas seguidas... sin asunto», en un tono contradictorio añade: «leo muy pocos poemas largos. Un poema largo no es más eternidad que corto, es más tiempo nada más» [16]. «Espacio», sencillamente, no era poesía como la que había urdido Juan Ramón hasta entonces.

Durante su segunda estadía en América, Juan Ramón empezó a reflexionar sobre la relación existente entre la poesía y la prosa. Este examen de géneros debe haberse debido en parte al problema que le había propuesto «Espacio». Al público argentino que escuchaba en 1948 la conferencia «Poesía cerrada y poesía abierta», le advirtió que «Para un ciego el verso y la prosa serían iguales. Y en realidad no existe el verso más que por el consonante o el asonante, por la rima» [17]. He aquí el primer esfuerzo de penetrar las divisiones tradicionales entre la poesía y la prosa. Esta noción de que sólo la rima hace el verso se vuelve en una preocupación marcada que expresa muy a menudo en sus conversaciones con Gullón. La tiranía de la rima dirige y tuerce el desarrollo natural, dice; maneja las ideas, es un refugio para el poeta débil que cree que con una rima lograda basta. El «tope del asonante» le molesta tanto que le confiesa a un Gullón escandalizado su intención de dar el verso como prosa en sucesivas ediciones de sus obras. En una de estas observaciones anuncia que ha decidido publicar «Espacio» en prosa [18]. Lo que fue verso libre sin estrofa se convierte entonces en una prosa extendida que no goza de las divisiones normales de párrafos.

Esta vacilación entre la prosa y la poesía, exacerbada en los últimos años, no se nota mucho en los albores de su carrera. Entonces la prosa recibía su delicado espíritu poético sin sugerir confusión de géneros, siendo adecuada prosa poética. Dejando a un lado *Platero y yo,* que posee un delicioso ritmo único, podemos notar la asonancia de la prosa sensual de *Baladas para después* (1908) [19] y señalar a través de la prosa temprana del moguereño un exquisito y delicado sentido de armonía permanente. Pero ya en la época madrileña, cuando la poesía era cada vez más expresión de la esencia, la prosa se hizo más elástica, como si recibiera todo lo impuro que el poeta había desterrado de su verso [20].

---

[16] «A Luis Cernuda», pág. 340.
[17] *El trabajo gustoso*, pág. 98.
[18] *Conversaciones*, págs. 114-116, 149.
[19] Véase PREDMORE, *op. cit.*, págs. 262-264.
[20] Nota PREDMORE que después del *Diario* la poesía se ocupaba exclusivamente del mundo subjetivo y del tema de la identificación con lo bello, mientras que la prosa bregaba con el mundo tangible, *op. cit.*, pág. 42.

La prosa de este período, coleccionada en *Cuadernos* (1960) y *La colina de los chopos* (1966), data de 1915 a 1935, y en ella ciertas secciones reciben el nombre de «Poesía en prosa», lo que indica ya un intento de eliminación de la distinción formal entre los dos géneros. La prosa de esta época en su soltura, en lo raudo de las imágenes, en la reiteración, empieza a asemejarse a «Espacio». Al llegar al Nuevo Mundo, rebasó su espíritu los límites de cualquier género. La embriaguez que nació en «Espacio» continúa en *Animal de fondo,* también un libro de arrebato que, según observó Concha Zardoya, evita medidas y rimas y se entrega al «... libre fluir de la palabra poética» [21].

Progresivamente se iban abandonando las formas tradicionales en busca de un molde que contuviera una expresión cada vez más abierta y fluente. Se puede notar esta búsqueda en su manera de trabajar. A Díez-Canedo le dice que al empezar el poema de «espacio», se le vino a la mente, «como me ocurre siempre», un párrafo en prosa. Los papeles del poeta ya comienzan a mostrar varios ejemplos de esta dualidad de composición. Predmore señala que «...hay poemas de *Dios deseado y deseante* escritos originalmente en prosa, otros escritos primeramente en verso cambiados después a prosa» [22]. Para dar un solo ejemplo, recurramos a la edición que Sánchez Barbudo hizo en 1964 de *Dios deseado y deseante* (págs. 225-226), donde aparece un poema titulado «Si la belleza inmensa me responde o no», considerado por el editor como el último poema de este libro. Sánchez Barbudo lo da en cinco estrofas de verso libre. El mismo poema con ligeras variantes en prosa en *La corriente infinita,* una colección de crítica y evocación publicada en 1961 por Francisco Garfias [23]. La versión en prosa está dividida en cuatro párrafos, por lo que se distingue estructuralmente de «Espacio».

En parte, estos vaivenes entre la poesía y la prosa pertenecen al esfuerzo singular y constante del poeta de acendrar el producto de su pluma. A propósito de esto, le dijo a Gullón, «Cuando se escribe un poema, para ver el efecto que produce, para ver si efectivamente es poesía, nada mejor que escribirlo en prosa» [24].

Pero la vacilación viene mayormente, según pensamos, de su disgusto con las distinciones formales, lo cual está enlazado a su necesidad de acomodar la afluencia enorme de su expresión en América. Cita Predmore una nota sin publicar encontrada en los papeles Hernández Pinzón: «Hay un momento en que el verso, libre en todos sentidos, se convierte en libre prosa» [25]. Es la libertad lo que buscaba, lo abierto, la salida siempre anhelada.

---

[21] «El dios deseado y deseante de JRJ», en *Poesía española comtemporánea.* Madrid, Guadarrama, 1961, pág. 220. Hay también cierto libre fluir en el *Diario,* que fue escrito en verso libre por «...no sentirme firme, bien asentado» *(Conversaciones,* pág. 84). El *Diario* fue uno de los libros que Juan Ramón pensó dar en prosa.

[22] PREDMORE, *loc. cit.*

[23] Madrid, Aguilar, 1961, pág. 285.

[24] *Conversaciones,* pág. 115.

[25] PREDMORE, *op. cit.,* pág. 41, n. 18.

La rima y el ritmo proveían efectos auditivos. Fue contra la tiranía de éstos contra la que, como acaba de verse, Juan Ramón se rebeló. Pero al mismo tiempo, el poeta quería libertarse de los recursos visuales tradicionalmente asociados con la poesía, la estrofa y la extensión del verso, los cuales, según él, no ayudaban al lector a entender mejor el verso libre. La longitud de los versos venía a ser un artificio utilizado para destacar ciertos conceptos o frases; la estrofa, una unidad de pensamientos. A fin de juzgar estas diferencias visuales, ponemos a continuación el principio del primer fragmento, en verso libre, al que le sigue su versión en prosa. (Se debe recalcar que «Espacio» aun en su forma poética carecía de estrofas, era una «estrofa interminable»).

> Los dioses no tuvieron más sustancia
> que la que tengo yo. Yo tengo, como ellos,
> la sustancia de todo lo vivido
> de todo lo por vivir. No soy presente sólo,
> sino fuga raudal de cabo a fin. Y lo que veo
> a un lado y otro, en esta fuga,
> rosas, restos de alas, sombra y luz,
> es sólo mío,
> recuerdo y ansia míos, presentimiento, olvido[26].

«Los dioses no tuvieron más sustancia que la que tengo yo». Yo tengo, como ellos, la sustancia de todo lo vivido y de todo lo por vivir. No soy presente sólo, sino fuga raudal de cabo a fin. Y lo que veo, a un lado y otro, en esta fuga (rosas, restos de alas, sombra y luz) es sólo mío, recuerdo y ansia míos, presentimiento, olvido[27].

La experiencia visual, al leer ambos fragmentos, sin duda no es la misma. Sin embargo, nuestra comprensión del contenido, en ambos casos, apenas sufre alteración alguna. El resultado más obvio de esta transformación tiene que ver con los matices del énfasis, como, por ejemplo, la frase «es sólo mío», que en la forma poética se destaca más por ocupar un sólo verso, es decir recibe la atención visual que exige el sentido total del pasaje. En la versión en prosa, Juan Ramón decidió poner el verso que empieza «rosas, restos de alas...» entre paréntesis, artificio que él juzgó necesario para subrayar el contenido de la fuga, al no poder ocupar éste un verso aparte. El cambio de «por vivir» en la primera versión al neologismo «porvivir» en la segunda, obedece a los impulsos de Juan Ramón ya operantes en *Animal de fondo,* donde dio muchas palabras nuevas.

---

[26] *Cuadernos Americanos,* II, núm. 5 (1943), pág. 192.
[27] TA, pág. 851. La primera frase va entre comillas en esta versión porque se repetirá como uno de los *leitmotivs* del fragmento. El segundo fragmento lleva por subtítulo «Cantada» y es, en efecto, más musical. Se atiene al endecasílabo. De sus setenta y tres versos en la versión poética, cincuenta y ocho son de este metro. A. S. ROMERALO *(op. cit.,* pág. 302, n. 23), ha notado la presencia de endecasílabos en el tercer fragmento, pero no llegan a la cantidad del segundo.

Resulta imposible determinar objetivamente si «Espacio» gana o pierde en su traslación de verso libre a prosa seguida. Sólo podría aseverarse que la prosa logra destacar más el libre fluir que le preocupa. Lo importante, entonces, es fijarnos en su impaciencia respecto de las barreras artificiales existentes entre poesía y verso, y reconocer lo que esto significa en la busca sostenida de su expresión poética. Gustaba de decir el poeta que la poesía le venía igual y diferente todos los días; es, empero, evidente que en los últimos años en América se le presentaba con tanta urgencia que no podría calificarse ni de poesía ni de prosa, sino más bien de una corriente abierta que se hacía mayor de cualquier forma.

[*Revista Hispánica Moderna*, Año XXXIV, núms. 1-2, Nueva York, 1968.]

IV

PROSA LÍRICA. PROSA CRÍTICA. COMPLEMENTOS

JULIÁN MARÍAS

PLATERO Y YO O LA SOLEDAD COMUNICADA

Para ver la realidad, Juan Ramón Jiménez tiene que alejarse de ella, retirarse a su soledad, a sus soledades. Sólo allí puede recrearla, descubrirla, inventarla. Juan Ramón, tímido, entre las cosas. Juan Ramón, hurano, perdido entre ellas, herido por todos sus roces, diciéndoles que no y que no, eterno niño mimado y dolorido. Y al mismo tiempo amándolas, loco por ellas, sin querer perderse nada, sin poder renunciar ni a un matiz, ni a un rebrillo, ni a un olor fugaz, ni a una nota indecisa, ni a un misterio.

Sólo en la soledad, lejos de todo, cuando nadie lo ve, Juan Ramón siente que los ojos y las manos se le llenan de tesoros increíbles. Moguer. Opaco, ajeno, imposible desde cerca. Lleno de riqueza, entrañable, cuando viene a visitarlo en su retiro, como un fantasma. Cuando no se impone brutalmente con su presencia, sino que se deja mirar, imaginar, recordar, sin el asalto violento de los sentidos. Sobre todo, cuando no es compartido, cuando no es de otros, de todos, de cualquiera; cuando no aparece recubierto por la costra mostrenca de las interpretaciones recibidas, sino tierno, oloroso y tibio, como un pan reciente al que se le quita la corteza. Juan Ramón no puede estar en Moguer más que huyendo. La historia de esa retirada, de esa anábasis, se titula *Platero y yo*. Porque no es una retirada de diez mil, sino sólo de dos; mejor dicho, de uno y medio.

La soledad es el silencio. La *soledad sonora* lo es sólo cuando es positiva, privativa soledad de los otros, cuando el solitario se lleva a los demás a su desierto. O —sobre todo— cuando está hecha de presencia de ausencia de Dios. Acaso Juan Ramón no puede llevar a los demás consigo, acaso demasiadas cosas se interponen aún entre él y sí mismo para que se haga presente la radical ausencia divina. Algo rechina —¿no lo oís?— en el alma distendida de Juan Ramón. Si se va solo a sus soledades, no podrá hablar; se le subirá un gran sollozo a la garganta, meneará la cabeza melancólicamente y volverá desalentado, a perderse de nuevo entre la gente, a odiarla amándola, a sentir dolor en los ojos cuando le dé en ellos el reflejo blanco de la cal, que es pureza, que debería ser sólo pureza, si pudiera decirla, si pudiera verla a *sus* solas, es decir, si sus soledades fueran suyas.

Platero, el salvador. El burrillo gris y blanco, que ni es nadie ni es alguien. Que responde dulcemente con el azabache de sus ojos duros, que topa suavemente, que rebuzna hacia lo alto, sin decir nada, que goza con las cosas, con las frutas, con los niños, sin intervenir. Con Platero, Juan Ramón sigue solo. Pero esa soledad se comunica. *Platero y yo:* está todo en el título. Juan Ramón puede decir: *nosotros;* pero Platero no; Platero no hace más que frotarse mimosamente contra Juan Ramón, estar con él, serle un *casi-tú,* sin ser nunca *yo.* No hay más que un *yo* en todo el libro; el otro es... Platero.

Este libro, *Platero y yo,* que bien podría justificar al país y al siglo en que se ha escrito, no es poesía lírica. Conviene no engañarse. Claro está que Juan Ramón Jiménez, poeta intrínseco y hasta irremediable, no puede hacer nada sin poesía lírica, y *Platero* la encierra en dosis muy alta; hay egregia poesía lírica en estas páginas, pero el libro no es de poesía, aunque lo sea *con ella.* Pertenece a esa serie de exploraciones que nuestro tiempo hace en torno a la representación imaginativa de la vida humana y por tanto de su mundo; gravita hacia lo que, en un sentido muy alto, podríamos llamar «novela», justamente como intento de escapar a lo que tradicionalmente había sido: Proust, Joyce, Kafka, Unamuno, Valle Inclán, Ramón Gómez de la Serna, Faulkner, Wilder. «Narración circunstanciada» —alguna vez he propuesto esta definición de la novela—; «el libre juego imaginativo de una perspectiva siempre fiel a sí misma» —he sugerido también. No está *Platero y yo* muy lejos de tales empresas. La lírica —mejor dicho, el lirismo— es sólo en este libro recurso, o si se prefiere, «temple» de la discontinua narración, ingrediente de la perspectiva desde la cual se descubre y vive ese mundo circunstanciadamente presente.

Conviene recordar la ninguna vaguedad de *Platero,* la rigurosa observación, la penetrante mirada con que están captados los más sugestivos y significativos detalles de realidad —a cien leguas del «inventario» realista. Algunos ejemplos (el número a continuación de la cita es el capítulo, edición de la Residencia de Estudiantes, Madrid, 1932):

De pronto, un hombre oscuro, con una gorra y un pincho, roja un instante la cara fea por la luz del cigarro... (II).

El guarda (que ha matado al perro sarnoso), arrepentido quizá, daba largas razones no sabía a quién, indignándose sin poder, queriendo acallar su remordimiento. Un velo parecía enlutar el sol; un velo grande, como el velo pequeñito que nubló el ojo sano del perro asesinado (XXVII).

jadeantes, subiéndose los caídos pantalones de andrajos, que les dejan fuera las oscuras barrigas, los chiquillos, tirándole rodrigones y piedras...

Se para (el burro viejo), y, mostrando unos dientes amarillos, como habones, rebuzna a lo alto ferozmente... (XXXI).

La chiquilla, pelos toda, pinta en la pared, con cisco, alegorías obscenas. El chiquillo se orina en su barriga como una fuente en su taza, llorando por gusto (XXXIII).

En la tarde que cae, se alza, limpio, el latín andaluz de los salmos (LVI).

Un malestar como el que me dieron siempre las barajas de naipes finos con los hierros de los ganaderos en los oros, los cromos de las cajas de tabacos y de las cajas de pasas, las etiquetas de las botellas de vino, los premios del colegio del Puerto, las estampitas del chocolate. Olía a vino nuevo, a chorizo en regüeldo, a tabaco... (LVIII).

Da pena ver a los muchachos andando torpemente por las calles con sus sombreros anchos, sus blusas, su puro, oliendo a cuadra y a aguardiente... (LXX).

La cogimos, asustados, con la ayuda de la mandadera y entramos en casa anhelantes, gritando: ¡Una tortuga, una tortuga! Luego la regamos, porque estaba muy sucia, y salieron, como de una calcomanía, unos dibujos en oro y negro... (LXXXVII).

Por las blancas calles tranquilas y limpias pasa el liencero de La Mancha con su fardo gris al hombro; el quincallero de Lucena, todo cargado de luz amarilla, sonando su tin-tan que recoge en cada sonido el sol... Y, lenta, pegada a la pared, pintando con cisco, en larga raya, la cal, doblada con su espuerta, la niña de la Arena, que pregona larga y sentidamente: ¡A loj tojtaiiitoooj piñoneee... (CV).

Una tarde, yendo yo con Platero por la cañada de las Ánimas, me vi al ciego dando palos a diestro y siniestro tras la pobre burra que corría por los prados, sentada casi en la yerba mojada... No quería la pobre burra más adviertos y se defendía del destino vertiendo en lo infecundo de la tierra, como Onán, la dádiva de algún burro desahogado... El ciego, que vive su oscura vida vendiendo a los viejos por un cuarto, o por una promesa, dos dedos del néctar de los burrillos, quería que la burra retuviese, de pie, el don fecundo, causa de su dulce medicina. Y ahí está la burra, rascando su miseria en los hierros de la ventana, farmacia miserable, para todo otro invierno, de viejos fumadores, tísicos y borrachos (CXIX)

No, no es todo lirismo en *Platero*. Hay unos ojos que miran, implacables, la realidad en torno, con precisión que resulta dolorosa, como si las cosas se apoderasen violentamente de los ojos que las miran, como si penetrasen en la intimidad de Juan Ramón, asaltándola como malhechores, Juan Ramón se hace atrás, se aparta, como quien vuelve los ojos del sol que los deslumbra y lo hace llorar. Lentamente, se retira, se retrae a sus soledades, con Platero. A veces, con despego, con áspero desvío:

A eso de las dos, Platero, en ese instante de soledad con sol, en ese hueco del día, mientras diestros y presidentes se están vistiendo, tú y yo saldremos por la puerta falsa y nos iremos por la calleja al campo, como el año pasado... A lo lejos sube sobre el pueblo, como una corona chocarrera, el redondo vocerío, las palmas, la música de la plaza de toros, que se pierden a medida que uno se va, sereno, hacia la mar... (LXX).

Todos, hasta el guarda, se han ido al pueblo para ver la procesión. Nos hemos quedado solos Platero y yo... De vez en cuando, Platero deja de comer, y me mira... Yo, de vez en cuando, dejo de leer, y miro a Platero... (LXVIII).

Hay un capítulo —«El loco»—, en que Juan Ramón encuentra la expresión más feliz y positiva de esa segregación suya, con Platero, del mundo común. Hay que copiar el capítulo entero (los subrayados son míos):

Vestidos de luto, con mi barba nazarena y mi breve sombrero negro, debo cobrar *un extraño aspecto* cabalgando en la blandura gris de Platero.

Cuando, yendo a las viñas, cruzo las últimas calles, blancas de cal con sol, *los chiquillos gitanos, aceitosos y peludos, fuera de los harapos verdes, rojos y amarillos, las tensas barrigas tostadas*, corren detrás de nosotros, chillando largamente:

—¡El loco! ¡El loco! ¡El loco!

...Delante está el campo, ya verde. Frente al cielo inmenso y puro, de un incendiado añil, *mis ojos —¡tan lejos de mis oídos!—* se abren noblemente, recibiendo en su calma *esa placidez sin nombre, esa serenidad armoniosa y divina* que vive en el sin fin del horizonte...

Y *quedan, allá lejos*, por las altas eras, unos agudos gritos, *velados finamente*, entrecortados, jadeantes, aburridos:

—¡El lo...co! ¡El lo...co! (VII).

La frase decisiva es, sin duda, ésta: «mis ojos —¡tan lejos de mis oídos!—». Juan Ramón, con su extraño aspecto, se escapa, a los lomos de Platero hacia el sinfín del horizonte, sin oír la gritería de los chiquillos de tensas barrigas tostadas. Y cuando esa realidad áspera y que le es ajena ha quedado «finamente velada», Juan Ramón, comunicando su soledad con Platero, que por no ser «yo» no es capaz de romperla, se vuelve hacia el pueblo lejano, lo mira, lo recrea, vuelve a él, como un fantasma, cambiando su traje de luto por un sudario refulgente de metáforas.

Las imágenes de *Platero y yo* no suelen ser, simplemente, imágenes poéticas. Hay entre ellas, claro está, la imagen lírica, la «elusión del nombre cotidiano de las cosas»; la asociación que provoca el paso de la corriente poética: los «dos cubos de agua con estrellas» que se ha bebido Platero (LXXVIII); o, en el cementerio, «la niña, aquel nardo que no pudo con sus ojos negros...» (XCVII). Pero otras veces no es eso: «¡Mira qué contentos van todos! Los niños, como corazonazos mal vestidos rojos y palpitantes» (XCVIII). La imagen trata aquí de aprehender una situación vital, apunta a una circunstancialidad que en otros lugares se hace manifiesta, hasta excesiva, deliberada, insistente; la imagen entonces se complica, se hace múltiple, como cuando el poeta bajó al aljibe:

la vela que llevaba se me apagó y una salamandra se me puso en la mano. Dos fríos terribles se cruzaron en mi pecho cual dos espadas que se cruzaran como dos fémures bajo una calavera... (XXVI).

Ese carácter circunstancial, concreto, narrativo, que tiende hilos entre las realidades todas del mundo de *Platero y yo,* lo lleva a decir del potro que

En sus ojos nuevos rojeaba a veces un fuego vivo, como en el puchero de Ramona, la castañera de la plaza del Marqués (XV).

Y el extremo es la imagen, la comparación, el «epíteto» en que se condensa toda una historia, con técnica que encontramos casi idéntica en Faulkner:

Sabrías tanto como el burro de las Figuras de cera —el amigo de la Sirenita del Mar, que aparece coronado de flores de trapo, por el cristal que muestra a ella, rosa toda, carne y oro en su verde elemento —más que el médico y el cura de Palos Platero.

Doña Domitila —de hábito de Padre Jesús Nazareno, morado todo con el cordón amarillo, igual que Reyes, el besuguero—, te tendría, a lo mejor, dos horas de rodillas... o te pondría un papel ardiendo bajo el rabo y tan calientes las orejas como se le ponen al hijo del aperador cuando va a llover... (VI).

Las imágenes, las metáforas, la adjetivación, todo sirve en este libro, en que nada es azaroso, sino todo rigor, para realizar una serie de interpretaciones sabiamente combinadas. La soledad de Juan Ramón está comunicada hacia Platero, abierta hacia su mínima respuesta silenciosa, en la cual Juan Ramón pone la mayor parte, de la que es, precisamente, el intérprete. El otro poro de esa soledad es el mundo de los niños, donde aflora la ternura pudorosa del autor. Platero es, en suma, un niño también. Juan Ramón lo trata así, y lo dice expresamente:

Yo trato a Platero cual si fuese un niño. Si el camino se torna fragoso y le pesa un poco, me bajo para aliviarlo. Lo beso, lo engaño, lo hago rabiar... Él comprende bien que lo quiero, y no me guarda rencor. Es tan igual a mí, tan diferente a los demás, que he llegado a creer que sueña mis propios sueños.

Platero se me ha rendido como una adolescente apasionada. De nada protesta. Sé que soy su felicidad. Hasta huye de los burros y de los hombres... (XLIII).

Como Juan Ramón, Platero huye de todos; los dos se atienen el uno a al otro, y el casi yo de Platero es para Juan Ramón el yo incipiente de un niño. Pero cuando los niños aparecen, ¿qué ocurre? Al lado de los niños, ¿qué es Platero? Ya no es un niño; hay un sutil cambio de perspectiva; sería imposible que Juan Ramón lo pusiera en el mismo plano, no podría sin violencia sostener la interpretación infantil del borriquillo junto a los niños y las niñas que irrumpen en su mundo, que se asocian a él, porque —ellos sí— son aceptados. El artificio estilístico de Juan Ramón es de maravillosa simplicidad: cuando los niños entran en escena, se refiere a Platero con un vocabulario que consiste en *cariñosos despectivos.* Aumentativos grotescos, adjetivos que subrayan la tosquedad y la torpeza, broma y burla:

Los *niños* han ido con *Platero* al arroyo de los chopos, y ahora lo traen trotando, entre juegos sin razón y risas desproporcionadas, todo cargado de flores amarillas... Y sobre la empapada lana del *asnucho*, las campanillas mojadas gotean todavía... De cuando en cuando, vuelve la cabeza y arranca las flores a que su *bocota* alcanza. Las campanillas... se le van a la *barrigota* cinchada (XXIX).

Platero, que se ha ido con la niña y el perro de enfrente a ver las vistas, mete su *cabezota* por entre las de los niños, por jugar (XLIX).

Una niña, rota y sucia, lloraba sobre una rueda, queriendo ayudar con el empuje de su pechillo en flor al *borricuelo,* más pequeño ¡ay! y más flaco que Platero (XXXVII).

Y, sobre todo, aquel capítulo entrañable, «La niña chica», en que Juan Ramón enfrenta a la niña, tiernísima, más tierna aún por haber muerto, por ser evocada en el recuerdo triste, con la dulce animalidad de Platero:

La niña chica era la gloria de Platero. En cuanto la veía venir hacia él, entre las lilas, con su vestidito blanco y su sombrero de arroz, llamándolo dengosa: —¡Platero, Plateriiillo!—, el *asnucho* quería partir la cuerda, y saltaba igual que un niño, y rebuznaba loco. Ella, en una confianza ciega, pasaba una vez y otra bajo él, y él pegaba *paditas,* y le dejaba la mano, *nardo cándido,* en aquella *bocaza* rosa, almenada de grandes dientes amarillos; o, cogiéndole las orejas, que él ponía a su alcance, lo llamaba con todas las *variaciones mimosas* de su nombre: —¡Platero! *¡Platerón!* ¡Platerillo! *¡Platerete! ¡Platerucho!* (LXXXI).

«Este breve libro, en donde la alegría y la pena son gemelas, cual las orejas de Platero», este breve libro se compone de ciento treinta y ocho capítulos. Esta multitud suple en cierto sentido —como en *Doña Inés* de Azorín, por ejemplo— a la narración. El cambio del punto de vista, la constante variación del enfoque, de la perspectiva, introduce el dinamismo en la serie de visiones relativamente estáticas, las hace fugaces, y aunque dentro de cada una no haya «historia» —a veces sí la hay—, aparece al menos la «historia» de su sucesión. No de otro modo la proyección, aun de imágenes estáticas, engendra la ilusión de movimiento y drama. Juan Ramón, *solo con* Platero, contempla Moguer una vez y otra. Platero da el contrapunto de su temple. Le sirve además para introducirse en la pequeña ciudad, de la que —no olvidemos—, ha huido tímido y huraño. Así, cuando finge que Platero vaya con los niños a «la miga», a la escuela; o cuando evoca lo pasado, contándoselo a Platero, en confidencia sin respuesta; o cuando le comenta las cosas que ve, que le pasan o que imagina.

Como Juan Ramón ha empezado por retraerse del contorno, casi nunca nos da una visión directa, a no ser de un detalle; el carácter «excéntrico» de éste, en la perspectiva habitual, hace que esa visión, por muy morosa que sea, incluso precisamente por serlo, resulte oblicua. Recuérdese, por ejemplo, la visión nocturna de Moguer y su campo *desde* el canto del grillo (LXIX); todo —el cielo con estrellas, el labrador que duerme, el amor, que «entre las enredaderas de una tapia, anda extasiado, los ojos en los ojos», los habares y los trigos, la luna, el amanecer en el mar— no es más que el «acompañamiento» del canto del grillo. Y esta palabra, que se me ha venido espontáneamente, es empleada por Juan Ramón al describir la tormenta cuyo rayo mata a Anilla la fantasma (XVIII): «Los últimos acompañamientos —el coche de las nueve, las ánimas, el cartero— habían ya pasado...»

Las diferentes perspectivas de Juan Ramón modifican la distancia, el objeto y, de acuerdo con el juego de ambos, la tonalidad emocional. Elige un punto de vista, desde el cual va a *vivir* una escena, y todo converge hacia él. Un detalle, que es accesorio respecto a lo que «pasa» y nos cuenta, es el eje —excéntrico, una vez más— en torno al cual va a girar todo. Y esa excentricidad altera la dinámica tópica y habitual de los elementos, y sin más que eso, «recrea» el mundo. Cuando Juan Ramón cuenta cómo su amigo, el médico francés, cura en el huerto al cazador furtivo herido, lo único que de verdad importa es el loro que da título al capítulo (XX). Tiene buen cuidado de «presentarlo» desde la primera frase —«Estábamos jugando con Platero y con el loro, en el huerto de mi amigo, el médico francés...»—, y todo lo que pasa está revivido desde el loro que dice a cada instante. «*Ce n'est rien...*» Y la validez de ese punto de vista está subrayada por la frase descriptiva de más fuerza en todo el capítulo, aquella en que aparece, con sin igual relieve y fuerza cromática, adelantándose así al primer plano, el loro:

En una lila, lila y verde, el loro, verde y rojo, iba y venía, curioseándonos con sus ojitos redondos (XX).

Cuando Juan Ramón acepta, transitoriamente, una interpretación de Moguer que pudiéramos llamar «directa», se trata siempre de algo popular. Es, una vez más, el arte de trasponer en forma sabia los temas inmediato y expresivo, no «le hace ascos» como a los toros o a la ciudad en fiesta o a la procesión:

¡Qué *reguapo* estás hoy, Platero! Ven aquí... ¡Buen *jaleo* te ha dado esta mañana la Macaria! (XXXIX).

Así también cuando la compasión —especialmente frente a la pobreza, o la enfermedad, o los niños, sobre todo si además de niños son pobres o enfermos— lo acerca a las cosas, lo hace sentir *con* ellas, y al aproximar a los otros los hace prójimos. Los niños pobres de los «Juegos del anochecer», que juegan a asustarse, fingiéndose mendigos, ciegos, cojos; y

Después, en ese brusco cambiar de la infancia, como llevan unos zapatos y un vestido, y como sus madres, ellas sabrán cómo, les han dado algo de comer, se creen unos príncipes:

—Mi pare tié un reló e plata.
—Y er mío, un cabayo.
—Y er mío, una ejcopeta.

Reloj que levantará a la madrugada, escopeta que no matará el hambre, caballo que llevará a la miseria (III).

Y el mismo efecto que la *com-pasión* lo provoca la alegre *sim-patía*, como cuando habla de Granadilla, toda vitalidad, la hija del sacristán de San Francisco, de la calle del Coral, en el barrio de los marineros. Frente a la sobriedad seca y sencilla de los hombres del pueblo, la brillantez y la relativa riqueza de los marineros, del barrio donde «la gente habla de otro modo, con términos marinos, con imágenes libres y vistosas». Y sobre todo, Granadilla, locuaz, fantaseadora, presumida:

Cuando viene algún día a casa, deja la cocina vibrante de su viva charla gráfica. Las criadas, que son una de la Friseta, otra del Monturrio, otra de los Hornos, la oyen embobadas. Cuenta de Cádiz, de Tarifa y de la Isla; habla de tabaco de contrabando, de telas de Inglaterra, de medias de seda, de plata, de oro... Luego sale taconeando y contoneándose, ceñida su figulina ligera y rizada en el fino pañuelo de negra espuma... *Las criadas se quedan comentando sus palabras de colores* (XCIII).

Este formidable acierto de expresión recrea en una sola frase la escena entera, la visita, su vibración, sus ecos prolongados. Juan Ramón, arrastrado momentáneamente por el vendaval de Granadilla, sigue el ritmo de su taconeo y revive «desde dentro», garbosa y alegremente, esa faceta de Moguer.

Una tras otra, todas van pasando a lo largo de los ciento treinta y ocho capítulos esenciales. ¿Cómo ha podido acumular Juan Ramón tanta belleza, tanta verdad entrañable, que nos hace poseer Moguer como pocos lugares, que nos hace temblar —de deseo y de temor, de temor a perderlo— cuando pensamos que podríamos ir allí? Este libro, esta «elegía andaluza», lleva debajo de su título de dos fechas entre paréntesis: (1907-1916). Hay en él encerrados diez años de vida. Quiero decir que las innumerables perspectivas, los puntos de vista ensayados sobre Moguer, son las condensaciones de horas, días, estaciones que se van y vuelven, que vuelven otras, dejándose al alejarse una ilusión, una esperanza, una promesa incumplida, un canario muerto, «pétalo mustio de un lirio amarillento», un niño tonto, «alegre él y triste de ver; todo para su madre, nada para los demás», que ya no está sentado en su sillita...

Hay un lugar, cuando habla del pino de la Corona, en que Juan Ramón hace una confidencia terrible: «Es lo único que no ha dejado, al crecer yo, de ser grande, lo único que ha sido mayor cada vez» (XL). Pero a pesar de todo, en ocasiones necesita recuperar la ciudad, su realidad entera; para ello, se aleja —«poco a poco, lo lejano nos vuelve a lo real» (XXXI), escribe una vez—: acaso hacia lo alto; si no, hacia lo imaginativo, hacia la metáfora universal que transfigura y recrea todo, en una nueva interpretación.

Hacia lo alto, cuando sube al encanto de la azotea y la ciudad se transfigura:

Las campanas de la torre están sonando en nuestro pecho, al nivel de nuestro corazón, que late fuerte; se ven brillar, lejos, en las viñas, los azadones, con una chispa de plata y sol; se domina todo... (XXI).

La enumeración que sigue juega con dos puntos de vista: el del espectador, lejano, que divisa en lontananza los objetos, y el interno, fuertemente imaginado, del objeto visto; el predominio de uno o de otro se gradúa con perfección insuperable:

las otras azoteas, los corrales, donde la gente, olvidada, se afana, cada uno en lo suyo —el sillero, el pintor, el tonelero—; las manchas de arbolado de los corralones, con el toro o la cabra; el cementerio, a donde a veces llega, pequeñito, apretado y negro, un inadvertido entierro de tercera; ventanas con una muchacha en camisa que se peina, descuidada, cantando, el río, con un barco que no acaba de entrar, graneros, donde un músico solitario ensaya el cornetín, o donde el amor violento hace, redondo y ciego, de las suyas...

Desde el plano de la visión todavía pasiva del comienzo hasta la última imagen, espléndida de fuerza y realidad sin realismo, la recreación de Moguer se ejecuta ante los ojos del espectador distante. Y al volverlos a la cercanía, también ésta queda transfigurada por la perspectiva inhabitual, transmutada, salvada:

La casa desaparece como un sótano. ¡Qué extraña, por la montera de cristales, la vida ordinaria de abajo: las palabras, los ruidos, el jardín mismo, tan bello desde él; tú, Platero, bebiendo en el pilón, sin verme, o jugando, como un tonto, con el gorrión o la tortuga!

Si el apoyo de la evasión física, de la lejanía en el espacio, lo que he llamado la *metáfora universal,* la interpretación global de la ciudad, permite a Juan Ramón descubrir lo que llama «el alma de Moguer». Y nada muestra mejor el carácter interpretativo de esto, la función de transfiguración que corresponde a esta aprehensión imaginativa, que el hecho de que sea dual, de que Juan Ramón ensaye dos distintas, y que en principio pudieran multiplicarse. Más aún: hasta tal punto es así, que es esencial a *cada* interpretación el mostrarse como tal, al lado, por tanto, de la otra. Juan Ramón tiene plena conciencia —conciencia literaria, en todo caso, si no teórica— de ello. Se trata, como es bien sabido, de los capítulos XXXVIII («El pan») y CXXIV («El vino»); pues bien, en ambos casos introduce Juan Ramón la metáfora respectiva recordando y rectificando, negando *la otra:*

Te he dicho Platero, que el alma de Moguer es el vino, ¿verdad? No; el alma de Moguer es el pan (XXXVIII).

Platero, te he dicho que el alma de Moguer es el pan. No. Moguer es como una caña de cristal grueso y claro, que espera todo el año, bajo el redondo cielo azul, su vino de oro (CXXIV).

Tomando cada una de estas perspectivas imaginarias, es decir, de estas dos interpretaciones, Juan Ramón irrealiza Moguer, destruye su realidad cotidiana y, sobre todo, mostrenca, y reconstruye su *sentido;* quiero decir, lo recrea, *cum fundamento in re,* rigurosamente, sin perder nunca de vista lo real, como se atiene estrictamente al número el matemático que halla su logaritmo:

Moguer es igual que un pan de trigo, blanco por dentro, como el migajón, y dorado en torno —¡oh sol moreno!— como la blanda corteza. A mediodía, cuando el sol quema más, el pueblo entero empieza a humear y a oler a pino y a pan calentito. A todo el pueblo se le abre la boca. *Es como una gran boca que come un gran pan.* El pan se entra en todo: en el aceite, en el gazpacho, en el queso y la uva, para dar sabor a beso, en el vino, en el caldo, en el jamón, en él mismo, pan con pan. También solo, como la esperanza, o con una ilusión...

Repárese en la presencia de los alimentos populares andaluces; y lo que es más, de las frases hechas y los refranes habituales: «uvas y queso saben a beso», «pan con pan, comida de tontos»; la imagen está hecha de alusión a esos elementos archirreales y concretos. Y, una vez redimido Moguer gracias a la imagen, gracias a haberse metaforizado, Juan Ramón se reconcilia con su detalle concreto y desciende a él entrañablemente, como solía Platón descender desde la idea hasta las cosas:

Los panaderos llegan trotando en sus caballos, se paran en cada puerta entornada, tocan las palmas y gritan: «¡El panaderooo!» ...Se oye el duro ruido tierno de los cuarterones que, al caer en los canastos que brazos desnudos levantan, chocan con los bollos, de las hogazas con las roscas... Y los niños pobres llaman, al punto, a las campanillas de las cancelas o a los picaportes de los portones, y lloran largamente hacia adentro: ¡Un poquiiito de paaan!...

No se pedirá, creo yo, más precisión a un poeta lírico: el pan es recogido en canastos; los levantan brazos desnudos; se denominan puntualmente las diversas piezas del pan moguereño —cuarterones, bollos, hogazas, roscas—; no olvida Juan Ramón, por último, que las cancelas tienen campanillas y los portones picaportes. ¿Se quiere más realidad?

No se diferencia en lo sustancial el procedimiento seguido con la otra interpretación, al del vino: a la metáfora global sigue la referencia concretísima, esta vez hasta llegar al nombre propio:

Todo el pueblo huele entonces a vino, más o menos generoso, y suena a cristal. Es como si el sol se donara en líquida hermosura y por cuatro cuartos, por el gusto de encerrarse en el recinto transparente del pueblo blanco, y de alegrar su sangre buena. Cada casa es, en cada calle, como una botella en la estantería de Juanito Miguel o del Realista, cuando el poniente las toca de sol.

Al término de la retirada, de la anábasis, del repliegue hacia lo alto, inesperada, milagrosamente, la conquista. Juan Ramón, desde su soledad —comunicada en la desigual amistad con Platero—, se ha apoderado del alma de Moguer, ha hecho brotar en su desierto, como un imaginario espejismo verdadero, un Moguer que es suyo, y que lo es porque lo comparte con Platero, dándoselo a gustar como una granada. Lo ha mirado desde todas las perspectivas del corazón de un hombre dolorido; lo ha convertido así en escenario único de ese drama —ya para siempre nuestro— del melancólico amigo de Platero, el dulce borriquillo de acero y plata de luna que le da callada respuesta y soledad sonora.

[*La Torre*, Río Piedras (Puerto Rico), año V, núms. 19-20, 1957.]

EL ARTE DEL RETRATO EN JUAN RAMÓN JIMÉNEZ

EVOLUCIONES

Las siluetas escritas inicialmente por Juan Ramón Jiménez son verdaderos retratos tomados de modelos vivos con quienes tenía o había tenido amistad. Escritores jóvenes, como Bergamín, Salinas, Guillén..., van siendo retratados de cuerpo entero, y no sólo ellos, pues el poeta, como esos fogosos aficionados a la fotografía que desean captar las imágenes de cuantos les rodean, proyectó su atención hacia los hijos de los amigos, reflejándolos en las deliciosas estampas tituladas «La niña Solita, de Salinas» y «Teresita y Claudio Guillén».

Los retratos de niños son otra deliciosa muestra del arte descriptivo juanramoniano, y fueron, desde muy pronto, trabajados por el autor con singular maestría. Le encantaban los niños y se encontraba a gusto entre ellos; es natural que le complaciera retener en sus apuntes lo mejor de impresiones deliciosas, por el candor y la gracia de quienes se las suscitaban. Todo lector de *Platero y yo* recordará las presencias infantiles, tan encantadoras y auténticas, de capítulos como «La niña chica», «Susto», «La corona de perejil» o el sobrecogedor «niño tonto». Siendo éste tan admirable, si lo comparamos con el segundo de los retratos de Antonio Machado, escrito hacia 1939-1940 y publicado por vez primera en el número 79 de *Sur,* abril de 1941, es fácil hacerse cargo del singularísimo cambio experimentado por el poeta en algo más de un cuarto de siglo.

No resisto la tentación de señalar las semejanzas y las diferencias más notables entre los dos textos; tales indicaciones servirán para mostrar en qué dirección evolucionó la personalidad y con ella el estilo de Juan Ramón Jiménez. Si dividimos su obra en tres períodos o plenitudes, *Platero y yo* figuraría en el intermedio. La prosa del poeta ha superado «el modernismo» en temática y vocabulario, pero aún está dentro de él en lo relativo a la actitud frente a los problemas decisivos de la existencia: Dios, muerte y amor. La segunda prosa de las dedicadas a Machado ha de incluirse entre las mejores de la definitiva plenitud, al lado de «Ramón del Valle-Inclán, Castillo de quema» y otras piezas de igual calidad.

«El niño tonto» es uno de los capítulos más breves de *Platero y yo:* tres párrafos con una veintena de líneas, en total, mientras «Antonio Machado» alcanza extensión triple, aproximadamente; en los dos fragmentos se intercalan citas en verso: de Curros Enríquez en aquel, y del propio Machado en éste, marcándose una continuidad en la inclinación a intercalar en el texto propio una cita ajena que documente o subraye lo dicho, apoyándolo y confirmándolo con un rasgo delicado, sin insistencia. Ambos capítulos hablan de alguien a quien se conoció vivo, pero ya listo y despachado para morir, y no según lo estamos todos, conforme el cristiano, mucho antes que heiddegeriano, «ser para la muerte», sino en forma más ostensible y perentoria, como, respecto al autor de *Soledades,* lo vio tan lúcidamente Ruben Darío en el «misterioso» retrato en verso, precedente, sin duda, del esbozado por Juan Ramón.

El niño tonto «sentado en su sillita, mirando el pasar de los otros», es el testigo impasible e inerte de la vida; el que está en ella, sin estar, marginalmente, ajeno a todo, si no es, tal vez (¿quién podría asegurarlo?), a lo que en la soñarrera del alma le susurran voces inaudibles para nosotros; es, literalmente, el enajenado, el ajeno a cuanto le rodea y a sí mismo, mientras el poeta es el ensimismado, y no para alejarse de los demás, sino para conocerlos entrañablemente. Si ese niño tiene, por nacimiento y fatalidad, tanto de muerto como de vivo, no menos fronterizo, transeúnte por la línea que separa la vida de la muerte, vivió Machado, en sus secretas galerías de sombra y sueño. Rubén lo vio muerto por anticipado: «misterioso y silencioso, *iba* una vez y otra vez»; y Juan Ramón: «Antonio Machado se dejó desde niño la muerte [...]. Tuvo siempre tanto de muerto como de vivo.»

La prosa se fue haciendo más densa y honda; lleva carga de profundidad y las ideas se precisan con singular coherencia en abundante fluir, asociadas y hasta encadenadas, con pormenores que ni una sola vez distraen o parecen extemporáneos. Los adjetivos son utilizados sobriamente, y para mejor producir la emoción evita el dejar ganarse por ella. Esta es, quizá, la diferencia más notable entre ambos fragmentos: el capítulo de *Platero y yo* nace tocado de sentimentalismo; el retrato de don Antonio, en cambio, no solamente está exento de esa tacha, sino escrito en su primera parte de manera descarnada y ruda, como bien se aprecia en las imágenes («Cuando me lo encontraba por la mañana temprano, me creía que acababa de levantarse de la fosa»; «andaba siempre amortajado»; «cuerdecitas como larvas») y en la adjetivación («corpachón... terroso»; «chapeo de alas desflecadas»), para marcar mejor la transición al sublimado resto de la página, con su elevada alusión a la viudedad del poeta que, al llevar a Leonor del otro lado de la pasalera, le situó a él, todavía más, en la muerte, haciéndole vivir el «secreto palomar» de traslinde donde le aguardó tanto tiempo su amor primero.

Y el final, sobre todo, es diferente, siendo tan parecido. El niño y Machado están los dos, en su gloria, mirando lo que los rodea: el primero, «el dorado pasar de los gloriosos», espectáculo deslumbrante, luminoso y sencillo; el segundo, enfrentándose directamente con Dios y mirándole la cara. Coinciden en el acto de mirar, pero ¡qué distinta la mirada según a quien, a donde se dirige! En la última página, el poeta, los poetas, ven a Dios desde cerca y El los ve y los alumbra como un sol. No hay incitación a la ternura, ni es preciso apiadarse del hombre, pues al fin ha llegado a la suma altura posible de su ascensión, y, gracias a la poesía, puede ver a Dios y ser visto por El.

EL HOMBRE EN SU AMBIENTE

Cada página de *Españoles de tres mundos* sigue su propia ley, pero es visible la progresión en el arte narrativo, en la destreza para completar la imagen sin atenuar la fuerza del arranque ni la gracia de la primera impresión. Juan Ramón estaba excepcionalmente dotado para el arte del retrato, y no sé si esa aptitud es consecuencia natural de su afición al género o si la afición fue fomentada por el placer que le producía ver cómo un mundo familiar (el del heroísmo invencionero y creador) crecía alrededor suyo. Como he dicho, fueron primero los más próximos quienes le sirvieron de modelo, pero ya desde el comienzo no le interesa tanto la descripción «exterior» del personaje como situarle en un ambiente y una actitud que lo expliquen y descifren. Sin conocer el medio no acertaba a explicarse al hombre, y no por comulgar con las trasnochadas teorías sociológicas de un pasado relativamente próximo, sino porque su instinto le decía que la esfera donde un hombre vive, su naturaleza y su mundo, sirven para situarle y para ayudar a comprenderle. En el capítulo dedicado a Martí lo declara explícitamente: «Hasta Cuba, no me había dado cuenta exacta de José Martí. El campo, el fondo. Hombre sin fondo suyo o nuestro, pero con él en él, no es hombre real. Yo quiero siempre los fondos de hombre o cosa. El fondo me trae la cosa o el hombre en su ser y estar verdaderos. Si no tengo el fondo, hago el hombre trasparente, la cosa transparente», y también, más adelante, al rectificar las afirmaciones severas que con relación a Neruda figuran en *Españoles de tres mundos*: «Mi larga estancia actual en las Américas me ha hecho ver de otro modo muchas cosas de América y de España (ya lo indiqué en la revista *Universidad de la Habana*), entre ellas la poesía de usted. Es evidente ahora para mí que usted expresa con tanteo exuberante una poesía hispanoamericana jeneral auténtica, con toda la revolución natural y la metamorfosis de vida y muerte de este continente. Yo deploro que tal grado poético de una parte considerable de Hispanoamérica sea así; no lo sé sentir, como usted, según ha dicho, no sabe sentir Europa; pero "es". Y el amontonamiento caótico es anterior al necesario despejo definitivo, lo prehistórico a lo proshistórico, la sombra turbulenta y cerrada a la abierta luz mejor. Usted es anterior, prehistórico y turbulento, cerrado y sombrío»[1].

Un error en cuanto al ambiente podía viciar el retrato y dañar no solamente su horizonte, sino el conjunto del cuadro, falseando lo esencial de la figura. Sintiéndolo así son comprensibles las limitaciones impuestas por Juan Ramón al universo de sus imágenes, excluyendo las que no podía poseer plenamente. Poseer digo, pues, en cuanto «material» para la obra, las gentes llamadas a habitarla habían de convertirse en objetos poéticos, revelando a través de la palabra su aptitud para mostrarnos la realidad del ser en su infinita y magnificada verdad.

¿Cuál sería, por tanto, la finalidad de estos retratos, de esta galería del espíritu creador encarnado en personas cuya distinción apenas si en tres o cuatro casos podría discutirse? En el prólogo leemos el adverbio «caprichosamente» aplicado a la selección y agrupación de textos y una explícita declaración de fe en la diversidad de técnicas utilizadas para escribirlos, pero nada se dice de los móviles impulsores de la creación, por lo cual es obligado deducirlo de lo apuntado tangencialmente y de lo que las siluetas son: «A cada uno he procurado caracterizarlo según su carácter», afirma; según el personaje, así el retrato; cada uno impone su propia norma, la exigencia de insistir en tal o cual rasgo, abocetar el fondo o precisarlo, según se desee destacarlo sobre él o fundirlo con cuanto le rodea. Respecto al ambiente, ténganse en cuenta las palabras del capítulo «Martí», recién citadas.

Si estos retratos se llaman «caricaturas líricas», la denominación aclara bastante su sentido. El sustantivo indica la intención deformadora; el adjetivo subraya el aspecto personalísimo del comentario y también su tendencia poética. Por dos vías pretende el autor penetrar decisivamente en los repliegues más significativos del modelo: la deformación exagera ciertos rasgos, los más personales, y atrae la atención hacia ellos, dejando en penumbra los menos importantes; el lirismo potencia lo entrañable de la figura, el estrato de la persona inaccesible por otro camino que el de la intuición desencadenante de la poesía.

La perspicaz mirada de Juan Ramón funciona al servicio de una lucidez sorprendente. No hay en su visión ningún indicio de capricho; todo se establece en su debida perspectiva y contribuye al feliz orden del conjunto. La lucidez aleja el peligro de que lo caprichoso, en fantasía inventiva o expresión, se imponga a lo verdadero, y es gran ventaja que así ocurra, sin excluir por otra parte el feliz juego de la imaginación, pero ciñéndolo, ligándolo, a los datos reales. Quizá se objete

[1] Carta a Pablo Neruda, en *Repertorio Americano*, San José de Costa Rica, 17 de enero de 1942.

esta opinión alegando el retrato de José Asunción Silva, tan mal acogido por algunos y tachado no ya de imaginativo, sino de fantástico. Pero el retrato se defiende bien, y Juan Ramón acertaba cuando prefería a Silva desnudo, despojado de las vestiduras que le hizo adoptar un «dandismo provinciano» muy de la época. Cuando este retrato se publicó por vez primera (*Sur,* núm. 79, abril de 1941, Buenos Aires) no faltó quien se sintiera ofendido por esa y otras afirmaciones. Hay todavía una especie de nacionalismo crítico-literario sensible a cuanto se le antojan ignorancias, desdenes o ataques del «extranjero» contra alguna gloria nacional o hemisférica, sólo discutible, si la discusión se admite, entre gente de casa. El agrio artículo «América sombría», publicado por José Revueltas en *El Popular,* de Méjico, ejemplifica bien esas actitudes recelosas, susceptibles, que en todas partes descubren incomprensiones cuando no hostilidad.

Y con referencia al retrato de Silva, en el número de *Revista de las Indias,* Bogotá, correspondiente a diciembre de 1941, se contestan y atacan las afirmaciones juanramonianas; pero fue J. Arango Ferrer, en *La Razón,* de Montevideo, 2 de mayo de 1942, quien replicó con más acritud en el artículo «Juan Ramón sepulturero», ejemplo de incomprensión deliberada y expresión chabacana, pues cuando el autor de *Españoles de tres mundos* se representa a Silva desnudo no es porque lo vea «en pelota», como el periodista finge creer, sino desprovisto del oropel y la bisutería que en verdad disfrazan la figura ardiente y noble del genial creador del «Nocturno». Del «Nocturno» tercero, claro está, aunque por error de pluma el retratista escribiera «segundo». Y que hubo en Silva dandismo inoperante, no digo postizo, pero a todas luces artificial, es un hecho indiscutible, y el propio Arango lo admite, refiriéndolo exclusivamente a la vida, al hombre y no a la poesía, siquiera él mismo califique de cursi el poema mencionado por Juan Ramón.

No estoy tratando de defender extemporáneamente a Juan Ramón Jiménez, sino de presentar un ejemplo de reacción incomprensiva contra sus textos; el hecho de que puntillosos exégetas se nieguen a ver el parecido entre el modelo y el retrato, no invalida éste. Ya el autor señaló el carácter caricaturesco de estas prosas, y la exageración, la deformación, es inherente al género. Por otra parte, en el caso de Silva, me pregunto si alguien había escrito sobre él una página tan exaltada, honda y comprensiva como la última de las que el poeta español le dedica.

CONTRASTES

Tratándose de artistas, obra y vida van juntas en el retrato, pues ésta se identifica con aquélla, mientras la primera es razón y justificación de la segunda. Son vasos comunicantes: la sangre pasa de una en otra y mutuamente se vitalizan y justifican. Se comprende cómo es necesario aguzar la imaginación y dejarla volar y buscar, alternativamente y sin descanso, hasta alcanzar lo esencial, nunca situado a ras de tierra, sino más abajo o más arriba.

Busquemos un ejemplo de calidad, y sea el retrato de Rubén Darío, uno de los más completos de la serie. Retratado con su marco, constituido éste por referencia a otras siluetas, a otras evocaciones en donde la imagen había aparecido en distinta actitud, pero en lo sustancial siempre idéntica. El marco es la fidelidad del contraste. Juan Ramón recuerda, y con él recordamos los lectores, sus evocaciones de lo pasado, y no tanto glosas críticas o elogios en prosa, como el admirable poema incluido en *Diario de un poeta recién casado* y escrito en alta mar, febrero de 1916, cuando al barco en que viajaba llegó la noticia de la muerte de Rubén:

Sí. Se le ha entrado
a América su ruiseñor errante
en el corazón plácido. ¡Silencio!
Sí. Se le ha entrado
a América en el pecho
su propio corazón.

La palabra del poema y la evocación del día lejano en que supo el fallecimiento del amigo y del maestro gravitan sobre la prosa del retrato publicado en *Españoles* y desde el comienzo lo determinan. La silueta está escrita en 1940, en Coral Gables probablemente, a un cuarto de siglo del suceso. Rubén está ya lejos en la muerte, pero prodigiosamente vivo en la imaginación del amigo que durante veinticinco años ha tenido tiempo de soñarlo y resoñarlo, de vivirlo y recrearlo en su fabulosa grandeza: «raro monstruo marino, bárbaro y exquisito a la vez». Como Juan Ramón recibió la noticia de la muerte mientras atravesaba en Atlántico desde Europa a Nueva York, las imágenes de Rubén y el mar quedaron para siempre asociadas en su memoria. Por eso (aparte elementales aproximaciones) se llama «ente de mar» y descubre en él tanto mar pagano y elemental. Y está bien subrayar cuánto había en Darío de fuerza natural, de vinculación con la naturaleza en una de sus formas más grandiosas, sobre todo si el símbolo está al servicio de una verdad inexpresable en otra forma. ¡Qué bien llama «disfraz diplomático» a las prendas respetables con que el autor de *Azul* enmascaraba su diferencia y su genio, simulando convertirse en hombre de mundo para que la sociedad, viéndole bordados y condecoraciones, le aceptara como uno de los suyos!

Leyendo esta sorprendente página es posible darse cuenta de cómo las alusiones mitológicas se encuentran realzadas y no disminuidas al chocar con palabras de la vida cotidiana, no ya «prosaicas», como antaño se decía, sino «burguesas», que es mucho peor. Y con esto me acerco a un tema tabú, rozo uno de esos problemitas imposibles de tratar sin disipar primero un poco la niebla de prejuicios en que se envuelven. Ya sé, ya sé —yo mismo lo escribí varias veces—: no hay palabras poéticas ni prosaicas; «cisne» o «libélula» no son más «poéticas» que «chaleco» o «camiseta» (e incluso, «bacinilla»); aluden a diferentes órdenes de realidad y, por tanto, la selección de unas u otras no es indiferente, sino reveladora de las intenciones del escritor. Por eso, cuando después de mostrarnos al Rubén marino con «plástica de ola», «empuje, plenitud pleamarinos», «iris, arpas, estrellas», menciones de Venus y Neptuno, pasa al «sombrero de copa» y al «chaleco»; por el contraste de palabra, que es contraste de realidades, vemos, sentimos bien la fatalidad de Rubén, habitante y testigo de un mundo fabuloso y al mismo tiempo anclado (peor, varado), en la tierra de la vida cotidiana entre académicos, negociantes, políticos y otros mamíferos de varia especie. El hombre en cuyo oído rumoreaban incesantes las viejas caracolas, lanzado al «mundanal ruido»; el «jigante marino enamorado» para quien el tiempo no existía, sujeto a la esclavitud del «reló anacrónico», recepciones, juntas o inevitables solemnidades de la asinaria vulgaridad.

La ley estilística del contraste rige con plenitud de eficacia; los contrarios se complementan y el retrato va siendo lo que debe ser: luces y sombras; luces de mitología y sombras de burguesía convencional. La imagen de la transfiguración, último párrafo del capítulo, sitúa a Rubén en la «isla verde transparente» de su cielo, y así lanza al lector tras una pista que le lleva a la evocación de lo paradisíaco bajo esa expresión arquetípica de la isla, siempre eficaz y operante en nuestra alma, porque el inconsciente colectivo ha ido acumulando en esa imagen el contenido de múltiples imaginaciones a través de las cuales el Paraíso es, como Juan Ramón dice, isla, isla verde y remota, «isla verde transparente, ovalada en el poniente del mar cerúleo, gran joya primera y última, perenne apoteosis tranquila de la esperanza cuajada». La identificación de lo paradisíaco con la isla lejana, con la isla verde perdida en algún rincón del mar, tiene raíces hondas y todavía persiste, en la poesía lírica, en la novela, en la pintura, en la leyenda. Tres nombres bastarán para evocar la línea de creación a que me refiero: Saint-John Perse, en la poesía lírica; José Conrad, en la poesía novelesca; Gauguin, en la pintura. Línea ininterrumpida como es incesante e inacabable en el corazón humano el anhelo que la determina. El hombre sueña reminiscencias del paraíso terrenal, y las sueña como retorno al espacio primero, al ámbito de la ilusión originaria.

EL ESTILO

En estos retratos lo primero que sorprende es la perspectiva: el personaje está enfocado desde ángulos imprevistos, desde puntos de mira en que no es frecuente colocarse para verlo, y, naturalmente, la imagen captada muestra facetas hasta ese momento ocultas; la originalidad de la visión va acompañada por la profundidad de la mirada. Cabe hablar de visión en el doble sentido del término, pues el poeta, además de ver la realidad, descubre su sentido en relación con lo existente tras ella (o en ella, pero inaccesible a los ojos del espectador común); atisba lo visionario sin dejar de ver lo real en su cotidianidad significante. Por eso los retratos trazados por Juan Ramón Jiménez tienen esa dimensión honda, oscura y luminosa a la vez, como galería en sombras al fondo de la cual destella el sol de mediodía. A veces parece extraviarse en el laberinto oscuro, pero no sucederá nada; quien le sigue ignora que lleva en la mano el hilo de Ariadna y gracias a él podrá salir después de recorrer vueltas y revueltas, meandros y sinuosidades rodeos necesarios para la cabal comprensión del cuadro. Cuando se trata de unir intuición a expresión, no siempre la línea recta es la más corta.

Y tras la perspectiva insólita y la visión profundizadora señalemos la admirable prosa en que están escritos los retratos. Todavía no se ha estudiado bien la prosa de Juan Ramón Jiménez, tan importante, atractiva y perfecta como su verso, y es urgente que alguien se decida a intentarlo[2], pues me pregunto si no es *Españoles de tres mundos* uno de los dos mejores libros de prosa escritos en nuestro siglo y en nuestra lengua. (El otro sería, ¡qué casualidad!, *Juan de Mairena*, de Antonio Machado.)

No puedo iniciar esta parte de mi exposición sin incurrir en paradoja. Válganme en el trance la autoridad y el ejemplo de don Miguel de Unamuno (el tercer grande de nuestra prosa reciente), pero al menos en apariencia debo ser contradictorio si quiero ser verdadero. Pues las siluetas esbozadas por el autor de *Platero* deben su excelencia al equilibrio logrado por el doble empuje de su maravillosa precisión y su maravillosa ambigüedad. La palabra justa y única, el sustantivo luminoso y el adjetivo esclarecedor pueden revelar exactamente un matiz, un aspecto, una faceta del personaje, y contribuir a mostrar si hay en él algo más de lo advertido a simple vista. En estos fragmentos la palabra desempeña doble función: decir exactamente lo que constituye el primer plano del retrato (y de la prosa) y sugerir con astuta sutileza lo situado más atrás, visible al trasluz, como la filigrana o cuño disimulado de aquél.

Veamos un ejemplo de esta prosa admirable: el retrato de Rosalía. Halo de lluvia, clima espiritual logrado en unas líneas jugosas, colmadas, tensas: «Toda Galicia es el ámbito de un grande, sordo co-

    [2] Luis Felipe Vivanco pronunció dos conferencias acerca de «Juan Ramón Jiménez, poeta en prosa», en los Cursos para Extranjeros de Segovia, verano de 1959, pero todavía no han sido publicadas.

    Hay un excelente artículo de Damián Carlos BAYÓN: *Platero y yo y Españoles de tres mundos*», en *La Torre*, núm. 19, julio-diciembre de 1957. Desde 1969 puede verse el libro de Michael Predmore.

razón.» Y el personaje va destacándose del fondo, adquiriendo movimiento y gesto, pero sin salir nunca de él, sin alejarse de su ambiente. Unos cuantos toques clave: «de luto», «pobreza y soledad», «desesperó, lloró», «opaca totalidad melancólica», van configurándola y al mismo tiempo entrañándola en su tiempo y su tierra, identificándola con ella y haciendo tierra gallega a la mujer misma, loca de saudades. «Lírica gallega trájica», la llama, y cuando dice: «olvidada de cuerpo, dorada de alma en su pozo propio», sentimos que la está definiendo con adecuada justicia, pero también que tras esa definición, tan precisa, alude, y con las mismas palabras, a la realidad del país. Esta doble función facilita la economía de la frase, y le añade peso, al aumentar su carga de significación. Cuando se describe en esta forma quedan aclaradas ciertas oscuridades voluntarias: «Y Rosalía de Castro no se cuida, no puede cuidarse. Anda loca con su ritmo interior, fusión de lluvia llanto, de campana corazón.» Es la identificación entre Rosalía y Galicia, entre la mujer y la tierra: el llanto es la lluvia y el corazón la campana, o al revés; al mezclar lo uno y lo otro, sin separarlos siquiera por una coma, pero tampoco sin fundirlos con un guión, está declarado que los ve separados, distintos, y a la vez correspondencias de lo mismo en lo diferente, entre la reacción y la vibración del ser humano y las de la tierra. Al final, en la última oración identifica a la poetisa con la mujer gallega, la de antes o la de entonces, la muerta o la viva, llorando con ellas, como ellas «en una eterna tarde gallega de difuntos».

Tres o cuatro pinceladas ligeras, sin insistencia, y el ambiente adecuado se siente, se huele, se palpa, plásticamente. Aquí está el pintor Solana y está en su ambiente natural, la antigua botillería y café de Pombo, ahora desaparecido: («Pombo, vaho de invierno, banquete con olor delgado a orín de gato y a cucarachas señoritas en el ambiente más exacto de los espejos»), y el modelo aparece de cuerpo entero, según lo vimos, ayer mismo, en la madrileña calle de Peligros, saliéndose de la acera para no pasar debajo de un andamio (porque de los andamios —decía— «caen galápagos»), o en el Puerto Chico de Santander, tomando apuntes para un cuadro posible. La caricatura responde en su deformación a la realidad: «me pareció un artificial verdadero, compuesto con sal gorda, cartón piedra, ojos de vidrio, atún en salazón, raspas a la cabeza». Fidelísima, sí, vinculando al pintor con sus obras, con las figuras de sus telas cazurras, sus vivientes deformes, máscaras animadas y rostros como caretas.

En los párrafos citados la acumulación de pormenores significantes concurre al mismo fin: la expresión de una realidad compleja, como lo es la del alma humana, mediante referencia a ciertas notas de la persona, de la máscara, en las que se encuentra latente y como revelada lo más característico de aquélla. No dudemos que la máscara es justamente modo de comunicar, forma de destacar ciertos rasgos y hacerlos más visibles a los ojos del espectador.

Fijémonos en Fernando Villalón, conservador, retardado, siempre entre ganadero y poeta, costándole «trabajito removerse», o en la estampa, etérea y llameante, de don Francisco Giner. Utilizaré este último retrato para mostrar ciertas peculiaridades estilísticas de Juan Ramón Jiménez, perfecto conocedor y admirador de su modelo, el ejemplar fundador de la Institución Libre de Enseñanza.

IMÁGENES

El retrato de Giner no es extenso: apenas dos páginas. Comienza con una imagen, seguida en fulgurante encadenamiento por otras. Y digo encadenamiento no sólo porque están enlazadas, sino porque van de una en otra, sucesiva progresión, alzándose a producir idéntica impresión por medio de figuras diversas: «fuego con viento», «víbora de luz», «chispeante enredadera de ascuas», «leonzuelo relampagueante», «reguero puro de oro», «incendio agudo». Todo esto en diez líneas. Y seguidamente nombres que, conforme los emplea el poeta, tienen sentido y eficacia de imágenes: «San Francisquito», «Don Francisquito», «Don Paco», «Asís», «Santito», «Paco». Un solo párrafo basta para trazar cabalmente la figura en su admirable ambivalencia: llama-bondad, héroe-santo, que refleja exactamente el ser de don Francisco Giner de los Ríos, según Juan Ramón lo intuía y según era en la realidad.

Las metáforas o las locuciones empleadas con significación de tales son utilizadas con prodigalidad para extraer de ellas el máximo de eficacia. La acumulación, cuando es significante, sirve para desvelar en sus múltiples facetas lo esencial de la figura. Pues si vemos de cerca la variedad de imágenes desplegada por el poeta, hallaremos que nada se repite, ni emerge gratuita o fortuitamente. Cinco de seis imágenes aluden al fuego, brasa o luz, o ambas cosas a la vez: «fuego con viento», «víbora de luz», «enredadera de ascuas», «leonzuelo relampagueante» e «incendio agudo». El ardor del Maestro queda bien subrayado. Y nótese esto: en las cinco se refleja también la viveza y movilidad de aquel gran espíritu, pues si el viento es sustancialmente movimiento, la víbora, balanceándose para saltar la enredadera que insaciable trepa hacia su cielo, el relámpago fulgurante y la llama viva son fenómenos que dicen inquietud ascendente, como la del modelo, pero cada cual a su manera y expresando peculiar matiz.

Entre los títulos que Juan Ramón pensó poner a su proyectado libro sobre Giner, uno de ellos rezaba así: *Un león español*. (Pese a la «santidad» del personaje, el título responde a sus actos y su carácter indomable.) Aquí se llama «leonzuelo relampagueante», y la metáfora añade algo a nuestro conocimiento de don Francisco.

Cuando, en seguida, menciona los nombres con que familiarmente designaban a Giner quienes «tan bien lo desconocieron», nos está mostrando el reverso de la medalla, o, mejor dicho, la faz divulgada por quienes no supieron captar la llama, la luz, la fuerza transformadora del héroe.

El final del párrafo sugiere la hondura de esa sima que era el alma noble y apasionada de Giner. Y lo sugiere con esta metáfora: «infierno espiritualizado», asonancia para otra, enunciada anteriormente, que de propósito omití mencionar para comentarla aquí junto con su gemela: «diabólica llama». Precisiones necesarias para contrastar con tanto cándido angelismo como se ha vertido para diluir la pujanza de la excepcional figura y alejar la idea de que la empresa renovadora de España intentada por Giner podía realizarse en el clima de leyenda rosa, o de leyenda lila (como calificó Francisco Obregón Barreda la forjada en torno a Menéndez Pelayo, otra víctima de sus glosadores), sin su punta de agonía inevitable.

El segundo de los tres párrafos en que está organizado el capítulo tiene análoga estructura, no menos expresiva del carácter descrito. Imágenes también, pero más amplias, onduladas y resonantes. Si las anteriores eran chispas, éstas son brasas en la prosa. Aquéllas eran iluminadoras, al modo del rayo que un instante revela el misterio; éstas calan hasta lo hondo y describen con exactitud el alma del modelo. El encadenamiento imaginístico es total y las diferentes oraciones señalan en el párrafo la variación temática (como se diría en términos musicales). Pensé subrayar los motivos metafóricos, pero no es posible hacerlo, todo es metáfora: «Sí, una alegre llama condenada a la tierra, llena de pensativo y alerta sentimiento; el espectro sobrecogido, ansioso y dispuesto de la pasión sublimada, seca la materia a fuerza de arder por todo y a cada hora, pero fresca el alma y abundante, fuente de sangre irrestañable en un campo de estío. Y sus lenguas innumerables lo lamían todo (rosa, llaga, estrella) en una caritativa renovación constante. En todo era todo en él: niño en el niño, mujer en la mujer, hombre como cada hombre, el joven, el enfermo, el listo, el peor, el sano, el viejo, el inocente; y árbol en el paisaje, pájaro y flor, y, más que nada, luz, graciosa luz, luz.»

Analizaré rápidamente esta página: imágenes definitorias, de largo aliento, donde la coma o el punto y coma sirve para marcar un leve giro en la frase; para suscitar una ampliación de sentido, un complemento a lo dicho. No es ya, como en líneas anteriores, el sustantivo calificado por otro sustantivo («víbora de luz», «enredadera de ascuas», «fuego con viento») o por un adjetivo o adverbio («leonzuelo relampagueante», «diabólica llama», «infierno espiritualizado»), sino que en una misma oración prolonga la imagen: la «llama» no es tan solo «alegre», o «alegre y condenada»; con curiosa insistencia se detalla: «alegre llama condenada a la tierra, llena de pensativo y alerta sentimiento», es decir, tres calificativos para un sustantivo, y uno de aquellos («llena») bifurcado y con doble contenido. Esta triplicación del adjetivo la encontramos también en la oración siguiente, donde «el espectro [...] de la pasión sublimada» está a la vez «sobrecogido, ansioso, dispuesto».

El final del párrafo es acaso lo más notable de esta singularísima pieza de prosa. Persiste en el empleo de combinaciones ternarias, y para mostrar que a todo alcanzaba el amor de Giner, habla de «rosa, llaga, estrella», en que están simbolizados la hermosura del mundo, el sufrimiento del hombre y la ilusión que le permite vivir. La oración final resume en brillantísima síntesis el significado de la caridad inmensa y total de Giner: su identificación con el niño, la mujer, el hombre, el joven, el listo, el enfermo…, pues el amor lo alcanza todo y se sitúa a la altura justa del corazón que lo necesita. Sí, vemos lo acertado de evocar a Giner como fuego con viento, yendo de un lado a otro y contagiando su hermosa pasión, sólo que en este caso la llama encendía entusiasmos y alentaba voluntades. Lo que empieza en la llama acaba en la luz, pero no sin evocar la imagen del árbol para sugerir ideas de solidez, matizadas por lo que sigue: «árbol en el paisaje, pájaro y flor, y, más que nada, luz, graciosa luz, luz». La enumeración («árbol», «pájaro y flor», «luz») precipita al lector en un pequeño caos de sentimientos contradictorios, pero en esta contradicción gana la imagen una complejidad que restituye la figura del modelo en cuanto de diverso y a menudo contradictorio hay en el alma del hombre.

Y el último párrafo del retrato se refiere a la obra de Giner, al resultado de su actividad, en forma paralela a la empleada para expresar su figura. Verbos en pretérito se ligan en rápida sucesión, adelantando rápidamente la frase: «Taló, besó, achicharró, murió, lloró, rió, resucitó con cada persona y con cada cosa.» Y para terminar, con sabor de apólogo oriental, esa luz que, emergente de la espada, no puede volver a ella y queda «errando ancha, sin bordes en su mecido trigal infinito». Imagen certera para decir cómo la obra, el afán, el impulso, siguen viviendo cuando don Francisco «(qué pavesita azul)» muere.

La disposición triple; el doble objetivo, antes y después del sustantivo; las enumeraciones; los paréntesis, y sobre todo las imágenes, importan para comunicar la intuición originaria, pero la esencial es ésta: fuego, llama, luz, Francisco Giner. Esa intuición desarrollada en la forma, las formas que en parte acabo de indicar, da idea de cómo operaba Jiménez al escribir la prosa excepcional de sus retratos. Al desmontar, pieza a pieza, el precioso mecanismo se advierte su perfección: cada palabra está en su sitio y rinde el máximo de significado que se puede esperar de ella. El conjunto es tan bello y armonioso que parece un bloque, masa compacta y sin fisuras nacida según la encontramos; por eso sorprende un poco comprobar que, como siempre, el conjunto depende de la armonía de sus partes y detalles.

Y quiero llamar la atención sobre una singularidad del texto. Si en el primer párrafo destruye la imagen del «Santito», «San Francisquito», en el segundo la reconstruye. ¿Contradicción? No creo. Comienza por barrer el lugar común de la beatería partidaria para, despejado el terreno, decir su verdad sobre el amor, la caridad del personaje. A nadie escapará la semejanza entre San Francisco de Asís y el don Francisco Giner pintado por Juan Ramón.

La utilización de las metáforas como medio de presentación del personaje sirve decisivamente a la calidad poética de la invención. El método es sencillo. Acabamos de verlo en Giner y los ejemplos podrían multiplicarse. Me limitaré a señalar el que abre el primer retrato de la serie: Bécquer. He aquí un poeta desvalido frente a la vida; he aquí un poeta que para resistir al «huracán» no cuenta con otra defensa que su voz, su canto, su «lira». Es un poeta romántico, mas para situarlo en su época, en su momento, Juan Ramón no mencionará la palabra esperada y obvia, y mucho menos hará referencia a circunstancia histórica alguna. Le bastará aludir a dos elementos característicos de la poesía de Bécquer: el huracán («Eras tú el huracán, yo la alta torre») y el arpa («Olvidada veíase el arpa»). Estas notas suscitan de golpe el necesario clima becqueriano, el ambiente adecuado para que la persona sea ella misma, inequívocamente, y no la vaga contrafigura de una sombra.

El primer párrafo de la caricatura presenta a Bécquer aventurándose en el huracán: «Bécquer tiende una mano, se echa en el redondo vendaval y sale con él de la gran madreselva, su momentáneo refujio del súbito chaparrón tronador de mayo, instante grato de suave penumbra olorida para su esperanza.» La imagen puede entenderse, debe entenderse también literalmente, y vemos al poeta abandonando su precario refugio del arbusto y flor para desafiar el chaparrón, entregándose al vendaval. Pero lo que le da mayor fuerza es sentir, tras esta evocación, tan plásticamente expresada («se echa en el redondo vendaval»), al hombre desvalido, forzado a abandonar los precarios refugios de amistad, hermandad y poesía para lanzarse al huracán de la vida, del amor que habría de destruirle. Y nótese cómo el verbo empleado («se echa») sugiere ideas de confianza, de abandono, incluso de fatalidad en cuanto al temporal destinado a arrastrarle, mientras el adjetivo «redondo» indica que el viento viene de todas partes, azota desde los cuatro puntos cardinales y no ofrece posibilidades de esquivarlo, de soslayarlo.

La oración siguiente continúa la imagen con expresión admirable: «Tembloroso, cianótico, tosedor, cojiéndose al mismo tiempo contra la ola alta su inquieto sombrero de copa, envuelve, lucha difícil, en la capa corta que le tapa apenas la friolencia del minuto de entretiempo verde y ciclón, polvo y gota, el arpa irreal.» No será difícil decir mejor y más gráficamente la lucha del poeta, y no de uno cualquiera, en abstracto, sino de Bécquer. Aquí están las notas personales, alusivas a la enfermedad: «tembloroso, cianótico, tosedor»; en segundo lugar, la de época: «sombrero de copa», y al fin, la poesía suya: «arpa irreal». Este arpa se identifica a continuación con palabras inequívocas: «¿La raptó, entonces, aquella mañana en el ángulo oscuro del salón, llenas sus cuerdas desnudas, como el almendro de flor, de alas dormidas?» Subrayo la cita literal, escogida adrede para lograr rápidamente la identificación, y llamo la atención del lector sobre el fenómeno, ya observado, de metaforización en cadena: la expresión «el rapto», como si el arpa no fuese un objeto sino un ser, va complementada por las metáforas «cuerdas *desnudas,* como el almendro en flor, de alas *dormidas».* Y digo metáforas, en plural, pues la que pudiéramos llamar principal incluye las dos subordinadas que destaco poniendo la adjetivación en redondo.

Lo esencial sobre Bécquer está dicho en esas líneas; ahí se sintetiza lo que fue y representó el poeta, su vida, su agonía, su poesía. Quien conozca la biografía del autor de las *Rimas* podrá, incluso, deducir cuáles fueron los sucesos cuyo conocimiento suscitó en Juan Ramón la intuición originadora del retrato, tan lleno de verdad en cuanto reflejo de un conflicto trágico y fatal, de lo que sin exageración y sin engolar la voz pudiéramos llamar, muy exactamente, un destino.

PECULIARIDADES DE LA PROSA

Juan Ramón Jiménez, becqueriano y rubendariano al comienzo, parte de los cambios experimentados en la prosa de sus escritores favoritos, sin olvidar las reminiscencias de lecturas extranjeras: Baudelaire, Mallarmé y Rimbaud. En la primera época, los ejemplos de Bécquer, Rubén y Martí creo yo influyen decisivamente sobre él. Más adelante, las novedades de Francia se darán de alta en su obra, como luego trataré de demostrar.

Empezaré refiriéndome a las razones íntimas del cambio en la construcción de la prosa, fijándome en los capítulos de *Españoles de tres mundos,* donde la hallamos evolucionada, perfecta. Lo primero que en estas páginas atrae la atención es la singularidad de las imágenes y la adjetivación. La novedad imaginística acabo de estudiarla; gracias a ella el efecto, los efectos de sorpresa se suceden y los personajes retratados emergen bajo nueva luz; literalmente: bajo el foco de una iluminación desusada.

¿Cuál es la causa del apuntado desbordamiento de originalidad calificadora y metafórica? ¿Es consecuencia de un esfuerzo continuado, de un permanente afán por escribir «distinto»? La respuesta es sencilla: Juan Ramón escribe desde su punto de vista, desde su temperamento y peculiar modo de ver, y sólo por eso ya los modelos se le aparecen diferentes. Son visiones subjetivas suyas, en las que no se interpone el relente dejado por la mirada y la apreciación de otros. La eliminación del lugar común basta para despejar el terreno, y al eliminarlo de la visión lo destierra simultáneamente de la expresión.

La visión nueva provoca nueva expresión, y de ahí se deriva la sorprendente adjetivación y la inventiva imaginística ya señalada. Y no habrá arbitrariedad en las notaciones, pues quien viera alguna vez al pintor Solana deambulando por Madrid (o por Santander, en los meses de verano) advertirá lo exacto de esa presentación en que le vemos andar «emperchado», girando difícilmente, «como una veleta desmontable, atornillado mal por la suela», o de las alusiones a Unamuno: «dinámico sonámbulo por este sueño de la vida», pues no solo le vemos cuando, Gran Vía abajo, marchaba, solo o acompañado, hacia Recoletos y la Castellana, sino en aquellos diálogos consigo mismo en que, a través de una seudoconversación, perseguía sin dejarse despertar el sueño de su divagación entrañable.

Falla es «tecla negra de pie», y Achúcarro, «la Aurora». El ejemplo resulta en este último caso singularmente expresivo. Para señalar su comunicación con la vida, su vitalidad rica y desbordante, dice: «Se ve que le está tocando, en ardiente entusiasmo, el centro del corazón, por algún sitio delicado y hondo, a la vida.» La gracia de la imagen no obedece tanto a lo que representa en su invención como a la forma de expresarla y particularmente a la de precisar, mediante sucesivos incisos, el alcance de la intuición.

Y esto me lleva a decir algo acerca del uso de la coma en la prosa de Juan Ramón Jiménez. El lector observa en seguida la prodigalidad de signos ortográficos, y especialmente la sobreabundancia de comas. Releamos: Se ve que le$_1$ está tocando / en ardiente$_2$ entusiasmo / el centro del$_3$ corazón / por algún sitio$_4$ delicado y hondo / a la$_5$ vida.» Dejando a un lado el hipérbaton, hallamos cuatro períodos de ritmo marcado con predominio de asonancias en ao, cada uno de los cuales nos acerca al núcleo esencial de la imagen («se ve que le está tocando a la vida», sería ese núcleo) por aproximaciones bien calculadas. El período número 2 precisa el estado de ánimo, la exaltación del retratado, mientras el número 3 dice lo entrañable de su comunicación con la vida y el número 4 añade un toque complementario del anterior y del número 1; un toque, si cabe decirlo, sespiriano, por aquello de «el corazón del corazón», a que se refería el gran precursor de tanta poesía bella.

En esta breve oración las comas sirven para destacar todos y cada uno de los períodos, que a la vez lo son de ritmo y de significación; ellas dan plenitud a la frase al realzar, enumerándolos, cada uno de los incisos, obligando al lector a fijarse en lo que van añadiendo o, mejor dicho, a notar cómo van completando el sentido de la imagen, transmitiéndonos en su perfección la figura de Achúcarro según la intuyera el poeta.

Otro ejemplo de prodigalidad en el uso de las comas lo escojo del capítulo 11: «y Carmen». «Con su imajinación morena y fosfórica y su ardiente hablar pintoresco, gracioso, de mora céltica del norte, ilumina, esculpe, ríe, talla, mina, suscita personas, cosas.» La primera parte de la oración no tiene coma alguna, *y la razón es clara:* Juan Ramón asociaba imaginación y palabra y deseaba que el lector hiciera lo mismo; por eso la frase va seguida y las conjunciones se encargan de ligar los períodos de significación, dándoles superior unidad que acorde con las asociaciones mentales suscitadas en el autor por el dinamismo verbal de quien al hablar derrochaba, en la palabra, la imaginación.

Una vez afirmada tal unidad, el signo ortográfico reaparece profusamente para remansar la atención y escalonar las calidades específicas de esa charla y esa imaginación, señalando, sobre lo pintoresco, lo gracioso, y junto con ambos, el andalucismo norteño y las formas en que la palabra de Carmen define, crea el mundo alrededor suyo. Pues de eso en última instancia se trata: de mostrar cómo imaginación y palabra fundidas van inventando, suscitando «personas, cosas». Seis verbos en indicativo describen el maravilloso fenómeno de invención y descubrimiento del mundo, y cada uno de ellos dice algo distinto, se refiere a diverso modo de acción; tres (iluminar, esculpir, tallar) tratan de la acción proyectada sobre el objeto mismo; los otros (reír, mimar, suscitar) aluden a la acción en el inventor, a la actitud a través de la cual van a ser destacadas, por imitación, subrayado, exageración, ironía, las cualidades del ser o de la cosa descritos.

En el retrato de Solana es quizá donde el empleo de la coma resalta con trazo más acusado y sirve más eficientemente a la técnica del caricaturista. Las comas separan las imágenes sin aislarlas, y gracias a ellas, como en el ejemplo anterior. La acumulación no estorba al dinamismo del conjunto. Veamos: «Ente ya de talla, alcanfor, mojama; ahorcado, ahogado, difunto, esmerilado de su vitrina, vitrina él mismo, una, uno más de museo arqueológico, cuando quiere salirse de su propia historia, no encaja ya en historia alguna de hombre. (¿En qué historia de mujer, de qué mujer ¡Dios Santo!, encajará?).»

Ni una sola de las calificaciones atribuidas a Solana resulta arbitraria y bajo la supuesta intención caricaturesca resalta la gran verdad señalada con lo que ya no es imagen, sino señal de las propiedades secretas de la persona. Sin querer acaso, por una ligera desviación, lo atribuible al pintor se funde con los atributos de la obra, y al hacerlo Juan Ramón da muestras de gran agudeza, pues Solana era personaje de sus propios cuadros, una de las figuras pintadas por él mismo, provisionalmente evadida de la tela para transitar un tiempo por la tierra española, en espera del día en que hubiera de reingresar para siempre en su mundo.

Los adjetivos seleccionados huelen a muerto y señalan al pintor como vivo condicional, provisional, en tanto se ultiman las formalidades necesarias para acogerle en su auténtica esfera, en su pictórico panteón definitivo. «Alcanfor», «mojama», y de uno al otro, con el desplazamiento entre la defensa contra la polilla y lo reseco y fibroso de la momia, la frase camina a su final, de coma en coma, es decir, presionando al lector para que contemple el problema, el tema, desde cada uno de los adjetivos, desde cada uno de los matices, hasta desembocar en esa vitrina donde la vemos y en la cual no solo está, sino es, aclarando la situación por virtud de la coma, y nada más; marcando la rápida transición del «una, uno» sin necesidad de esclarecimiento ulterior.

El uso de la coma ahorra rodeos y disgresiones, permitiendo a la prosa caminar derechamente, y al mismo tiempo decirlo todo. Adjetivación expresiva, imágenes ligadas y acumuladas, sucesión sin glosa ni digresión, reunidas producen esa curiosa sensación de decirlo todo, lenta, cuidadosamente, como el niño aplicado que no quiere dejarse en el tintero nada de lo que sabe, y al mismo tiempo todo se dice sucinta, escuetamente, con la viveza y la gracia exigibles, en un tiempo dinámico que lleva cada retrato rápidamente, velozmente, hasta su fin.

NEOLOGISMOS

Todavía no fueron bien entendidos los neologismos de que Juan Ramón Jiménez hace tan singular empleo en su obra. Con relación a la poesía en verso me referí al tema en el curso 1958-1959, profesado en la Facultad de Humanidades de la Universidad de Puerto Rico [3], y sin entrar a fondo en la cuestión quiero recordar ahora algo de lo expuesto en aquella oportunidad.

La utilización intensiva del neologismo es en el autor de *Platero* relativamente tardía. No que en la primera época falten en absoluto, pero sí que los de entonces tienen el carácter ocasional (fortuito, podríamos decir) con que generalmente aparecen en la obra de otros escritores. Sólo en los trabajos de la segunda mitad de su vida el empleo del neologismo se hace sistemático y abundante.

Los puristas, y hasta quienes no lo son, suelen oponerse al empleo de palabras de nuevo cuño, por considerarlo expresión del capricho y la arbitrariedad del escritor. Esto implica una visión parcial y limitada de la cuestión. Jiménez usa y hasta abusa del neologismo, pero debemos preguntarnos si no hay una causa, algo que explique y justifique esa tendencia a la invención de nuevas palabras. ¿Acaso el idioma no tiene suficientes?, dicen los puristas, olvidando que el poeta puede verse obligado a forjar su propio lenguaje para expresar lo nuevo, a inventar formas aptas para decir y revelar lo indecible.

Respecto a la poesía señalé lo extraño y fatal (en el sentido de fatalidad estética) de neologismos como aquel registrado en *Canción*:

> Y una *errancia* me coje ajena y mía,
> mía y de ala;

La palabra «errancia» es puro invento para representar algo dotado de la cualidad de lo errante; no se refiere a nada concreto, sino a un efluvio de lo que pasa y porque pasa. Como se diría una «fragancia», aludiendo a la calidad del aroma dejado por la flor o el perfume, así se llama «errancia» al rastro de algo que vaga por el espacio y al pasar le

---

[3] Lecciones tomadas en cinta magnetofónica y reproducidas en mimeógrafo por los alumnos del curso.

capta y se lo lleva; es la estela de lo errante, en donde se engancha, tal vez, el corazón.

En la prosa, y concretamente en *Españoles de tres mundos,* abundan los neologismos. Me limitaré a señalar unos cuantos ejemplos, dejando al lector curioso la tarea de concluir el inventario y clasificarlos de modo completo. Con fines expositivos los ordenaré en tres grupos: el primero incluye los más sencillos, meros cambios en la conformación de ciertos derivados, atribuibles seguramente a la aversión por las adjetivaciones manidas; el segundo se refiere a palabras de corte personal más acusado, pero siempre relacionadas y como derivadas de otras; en el tercero figuran claras invenciones logradas a menudo por paralelismo de sentido con otros vocablos.

Los más frecuentes son los del primer apartado, en el cual encontramos, entre muchos, «oloso mar», refiriéndose al oleaje; «ojos roseados», para evitar «rosados» y «enrojecidos», ninguno de cuyos términos expresaría bien lo sugerido por el vocablo acuñado por él; «aria rasposa», aludiendo a lo desacordado, desentonado de la canción que se canta (se cuenta)...

En el segundo grupo hallamos «pico piador», por el de los pájaros, con claro equivalente y legitimidad en ladrador o aullador; «andaba emperchado», para sugerir la imagen de la percha según la cual estaba viendo al personaje; «solerías inmortales», referido a los suelos de algún fabuloso jardín elíseo, parece tener dentro algo popular y no me extrañaría que la palabra fuere utilizada por el pueblo en alguna comarca cuyo lenguaje diario no me sea bien conocido.

El tercer apartado incluiría palabras como «sonlloro» («la sonrisa o el "sonlloro" de esta "esperadora" cubana», dice de Serafina Núñez), en donde se descubre la intención de crear un vocablo paralelo al que aquí mismo vemos empleado. «Sonlloraba y sonreía», dice en «Lo noche mejor», *Romances de Coral Gables,* e invenciones del mismo tipo encuentro en *Animal de fondo,* especialmente aquéllas, tan hermosas y significantes:

> Conciencia en pleamar y pleacielo, en
> pleadiós, en éstasis obrante universal.

Si frente a risa hay lloro, ¿por qué no, junto a sonrisa, sonlloro? Y lo mismo: si hay plenitud de mar en marea alta, cuando el mar todo lo llena, ¿por qué no plenitud de cielo cuando éste lo colma todo y desborda en el universo y en el alma? Cielo y Dios en marea alta, en marea viva y crecida, en plenitud de marea espiritual: pleamar, pleacielo, pleadiós... Nadie podrá calificar de gratuitas invenciones verbales ajustadas a realidades profundas emergentes de súbito en el lenguaje gastado de las emociones y los sentimientos cotidianos.

El estudio del vocabulario juanramoniano no se agota con el de la adjetivación y los neologismos; un análisis detallado exigiría mucho espacio y destruiría la arquitectura de este apartado. Quédese para otro momento, pero antes de concluir permítaseme señalar dos o tres detalles curiosos. Por ejemplo, la utilización de nombres propios como adjetivos: «Tanto Rubén Darío en mí» («Rubén Darío»), dando a entender una deuda y una riqueza expresada por el nombre del poeta más amplia y precisamente que pudiera hacerlo cualquier otro vocablo.

Serían de ver, también, los efectos derivados de la simple repetición de una palabra para sugerir, a través de la insistencia, una idea determinada. Así, la de enfermedad: «Tos, sin sonido, pobreza, tos, nieve, tos, arte, tos» («Eduardo Rosales»), y cómo esta oración y otra análoga se desarrollan paralelamente en diverso fragmento del retrato.

Toques personales, manierismos, en el empleo peculiar de determinadas palabras: «Mejor», por ejemplo, que suena diferente cuando su posición en la frase no es la acostumbrada: «Alfonso Reyes, amigo siempre mejor de Rubén Darío» («Rubén Darío»). La traslación del adjetivo altera su sentido, y lo mismo ocurre cuando el nombre queda encuadrado entre dos calificativos: «violento vasco fatal» («Basterra»). Usualmente el sustantivo precede a los adjetivos; más insólito es colocarlo entre estos, y todavía es menos frecuente que la palabra utilizada como sustantivo adquiera tal resonancia que implique un atributo, una calificación.

Desde otro punto de vista convendría estudiar los efectos de la reiteración y la repetición, pero el tema es tan vasto que prefiero dejarlo intacto, para dedicarle algún día un estudio pormenorizado en el cual no solamente incluiría ejemplos de *Españoles de tres mundos,* sino de otras prosas y también, desde luego, de poemas juanramonianos.

La tensión de *Españoles* es tal que acaso no se registra en todo lo publicado por el autor en este volumen una caída, un desfallecimiento, una vulgaridad, un lugar común aceptado o colado de matute. La vigilancia del poeta es extremada; el lenguaje expresa fielmente la intuición, y esta es personal, original, adversa a lo mostrenco. Por eso faltan en absoluto las zonas de relleno, insignificantes, suprimibles, que como una condenación suelen aparecer en la prosa de excelentes escritores. Aquí cada línea es necesaria y genuina, salida de dentro, y la retórica una invención personal, renovada sin cesar. Imágenes, vocabulario, orden de la frase, reiteraciones, contrastes, silencios... Todo es inequívocamente de Juan Ramón y acorde con la visión reflejada.

PARENTESCOS

Alguien se preguntará: ¿De dónde viene esta prosa? ¿Qué o quiénes influyeron en ella para hacerla según llegó a ser?[4]. Estamos le-

___

[4] En carta a Guillermo Díaz-Plaja, fecha 27 de marzo de 1953, publicada en parte por el destinatario en *El poema en prosa en España,* pág. 62, decía Juan Ramón, refirién-

jos de Bécquer y de los modernistas españoles, pero no, en cambio, de algunos escritores hispanoamericanos; Martí, por ejemplo, de quien Juan Ramón pudo aprender el brío y la sentenciosidad, aunque ajustando lo mejor de estos dones a sus propias necesidades. Lector y administrador de Martí, recibió de él una lección esencial en cuanto a la actitud de libertad frente a la creación literaria, al ímpetu sofrenado y a la capacidad para acumular mucho en poco, elaborando una prosa densa y rica cargada de sugestiones y sobrentendidos.

La diferencia más acusada entre Martí y Jiménez estriba en que el primero vive dentro de una tradición retórica oratoria, castelarina sobre todo, mientras el autor de *Platero* está ya fuera de ella. De ahí la superioridad del segundo en cuanto a condensación y desarticulación de la frase, apoyándose menos en las antítesis y similitudes y más en las imágenes.

En cuanto a los extranjero, habríamos de fijar nuestra atención en los poetas franceses cuando escribían en prosa, pues son los que, según creo, Juan Ramón leyó con más cuidado. Para empezar veamos en Baudelaire.

Si repasamos los «pequeños poemas en prosa», hallaremos que en dos o tres momentos surgen temas o formas que recuerdan algo los de nuestro poeta, pero las semejanzas son vagas y no se puede establecer un paralelo concreto entre las páginas bodelerianas y las de aquel, especialmente en *Españoles de tres mundos*. Quizá respecto a textos anteriores el parecido podría insinuarse con fundamento, pues si el asno de «Un plaisant» no coincide con *Platero* sino en pertenecer a idéntica especie, sí pudiera pensarse que le viene de Baudelaire la actitud de piedad y amor hacia los niños pobres de que es ejemplo «Le joujou du pauvre», o la consideración del mar como ser vivo, humanizado hasta cierto punto, según aparece en *Déjà*: «cette mer si monstrueusement séduisante, de cette mer si infiniment variée dans son effrayante simplicité, et qui semble contenir en elle et representer par ses jeux, ses allures, ses colères, et ses sourires, les humeurs, les agonies et les extases de toutes les âmes qui ont vécu, qui vivent et qui vivront.»

En las prosas del primer Juan Ramón, en trabajos breves tales como «La cosa triste», «Los rincones plácidos» o «Los locos», la influencia de Baudelaire es visible en el tono sentimental y en la temática; con el tiempo, el autor de *Españoles* abandona esa actitud y según cambia el estilo va pareciéndose menos al poeta de *Pequeños poemas en prosa*,

---

dose a su poesía en prosa y después de señalar las primeras influencias («Bécquer, Rosalía de Castro, Jacinto Verdaguer, entre los españoles; de fuera, Goethe, Heine, Musset, etc.»): «Más tarde, desde 1900, influyen en mí Ruben Darío (con su poema "A una estrella", de *Azul*), Aloysius Bertrand, Baudelaire, Mallarmé (con sus poemas originales en prosa y sus magníficas traducciones de Poe, que leí antes que las de Baudelaire); Claudel *(Connaissance de l'Est*, libro precioso); de ningún modo Catulle Mendès; Wilde *(Una casa de granadas*, no *La casa de las granadas*, como se ha traducido en español) y Pierre Louys en *Las canciones de Bilitis*.»

así como su poesía se distancia de la antaño influida por Hugo, Samain, Verlaine o Francis Jammes.

A partir de 1918-1920, la presencia de Rimbaud se siente con más fuerza. Tal vez (no lo sé) su conocimiento de la obra rimbaudiana es tardío. En la Sala Zenobia-Juan Ramón, de la Universidad de Puerto Rico, hay un ejemplar de las *Oeuvres,* de Arthur Rimbaud, edición del Mercure de France, con el controvertido prólogo de Paul Claudel, que lleva una inscripción autógrafa de Juan Ramón con el nombre de Zenobia y el suyo, y debajo la fecha: Madrid, 1919, señalando así, según a veces hacía, la de adquisición del volumen. No quiero decir con esto que hasta entonces no hubiera leído al autor de *Illuminations,* pero el ejemplar de referencia guarda señales de lecturas atentas y está anotado y señalado en diversos puntos, subrayando versos, poemas completos, líneas de prosa, y poniendo al margen signos reveladores de su curiosidad y su atención. Como los subrayados y rayados no son muchos, me pregunto si Juan Ramón no poseería con anterioridad otros ejemplares de Rimbaud, que tal vez se encuentren entre los libros hoy custodiados en la casa de Moguer.

Con relación a los cinco poemas en verso marcados en el ejemplar de la Sala Zenobia-Juan Ramón me interesa destacar el hecho de que «Le dormeur du val» está íntegramente subrayado, pues tengo vehementes sospechas de que el recuerdo de este soneto estuvo presente de alguna manera en el subconsciente de Juan Ramón, cuando éste, veinte años más tarde, escribía en la emigración sus espléndidos poemas de guerra, y especialmente el titulado «El más fiel».

Uno de los cuatro fragmentos señalados por Juan Ramón en el prólogo de Paul Claudel destaca un fenómeno que pronto se producirá en la obra de aquél. El prologuista escribe así: «En ese vigoroso imaginativo la palabra ''como'' desaparece y reina la alucinación: los dos términos de la metáfora le parecen tener casi el mismo grado de realidad.» Tales palabras podrían aplicarse al Juan Ramón de las últimas plenitudes, y quién sabe si en las palabras de Claudel, como a veces ocurre, encontró formulada nítidamente la necesidad estilística que su nueva actitud creadora reclamaba.

Entre las páginas en prosa señaladas por Juan Ramón hay varias que de una u otra manera recuerdan su obra. En «Après le déluge», por ejemplo, subraya: «Dans la grande maison de vitres encore ruisselante les enfants en deuil regardèrent les merveilleuses images», y no será temerario atribuir el subrayado a que el autor de *Platero* recordó al leerlas algún momento, de su Moguer natal, en la casa, tras la lluvia, mientras «los niños» miraban libros o estampas y él pensaba en el borriquillo cercano. Los capítulos «Tormenta» y «Susto» de la elegía andaluza muestran, diluidos y dispersos, elementos semejantes a los perceptibles en las líneas copiadas.

Algunas de las imágenes subrayadas en las prosas de *Illuminations* suenan a Juan Ramón y tal vez las anotó al reconocerlas, notando el parentesco con las propias; así en «Phrases»: «Pendant que les fonds publics s'écoulent en fêtes de fraternité, il sonne une cloche de feu rose dans les nuages.» O en «Enfance»: «Des fleurs magiques bourdonnaient. Les talus berçaient [...]. Les nuées s'amassaient sur la haute mer faite d'une éternité des chaudes larmes.»

Son doce los fragmentos en prosa de *Illuminations* y *Une saison en enfer* acotados por Juan Ramón y no pienso comentarlos todos. Tanto más cuanto la semejanza entre ellos y ciertas páginas de nuestro poeta es fundamentalmente de tono. Lo que él encuentra en Rimbaud es la agudeza e incisividad del trazo, rapidez y concisión, la elipsis y la abreviatura que le permiten decir muchas cosas con una mera insinuación, con un ademán.

¿No le sirvió Rimbaud como ejemplo para despojarse del sentimentalismo, del emocionalismo excesivo que tanto afecta sus primeros versos y hace casi insoportable la lectura de *Rimas?* Rimbaud fue para él un ejercicio de ascesis y en algún caso (pienso en «Le dormeur du val») le sugirió la posibilidad de mostrar la muerte como espectáculo natural, según allí aparece. Para terminar, citaré otro párrafo rimbaudiano subrayado por Juan Ramón, pues en él atisbó un nuevo ejemplo de «reconocimiento», de identidad y fraternidad entre ambos líricos. Está en «Adieu», el fragmento final de la *Saison,* y dice así: «J'ai essayé d'inventer de nouvelles fleurs, de nouveaux astres, de nouvelles chairs, de nouvelles langues. J'ai cru acquérir des pouvoirs surnaturels.» ¿Y no fue esa la creencia de quien, en la hora penúltima, creyó haber logrado un dios por la poesía, inventado un dios por la poesía? Y, como el francés, acabó sintiéndose frustrado, incapaz de expresar adecuadamente tanta riqueza como le aportaban imaginación y recuerdos.

Si la similitud con Rimbaud parecerá a algunos un tanto difícil de aceptar por la divergencia de caracteres y destinos, no creo que para nadie ofrezca duda la coincidencia de actitudes, en muchos aspectos, entre Mallarmé y Juan Ramón. Igual vocación por el trabajo arduo y exigente; idéntico ardor por conseguir lo delicado y perfecto; análoga voluntad de escribir para «la inmensa minoría», y el mismo amor, con absoluta entrega, a la tarea creadora. No, no es con Valéry, tan cerebral, con quien había de emparejarse a Jiménez, su antípoda, sino con el delicado y genuino autor de *Igitur,* el poeta de las experiencias y el sentimiento; riguroso sí, pero con emanación, según decía nuestro amigo.

Falta espacio para esbozar un paralelo entre la obra de uno y otro, pero permítaseme al menos, en este lugar, anticipándome a lo que en otra ocasión desearía exponer con más calma, que en la prosa de Mallarmé advierto el amor a lo personal, al giro único, a la ruptura del lugar común que constituye una de las características más evidentes del Juan Ramón de las prosas tardías y especialmente de las siluetas de *Españoles de tres mundos.*

Mallarmé escribió, entre otras prosas, las reunidas bajo el título

«Quelques médaillons et portraits en pied»; textos diversos en intención, extensión y carácter, desde la relativamente larga conferencia sobre Villiers de l'Isle-Adam o el discurso pronunciado en el cementerio de Batignolles con ocasión del entierro de Verlaine, hasta los breves fragmentos dedicados a Laurent Tailhade, Edgar Poe, Whistler, Edouard Manet y Berthe Morisot. Siendo diferentes de los retratos trazados por Jiménez, tienen de común con ellos el prestigio de la forma, la densidad y elegancia del estilo y la continuidad imaginística. Mallarmé, como el autor de *Platero*, veía en imágenes, y como él sabía expresarlas con resplandor peculiar, adjetivando de modo inesperado y exacto, poniendo en las palabras de siempre algo insólito y distinto.

Cuando hablo de influencia entre escritores de esta talla quiero decir que unos y otros pertenecen a la misma línea, son miembros de una familia de espíritus para quienes la obra de arte es expresión rigorosa y perfecta de lo suyo más entrañable. Sutiles pero claras, las relaciones Rimbaud-Juan Ramón y Mallarmé-Juan Ramón esperan el estudio minucioso que de momento no puedo ni esbozar.

LA PINTURA

Guillermo Díaz-Plaja señaló que el modernismo español «tiene una fuerte impronta pictórica —la del impresionismo—»[5], y, aunque los paralelos entre obras realizadas con tan distintos medios como son la línea y el color, por una parte, y la palabra, por otra, deben tomarse siempre con suma cautela, pues aplicados a ellas los mismos términos no significan lo mismo, la observación es acertada. La prosa última de Juan Ramón está ciertamente construida mediante acumulación de rasgos y pinceladas que sumados, vistos en conjunto, producen la impresión de constituir sólida y bien trabada unidad.

Escribió *Españoles* como una serie de retratos, y dentro de ella cada silueta está compuesta por superposición de fragmentos. Semejante técnica, en pintura, se parecería más a la seguida por el cubismo que a la del impresionismo. Querían los cubistas descomponer el objeto en esos fragmentos para analizarlos por separado e incorporarlos luego al total, integrándolos en él después de haberles restituido su novedad, su carácter auroral.

Al comentar la página dedicada a Bécquer destaqué su valor plástico. Encontramos al poeta echándose literalmente en la nube de su pasión y no cuesta trabajo imaginarse una visión pictórica de la imagen en donde lo literal y lo simbólico aparezcan traducidos y visualizados. ¿Acaso no vemos a Bécquer luchando con el huracán y sujetando precariamente el sombrero de copa, para impedir su vuelo, mientras el vien-

___

[5] En *Modernismo frente a Noventa y Ocho* y en *El poema en prosa en España*, Barcelona, Gustavo Gili, 1956, pág. 22.

to le arrebata la capa y le fuerza a inclinarse? Otros ejemplos pudiera citar, pero el asunto es tan claro que no necesita mayores comprobaciones. Son numerosos los fragmentos de este tipo, las páginas donde lo escrito parece una descripción de algún documento gráfico, dibujo o grabado que pasa literalmente a la prosa sin perder su acento originario. Juan Ramón, no lo olvidemos, en la frontera entre adolescencia y juventud sintió inclinación a la pintura, y esa afición tardó en abandonarle. Todavía en 1926 trazó, en la estación del Norte, de Madrid, un pequeño apunte de Berta Singerman, que marchaba de España, y el esbozo no carece de gracia.

No; no es extraño que Juan Ramón Jiménez, durante años, utilizara el retrato literario. Con distinto instrumento, continuaba algo iniciado muy pronto. Y los resultados fueron admirables. La extensa galería lograda por el poeta constituye uno de los libros más originales y atrayentes de la literatura española contemporánea.

[Prólogo a la edición de *Españoles de tres mundos*, Madrid, Afrodisio Aguado, 1960].

ARTURO DEL VILLAR

JUAN RAMÓN JIMÉNEZ, CRÍTICO LITERARIO

Juan Ramón Jiménez acaba de ser redescubierto en España; no de otra forma se puede calificar el reciente interés por su obra, traducido en la publicación de varios ensayos, antologías y estudios críticos. El gran ausente de ciertas antologías vuelve a ser el gran poeta de siempre, el maestro querido y respetado en la España de la preguerra, maestro de maestros, puesto que lo fue de toda la generación del 27, y así lo han reconocido sus componentes; baste citar como ejemplo unas palabras de Rafael Alberti en su libro de memorias: «Jamás poeta español iba a ser más querido y escuchado por toda la rutilante generación de poetas, segura del fresco manantial donde abrevaba y la estrella guiadora que se le ofrecía.»[1].

Sin embargo, hay una faceta muy interesante y desatendida por los estudiosos del premio Nobel de 1956: la de crítico literario. Se ha analizado sobre todo su poesía, como es lógico, y hay un buen comentario en torno a su prosa poética[2] e incluso a su pintura[3], pero acerca de su tarea crítica son escasos los trabajos bibliográficos existentes, hasta el punto de que prácticamente se reducen a los prólogos de los libros en que se ha recogido hasta ahora[4]. Estas notas intentan llamar la atención sobre esa faceta, claro está que sin pretender abarcar un tema tan

---

[1] Rafael ALBERTI: *La arboleda perdida*, Buenos Aires, Fabril Editora, 1959, páginas 209 y ss.

[2] Michael P. PREDMORE: *La obra en prosa de Juan Ramón Jiménez*, Madrid, Biblioteca Románica Hispánica, Ed. Gredos, 1966, 270 págs.

[3] Angel CRESPO: *Juan Ramón Jiménez y la pintura*, Uprex, Editorial Universitaria, Universidad de Puerto Rico, impreso en Barcelona, 1974; 300 páginas, con 32 ilustraciones.

[4] La obra crítica de Juan Ramón Jiménez está recogida hasta ahora en: *Españoles de tres mundos* (caricaturas líricas), Losada, Buenos Aires, 1942 (ampliada y con un estudio preliminar de R. Gullón, Madrid, Aguilar, 1969); *La corriente infinita* (crítica y evocación), prólogo de F. Garfias, Madrid, Aguilar, 1961; *El trabajo gustoso* (conferencias), prólogo de F. Garfias, México, Aguilar, 1962, y *Estética y ética estética* (crítica y complemento), prólogo de F. Garfias, Madrid, Aguilar, 1967.

amplio que necesita todo un libro para situarlo en su punto; basta por el momento una aproximación limitada a lo permisible en una revista. Por otra parte, y dada la manía casi patológica de corregir sin cesar todos sus escritos que caracterizó a Juan Ramón, es preciso realizar una amplia investigación de los artículos publicados por él en diarios y revistas y de las modificaciones sucesivas que introdujo en ellos. Además, quedan aún varios textos inéditos (he podido leer algunos gracias a la amabilidad de Francisco Hernández-Pinzón y Jiménez, sobrino del poeta y el mejor conocedor de su obra) y otros andan ignorados o poco menos en páginas de periódicos difíciles de hallar.

Sabemos, por sus propias confesiones, muy reiteradas, que Juan Ramón Jiménez valoraba en igual alcance su labor poética y crítica. La verdad es que siempre intentó ordenar su obra completa con equilibrio entre poesía y prosa, y dentro de esa segunda sección destacaba la crítica. Hay un hecho histórico que demuestra su interés parigual por la poesía y la crítica, y es que comenzó casi al mismo tiempo a enviar colaboraciones de versos y de críticas a las revistas andaluzas en 1899, eran revistas que no solían ir más lejos del ámbito provincial o regional como mucho, y por eso y porque los escritos de un adolescente de diecisiete años (como es bien sabido, el poeta nació en Moguer, provincia de Huelva, el 23 de diciembre de 1881) no son de gran interés, se ha descuidado la búsqueda de las primeras publicaciones firmadas por Juan R. Jiménez, pues así es como firmó hasta 1913, y sólo en la primera edición abreviada de *Platero y yo* aparece su doble nombre.

Varias veces evocó el poeta aquellos iniciales intentos de expresión en verso y prosa; así sabemos que colaboraba en los periódicos literarios *El Programa, Hojas Sueltas* y *La Quincena,* de Sevilla, y en *Noche y Día,* de Málaga; cuando se animó a enviar unos poemas a *Vida Nueva,* de Madrid, se los aceptaron y fueron el motivo de que le escribiera Francisco Villaespesa azuzándole a ir a Madrid: le remitió una tarjeta postal que firmaba también Rubén Darío. En la primavera de 1900, un Viernes Santo lluvioso y triste, llegó a Madrid con un libro que titulaba *Nubes* en la maleta. Villaespesa fue su compañero inseparable, pero su carácter era muy distinto al del poeta moguereño adolescente, por lo que en cuanto Rubén se marchó a París él regresó a su pueblo.

En la colección «Lux» aparecieron en 1900 dos libros abundantemente modernistas: *Ninfeas,* de Juan Ramón Jiménez, y *La copa del rey de Thule,* de Francisco Villaespesa; no nos detendremos ahora en el primero, sino en el segundo[5], porque Juan Ramón escribió sobre él un

---

[5] Francisco VILLAESPESA: *La copa del rey de Thule,* Madrid, Col. Lux, Est. Tip. «El Trabajo», a cargo de H. Sevilla, calle Guzmán el Bueno, número 10, 1900; 64 págs. El ejemplar conservado en la biblioteca particular de Juan Ramón Jiménez, en la Casa Municipal de Cultura «Zenobia y Juan Ramón», en Moguer, tiene esta dedicatoria autógrafa: «Para mi único amigo, para mi único poeta, Juan Ramón Jiménez, con el cariño entrañable de su hermano, Paco» (rubricado). Agradezco estos datos a don Francisco Pérez-Serrano, director de la Casa Municipal de Cultura.

largo comentario que envió a *Noche y Día,* la malagueña «revista semanal ilustrada», en donde colaboraban autores entonces jóvenes junto a otros consagrados: tanto le gustó al autor de los versos, que lo puso como prólogo al reeditar ese libro junto con *La musa enferma* en un solo volumen (Madrid, 1910). Es destacable la defensa que hace el crítico de dieciocho años del modernismo y del simbolismo, con la particularidad de que se refiere al simbolismo de San Juan de la Cruz como antecedente de la escuela francesa contemporánea, lo mismo que haría en sus conferencias sobre el modernismo en sus últimos años.

CÓMO QUERÍA LA CRÍTICA

Veamos sus opiniones en torno a la crítica de poesía: «La crítica rutinaria penetrará en el libro, a caza de imperfecciones que ridiculizar... Es imbécil la crítica especulativa que entra en un libro en busca de una frase o una palabra impropias, y más imbécil aún negar a un poeta —como lo hace Valbuena— porque éste se equivoque en la aplicación de un adjetivo... Desgraciadamente, la obra del poeta no se juzga en el estado de exaltación en que él la escribió, sino con un análisis frío, perfectamente cerebral...; ésta será siempre la mayor adversidad del soñador. Cierto es que no se ha de exigir al que lee toda la fiebre del que crea, pues a más de que no son uno todos los caracteres, a aquellos que fuesen análogos no podrá pedirse el arrebato en un momento determinado. Pero ya que esto es imposible, bien pudiera el crítico elevarse y juzgar la obra desde un punto universal, contemplándola en el terreno que le corresponda y no desde el suyo siempre... Habría que compenetrarse con el poeta en una fusión de almas. Sólo así resbalaría ante los ojos la inspiración tallada, cual un cuerpo vago, pero completo, como una obra entera. De otro modo se destroza la obra y se hace más bien crítica formal que absoluta»[6].

Pues bien; así iba a ser la crítica de Juan Ramón Jiménez, en efecto, no sólo respecto a ese libro, sino a lo largo de toda su vida. Se diría que su comentario a *La copa del rey de Thule* está pensado más como defensa del modernismo que del libro en sí; Rubén Darío y el modernismo eran entonces objeto de las burlas o el desprecio de los césares críticos. Juan Ramón admiró siempre al genial nicaragüense, que trajo un aire nuevo a la poesía española, pero se apartó de Villaespesa casi en el momento de redactar ese comentario; cuando en 1936 publicó en el diario madrileño *El Sol* un «Recuerdo al primer Villaespesa», con motivo de su muerte, sólo pudo rememorar aquel año de 1900 en que se conocieron; la amistad fue breve, y la admiración por sus versos, más breve aún.

Lo que solicita del crítico en su comentario, esto es, salir de su frío

---

[6] Se publica esta crítica en *Libros de prosa,* I, Aguilar, Madrid, 1969, pág. 207 y siguientes, pero hay que fecharla en 1900.

terreno de observador y elevarse hasta un punto universal para juzgar la obra es lo que él hizo siempre que se ocupó de un libro, y quizá por ello lo valoraron tanto en su época. Estrictas críticas literarias a un libro concreto estuvo publicando con asiduidad en la revista *Helios* (mensual, abril de 1903 a mayo de 1904), por ejemplo: Juan Ramón comentó en sus páginas *Peregrinaciones*, de Rubén Darío (en el número 1); *Corte de amor*, de Ramón del Valle-Inclán, y *Odios*, de Ramón Sánchez Díaz (numero 2); *Canciones de la tarde*, de J. Sánchez Rodríguez (numero 3); *Antonio Azorín*, de J. Martínez Ruiz (número 4); *Jardín umbrío*, de Valle-Inclán (número 5); *El éxodo y las flores del camino*, de Amado Nervo (número 7), y *Valle de lágrimas*, de Rafael Leyda (número 8); también dio en sus páginas un largo artículo sobre «Pablo Verlaine y su novia de luna» (número 7), que es en realidad una crítica general a sus poemas. En la revista *Renacimiento* (enero a diciembre de 1907) escribió «Sobre la obra de Rubén Darío» (número IV) y sobre *La casa de la primavera*, de Gregorio Martínez Sierra (número X). Parecen bastantes ejemplos.

Libros de prosa y de verso, de españoles y de hispanoamericanos (con atención especial a la obra de Verlaine, una de sus admiraciones constantes), despertaron en Juan Ramón Jiménez esa comunión con el texto necesaria para que escribiera sobre él; es verdad que algunos de esos libros y de esos autores no nos interesan hoy en absoluto; pero el crítico juzgaba desde su momento y acerca de un libro, quizá confiando demasiado en el porvenir de su autor. Por otra parte, en la reseña anterior se ha tenido en consideración la tarea crítica en dos revistas importantes nada más, olvidando voluntariamente otras reseñas por no poder intentar siquiera una mención exhaustiva (por ejemplo, en 1903 publicó en *El País* una crítica a las *Soledades*, de Antonio Machado, acertando por entero en la valoración del nuevo poeta que entonces se estrenaba).

«CON LA INMENSA MINORÍA»

Años después, en *El Sol*, y bajo la rúbrica común de su sección «Con la inmensa minoría», comentó en 1935 y 1936 diversos libros: el segundo *Cántico*, de Jorge Guillén; *Salón sin muros*, de Moreno Villa; *Poesías completas*, de Juan José Domenchina; *Poesías completas*, de Antonio Machado, y *La realidad y el deseo*, de Luis Cernuda. Era capaz de aislar sus propios gustos poéticos de la calidad estética en sí misma, y por eso alabó el libro de Cernuda, dicho sea como muestra, a pesar de que le molestaba el peculiar erotismo del sevillano. Juan Guerrero, su secretario oficioso, anota que le dijo que «en el libro hay páginas que son una vergüenza»[7]. Asimismo, estaba enfadado con Guillén desde hacia tres años, pero le interesaba su obra. Estas señales de indepen-

---

[7] Juan GUERRERO RUIZ: *Juan Ramón de viva voz*, Madrid, Ed. Ínsula, 1961, página 456.

dencia, buen gusto y seriedad son tanto más destacables cuanto que la crítica en nuestro país suele ser ahora, como entonces, una coral de capillita o partido más o menos político.

Interesa hacer notar que Juan Ramón no era un crítico cerebral capaz de someter sus especulaciones a un rigor cerebral absoluto. El poeta era un intuitivo receptivo, acostumbrado desde muy joven a tamizar con cuidado sus impresiones e ideas, sometidas a una lógica implacable: la de su innato buen gusto. Narraba a su manera la impresión obtenida de una lectura, sencillamente, sin erudición ni academicismos. Pero gracias a esas cualidades precisamente conseguía retratar el contenido del libro en cuestión, para que los lectores de su crítica se formasen una cabal idea de cómo era. Sigamos con los ejemplos y sirva este párrafo sobre *La realidad y el deseo:* «Todo el libro, por graves, melancólicos, heroicos que sean o quieran ser los temas, nos trae una sensación de adolescencia. La inspiración de Luis Cernuda es un Adonis errante entre ruinas clásicas, que toman por el suelo todas las formas de la ilusión, hundidas con abril eterno en prados de verde florido»; como los protagonistas de muchos poemas cernudianos son adolescentes, dice que el libro adopta un aire primaveral, lo que él llama sensación de adolescencia en frase discutible, pero gráfica; contrapone las ruinas clásicas por las que vaga el Adonis (la realidad) a las formas de la ilusión que toman (el deseo), y todo el comentario destaca el dualismo característico del libro. A la vez que clasificaba externamente su contenido poético, lo definía internamente por medio de una sugestión psíquica que aborda al lector del comentario sin que él lo advierta. Y como quiera que *La realidad y el deseo* es un poemario ambivalente en ciertas manifestaciones de la conducta del autor, dual desde el título, el crítico se lo da a entender al lector así, por medio de dobles frases y ambigüedades.

Las «caricaturas líricas» que componen su libro *Españoles de tres mundos* (viejo mundo, nuevo mundo, otro mundo) constituyen otra modalidad de su crítica (ahora sólo nos interesan los retratos de escritores). Comenzaron a aparecer en la prensa madrileña en 1924, bajo distintas rúbricas anunciadoras de las varias series imaginadas para el libro total que nunca pudo terminar (en el prólogo a la edición argentina de 1924 se indica que esa colección es una tercera parte del conjunto). Tanto estos retratos como los ensayos breves que dedicó a otros escritores (el ya citado sobre Villaespesa, sobre Valle-Inclán, Fernando Villalón, Ortega y Gasset, etc.) vienen a ser capítulos de una posible historia crítica de la literatura hispánica modernista. Él anunció en más de una ocasión un libro que se titularía *El siglo modernista,* nunca realizado por los achaques de la enfermedad, el trabajo cotidiano y la incesante corrección de toda la obra publicada o inédita. El volumen que ha impreso Aguilar con el título de *El modernismo* no fue escrito por el poeta, sino que recoge las notas de un curso dictado en el Recinto Universitario de Río Piedras (Puerto Rico) en 1953.

Las clases universitarias en Miami, Duke, Maryland y Río Piedras, así como una serie de lecturas radiofónicas que le propusieron en 1942 en Washington con el nombre general de «Alerta», y que no llegaron a transmitirse, aunque muchas quedaron escritas, tienen como tema el modernismo. Lo entendía Juan Ramón más que como una escuela literaria, como un amplio movimiento comprendedor de posturas literarias, estéticas, científicas, sociales, políticas y religiosas. En su opinión, el siglo XX es el siglo modernista, como el XIX es el romántico o el XVII el barroco; así, la escuela de Rubén sería una parte del modernismo, igual que el simbolismo o el superrealismo. Dentro de esta generalización hay que colocar sus artículos sobre escritores contemporáneos y las «caricaturas líricas». A su modo de ver, los orígenes remotos del modernismo se hallan en San Juan de la Cruz y en Bécquer, y el primer poeta modernista español es Unamuno. La revalorización de Bécquer salió de casa de Juan Ramón Jiménez, y la alentaron los poetas de la generación del 27, sobre todo al conmemorar en 1936 el centenario de su nacimiento. (Entre paréntesis: se da el nombre de generación del 27 a los poetas que celebraron en 1927 el tercer centenario de la muerte de Góngora, uno de los poetas peor entendidos de toda nuestra historia: Alberti, Cernuda, Lorca, Diego, etc., consiguieron librarle de trescientos años de incomprensiones; pero ya en el primer número de *Helios* se había iniciado una encuesta sobre él, continuada en los siguientes, y Juan Ramón solía citarle admirativamente, por más que el barroquismo en sentido lato no le gustase.)

CARACTERES DE SU CRÍTICA

Los comentarios críticos de Juan Ramón Jiménez, sean las notas sobre un libro determinado o las «caricaturas líricas» y los artículos extensos, nunca son eruditos, ni sus clases universitarias resultaban académicas. Se apoyó en primer lugar sobre su gusto personal, y después, en su experiencia poética y en su conocimiento directo de muchas de las personas estudiadas. De haberle sido posible ordenar su archivo de cartas, noticias y recortes periodísticos tendríamos hoy impreso el más brillante capítulo de la historia literaria contemporánea. El fervor de su sobrino Francisco Hernández-Pinzón y de sus estudiosos Francisco Garfias, Ricardo Gullón y otros intenta suplir esa falta ordenando y publicando sus textos.

Sería inútil buscar en sus críticas referencias exactas sobre ediciones, bibliografías, etc. Ni siquiera se le ocurrirá por lo general decir qué estrofas emplea un poeta en el libro comentado; lo que a él le importaba era dar a entender a su lector u oyente el tono lírico del libro o las características del poeta, mediante un acercamiento estético y estilístico no profesoral. Carecería de sentido discutir si este método es mejor o peor que el erudito; sencillamente se trata de dos métodos diferentes que serán válidos si consiguen obtener buenos resultados en su misión informativa; en el caso de Juan Ramón se logra siempre, y eso es lo que nos afecta.

Dijo lo que pensaba como lector y nada más; pero al tener un espíritu crítico formidable, captador de conciencias y de silencios más allá de la letra impresa, acertó en sus opiniones e incluso se adelantó al criterio actual. Su severidad en ciertos juicios estimativos nacía de la autoexigencia a que se sometió toda la vida para huir de lo fácil y lo falso. Los poetas jóvenes en los años veinte, a los que animó y encauzó, Salinas (le editó su primer libro, *Presagios*), Guillén, Alberti, García Lorca, Aleixandre, Altolaguirre, etc., constituyen hoy nombres de peso profundo en nuestra lírica, lo que demuestra que no se equivocó, demostrando confianza en personas que nada significan ya; debemos pensar, sin embargo, que fue debido a un exceso de confianza en las dotes de escritores que las malgastaron o las comercializaron. Cuando creyó que se había confundido en una estimación, lo declaró públicamente, como en la carta abierta dirigida a Pablo Neruda en la revista *Repertorio Americano*, de Costa Rica, en 1942, en la que confiesa: «Mi larga estancia actual en las Américas me ha hecho ver de otro modo muchas cosas de América y de España (ya lo indiqué en la revista *Universidad de la Habana*), entre ellas la poesía de usted», y explica a continuación cómo la entiende. Al imprimirse la primera edición de *Españoles* no mantenía amistad, sino todo lo contrario, con algunas de las personas incluidas, y a pesar de ello no alteró los retratos escritos cuando eran amigos, prueba de nobleza y de rigor.

Tanto las «caricaturas líricas» como los recuerdos de escritores amigos o admirados a los que dedicó ensayos breves (o artículos largos, como se prefiera), pasaron por el tamiz de la cosmovisión personal de la época, el siglo modernista. El entorno de los protagonistas se repite en cada caso con modulaciones apenas variadas, lo que da una cierta unidad a toda la serie. Puesto que Juan Ramón Jiménez admitía la obra como una sucesión no interrumpida (llamaba a la suya obra en marcha hacia la obra), atendió a ciertos libros fundamentales de cada escritor en vez de abarcarlos todos: su buena memoria y la intuición aclaraban en seguida material tan abundante de estudio.

Precisamente esta característica definitoria de su estilo retratístico ha motivado que algunos comentaristas traten a *Españoles* de libro de prosa poética, semejante a *Platero y yo;* la adjetivación de «caricaturas líricas» induce a pensarlo, y además para su autor no existían otras diferencias entre la prosa y el verso que la disposición formal, hasta el punto de que en sus últimos años, en Puerto Rico, intentó poner en prosa todo su verso: así nos ha quedado el inmenso poema «Espacio» y mucha obra inédita. Predmore, por no citar más que un ejemplo, manifiesta sobre *Españoles* que «este libro de retratos es su última colección de prosa lírica, consistentemente creadora. Es su obra más inspirada y representa la suma y la culminación de la prosa primitiva»[8]. Es verdad que el libro participa de una clara calidad poética, pero esto ocurre con toda cuanto salió de sus manos, porque Juan Ramón era esencialmente poeta, no hacía falta decirlo. Sin embargo, en las «caricaturas líricas» y en los demás escritos calificadores la visión crítica del autor y la intención estimativa de su obra dominan sobre el simple lirismo descriptivo o intimista, caso de *Platero;* en todo caso, el lirismo es complementario, obediente a la brillantez expresiva, a menudo con neologismos o adjetivos insólitos, y al ritmo[9].

EL IMPRESIONISMO

Las técnicas seguidas para componer los retratos son variadas y suelen relacionarse con el estilo del personaje retratado, como ya se indicó. La capacidad receptiva de Juan Ramón le permitía un curioso mimetismo literario, sin dejar por eso abandonado su estilo personal, apreciable desde luego en todos los escritos. Suele emplear cuatro rasgos impresionistas para dar forma al tipo humano, y otros cuatro para definir su talante intelectual; cuando se trata de caricaturas puede ser que deforme en parte el perfil del modelo, pero a la vez resalta sus rasgos esenciales al exagerarlos.

Todos los comentaristas de los primeros libros juanramonianos están de acuerdo en apuntar el tono impresionista advertible en sus versos. El impresionismo en realidad se desparramó por toda su obra, en verso y en prosa, con las matizaciones lógicas impuestas por el paso del tiempo y el desarrollo de nuevos conceptos estéticos. Si corremos el riesgo de generalizar sobre sus textos de crítica literaria, veremos que acumuló en ellos los detalles accesorios, en vez de ir directo al elemento principal. Su intención era resaltar lo fundamental (la calidad literaria de un escritor, en el supuesto que ahora nos interesa) por medio de notas complementarias. En sus retratos sacó instantáneas sin volúmenes, de rasgos sólo suficientes para hacer comprender al lector quién es y cómo escribe el modelo en cuestión. Procedía de idéntica manera si el comentario venía referido a la aparición de un libro concreto: determinados poemas o motivos líricos de los que integraran sus páginas le despertaban ideas o «sensaciones» que reproducía en inflexiones paralelas a las del modelo. No en balde equiparaba el modernismo literario al impresionismo pictórico, entendiéndolos como unos movimientos estéticos envolventes de todas las tendencias literarias y artísticas de nuestro siglo; y si el modernismo le parecía venir de San Juan de la Cruz, poeta simbolista, pensaba que el impresionismo deriva de El

---

[8] *Ob. cit.*, en la nota 2, pág. 191.
[9] El profesor LÓPEZ ESTRADA analiza los pies métricos de *Platero* en su ensayo *Métrica española del siglo XX,* Madrid, Editorial Gredos, 1969, págs. 61 y ss.; lo mismo podría hacerse de *Españoles.*

Greco. Recordemos que Juan Ramón Jiménez quiso ser pintor antes que otra cosa, y que el encuentro con la poesía se produjo cuando la pésima enseñanza de su maestro le había desengañado y decidido a dejar los pinceles, cosa que no llegó a hacer del todo, aunque los relegase a un segundo término.

Cuando la obra crítica de Juan Ramón Jiménez quede recogida completa y ordenada cronológicamente, labor que aún está lejana, tendremos una excelente historia del modernismo hispánico y de sus relaciones con el estadounidense, ya que su larga permanencia en los Estados Unidos le permitió conocer bien a sus poetas y estudiar su evolución. Será una obra de lectura imprescindible para dominar con exactitud un debatido período de nuestra poesía, el que comprende de 1900 a 1936, la época de los ismos.

Las conferencias leídas en América («Poesía y literatura», «Límites del progreso», «Poesía cerrada y poesía abierta», «El romance, río de la lengua española», etc.) ilustran muy bien el ideario del poeta, tanto en la ética como en la estética, por emplear sus expresiones. Hablan a las claras de su predilección por el romancero castellano y la poesía sencilla, que trataba de inculcar a sus oyentes como la más genuina de España: «Para que un romance moderno, y digo moderno de cualquier época, equivalga a los tradicionales mejores, no es necesario usar el tema consabido propio de la época medieval, con las costumbres de entonces, pero extraño ahora tanto como si fuese foráneo. Debe cantar lo de su época, y desnudo; los temas eternos, el amor, la soledad, la guerra, el olvido, la ausencia, el pesar, la alegría, desnudos y acomodados a nuevas circunstancias. Escribir romances en gola, con la palabrería de una época pasada, con falso acento, a lo entonces, es como vivir hoy en una casa amueblada como en el siglo XIII o como escribir con pluma de ave y tintero cervantino. Este es el error de algunos poetas de esta época, que creen que se es moderno por hablar mucho de aviones, teléfonos, radiadores, bomba atómica, etc.; el invento va supuesto en la escritura, tanto como va supuesto el cuerpo en el alma. Lo que puede parecerse menos al ambiente del Romancero es lo que se quiere acentuar no con lo esencial, sino con sustancia artificial, la del que lo acentúa.»[10].

Hay que mencionar, por último, los aforismos de Juan Ramón Jiménez, que son incontables y sólo se ha publicado una pequeña parte de ellos. Con las más simples críticas posibles, ya que suelen constar de un pensamiento; de ahí que no discurran sobre escritores o libros concretos, por lo general, sino en torno a poesía y literatura sin fronteras (los asuntos ajenos a la literatura no son del caso). Muy a menudo hace autocrítica, opina, discrepa, alaba o sentencia. Por su brevedad conceptual atacan directamente al meollo sin andarse por las ramas, y a veces

---

[10] «El romance, río de la lengua española», conferencia leída en el paraninfo del recinto universitario de Río Piedras, Puerto Rico, el 23 de abril de 1954; incluida en *El trabajo gustoso*, página 158.

toman la forma de sentencias, como este aforismo tomado del octavo cuaderno de *Unidad* (1925), con el que es oportuno poner fin a estas notas: «Para que la poesía sea lo que nosotros queramos, el verso libre, blanco, desnudo; para que sea lo que ella quiere, el consonante, el asonante, la medida y el acento exactos.»

[*La Estafeta literaria*, núm. 562, Madrid, 25 de abril de 1975, págs. 4-7].

JUAN RAMÓN, ESCRITOR EPISTOLAR

En todos los proyectos de obra definitiva de Juan Ramón Jiménez —innumerables y contradictorios— figura el propósito de recoger sus cartas en un volumen o en varios, como interesantísima muestra de un género literario que a él le gustaba cultivar con apasionamiento, sobre todo en ciertas épocas de su vida. Cuando, hacia 1935, se decide a ordenar y publicar toda su obra existente hasta entonces con el título general de *Unidad,* en el plan de ordenación de los libros —veintiún volúmenes—, el penúltimo de ellos, el señalado con la letra F, corresponde a las cartas. Y ya antes, en los cuadernos que editaba para sus amigos, gustaba de intercalar algunas epístolas, a veces con título como si se tratase de un poema. Así, en *Unidad* (1925) publica en el número 1, *Carta a Pedro Salinas* y *Carta a Erns Robert Curtius;* en el número 2, *Seis rosas con silencio (Carta a Paul Valéry);* en el número 3, *Silencio y Normalidad a Mallarmé (Dos cartas a Alfonso Reyes)* y *Cinco minutos más a Mallarmé (Carta a Alfonso Reyes);* en el número 4, *Camoens glorificado (Carta a Juan Guixé);* en el número 5, *Marinero en tierra,* la fragante carta dirigida a Rafael Alberti y que el poeta del Puerto de Santa María colocó al frente de su primer libro; en el número 6, *Alhambra de «mírame bien y tócame bien»,* carta a Teodorico García-Lahorta —¿Federico García Lorca?— y en el número 7, *Divinas palabras* (Carta a Ramón del Valle Inclán). También en el único número de *Obra en marcha* (1928) publica *Poetria* (Carta al Presidente del Ateneo de Sevilla).

En el revuelto mundo de sus papeles inéditos hemos encontrado gran número de borradores de cartas de todo tipo, que indican la preocupación de su autor por conservarlas. A veces son epístolas parciales, escritas confusamente en un trozo de papel cualquiera, trozos de cartas que tal vez no llegaron nunca a su destino o que llegaron de otro modo, suavizadas por un tamiz de última hora, por el cedazo de una sensibilidad posterior, por un atisbo de arrepentimiento, por un latido de amistad o de sentimiento bondadoso. «Un día —escribe— me parece que el ideal de la vida consiste en ser bueno; otro, en ser malo». La temperatura espiritual del autor, el ideal de turno, queda fijado —interesante manera de ir perfilando la compleja psicología del autor— en estas cartas que reflejan, como una tallada piedra viva, las múltiples facetas del «Andaluz universal». «Para mí son las cartas —dirá— un problema, el grande e insoluble problema diario, porque las considero obra bella y honrada (sentimiento y pensamiento), tanto casi, en su grado, como una poesía.»

Juan Ramón fue, durante toda su vida, un extraordinario escritor espistolar. Escritor y lector. En 1941, escribe a Pablo Bilbao Arístegui: «Leemos también mucho, Zenobia y yo, ahora, un libro extraordinario, colección de cartas de hombres y mujeres excepcionales, desde Alejandro, Diógenes, San Pablo, Agripina, San Jerónimo, hasta Madame Curie, Emily Dickinson, etc.; pasando por Keats, Beethoven, Poe, etc. Hay una carta maravillosa de Eloísa a Abelardo, de Miguel Angel, de Leonardo. Una fuente de hermosura».

Una fuente de hermosura son las suyas propias, y un inapreciable documento de vida y época. Pero ¿cómo y cuándo escribía Juan Ramón estas epístolas? Él mismo nos dirá: «He aquí cartas que he escrito impulsadamente en un tranvía, en un palco, en una librería, en un tren, en el campo, y que luego otros sucesos han dejado atrás en sus borradores, o que no he tenido ganas de copiar o de las que me he arrepentido momentáneamente». En otra nota nos dice: «Pocas veces me he puesto en mi mesa a contestar una carta. Mis respuestas me han venido como poemas, a su gusto y en su instante. Así, casi siempre las he puesto a lápiz, en lo que he tenido a mano en el momento y en el lugar de la sorpresa: el tren, el campo, la calle, una antesala, un sobre, un proyecto, un trozo de periódico... Siempre, claro está, con el firme propósito de copiar la carta al llegar a casa y mandarla a su destino. Luego, otra noticia, una carta nueva, otro ritmo, otra luz, tal obligación, determinado humor, el éxtasis o el dinamismo de los días, las dejaron en su provisionalidad para siempre.» Y aún añade en una tercera nota: «Me gustaría ver tantas escritas en la juventud a tantas personas esparcidas por el mundo, olvidadas en absoluto, relativamente, o muertas. Ninguna vanidad me mueve al publicar estas cartas. Es que en mí, cualquier relación —sobre todo escrita— ha tomado siempre en el acto carácter lírico o filosófico. El publicar estas cartas —o el deseo de ver las que no conservo— es sólo para ayudarme a vivir —o a morir—, especialmente.»

Creemos que las cartas son siempre de quien las escribe y las palabras de quienes las pronuncian, aunque de otros sean las consecuencias. Esto pensaría Juan Ramón al no querer separarse del todo de lo que le pertenecía intelectual y casi físicamente. A través de sus evoluciones, de sus experiencias, de su modo de sentir o de hacer en cada época, permaneció viva, inmutable, ese ansia suya de salvar su obra, depurándola día tras día, recreación o revisión en la que entraba, lógicamente, el género epistolar. Los manuscritos aparecen corregidos, con tachaduras o arrepentimientos súbitos, enjoyados con nueva adjetivación, con maduras frases superpuestas, enriquecidos por esa pasión movediza, plural e insatisfecha del poeta. Sólo aquellas cartas que fueron publicadas por Juan Ramón en su vida pueden considerarse como definitivas. Las otras son sólo aproximaciones de la carta ideal —el poema ideal, la prosa ideal, La Obra, en suma— que él hubiera querido y podido escribir.

Los estilos de estas cartas abarcan todos los estilos juanramonianos. Desde el sencillo y espontáneo hasta el barroco y difícil. Téngase en cuenta que las primeras entre las encontradas vienen de 1898, de los diecisiete años del poeta, y las últimas conocidas proceden de un Juan Ramón cansado, nostálgico de todo, de vuelta ya de brillos y entusiasmos. Entre estos dos paréntesis, están todos sus instantes líricos y humanos: el joven romántico, el lunático modernista, el descubridor de un mundo poético, el seguro de sí mismo, el exigente implacable, el anciano transido de dolor y desesperanza... De cada uno de estos instantes —que jalonan una vida de entrega total— nos llega la carta representativa, que es como decir el latido de vida justo, la medida humana necesaria. Y, en correspondencia sucesiva, la carta de turno puede ser de índole y estilo muy diferente, «sencillo, barroco, realista, alto, oblicuo, ladeado, caído», como el mismo Juan Ramón dijera de sus retratos líricos. A través de estas cartas —y sin intervención de biógrafo o crítico más o menos apasionado— se va clareando el círculo biográfico, el cúmulo de humildad y engreimiento, de pasión y clarividencia, de altivez y renunciamiento, que fue la vida del poeta de Moguer, y la inutilidad de juzgarlo, entenderlo o medirlo desde una sola de estas facetas limitadas. El mismo Juan Ramón que escribe a Antonio Machado con una nobleza y honradez conmovedora, enviándole libros desde Moguer, es el que años más tarde, corta, rápido, la amistad nobilísima con unas líneas altaneras y escalofriantes. La misma mano que le envía a Jorge Guillén el regalo de cien ejemplares primorosos de sus romances marinos, como presente de Navidad, es la que escribe el telegrama frío, histórico ya, en el que le retira «trabajo y amistad». Y el mismo corazón tantas veces esquinado, duro, implacable, es el que dicta la emocionada carta a Isabel García Lorca sobre Granada, o el que mueve los espirituales párrafos de las hermosas cartas a Pablo Bilbao Arístegui. No hay verdad ni mentira, no hay sombra y luz. Hay, sencillamente, humanidad, vida entregada hora tras hora, día tras día, año tras año, en una desordenada, impar, creciente sinceridad de hombre.

Entre los papeles íntimos del poeta encontramos varios proyectos, ligeramente abocetados, sobre la publicación de las cartas. En uno habla de publicar «cartas generales». En otro, de «cartas de primer impulso (que no llegué a mandar a su destino)». En un papel aparte hace una serie de clasificaciones: «Cartas de temas emotivos», «privadas generales», «de amor mías», «a Zenobia y su madre»... No hay, pues, unidad de intención y sería muy difícil dar hoy con el orden definitivo y exacto en que su autor las hubiese publicado. Algunas de estas cartas herirían hoy susceptibilidades de personas vivas o memorias de muertos célebres, aunque en todas ellas exista, como contrapeso a la mordacidad o el ensañamiento instantáneo, una sinceridad desconcertante, una valentía en el ataque realmente extraordinario. Ya él mismo nos explica: «Nunca he atacado a nadie más que respondiendo. Esto se puede comprobar por las fechas». Y en otra ocasión: «Yo soy de los que hablan claro y de frente; de los que quieren y pueden que todos lo entiendan bien».

De 1898 a 1915, aproximadamente, nos llegan cartas que corresponden a su estilo de escritor hasta la publicación del *Diario de un poeta recién casado,* es decir, al joven romántico y modernista, al poeta que se siente discípulo de Rubén Darío, al muchacho que lee a Verlaine y a Baudelaire y que lucha denodadamente por encontrarse a sí mismo. Hacia el final se advierte un estilo epistolar más fluido y sincero. Es el momento en que Juan Ramón tropieza con el amor verdadero —Zenobia— y con la belleza natural y permanente —su Obra—...

Otro capítulo —el más entrañable quizá— podría incluir cartas familiares. Casi todas ellas van dirigidas a su madre y a su hermano Eustaquio, a quienes solía escribir siempre el mismo día y en el mismo sobre. Unas veces la carta fundamental es a su madre y a ésta sigue otra, más breve, dedicada al hermano. En algunos casos —los menos— la epístola principal va dirigida a Eustaquio y las líneas dedicadas a «mamá Pura» van a continuación. Todas estas cartas, según costumbre generalizada de la época, van si fechar aunque abarcan el tiempo comprendido entre el año 1913 y 1921, aproximadamente. Hay otras dirigidas a sus hermanas Ignacia y Victoria; a sus sobrinos Enrique Gutiérrez —hijo de Ignacia— y Francisco Hernández-Pinzón, hijo de Victoria.

Otro grupo lo forman las cartas escritas en Madrid desde 1915 hasta 1936, año en que sale de España. Este es el apartado de mayor interés literario, ya que en él se pueden estudiar las distintas polémicas literarias en que Juan Ramón tomó parte, o de las que fue protagonista casi absoluto: «cartas abiertas» a Luis Bello, el «caso Guillén», los desacuerdos con José Bergamín, etc. Son las cartas más incisivas y mordientes, en correspondencia a las prosas publicadas en estos años. Es el Juan Ramón aislado y altivo, el que escribe a sus vecinos agudas cartas en defensa del silencio alto y hondo en el que se ha instalado como en una torre. Y es que esta norma de apartamiento, exagerada tal vez en algún instante, le fomenta la suspicacia, una atroz exigencia para los demás y para él, una dura intransigencia inflexible como reacción contra la vulgaridad.

El cuarto apartado podría corresponder a las cartas escritas en América desde 1936 en adelante; cartas, en general, más reconciliadoras y serenas y, desde luego, no menos hermosas. Por sobre este epistolario flota, como un perfume, la permanente emoción de la nostalgia. Todo, en el poeta, se va suavizando, hasta hacerse más humano y doliente. «En la ausencia y en la naturaleza de la ausencia, qué ansia tiene uno de borrar lo pequeño y salvar lo grande», escribe a Gerardo Diego. Y añade: «Sobre todo cuando va uno acercándose a las acciones últimas y quiere dejar una conciencia tranquila fuera y dentro de la tierra». La última carta encontrada, desnuda ya de lujos idiomáticos, está fechada pocos días antes de su muerte. Es la que escribe al Conde de Mayalde, alcalde de Madrid, agradeciéndole que su nombre vaya al frente de un grupo escolar madrileño. Tal vez fueron estas líneas las últimas que el poeta escribió, cerrando con ellas el tiempo lírico de su vida, de una vida gastada, volcada, quemada, en idilio poético permanente.

En estas cartas, como en toda la obra de creación juanramoniana, el poeta intenta definirse literaria y humanamente y se nos ofrece, a través de ellas, como un ejemplo de trabajador incansable, de luchador tenaz. Hasta políticamente intenta definirse en alguna ocasión. «Yo no pertenezco a ningún partido posible», dice. Y en otra ocasión: «Por mi espíritu soy colectivista en lo económico e individualista en lo moral». «Me gusta ser franco y directo y por nada del mundo dejaría de decir lo que pienso». Y, exigente y sincero, aclara: «Desde los treinta años cambié de vanidad y la única que me queda ya es la de ser el mayor arrepentido diario de lo que hago el día antes». Arrepentimientos que le llevarán a desechar proyectos, a cambiar constantemente de ideas, a exigirse cada día más, a soñar con que su obra sea como una piedra tallada a golpe de renunciamientos, «como la estrella, que es un mundo y parece un diamante».

Imprescindible, repetimos, son las cartas del poeta para llegar a entender la personalidad completa de su autor. Late en ellas, desordenadamente, extrañamente, la vida y la obra del «Andaluz universal», quizá como en ninguno de sus libros. Porque aquí está su mundo verdadero, el mundo en el que se movió quien quiso gastarse, vaciarse del todo, antes de que la muerte parara en un punto la «obra en marcha» que fue toda su vida. Antes de que la muerte detuviera para siempre la lucha de poesía y vida que fue la obra gigante del poeta de Moguer.

[Refundición de: «Prólogo» a *Juan Ramón Jiménez. Cartas,* Madrid, Aguilar, 1962.]

V

LA «ÉTICA-ESTÉTICA». EL TRABAJO DE LA OBRA

BERNARDO GICOVATE

POESÍA Y POÉTICA DE JUAN RAMÓN JIMÉNEZ EN SUS PRIMERAS OBRAS

Hablar de una poética juvenil parece ser casi una contradicción, o al menos una paradoja. Al poeta juvenil, no al que es joven en años, sino al que es juvenil en su obra, le falta, por definición casi, la conciencia misma de su función de artista, y canta sin preocuparse por saber la definición de la poesía. Sólo cuando ha alcanzado un triunfo absoluto, o relativo, en el ambiente en el que se desarrolla su obra, se suele detener el poeta a aquilatar, ya el valor de su propia producción, ya la función de su obra o de la poesía en general en una cultura. De esta madura reflexión nace el pensador: la crítica literaria o el pensamiento de teoría estética. Entonces ¿a qué hablar de poética en las primeras obras de Juan Ramón Jiménez? Es que hay aquí un caso de excepción por una parte, y, por la otra, también, al hablar de la poética juvenil de Juan Ramón, se debe entender el término «poética» de una manera quizá un poco distinta.

Lo que hay de excepcional en Juan Ramón es muy fácil de verse. En la mayoría de los poetas de una cultura, la obra se desarrolla sencillamente en una línea ascendente primero hasta llegar a la plenitud, luego descendente en muchos casos; en otros, estable. No así en Juan Ramón Jiménez. El poeta en este caso ha conocido varios cambios y renovaciones en su trayectoria literaria. Hay un poeta de pocos años que avanza de los primeros titubeos a la maestría y el éxito. Pero luego cambia Jiménez su tono y su forma para buscar otra gloria y otra maestría, y se convierte, durante los años de 1907 a 1915, en un poeta distinto, el cual a su vez se esfuerza, allá por 1915, por obtener otra gloria intelectual y otra vida poética.

Sin dejar nunca de ser el mismo, la misma persona, el mismo poeta, puede decirse que en Juan Ramón Jiménez existen varias totalidades poéticas. La primera de ellas se da por completo en los libros publicados entre 1900 y 1907, y, al limitarse a ellos, el crítico puede concebir la existencia de una evolución y una madurez en la que el éxito fructifica en pensamiento y en poética. No sólo se debe este hecho insólito a la precocidad extraordinaria del poeta, sino también a una cualidad excepcional de su mente: la autocrítica, la presencia constante en su vida del pensamiento paralelo y la reflexión sobre lo creado.

En este período que va desde los diecinueve años del autor a los veintiséis, Juan Ramón Jiménez publica relativamente poco, aunque escribe quizá mucho más. Después de los dos libros primerizos, *Almas de violeta y Ninfeas*, de 1900 —por donde andan la decadencia en tintas de colores y la lujuria literaria del modernismo—, publica *Rimas* en 1902, *Arias tristes* en 1903, y en 1904 *Jardines lejanos*. Pertenecen a este período también *Las hojas verdes*, *Olvidanzas* de 1906 —libro publicado en 1909—, las *Baladas de primavera* de 1907 —publicadas en 1910— y las *Pastorales* escritas en 1905, pero publicadas en 1911. Así que, aunque se publican sólo cinco pequeños libros, debemos considerar los otros tres también. Asimismo es éste un período de creación en prosa y de publicación en revistas; pero no nos ocuparemos de todas las actividades del poeta, ya que en su prosa de estos años, la poética, cuando la hay, es sólo cuestión de circunstancias, reflexión de pasada en alguna reseña, y, además, sus ideas en prosa de ese momento parecen muy a menudo eco de pensamiento ajeno, mientras que en su verso ya se perfila la profunda originalidad de su mente. Termina este primer período con la publicación de *Elegías* puras en 1908, libro que, aunque continúa, «sin precipitación y sin descanso», la trayectoria de la poesía de Juan Ramón, ha servido a menudo a la crítica para marcar el advenimiento de una manera distinta, de una visión más compleja, quizá más complicada, más madura posiblemente, en la obra de Jiménez.

Se da por sentado en la crítica de hoy que «si la producción de Juan Ramón Jiménez hubiera cesado entonces, sería en la poesía española algo semejante a Bécquer, un gran lírico, único e insustituible, pero monótono en el sentimiento y en la expresión»[1]. Sin entrar a discutir la monotonía no tan monótona de Bécquer, es necesario admitir, con Federico de Onís, que el mundo poético de Jiménez «se ensancha» más tarde, y por consiguiente será quizá más sencillo deslindar con cierta exactitud el pensamiento que acompaña a estos libros primeros, antes de aventurarse por el mundo más ancho y peligroso de las obras que se suceden rápidamente después de las *Elegías*.

Al mismo tiempo, al circunscribir un período en la obra de Jiménez, se hace necesario averiguar qué concepción del arte informaba los poemas de esta época, que, dicho sea de paso, ha dejado muy poco o casi nada, para el estudio de la poética explícita, al contrario de lo que sucede en los años posteriores. Entonces, se ha de volver a recalcar que el término «poética» ha de usarse aquí en un sentido distinto. No

---

[1] Federico DE ONÍS, *Antología de la poesía española e hispanoamericana* (1882-1932), Madrid, 1934, p. 576.

será ya el examen de los dichos y sentencias teóricas que acompañan a la obra, sino un ahondar en las dificultades de los poemas para tratar de traer a la superficie y a la luz las ideas que Juan Ramón se olvidó de expresar en máximas, y de esta manera obtener una visión de la teórica poética que acompañaba a su producción juvenil. Claro es que esta visión no tendrá la autoridad que se puede alcanzar al estudiar la poética madura de Jiménez, puesto que nos faltará la rúbrica de sus propias palabras en prosa. Podría hallarse, sin embargo, algo de gran valor si fuera posible obtener una visión no contaminada de la necesaria falsedad del pensamiento, casi se diría, profesional, que más tarde deformará a veces la idea. Y también una visión clara de lo que era el pensamiento poético juvenil escondido en la poesía primera de Juan Ramón podría muy bien ayudar a la comprensión de su poesía y de su pensamiento posteriores.

Es muy fácil —y se ha hecho ya repetidas veces— estudiar las debilidades primeras del poeta o las influencias formativas: la gama polícroma del andaluz rubendariano o afrancesado, los anarquismos y las decadencias, con todos los ecos de Zorrilla, Bécquer, Silva, Darío, y los blancos de Claude Monet, las inocencias y las delicuescencias victorhuguescas, verleinianas, samainianas; pero lo difícil es hallar la fortaleza esencial dentro de este florecer, de esa búsqueda diversa de adolescente. Hay algo que se nos ofrece y que a ratos nos parece posible asir, y que nos definiría la personalidad naciente de Juan Ramón Jiménez, ya distinta de lo común en el ambiente circundante, original y, al mismo tiempo, de rancia tradicionalidad española. En el uso de los metros —se ha remarcado ya una vuelta al romance— se destaca esta originalidad inclusive dentro de su retorno a lo tradicional. Ni su romance es el mismo que se halla en muy pocas rimas de Bécquer, ni tiene los lujos del Siglo de Oro. Tiene, eso sí, algo muy personal e indefinible, una musicalidad tenue, cortada a veces, encabalgada aquí y allá, pero siempre con antecedentes en la poesía tradicional medieval y renacentista. Lo mismo podría añadirse acerca de un metro de moda modernista, el del «Nocturno» de Silva, con sus pies de dos, tres o cuatro sílabas y su asonancia, que hereda Juan Ramón y que transforma para darle un aire de romance, una delgadez y finura muy suyas, que lo alejan de las cualidades sinfónicas que presenta el metro en Silva mismo y en sus seguidores hispanoamericanos.

Lo que hace más difícil aún la búsqueda de lo esencial dentro del primer período del poeta es la caprichosa cronología que nos ofrece Jiménez mismo. Hasta se ha hablado de superchería en las fechas [2]. Pero debemos ser un poco más moderados y tratar de comprender por qué las fechas que indica Juan Ramón no coinciden a veces con la fecha sa-

---

[2] «La confusión de textos, que bastantes veces es de sospechar antidatados en varios o muchos años, por motivos que sólo el autor conoce»: Luis CERNUDA, *Estudios sobre poesía española contemporánea*, Madrid, 1957, p. 131.

bida o posible de publicación o composición. Es que el poeta trata de darnos no la cronología externa, sino la historia interna de su evolución. Y cuando un poema capta lo esencial de un momento ya pasado, que nos dé el autor en el título o en la fecha una época distinta de la de composición, no es deseo de desorientarnos. Todo lo contrario: nos afirma en la ruta más segura de su vida interior. Es lo que pasa con un poema poco conocido de *Canción*, publicado en 1936 y, por razones obvias de técnica y de sencillez, escrito, o al menos corregido extensivamente, mucho después de los años que nos toca estudiar. Y, sin embargo, este poema se titula «El adolescente», y es probablemente la mejor síntesis de un estado de alma y de pensamiento de la primera época de su poetizar:

> El alba me sorprende
> buscando entre los lirios
> la huella de tu paso.
>
> (¡Imagen del naciente
> que yerras en los hilos
> del renacer temprano!)
>
> ¿En dónde el blanco tenue
> que luzca en el sol fino,
> por el frescor morado?

Lo que nos dice este poema hasta cierto punto podrá muy bien ser lo que dice un adolescente a la madrugada, al ver la luna tenue casi lucir y desaparecer en el sol, y al desear ese blanco imposible que luzca en el sol. Hasta aquí hay poesía y no poética. Para precisar, la experiencia de un amanecer entre lirios y de un adolescente que busca lo más puro, está aquí descrita en un poema de sutileza y perfección. Pero ignoramos todavía si el adolescente sabe qué significa el escribir un poema; probablemente, Juan Ramón no lo sabía, ya que el título «El adolescente» es indudablemente posterior. En este título nos define el poeta una función de su poesía: la generalización conceptual de una experiencia, una función definidora. Lo mismo sucede en algunos pequeños poemas conocidos con el título de «Adolescencia» que se les da en la *Segunda antolojía poética,* y que en las versiones originales no tenían título. Pero esto, este título definidor, es poética intelectual y madura, la que ha introducido el poeta más tarde, casi por subterfugio, en su obra primera. Habrá entonces que buscar en lo que es realmente de los comienzos, no tanto la confirmación de un pensamiento estético, sino más bien el presagio de esta concepción de la poesía. Para ello, es preciso volver atrás, a la obra misma y aun más, a la obra que leía y admiraba Juan Ramón, para poder precisar cómo se ha formado y desarrollado lo esencial de un pensamiento dominante en la poesía hispánica de nuestro siglo.

Por lo general, durante la juventud, no van los escritores a aprender filosofía o estética a las aulas académicas, y menos aún en este momento de la vida española. La que se suele llamar la Generación del 98 era un poco bohemia. Por lo tanto, para hallar la fuente del pensamiento de Juan Ramón Jiménez habrá que examinar sus lecturas favoritas, es decir, Bécquer y Rubén Darío. De Bécquer todos conocemos y hemos olvidado un pensamiento casi estético que, salido de una intuición poética, preocupó al prosista luego. De «poesía eres tú» quiso luego sacar Bécquer una pequeña teoría de lo femenino en la poesía[3]. Y claro que esta casi estética influyó en Juan Ramón. Pero no como definición de poesía o teoría, sino sólo como actitud vital. Todo lo contrario, Juan Ramón se aparta de esta visión becqueriana y trata de encontrar en Bécquer mismo algo más aproximado a una concepción de la poesía como visión intelectual y casi abstracta, y se dirige probablemente a un poema de Bécquer del que se conservan ecos en su obra misma:

> yo vivo con la vida
> sin formas de la idea.

Esta afirmación de Bécquer se continúa en la mente de Juan Ramón, que se contempla como creador de ideas. Cierto que al principio es solo momentáneamente y quizá en una intuición casi inconsciente, pero se da bien clara esta intuición cuando en un cuarto, a solas, se siente más a gusto que entre los hombres:

> ¡Qué quietas están las cosas
> y qué bien se está con ellas!
> Por todas partes, sus manos
> con nuestras manos se encuentran.
>
> ¡Cuántas discretas caricias,
> qué respeto por la idea;
> cómo miran, estasiadas
> el ensueño que uno sueña![4].

Pero no le es bastante a Juan Ramón el saberse creador de ideas y definidor de experiencias. Además del qué de su arte, su existencia misma y su definición, le hace falta encontrar el valor relativo de la creación poética dentro del pensamiento humano. La concepción del poema como idea sólo iguala la función poética a las otras facultades de ideación, sin establecer jerarquías o singularidades. Aquí, claro es, nos encontramos frente a un problema mucho más difícil de resolver. La decisión casi autoritaria de hacer de la poesía una labor de ideación

---

3 Véase un estudio detallado de Jorge GUILLÉN, *La poética de Bécquer*, New York, 1943.
4 *Segunda antolojía poética*, p. 57.

puede darse bien fácilmente, pero el hallar el valor de esta ideación dentro del universo pensante es ya otra cosa, y de hecho sólo se da claramente la concepción de la divinidad del arte en Juan Ramón Jiménez mucho más tarde, aunque su germen estaba ya en la poesía de Rubén Darío. En «A la luna del arte», un poema de 1911 —por consiguiente un poco posterior al período del que tratamos—, se ve ya la concepción de la divinidad de la poesía, que es parte del Jiménez maduro que todos conocemos.

> Te he dado, sol insomne, latido por latido,
> todo mi corazón. Tu corona luciente,
> como un vasallo fiel y noble, la he servido
> bien. No me quedan armas que ofrecerte, ni jente.

De paso digamos que este poema lleva dos epígrafes, uno de Jorge Manrique:

> Después de tan bien servida
> la corona de su rey
> verdadero

y otro de lord Byron, «Sun of the sleepless» —sol del desvelado—, que se relaciona con este principio del poema, y que sintetiza un pensamiento de la juventud de Jiménez, el deseo de obtener

> la divina costumbre
> de tener como tú, el alma desvelada.

Al tocar este punto, se siente que se ha penetrado en el secreto de la poética de Juan Ramón: el alma desvelada, la mente alerta, el constante esfuerzo por pensar o definir la experiencia. Y esta poética que conocemos bien desde los *Sonetos espirituales* de 1915, sobre todo desde el soneto «A mi alma», que es una síntesis de pensamiento maduro, estaba ya en esa poesía de 1911 y se presagiaba ya en todos los desvelos anteriores, quizá aun en «El adolescente», que ahora nos parece andar muy cerca de la poética esencial de Juan Ramón.

Pero, por otra parte, no debe olvidarse la presencia de un fondo de romanticismo, simbolismo y decadencia franceses que nos parece hoy, cuando admiramos la lucidez intelectual del gran poeta, algo borroso y distante. Sin embargo, si nos trasladamos a su juventud, se invierte nuestra visión. La profunda intelectualidad se convierte en algo momentáneo y difícil de hallar, mientras que las sensaciones diversas, los estados de alma grises, la melancolía y aún —quién lo diría— la sinestesia de moda, se hallan en primer plano. Lo que no quiere decir que los poemas en sí tengan más o menos valor —los hay valiosos y los hay perecederos en todas las épocas de Jiménez— pero sí, muy claramente, que lo que hoy vemos como una comprensión cabal y completa, era entonces un mundo de vacilaciones y hallazgos intuitivos. Veamos primero unos ejemplos de lo más sutil y sensual del Jiménez joven:

(...*Rit de là fraîcheur de l'eau*, V. Hugo)

Con lilas llenas de agua,
le golpeé las espaldas.
  Y toda su carne blanca
se enjoyó de gotas claras.
  ¡Ay, fuga mojada y cándida,
sobre la arena perlada!
  —La carne moría, pálida
entre los rosales granas;
como manzana de plata,
amanecida de escarcha—.
  Corría, huyendo del agua,
entre los rosales granas.
  Y se reía, fantástica.
La risa se le mojaba.
  Con lilas llenas de agua,
corriendo, la golpeaba...[5]

El epígrafe de *Les Orientales* sitúa la fuente del poema, es cierto, pero todo su tono es el tono de la poesía de fin de siglo: las sensaciones variadas y barajadas un poco como en sueños rápidos, la sugestión abierta y la idea remota o quizá desterrada. Cierto que esta poesía es de ·1909, pero mucho antes ya se encuentran todos los «perfumes de heliotropos», las «lluvias de otoño», los «misticismos de suspiros y perfumes de plegarias» del modernismo hispánico y del fin de siglo francés, los ecos de Rimbaud, Verlaine y hasta de Samain.

No obstante no hay contradicción irreconciliable entre esta poesía de sensaciones extrañas y la poesía de la idea que se vislumbra ya y que será más tarde la divisa juanramoniana. Para establecer la fugacidad de una sensación, habrá que definir su presencia con la idea. La mejor manera de presentar la diferencia entre la definición ya sabia del poeta maduro y la intuición juvenil, será comparar dos poemas de tema similar. Por ejemplo, «La mujer desnuda», publicado en 1931, es un poema de plenitud intelectual:

Definición real de la belleza,
mujer desnuda; un día
se romperá mi línea de hombre,

---

[5] «Francina en el jardín», *Segunda antolojía poética*, p. 89.

me tendré que espandir
en la naturaleza abstracta;
no seré nada para ti,
árbol universal de hoja perenne,
eternidad concreta.

Aun la selección del vocabulario nos indica una libertad intelectual
que no se arredra ante los términos menos sugerentes —definición,
línea, abstracta, concreta. Por lo contrario, la presencia de la mujer que
se quiere definir en un poema juvenil, aunque se pueda concebir en
términos intelectuales, se expresa sólo por sugerencia. Nótese, de paso,
el uso muy sutilmente original del metro y la asonancia del romance,
con el poema distribuido en dos tercetos y con una concisión muy afi-
lada y muy nueva:

Cuando la mujer está,
todo es, tranquilo, lo que es
—la llama, la flor, la música—
Cuando la mujer se fué,
—la luz, la canción, la llama—,
¡todo!, es loco, la mujer.

Al llegar a este punto nos asaltan dos dudas, dos dudas opuestas.
La primera, si fuera verdad que todo el pensamiento maduro de Jiménez se hallaba en germen en su obra juvenil, ¿querría eso decir que
la larga labor del poeta maduro, los años de meditación no han de
aportar nada, o, al menos, nada importante? Y la segunda —menos
tenebrosa, puesto que no se refiere al fracaso de años de labor, sino
solamente al fracaso de estos minutos nuestros— será pensar si no
habremos leído con los anteojos deformadores de nuestro conocimiento
posterior las primeras obras del poeta.

Para responder habrá que analizar primero la poética madura, y ver
si hay en ella algo distinto y claro que será el aporte de los años de fati-
goso esfuerzo. Esta poética se resume en los últimos versos del soneto
«A mi alma»:

Signo indeleble pones en las cosas.
Luego, tornada gloria de las cumbres,
revivirás en todo lo que sellas.
Tu rosa será norma de las rosas;
tu oír, de la armonía; de las lumbres
tu pensar; tu velar, de las estrellas.

Lo que hay de nuevo aquí es la claridad de la definición, el nombre
mismo de esta divinidad que es la poesía, norma del velar, norma del
pensar humano, quizá del universo todo. Y, además de definir la

poesía, tiene el poeta que definir su obra misma, su sueño de poeta. Como poeta, crea Jiménez la idea norma, pero esto es lo que hace el poeta, todos los poetas. Además de ello, la función esencial de su obra se va a definir lentamente y se resume hoy para nosotros en la palabra «total». Juan Ramón Jiménez es el poeta total, el que ha soñado y realizado el sueño de convertir todo en poesía, el que le ha dicho a su voz

> Voz mía, canta, canta
> que mientras haya algo
> que no hayas dicho tú,
> tú nada has dicho.

Así se resuelve la primera de nuestras dudas. La labor madura ha concentrado, ha aclarado y ha añadido. Es sólo al llegar a saberse «poeta total» cuando Jiménez ha alcanzado su cumbre de poeta. Pero entonces, todos los presagios ¿no habían sido más que escalones o quizá desviaciones en el camino? Nos será necesario ahora, para resolver nuestra duda segunda, encontrar en la obra de los primeros años al menos un poema que contenga en germen, no sólo la concepción de la poesía intelectual definidora, sino más propiamente su propia personalidad de poeta total. Si no, tendremos que aceptar una bifurcación, un divorcio en lo que nos había parecido una obra continua y creciente. Pero también habrá que tener en cuenta que esta idea de poesía total, este sueño de ser enciclopédico casi, no podía darse sino en una intuición y en un lenguaje figurado. Afortunadamente, este poema existe, y lleva por epígrafe la palabra «Sueño», casi indicando desde su atalaya de 1907 que este sueño sería realidad, diez, veinte, treinta, cuarenta años más tarde, es decir, ayer, hoy mismo. Existe este poema y se titula «Andando»:

> Andando, andando;
> que quiero oír cada grano
> de la arena que voy pisando.
> Andando, andando;
> dejad atrás los caballos,
> que yo quiero llegar tardando
> —andando, andando—,
> dar mi alma a cada grano
> de la tierra que voy pisando.
> Andando, andando.
> ¡Qué dulce entrada en mi campo
> noche inmensa que vas bajando!
> Andando, andando.
> Mi corazón ya es remanso;
> ya soy lo que me está esperando

> —andando, andando—,
> y mi pie parece, cálido,
> que me está el corazón besando.
>   Andando, andando;
> ¡que quiero ver todo el llanto
> del camino que estoy cantando![6]

En la figuración de los granos de arena, la ruta incierta de nuestra vida se convierte en la adición interminable de segundos mínimos. Para todos nosotros, los poetas momentáneos de una lectura apresurada, sólo se nos ofrecen en luminosidad algunos granos de arena; para el poeta total que sueña Juan Ramón cada grano tendrá una voz y habrá de ser visto. Todo el poema se mueve alrededor de este eje en el que el polo primero lo marca el verbo «oír» y el opuesto el «ver todo el llanto / del camino que estoy cantando»; y esta paradójica unión de oír la arena y ver el llanto, resultado remoto de sinestesias decadentes, encuadra su sueño de totalidad, el sueño de darse «a cada grano», de ser cada grano, ese sueño que los que hemos admirado paso a paso la labor gigantesca de Juan Ramón Jiménez creemos que ha sido conseguido, conquistado, en el gran fracaso de su absoluta imposibilidad, y que nos queda apresionado en su obra total e incompleta. Lo extraordinario en el joven Juan Ramón es, no lo que se ve a primera vista, el salto de la literatura de fin de siglo a lo más nuestro, de nuestro siglo, sino lo anterior, este injerto en lo más decadentista, en la sinestesia misma, de un atisbo de pensamiento que se aclara luego y se convierte en divisa y centro de su obra.

[*Anuario de Letras,* Fac. de Filosofía y Letras, Univ. Nac. de México, año V (1965).]

---

[6] *Segunda antolojía poética,* p. 65.

RICARDO SENABRE SEMPERE

EL PROCESO CREADOR EN JUAN RAMÓN JIMÉNEZ

> No hay forma mejor y peor, sino ideas y sentimientos exactos
> o imperfectos.
>
> J. R. JIMÉNEZ

La poesía de Juan Ramón Jiménez parece haber suscitado escasas
discrepancias entre los críticos en cuanto a su clasificación por etapas.
Así, es creencia generalmente compartida que existe una «segunda
época» en la obra juanramoniana a partir de 1916, año del *Diario de
un poeta recién casado*. Hablar de una «segunda época» no significa,
claro está, que la «primera» fuese radicalmente distinta. Tan sólo que
algunos procedimientos expresivos se intensifican y se depuran,
mientras que otros disminuyen de modo progresivo. En este sentido, es
oportuna la observación de Graciela Palau, según la cual «la depuración, que en la obra de Juan Ramón data de sus principios, desde las
correcciones que aparecen en *Rimas* en 1902, alcanza un punto máximo
en la poesía de 1917 en adelante»[1]. Entre 1916 y 1918 se publican, por
este orden, *Diario*, *Eternidades* y *Piedra y cielo*. Hay que considerar
esta última, por tanto, como una obra de madurez del poeta. Algunos
indicios permiten, incluso, otorgar a *Piedra y cielo* un puesto decisivo
en esta etapa de madurez. Se ha visto con claridad que «la poesía es el
gran tema de Juan Ramón»[2]. Precisamente por eso, en *Animal de
fondo,* punto culminante de una ejemplar trayectoria, el poeta «canta
su amor de siempre, canta la poesía, sintiéndola dentro de sí, conciencia de sí; sintiendo al fin capturado definitivamente el objeto de su
peregrinación por el mundo»[3].

---

[1] Graciela PALAU DE NEMES, *Vida y obra de Juan Ramón Jiménez*, Madrid, Gredos,
1957, p. 215.

[2] Son palabras de Ricardo GULLÓN, *Estudios sobre Juan Ramón Jiménez*, Buenos
Aires, Losada, 1960, p. 185.

[3] *Id.*, p. 141.

Este tema esencial de la poesía juanramoniana se manifiesta, más o menos velado y con diferentes grados de lucidez, a lo largo de casi toda la obra del autor. Pero en *Piedra y cielo* esa actitud se hace más evidente, hasta el punto de que varias de las composiciones que integran el libro llevan como títulos «La obra» y «El poema», y otras, aun sin ostentar análogos encabezamientos, giran inequívocamente en torno a lo mismo. Por ello hay que considerar *Piedra y cielo* como un libro clave de la poesía de Juan Ramón, ya que en él se reitera insistentemente por primera vez en el nudo de sus preocupaciones estéticas. Desde este punto de vista, *Piedra y cielo* es un largo y profundo soliloquio en que el poeta opera una tenaz introspección para extraer luego hasta la superficie sus propias experiencias creadoras.

Hecha así, esta observación parece inconsistente o, al menos, demasiado abstracta. Trataremos de ejemplificarla examinando uno de los poemas del libro que, sorprendentemente, no ha merecido apenas atención por parte de los estudiosos[4], a pesar de su gran interés. He aquí el texto:

> El viento agudo roza
> las ascuas de mis ojos
> y los aviva, una y otra vez,
> como soles de sangre.
>
> ¡Qué subir y bajar
> de fuego!
> ¡Qué trueque
> de siestas y de tardes,
> de estrellas y de soles!
>
> Toda el alma
> se me apaga —¡oh crepúsculos!—,
> —¡oh mediodía!— se me enciende
> con mis ojos, que roza el viento agudo.
>
> ¡Ay, día en carne viva,
> en alma viva!

Estos versos constituyen un esfuerzo admirable de Juan Ramón por expresar el «estado de gracia» de la creación poética. De ahí su vigencia y su permanente valor. Con una estructura muy simple —tres partes diferenciadas estróficamente y un cierre a base de los dos versos finales, que concentran y potencian lo anterior— y sin especiales complejidades metafóricas ni, en general, de «oficio», el poeta se lanza a un arries-

---

[4] A. Sánchez-Barbudo, en sus *Cincuenta poemas comentados* [de J. R. Jiménez], Madrid, Gredos, 1963, no dedica ninguno de sus grotescos «comentarios» al poema que nos ocupará en estas páginas.

gado ejercicio en el que se ha propuesto realizar una pirueta inverosímil: transformar en poema —forma— un contenido que *narra* literariamente la gestación de ese poema.

En el Juan Ramón de la primera época es constante el deseo de fundirse con los elementos de la naturaleza para tratar de incorporarlos a su propio sentir. Aquí, los elementos de la naturaleza han quedado reducidos a uno: *el viento.* Hay, por consiguiente, un estímulo externo que *roza* los ojos. Es suficiente con este roce, porque el poeta se halla en un estado de hipersensibilidad, atento al más leve acicate del exterior y permeable a este influjo. De este modo, Juan Ramón se está presentando a sí mismo como un ser en permanente actitud receptiva, en constante alerta. Esta especial sensibilidad hace que el viento —el estímulo— parezca *agudo,* aunque su contacto no pase de ser un ligero roce.

Además, los ojos del poeta son dos *ascuas,* esto es, algo susceptible de ser reavivado por un soplo exterior. El significado de los dos versos iniciales aparece ahora más claro: de igual modo que el viento reaviva las ascuas, cualquier estímulo procedente de su contorno excita la sensibilidad alerta del poeta. La precisión conceptual no puede ser más rigurosa.

En los versos tercero y cuarto, el plano metafórico continúa sin romperse: las ascuas, al contacto con este viento, se convierten en *soles;* es decir, aumentan su luminosidad. Los presentes habituales que hasta aquí han aparecido, unidos al complemento *una y otra vez,* indican que se trata de un proceso repetido con cierta frecuencia. Pero el sentido de los versos es más complejo. Las ascuas se han transmutado en soles; no sólo aumentan su luminosidad, sino que irradian ya luz propia. Dicho desde el otro plano: el poeta recoge la materia bruta del exterior y, elaborándola, la transforma en materia poética con entidad propia. El quehacer estético parte de unas realidades concretas, y luego revierte sobre ellas y las ilumina con una nueva luz, nacida del filtro depurador a que el artista las ha sometido. La misma idea aparece en el poema «La obra», también de *Piedra y cielo:*

> ...Voy y vengo
> por mi biblioteca,
> donde mis libros son ya luz, como los otros...

Y más explícitamente, sin salir del mismo libro, en el poema que lleva el número 78:

> ¡Tesoros del azul,
> que un día y otro, en vuelo repetido,
> traigo a mi tierra! ¡Polvo de la tierra,
> que, un día y otro, llevo al cielo!

El poeta es, así, un ser excepcional, que se eleva por encima de las cosas precisamente porque es capaz de poetizarlas. La idea aparece varias veces en Juan Ramón. Recuérdese el poema 102 de *Piedra y cielo,* que comienza:

> De pronto, me dilata
> mi idea,
> y me hace mayor que el universo.

Hemos visto cómo el autor expresaba la conversión de realidades externas en productos poéticos. Incitado por un estímulo, el poeta pasa de *ascua* a *sol.* Pero se trata, además, de *soles de sangre,* capaces de iluminar los objetos y de conferirles vida —*sangre*— nacida del creador, que se siente padre de sus criaturas poéticas. El resumen de todo lo anterior podría ser expuesto así: espoleada por el estímulo, la sensibilidad del poeta deja de ser eminentemente receptiva *(ascuas)* y comienza a elaborar *(soles)* materia ya propia *(de sangre).*

La segunda parte del poema comprende los versos 5 a 9 y es el centro natural de la composición. Juan Ramón, que hasta ahora se ha mantenido en un tono reflexivo, se desborda líricamente. Repárese en que, incluso por su extensión, esta parte tiene un verso más que las otras dos. El lector asiste a la expresión jubilosa de un estado de exaltación. Desde el primer momento es notorio el cambio de temple, expresado por unas oraciones exclamativas:

> ¡Qué subir y bajar
> de fuego!

El poeta es ahora un ser pasivo, inerme, en cuyo interior se producen unas reacciones fortísimas. Nótese el complemento *de fuego,* destacado y formando un verso único. La intensidad de este choque es tan grande que justificará por sí sola el afán de poetizar, de dar salida a ese torbellino de sentimientos que el poeta no puede guardar dentro de sí, porque *queman* como fuego. Este *fuego* interior es la sencilla traslación metafórica de la efervescencia creadora. En otro lugar de *Piedra y cielo* (núm. 4) dirá Juan Ramón:

> ¡Cuánto tardas en salir,
> sol de hoy, sol de hoy!
> ¡Sal, que me ahogo!...

En la estrofa que nos ocupa, el tono de júbilo acarrea así un matiz doloroso que plasma perfectamente la compleja mezcla de placer y dolor con ingredientes naturales de la creación estética. La condensación expresiva es insuperable, y hace pensar en las palabras del propio Juan Ramón Jiménez: «El error de tanta "escuela" moderna retórica contra la poesía directiva está en creer que la creación concierne a lo descriptivo, no a lo conceptual, que es su único reino»[5]. Poesía altamente conceptual, sin duda, la de estos versos.

> ¡Qué trueque
> de siestas y de tardes,
> de estrellas y de soles!

El autor no pierde el pulso y continúa sin salirse de los moldes que se ha impuesto. Se mezclan alternativamente *siestas* y *tardes:* es decir, momentos en que la sensibilidad del poeta está adormecida, junto a otros de plenitud —*tardes*—. En el mismo libro (núm. 96) se lee:

> Ahora, ya están en mi granero
> todos mis frutos.
>
> ¡Qué gusto, cada día,
> morder en uno nuevo;
> qué color, qué fragancia, qué sabor
> en los sentidos!
>
> Ya, nada más. Despierto,
> bien despierto
> de la profunda siesta de mi vida,
> el azul májico en los ojos que han dormido bien,
> ¡qué grata la merienda de mi tarde!

La idea se reitera con el verso siguiente: el poeta pasa, de ser *estrella* —algo que, desde nuestra perspectiva, brilla escasamente— a ser *sol*. En la concepción del autor, el poeta es, como vemos, un ser extraordinario, del que siempre irradia una luz. Nunca hay en él un apagamiento pleno. La misma intuición aparece en un lugar cercano (número 85):

> Mi ciudad interior también se estiende
> hacia el ocaso, persiguiendo
> el caer del sol triste.
> ¡Jardines de mi alma,
> atravesados, unos tras otros, por las graves
> luces nunca últimas...!

---

[5] En *Cuadernos de Juan Ramón Jiménez,* recopilados por F. Garfias, Madrid, Taurus, 1960, p. 203.

Y en el número 108:

> Por fuera, erraba el viento oscuro y último,
> jugando con las frías hojas.
> Por dentro, era un éstasis con sol,
> aislado, como el sentimiento
> eterno y conseguido de mi alma,
> dentro de los trastornos de mi carne.
> Y el sol no se iba nunca, rosa y puro.

Parece evidente que el poeta se distingue siempre de los demás seres, en el pensamiento juanramoniano, por su capacidad de reacción ante unos estímulos que transforma en materia nueva. Contemplado desde este ángulo, el pasaje de *Piedra y cielo* que nos ocupa se carga de sentido dentro de la estética de su autor.

Lo que provisionalmente hemos caracterizado como tercera parte abarca los versos 10 a 13. Pasada la crisis interna, el autor vuelve a un tono de mayor serenidad y reflexión. La reiteración de las ideas no significa que no haya progresión. Las hay, pero en el sentido de la profundidad. La organización del poema corresponde a un proceso de ahondamiento. Juan Ramón ha hablado al comienzo de «mis ojos». Ahora escribe «el alma».

En este permanente movimiento, el alma se apaga y se enciende, o mejor, se oscurece y se ilumina. Pero conviene intercalar aquí algunas precisiones. Adviértase, en primer lugar, que el poeta se ha sentido aquí totalmente invadido por esas sensaciones o estímulos («toda el alma»). Es la identificación plena del propio ser con la belleza. Por otra parte, continúa sin aparecer el apagamiento absoluto. Juan Ramón alude al crepúsculo, es decir, a un momento en que ya no hay luz plena, pero tampoco oscuridad completa. En otro lugar (núm. 85) dirá:

> ¡Oh luz poniente, nunca puesta,
> a través, como un fin nunca acabado,
> de todos mis afanes interiores...!

Crepúsculos se halla, pues, en la misma línea que «ascuas», «siestas» y «estrellas». Es uno de los momentos en que la sensibilidad del poeta no se siente estimulada, sino que permanece latente, en espera de acicate. Resulta también elocuente, en esta sapientísima composición, el orden de los versos 11 y 12. Lo que permanece en el ánimo del lector, lo que «dice la última palabra», es la idea del inmediato mediodía, de la plenitud. Vence siempre, por tanto, el momento activo de la creación poética sobre los de transitoria inactividad. De este modo, Juan Ramón elabora su poesía partiendo de las cosas y transformándolas después de reducirlas y dominarlas. Nos encontramos ante la ejemplificación de una estética que tiene su expresión equivalente en las líneas escritas por el autor en otra ocasión: «Hay dos dinamismos: el del que monta una fuerza y libre y se va con ella en suelto galope ciego; el del que coje esa fuerza, se hace con ella, la envuelve, la circunda, la fija, la redondea, la domina. El mío es el segundo»[6].

Esta tercera parte se cierra con un verso —*con mis ojos, que roza el viento agudo*— que repite casi literalmente los dos primeros del poema y confiere a éste una estructura cerrada, acabadísima, fruto de un estudio minucioso que nada deja al azar.

Pero aún desconfía el autor de haber expresado suficientemente el éxtasis lírico y resume todo lo anterior en dos versos finales:

> ¡Ay, día en carne viva,
> en alma viva!

Difícilmente podría hallarse una fórmula condensadora más bella para rematar el poema. El día —lo exterior— lo siente el poeta hipersensible en su propia carne como una feroz punzada. La expresión *en carne viva* —como el *fuego* de antes y por idénticas razones— insinúa una sensación dolorosa. El poeta asimila inmediatamente la impresión externa y la transfigura hasta convertirla en parte de su misma alma. El tono exclamativo de los dos versos repite el sentimiento de júbilo creador. Como se ve, la perfección es absoluta.

Juan Ramón ha intentado darnos la expresión de su propia experiencia poética tal y como se produce. Si se recuerda su definición de poesía —«expresión de lo inefable, de lo que no se puede decir»—, no dejará de admirarnos el esfuerzo gigantesco del autor, que no se contenta con «hacer» poesía, sino que, a la vez, intenta transmitirnos la génesis y desarrollo de su movimiento poético propio. Así, encerrado férreamente en el estricto cauce de estos quince versos, el logro juanramoniano adquiere el valor de una ejemplar enseñanza.

[*Papeles de Son Armadans,* tomo XXXVIII, núm. CXIII, 1965.]

---

[6] En *Cuadernos de Juan Ramón Jiménez,* ed. cit., p. 197.

PAUL R. OLSON

TIEMPO Y ESENCIA EN UN SÍMBOLO
DE JUAN RAMÓN JIMÉNEZ

I

Amado Alonso, en un conocido ensayo sobre Jorge Guillén como «poeta esencial», señala que la intensidad de su preocupación por «salvar lo perdurable y esencial del seguro naufragio que es el azaroso existir temporal» ha sido una particularidad de los poetas desde Mallarmé[1]. Añade que la fenomenología moderna ha definido esta preocupación y la ha examinado en relación con todas las ciencias de la mente, concluyendo, como sugiere en otro lugar, que puede considerársela fundamental, no sólo en la creación poética, sino en la génesis de la lengua misma[2].

Naturalmente, los poetas individuales de todos los tiempos han sentido esta preocupación con distintos grados de claridad e insistencia, y es evidente que resultaría superfluo discutir si un poeta moderno cualquiera ha superado a Petrarca o a Quevedo en su conciencia personal inmediata de la fragilidad de los valores temporales, o si Garcilaso o Ariosto se percataban menos que cualquiera de nuestros contemporáneos de la función del arte en la conservación de las esencias. Pero lo que distingue la poesía de este último siglo, dándole un «trazo nuevo y común», es, como indica también el profesor Alonso, «una

---

[1] En *Materia y forma en poesía*, segunda edición, Madrid, 1960, p. 294.

[2] Amado Alonso y Raimundo Lida, eds., *El impresionismo en el lenguaje*, tercera edición, Buenos Aires, 1956, pp. 187-188. El pasaje citado corresponde concretamente a un ensayo firmado por ambos editores en que éstos comentan favorablemente un fragmento de *Philosophie der symbolischen Formen*, Berlín, 1923, I, 247, de Ernst CASSIRER, en el cual se considera el lenguaje como un acto lógico de exposición y diferenciación, a través del cual «in dem stetigen Fluss des Bewusstseins erst irgendwelche Einschnitte entstehen, durch den das rastlose Kommen und Gehen der Sinneseindrücke gleichsam angehalten wird und gewisse Ruhepunkt gewinnt». El flujo constante de la conciencia es, naturalmente, la medida subjetiva del flujo del tiempo en sí.

necesidad de diferenciar lo que "existe" de lo que "es"»[3] y tal vez podría añadirse que en este último siglo, que en gran parte ha perdido la fe en otros medios de conservar los valores, la conciencia primaria perceptible en los viejos poetas se forma por una nueva conciencia, desarrollada intuitiva o conscientemente, del significado que esta necesidad de mantener las esencias tiene para toda poesía y para todas las actividades de la mente, y se forma también por la consiguiente conciencia del ser del poeta cuando responde a su propio *Eheu, fugaces* con un *Exegi monumentum*.

El problema de preservar los valores del paso del tiempo ha enfrentado siempre a los poetas con algunas alternativas fundamentales: por un lado, la de ocuparse directamente de aquellos objetos y valores con los que el poeta se halla envuelto, y, por otro, la de tratar el fenómeno del tiempo en sí. Cada una de éstas contiene, a su vez, numerosas alternativas, pero pocas, si alguna, son mutuamente excluyentes; permitirán siempre combinaciones únicas, con variados niveles de énfasis sobre unas u otras, y, naturalmente, permitirían también la unicidad de la forma expresiva. Debe quedar claro, pues, que al estudiar algunos aspectos del tiempo y la esencia en la poesía de Juan Ramón, en ningún caso podemos tocar temas de tan absoluta universalidad como descubrimientos de esa poesía, sino únicamente como terreno fundamental sobre el cual se manifiesta la particularidad del poeta.

La poesía de Juan Ramón, como pronto descubre cada uno de sus lectores, es eminentemente temporal, al expresar como lo hace, con impresionante profundidad de intuición, el carácter perpetuamente mudable y esquivo de todos los objetos amados. Esta cualidad es constante en toda su obra, pero es especialmente llamativa en su primera época, anterior a *Diario de un poeta recién casado* (1916), y hubo un momento, cuando la forma inicial se hallaba en la cumbre de su desarrollo, en que la describió en términos que constituyen virtualmente su definición de la poesía misma. En un prólogo a la tercera parte de *La soledad sonora* (1908) escribe:

La poesía como el paisaje, como el agua lírica, no es nada preciso, ni definido, ni inmutable. Lo mismo que su hermana la música, tiene a la emoción por rosa y a la divagación por estrella.

Como un cielo de la tarde, en el que los colores espirituales llevan al alma de ensueño en ensueño, la poesía ha de ser errante e indecisa, manantial de belleza vaga, brisa de sensaciones[4].

[3] *Materia y forma*, p. 294.
[4] *Primeros libros de poesía*, Madrid, 1959, p. 999. Las citas de este volumen se consignarán en adelante entre paréntesis, utilizando la abreviatura PLP seguida del número de la página y, caso de no aparecer ya identificado en el texto, una fórmula abreviada del título del libro original. Las citas procedentes de los *Libros de poesía*, Madrid, 1959 se identifican en forma similar por medio de la abreviatura LP; aquéllas originales de la *Segunda antología*, Madrid, 1959; primera ed., 1922, por SA; las de la *Tercera antología*, Madrid, 1957, por TA. Para que el aspecto cronológico de las citas quede claro, incluyo

Incontables detalles de esta temprana poesía, con sus escenas situadas en las estaciones de transición, amanecer y atardecer; su abundancia de los delicados colores de 'transición' —malva, rosa, mate, o, más especialmente, «un incoloro casi verde»[5]— sugieren estas cualidades de mutabilidad, de 'errancia' y de transición. Las sugieren también el constante flujo de agua en fuentes y arroyos, la música que vaga a través de la noche, y, como señala Fernand Verhesen en un ensayo muy perceptivo sobre el tiempo y el espacio en la poesía de Juan Ramón, el hecho de que los objetos se ven casi siempre en una «perspectiva de fuga» de tal modo que su única faceta visible es la «de espaldas»[6]. Todos estos medios expresivos, y muchos otros, dan a la poesía de Juan Ramón ese marcado «acento temporal» que Machado (por boca del ambiguamente irónico Juan de Mairena) considera definitivo para distinguir la verdadera poesía de la «lógica rimada»[7].

Es cierto que además de la nota de temporalidad cinética, esta poesía contiene a menudo una nota de quietud, de *stasis* atemporal, de *ectasis* contemplativo, como ocurre en estas líneas de *Jardines lejanos*:

> Los árboles no se mueven:
> todo está en éxtasis; quietos
> están los dulces cristales
> de las fuentes, los senderos
> parece que no se van;
> las flores miran al cielo,
> y los árboles contemplan
> sus sombras fijas...

El estudio de Emmy Neddermann ha mostrado cómo esta cualidad estática también se expresa en numerosos detalles de forma, y esto la

---

seguidamente una lista de los títulos de los libros de poesía a que nos referimos en este estudio, acompañados de las fechas que les asigna Jiménez y, entre paréntesis, el año de su primera publicación: *Rimas*, 1900-1902 (1902); *Arias tristes*, 1902-1903 (1903); *Jardines lejanos*, 1903-1904 (1904); *Elejías*, 1907-1908 (1908-1910); *Las hojas verdes*, 1906 (1909); *Baladas de primavera*, 1907 (1910); *La soledad sonora*, 1908 (1911); *Poemas mágicos y dolientes*, 1909 (1911); *Melancolía*, 1910-1911 (1912); *Sonetos espirituales*, 1914-1915 (1917); *Estío*, 1915 (1916); *Diario de un poeta recién casado*, 1916 (1917); *Eternidades*, 1916-1917 (1918); *Piedra y cielo*, 1917-1918 (1919); *Poesía*, 1917-1923 (1923); *Belleza*, 1917-1923 (1923); *La estación total*, 1923-1936 (1946); *Animal de fondo*, 1949 (1949).

[5] LP 131, *Estío*. El uso del color en la poesía de Jiménez ha sido estudiado en detalle por Emmy NEDDERMAN, *Die symbolistischen Stilelemente in Werke von Juan Ramón Jiménez* (Hamburgo, 1935), pp. 80-102, y en Paul VERDEVOYE, «Coloripoesía de Juan Ramón Jiménez», *La Torre*, V (1957), 245-282.

[6] «Tiempo y espacio en la obra de Juan Ramón Jiménez», *La Torre*, V (1957), 97. Véase también Ricardo GULLÓN, *Estudios sobre Juan Ramón Jiménez* (Buenos Aires, 1960), pp. 152-160.

[7] Manuel y Antonio MACHADO, *Obras completas* (Madrid, 1957), p. 959. Estos procesos tienden hacia una fundamental temporalización de los objetos en el espacio, en contraste con la espacialización del tiempo, que, como veremos, es también un fenómeno recurrente en la poesía de Juan Ramón.

ha llevado a ver en el poeta mismo «weniger ein dynamisches als sta-tisches Weltgefühl»[8], pero está claro que los aspectos estáticos de la poe-sía de Juan Ramón deben entenderse en términos que tomen también en cuenta los aspectos cinéticos. Las implicaciones anti-vitales del momento estático se le hicieron evidentes inmediatamente. En otro mo-mento de *Jardines lejanos* lo ve «todo muerto, todo en éxtasis, / agua, helechos, musgo, lagos...» (PLP 484)[9], y, por consiguiente, intenta constantemente retener en el momento estático las cualidades ciné-ticas de la vida misma, aun cuando fueran sólo perceptibles en el temblor de la luz de las estrellas o en el eterno salto hacia el cielo de una fuente diamantina[10].

La añoranza y la búsqueda afanosa y aun el fracaso en alcanzar lo perseguido se consideran valores espirituales que sólo pueden preser-varse en su realidad auténtica si se conserva también su intrínseca tem-poralidad y, aunque los momentos en que la poesía de Juan Ramón expresa la alegría de la posesión se hacen cada vez más frecuentes en sus últimos años[11], el largo período que precedió a esos momentos pro-dujo una poesía que expresa fundamentalmente la búsqueda —primero en los sentimientos y luego en la inteligencia— de objetos de belleza que se hallan ellos mismos en constante vuelo a través del espacio y el tiempo. Las dinámicas del deseo en el poeta y de lo es-quivo en sus objetos son, como las dinámicas de la vida misma, esen-ciales a ambos, y Juan Ramón intenta mantener estas dinámicas en una percepción eterna —pero no puramente estática— de las esencias que trascienden y sobreviven la existencia temporal.

Los medios formales por los cuales se alcanza y se expresa esta per-cepción son múltiples, pero probablemente ninguno tan sucinto —tan 'sencillo' y 'sintético', en palabras del propio Juan Ramón[12]— como la imagen de la rosa. A través del estudio de la rosa como símbolo en su poesía, creo que podemos percibir con particular claridad el desarrollo de sus intuiciones respecto al fenómeno del tiempo y la esencia.

---

[8] *Die symbolistischen Stilelemente*, p. 4.

[9] Véase también PLP 509, *Jardines*. A pesar de la conciencia de la muerte en estos momentos estáticos que posee Juan Ramón, es evidente que no hay en ello nada seme-jante al horror de un Baudelaire hacia el «stasis» implícito en el tiempo irreversible: «—Désormais tu n'es plus, ô matière vivante! / Qu'un granit entouré d'une vague épouvante, / Assoupi dans le fond d'un Sahara brumeux!». Véase el ensayo de Georges Poulet sobre Baudelaire, *Studies in Human Time*, traducción al inglés de Elliot Coleman (Nueva York, 1959), en especial la p. 272. Es muy probable que sea precisamente el pensamiento de la muerte lo que salva a Jiménez de su horror.

[10] Respecto a la fuente como símbolo en la poesía de Juan Ramón, véase «Structure and Symbol in a Poem of Juan Ramón Jiménez», *MLN*, LXXVI (1961), 636-647.

[11] Es decir, en *La estación total*, y en la mayor parte de *Animal de fondo*, donde ca-da poema es uno de estos momentos. Son también frecuentes en *Estío*, justamente ante-rior al *Diario*.

[12] Los términos aparecen en la *Segunda antolojía poética*, donde la palabra «sencillo» se define como «lo conseguido con los menos elementos; es decir, lo neto, lo apuntado, lo sintético, lo justo».

II

Desde tiempos de Safo, como mínimo, la rosa ha ocupado un lugar preeminente en la poesía lírica, y pocas imágenes han sido más abundantes en la literatura occidental o han estado cargadas de más significados profundos[13]. En la poesía del propio Juan Ramón es muy posible que sea la imagen más frecuente, pero, a pesar de su historia multisecular, gran parte de la cual le era indudablemente familiar, esa historia jamás nos ofrece la perspectiva desde la que se verán sus rosas. Al haber rechazado la alusión literaria junto con otros elementos externos del modernismo, Jiménez ve la rosa sin sugestiones parnasianas, y en su poesía nunca se busca explícitamente las flores de los jardines de Ronsard[14] (como incluso un Machado confesó haber hecho). Las rosas de Juan Ramón son muy de la experiencia inmediata de la mente y el sentido— la experiencia del impresionista, si se desea. Son rosas del momento presente: «...ella, sonriendo / entre sus rosas de hoy» (LP 349, *Diario);* y se hallan alejadas de toda historia: «¡Triunfo sin nombre! Una fragancia sin historia / dan las rosas. Todo es armonía y ventura» (SA 112). Su intrínseca novedad y frescura son tan absolutas que no puede decirse que el pasado haya siquiera predicho su belleza presente: «¡Rosa no presentida, que quitara / a la rosa la rosa, que le diera / a la rosa la rosa!» (LP 446, *Diario).*

Sin embargo, dentro del momento se siente siempre su intrínseca temporalidad. Es intrínseca, ante todo, porque la rosa es un símbolo natural de frágil mortalidad. Cada una, como la rosa del Príncipe Constante de Calderón, es «escarmiento de la vida humana», y todas ellas «cuna y sepulcro en un botón hallaron». En la primera poesía de Juan Ramón este aspecto del significado se ve acentuado por una frecuente asociación explícita de la rosa con la propia mortalidad humana, o con una efusión de sentimiento tan dulcemente dolorosa que parece mortal[15].

---

[13] Hallamos un examen completo de la rosa en la literatura occidental, con especial atención a los escritores ingleses modernos, en *The Symbolic Rose* de Barbara SEWARD, Nueva York, 1960; en relación a los orígenes del símbolo, véanse pp. 1-17.

[14] Una rosa de Ronsard aparece, no obstante, en *Platero y yo,* en un pasaje delicioso que describe la escena del poeta y Platero leyendo juntos, «Comme on voit sur la branche au mois de mai la rose...». Véase la edición de Losada, Buenos Aires, 1939, páginas 23-24. Una 'fuente' más inmediata para la imagen en Juan Ramón es, sin duda, Albert Samain, cuyos acentos son tan a menudo semejantes a los del primer Juan Ramón, como, por ejemplo, en el fragmento «Des roses! Des roses encor! / Je les adore à la souffrance. / Elles ont la sombre attirance / Des choses qui donnent la mort» (de *Au jardin de l'Infante,* París, 1912, p. 13). Otra fuente cercana puede ser Francis Jammes, a quien Juan Ramón asocia con la rosa en unos versos de *Las hojas verdes,* «Tengo un libro de Francis Jammes / bajo una rosa de la tar- / de. El agua llora en mi cristal». (PLP 722).

[15] Véase PLP 77, 78, 116, *Rimas;* 281, *Arias;* 859, *Elejías.*

Es inevitable, pues, que la rosa del presente llegue a sugerir también, especialmente en los primeros años, un punzante recuerdo de las alegrías pasadas, evocando por «la nostalgia perfumada de las rosas» (PLP 866, *Elegías*)[16]. La belleza transitoria de esta misma imagen puede, no obstante, dirigir la atención hacia el futuro, un futuro de ansiosa duda: «¡Oh, qué duda, qué afán, qué insomnio, / este no abandonar mi ilusión bella, / ...este no saber nada de las rosas / de la futura primavera!» (TA 359).

Y, sin embargo, a pesar de la oscuridad que la envuelve, en el pasado y en el futuro, lo que más frecuentemente sugiere es una alegría triunfante que es un consuelo para las penas; «En las tardes de rosas y de brisas, / los dolores se olvidan, riendo / y las penas glaciales se ocultan / tras los ojos radiantes del fuego» (PLP 87, *Rimas*)[17]. A menudo la alegría es la del amor, cuya flor es la rosa más que ninguna otra: «Ya me ha dicho no sé quién / que el amor no es solitario, / que sus flores son las rosas, / sus ruiseñores los labios» (PLP 381, *Jardines*). En la primera época se trata a veces de un amor francamente sensual, pero más a menudo, tal vez, es casto y espiritual[18]. En cualquier caso, este aspecto del significado de la imagen es la segunda fuente principal de lo que he llamado su temporalidad intrínseca, pues el amor que es respuesta del deseo a la visión de la belleza (teniendo la definición platónica validez universal) es, después de todo, un movimiento del espíritu que inmediatamente implica el consiguiente movimiento a través del tiempo y el espacio. Aun cuando el movimiento en sí sea contenido por la *askesis* —como la llama De Rougemont— del temor reverente por la pureza de esa belleza, la fuerza del deseo continúa luchando contra las ataduras.

En todo caso, llega un momento en que el significado de la rosa trasciende el amor y la belleza en general para llegar a identificarse con la amada en un sentido muy específico. Tal vez la primera manifestación clara de esto aparece en los *Sonetos espirituales*:

> Eres la primavera verdadera;
> rosa de los caminos interiores
> brisa de los secretos corredores,
> lumbre de la recóndita ladera.
> ......
> Mi corazón recogerá tu rosa,
> sobre mis ojos se echará tu brisa,
> tu luz se dormirá sobre mi frente (LP 13).

---

[16] Véase también PLP 89, *Rimas;* 1098, *Poemas mágicos;* LP 707, *Piedra.*
[17] Cf. PLP 117, *Rimas;* LP 1034, *Belleza;* y, particularmente para la rosa de consuelo, PLP 87, *Rimas;* 938, *Soledad;* LP 1223, *Estación.*
[18] Véase PLP 739, *Baladas;* LP 355, *Diario.* La sensualidad de la imagen se halla ejemplificada en PLP 382, *Jardines;* 1178, *Laberinto;* 1437, *Melancolía.* La rosa de la pureza se ve en PLP 594, *Jardines;* 1275, *Laberinto.*

Aunque se hallan libres de toda anécdota, hoy sabemos que los *Sonetos*, como mucha de la poesía juanramoniana posterior, están dirigidos a la amada Zenobia Camprubí Aymar, y, desde que se conocieron, el vago romanticismo y la difusa sensualidad de la primera poesía comienza a convertirse en un amor dirigido a un objeto específico, un 'tú' cuya presencia es constante a lo largo del resto de su obra poética[19]. Como claramente sugieren los versos que acabamos de citar, es cierto que el amor y el deseo del poeta van más allá de la amada misma para abarcar los vastos espacios que yacen entre la rosa, el objeto más inmediato, y la distante «recóndita ladera», pero ahora se enfocan a través de la mujer que se convierte en una especie de sacramento de belleza total, y a través de la cual puede él dirigir su devoción hacia esa belleza. De este punto en adelante, el amor simbolizado por la rosa no alternará, como en los años anteriores, entre franco erotismo y casta reverencia. Adquiere de la amada misma una cualidad de cálida ternura y de fresca inocencia: «La sana, la sencilla; / eres como la rosa, / que a todo el que la huele / regala igual aroma!» (LP 117, *Estío*).

Pero lo más importante en la nueva imagen del amor es, sin duda, su particularidad, que de forma más completa que nunca antes, permite a Juan Ramón encontrar la belleza total a través de la belleza específica. Aunque sus tendencias panteístas y místicas continúen haciéndose más pronunciadas, no necesita ya buscar la unión con la belleza total por medio de la muerte, como parecía creer sólo algunos años antes de los *Sonetos*: «Declinaba la hora; moría la sonata, / y las rosas olían, empapadas de agua...; / ...Yo fui palideciendo con las últimas notas... / Un deseo inefable de perderme en las rosas, / de morir, embriagaba mi alma melancólica...» (PLP 1412, *Melancolía*).

III

Símbolo de la mortalidad y del amor, la rosa de Juan Ramón está dotada de una temporalidad interna por la sugerencia de una inexorable corriente —de fatalidad en un caso, y de deseo en el otro— que acompaña a estos significados. Estas son, naturalmente, cualidades inherentes al simbolismo natural de la rosa que los fragmentos de poemas examinados hasta ahora confirman y enfatizan de alguna forma explícita. No obstante, para ver el símbolo como una verdadera entidad estética dentro de la poesía de Juan Ramón, debemos mirar más allá de los significados genéricos para considerar la forma específica en que la rosa se integra dentro de la estructura total de un determinado poema. No es posible hacer esto aquí con gran detalle, pero me

---

[19] En el último caso, este *tú* es el Dios de *Animal de fondo*, que, en alguna medida, está probablemente implícito también en el *tú* de la amada.

gustaría, como único ejemplo, considerar el contexto total del símbolo en un poema de las tempranísimas *Rimas* (1902), que llama la atención en varios sentidos. Cito la versión que aparece en la *Tercera antolojía poética*:

Me he asomado por la verja
del viejo parque desierto:
todo parece sumido
en un nostáljico sueño.
   Sobre la oscura arboleda,
en el transparente cielo,
de la tarde, tiembla y brilla
un diamantino lucero.
   Y del fondo de la sombra,
llega, acompasado, el eco
de algún agua que suspira,
al darle una gota un beso.
   …Mis ojos pierdo, soñando,
en el vaho del sendero:
una flor que se moría,
ya se ha quedado sin pétalos;
de una rama amarillenta,
al aire trémulo y fresco,
una pálida hoja mustia,
dando vueltas, cae al suelo.
   …Ramas y hojas se han movido,
no sé qué turba el misterio:
de lo espeso de la umbría
como una nube de incienso,
surje una rosa fantástica,
cuyo suavísimo cuerpo
se adivina, eterno y solo
tras mate y flotante velo.
   Sus ojos clava en los míos,
y entre brumas huyendo,
se pierde, callada y triste,
en el irse del sendero…
   Desde el profundo boscaje,
llega, monótono, el eco
de algún agua que responde,
al darle una gota un beso.
   Y allá sobre las magnolias
en el traslúcido cielo
de la tarde, brilla y tiembla
una lágrima lucero.
   …El jardín vuelve a sumirse
en melancólico sueño,
y un ruiseñor, dulce y alto,
jime en el hondo silencio. (TA 29-31).

El aspecto estructural que nos llama más inmediatamente la atención es, claro, la simetría de la secuencia de imágenes. Es, desde luego, sólo aproximada, pero lo asombroso es que un amante de vagas imprecisiones (de las que aún hay muchas en el poema), como el joven Jiménez, haya siquiera utilizado una forma tan arquitectónica[20]. En efecto, de los muchos cientos de poemas publicados en los libros y en las *Antolojías* sólo éste y uno mucho más breve en *Arias tristes* tienen una forma que realmente puede llamarse simétrica[21]. Sugerencias más vagas de la forma pueden encontrarse en muchos poemas de la primera época, en que una repetición de los primeros versos establece un equilibrio entre el final y el principio, pero en ningún otro sitio se continúa la repetición equilibrada hasta el grado en que la hallamos aquí: sueño / lucero / agua / sendero / rosa / sendero / agua / lucero / sueño[22].

El significado inmediato de esta estructuración es musical y afectivo. Comenzando en el silencio del parque desierto, el poema crece en intensidad emocional a lo largo de un extenso *crescendo* que culmina con la aparición, a través de las oscuras sombras, de la fantástica rosa, a cuya posterior desaparición en la bruma sigue un *decrescendo* que termina en un profundo silencio. La simetría es también el símbolo en arte de las tendencias hacia lo centrípeto, hacia lo interiorizador y lo autorreferente; puede incluso ser considerada como esquema del concepto aristotélico de las tres partes del todo poético. En cualquier caso, ciertamente dirige la atención de forma muy marcada hacia la imagen central de la «rosa fantástica», del mismo modo en que el poema simétrico de *Arias tristes* (PLP 265) fija la atención en el hilo de diamante de una fuente. La simetría es hasta tal punto un fenómeno visual (probablemente, para que se hiciera evidente su estructura, haría falta escuchar el poema muchas más veces de las que hace falta leerlo) que inevitablemente en poesía provoca en alguna medida una espacialización del tiempo[23]. La imagen central se convierte así en un objeto de contemplación atemporal y las imágenes que la rodean son como paredes de 'moradas' concéntricas que la guardan en lo más recóndito del reino del espíritu.

---

[20] Ricardo GULLÓN cita a Juan Ramón diciendo, medio siglo más tarde: «La poesía pierde por la arquitectura; por el empeño de darle una forma determinada, una construcción. Así ocurre en Góngora. La música y la poesía no son artes visuales, como algunos parecen creer. Al escribir en prosa un poema, al escribirlo seguido, la poesía gana.» *Conversaciones con Juan Ramón,* Madrid, 1958, p. 115. Esta convicción explica sin duda el uso casi exclusivo del verso libre a partir del *Diario*.

[21] Véase el ensayo mencionado en la nota número 10.

[22] Esta secuencia de palabras clave tiene una simetría más precisa que la que se habría producido si se hubieran incluido en ella todos los elementos que se repiten. El examen del poema revela, como es natural, que su estructura es mucho más compleja aunque menos exactamente simétrica.

[23] Un examen muy útil del pensamiento moderno sobre la estética de espacio-tiempo en general puede hallarse en el primer capítulo de *The Metaphoric Structure of Paradise Lost,* de Jackson I. COPE, Baltimore, 1962.

Ciertamente, esto se halla implícito en la simetría del poema de la fuente diamantina, cuyo chorro, semejante a un hilo, es un objeto de contemplación casi doloroso en su intensidad, pero en este poema el carácter esquivo de la rosa fantástica da a su contexto una ambigüedad algo paradójica. Así, mientras conserva la sugerencia implícita de tiempo espacializado y el deseo de rodear y guardar en sí la imagen central, la huida de la rosa frustra inmediatamente este deseo, de tal modo que las imágenes circundantes se convierten en meros puntos recíprocos de referencia en el espacio a través del cual se escapa. El deseo es, pues, centrípeto, pero el movimiento real en el poema es centrífugo[24].

En la versión original aparecida en las *Rimas,* la imagen central del poema era una «virgen fantástica» (ver PLP 99), la rosa sólo aparece en la versión revisada de las *Antolojías.* En términos referenciales, las dos palabras son exactamente equivalentes, pero, como —espero— habrá quedado claro en la primera parte de este estudio, el carácter esquivo del objeto se manifiesta con mucha mayor expresividad por medio de la metafórica y simbólica rosa[25]. Otro efecto importante se percibe en el nivel de expresividad acústica e indica que el cambio pudo estar motivado por el agudo sentimiento de Juan Ramón hacia los valores musicales y cinestésicos de los sonidos de la lengua. En el verso

surje una rosa fantástica,

la sucesión de vocales forma una estructura esencial de progresión a través de la serie oscura (ú - u - ó) hacia una serie de sonidos de *a* claros y sonoros, que constituyen la cumbre del *crescendo* en todo el poema. La estructura simétrica no se introduce en el sonido mismo de esta línea central, como lo hace en el poema de la fuente diamantina, precisamente porque, dentro de la visión del poeta, la imagen de la rosa elude la captura. La pura progresión sugerida por los sonidos en sí mismos, describiendo un tipo de trayectoria que alcanza su punto más alto

[24] En un breve comentario sobre este poema, Fernand VERHESEN (*op. cit.,* p. 99) señala que las imágenes sugieren el espacio circundante y las llama puntos de partida en lugar de puntos de referencia. Considerando la simetría del poema —que este autor no menciona— pienso que la referencia mutua es obvia y, de hecho, muy efectiva para sugerir un 'vacío' a través del cual la rosa huye.

[25] El cambio de *virgen* a *rosa* se da nuevamente en la revisión de la *Balada* que comienza diciendo «Dios está azul...» (PLP 739; SA 62), que aparece en la antología titulada *Canción* (1936). Bernardo GICOVATE en *La poesía de Juan Ramón Jiménez,* San Juan, 1959, páginas 129-135, realiza un estudio de las tres versiones de este poema.

[26] Se sabe que en Juan Ramón la captación de la expresividad acústica era aguda, pero no está tan generalizadamente aceptado que esta expresividad sea a menudo mucho más que una vaga 'musicalidad'. Un ejemplo de sugestividad compleja en una secuencia de sonido ha sido señalado en *MLN,* LXXVII (1962), 461, se señalaba que en el verso «Por él he de ir a ti», de hombre de poema de las 'Pastorales' de la *Antolojía* (TA 99), «nos hallamos (nuestra retentiva, fraguada por el ámbito lingüístico, lo engendra) ascendiendo por los monosílabos como si fueran peldaños». El efecto se consigue gracias a la estructura fonética del verso, en el cual el ascenso a lo largo de la serie de vocales sugiere el ascenso del deseo.

en el último acento y continúa adelante descendiendo en el final esdrújulo, refuerza mucho, en el nivel fundamental (casi subliminal) de la forma lingüística, el carácter intrínsecamente esquivo del propio objeto. De esta forma, el verso ofrece una expresión extraordinariamente efectiva del ideal de Mallarmé: «de créer: la notion d'un objet, échappant, qui fait défaut»[27].

La línea de esta huida traspasa una figura que, a pesar del carácter igualmente lineal de la sucesión simétrica de imágenes, es, como complejo total de imágenes, esencialmente concéntrica. El «Parque viejo» (que es título del poema en su versión original) es una especie de *hortus conclusus* cuya «verja» rodea a la rosa tanto como las demás imágenes aunque esa palabra no vuelve a repetirse en el poema. La concentricidad implícita y los movimientos tanto centrípetos como centrífugos de la totalidad del poema crean algo semejante a una versión en grande de la forma básica de la rosa misma. Esta forma nos recuerda inmediatamente lo que Jung llama el *mandala*, figura arquetípica consistente en círculo y centro, que se da en mitos y sueños y que simboliza un todo psíquico dentro del cual la multiplicidad desordenada se reduce a una unidad armónica y se relaciona integralmente con el centro, el ser más profundo[28].

En la poesía posterior de Juan Ramón, los movimientos centrípetos y centrífugos de este poema juvenil se reflejan y desarrollan en la imagen de la rosa. En algunos momentos se acentúa el centro y el movimiento es claramente centrípeto: «¡Amor! ¡Amor inmenso cual el cielo! / ¡El alma, embriagada y temblorosa, / va hacia ti, en su romántico desvelo, / como hacia el cáliz de una eterna rosa!» (PLP 1299, *Laberinto)*. Y, de nuevo, en un estado más avanzado de depuración poética:

> Como con mariposas,
> se lleva el alma suave
> su carne estremecida
> al ocaso imborrable.
>   Allí,
> como en el cáliz
> de una rosa de fuego
> blanco, las alas arden
> inútiles,
> y se queda en su centro,
> transparente, divina, la inmaculada carne.
>
>   (LP 1054, *Belleza.*)

No obstante, la imagen de la rosa —particularmente de la rosa abierta— sugiere con mayor frecuencia un movimiento hacia afuera, desde el

---

[27] De «La Musique et les lettres», *Oeuvres complètes*, París, 1945, p. 647.
[28] Véase C.G. JUNG, *The Archetypes and the Collective Unconscious*, traducción al inglés de R.F.C. Hull, Nueva York, 1959, pp. 355-390.

centro hacia una periferia que, en último caso, puede envolver toda la realidad. El movimiento es una expansión de fuerzas espirituales correspondientes, en la primera poesía, a sentimientos a la vez dolorosos y dulces: «Oh, rosas, que en la sombra del muro abandonado, / volvéis a abrir, llorando, vuestras sangrientas hojas, / volvéos a abrir en mi corazón arruinado, / aunque os abráis de llanto, aunque os abráis de rojas!» (PLP 794, *Elejías*)[29]. También puede tratarse de la imagen del expansivo despertar del amor: «Amor, rosa encendida, / ¡bien tardaste en abrirte!» (PLP 255, *Diario*). Más adelante el sentimiento es más intelectual, más puramente 'poético'. En algunos versos de *Poesía*, por ejemplo, se describe el inmenso esfuerzo mental que se requiere para expulsar de la poesía el peso muerto de la «fealdad grosera», y, cuando esto se ha conseguido, el espíritu puede extenderse a proporciones inmensas: «Y entre el pecho y los brazos doloridos, / la sensación divina de una jigante rosa, / que fue —¿cuándo?— de piedra» (PLP 843). Eventualmente, respondiendo a lo que es la intuición metafísica esencial, la expansión dentro de la imagen es una fuerza explosiva. Pero sobre esto tendremos que hablar más adelante.

IV

Hemos visto que la rosa de Juan Ramón contiene un dinamismo interno que aparece en la fuga de su breve existencia a través del tiempo: en la belleza que obtiene —y elude— la movilización del deseo y en el movimiento del sentimiento y la intuición hacia su centro, como íntimo corazón de la realidad, o fuera de él, para abarcar el mundo en derredor. En estos movimientos se hace manifiesta una temporalidad intrínseca que, en mayor o menor grado, implica el carácter perecedero de todas las existencias temporales[30]. Naturalmente, en el estudio de la temporalidad de la imagen, no ha sido posible ni necesario dejar de lado la concepción que de ella, como símbolo de las esencias internas de estas existencias, tiene Juan Ramón, pero ahora debemos considerar estas concepciones en el contexto de las particulares formas por las que se expresan.

La ambigüedad de las varias palabras que en las lenguas occidentales significan 'esencia' —sin duda, fruto de nuestra herencia de la

---

[29] Cf. PLP 479, *Jardines;* 1161, *Poemas;* 1219, *Laberinto;* LP 255, *Diario*.

[30] Así pues, considero este movimiento de fuga a través del tiempo como primario, y el movimiento espacial como correspondiente fundamentalmente a la dimensión temporal. Si para Aristóteles el tiempo es el «número del movimiento», para Juan Ramón el movimiento es, sobre todo, la medida del tiempo. Y la idea de tiempo nunca está aislada completamente del pensamiento de la muerte. Su anverso, el ansia de eternidad se halla directamente relacionado con la ansiedad de este pensamiento y es el motivo fundamental de la búsqueda de las esencias. Para una discusión de estas ansiedades como tema central en la poesía de Juan Ramón, véase A. Sánchez-Barbudo, *La segunda época de Juan Ramón Jiménez,* Madrid, 1962.

alquimia— convierte la fragancia de la rosa, su esencia en un sentido físico, en símbolo natural de la *qual-itas* pura de su belleza, es decir, de su esencia en un sentido metafísico. En numerosos poemas Jiménez utiliza esta ambigüedad para expresar su propio concepto de esencia. La atmósfera de muchos poemas de la primera época está cargada de esencias de rosa y jazmín, y es clave en la creación de un *Stimmungsbild* de melancolía agridulce, pero más tarde, aparece la concepción de la fragancia de la rosa como una esencia de belleza separable de las formas existenciales de ésta, una esencia que, en su carencia de forma, puede sobrevivir a la desaparición de éstas. Esta concepción se ve claramente desarrollada en los siguientes versos de *Belleza:* «¡Rosas, rosas al cuarto / por ella abandonado! / ¡Que el olor dialogue, en esta ausencia, / con el recuerdo blanco!» (LP 1101). Pero la rosa puede también impartir su esencia a formas distintas de sí misma. En un poema en prosa de *Diario de un poeta recién casado,* la rosa que una mujer, dormida en un vagón de metro, lleva en la mano, transfigura la suciedad y la fealdad que la rodean (LP 328). En otro lugar del mismo libro, la rosa, ahora identificada con la amada, despide una fragancia que, en la inmensidad de su esencia, es capaz de llenar todo el espacio:

> Te deshojé, como una rosa,
> para verte tu alma,
> y no la vi.
>
> —horizontes de tierras y de mares—
> todo, hasta el infinito,
> se colmó de una esencia
> inmensa y viva. (LP 285).

El hecho de que no sea sino cuando se la deshoja —esto es, al privarla de su forma— cuando puede percibirse su esencia, deja clara la independencia de ésta frente a la forma existencial, e incluso sugiere una oposición radical entre ellas.

En otros poemas se nos presenta el contraste entre ambas sin que la forma visible se pierda en la esencia; el efecto de éstos es muy superior al de muchos poemas en que la ambigüedad de la palabra evoca el concepto de esencia sin forma. En un extraordinario poema de *Eternidades,* el sentimiento de tiempo se expresa con una fuerza y profundidad que parecen realmente insuperables, pero la esencia de la rosa (aquí de nuevo identificada con la amada) sigue siendo una eterna presencia dentro del río de la temporalidad:

> Te siento aquí en el alma honda y clara,
> cual la luz que una rosa
> copiara sólo de ella
> en un agua corriente...
> Ni te lleva a las otras ellas de ella,
> ni, al irte tú a otras tú, te borras.

> Estás, eterna, en su inmanencia,
> igual en lo sin fin de su mudanza,
> cual el sol que una rosa
> copiara sólo de ella en la corriente.

Aquí un reflejo de la flor en la corriente simboliza la esencia de la rosa —y de la mujer—. Es decir, que se la ve dentro de una esfera del ser en la que se halla por necesidad separada de su forma palpable y, por tanto, tan abstraída de ésta como lo está la fragancia de la flor que la produce. El concepto básico y en apariencia paradójico del poema —que la rosa que se ve en la corriente es eterna mientras que la que tiene sus raíces en la tierra ha de desaparecer inevitablemente— exige esta abstracción.

Un poco más adelante en *Eternidades,* la rosa esencial se hace visible en una forma aún más frágil que el reflejo: «¡Sentí que lo más puro / se me cuajaba en su alegría, / cual si esa rosa que el rocío yerto / hace en la rosa suave, / la suplantara para siempre!» (LP 660). Nuevamente una paradoja: La rosa de rocío, la rosa esencial, vista (dentro de los términos de un «cual si») como sustituta y sobreviviente de la rosa existencial, pero esto es claramente reconocible como versión temporal de una paradoja ya conocida en Jiménez, la que representa la inmensidad del significado a través de la brevedad de la forma[31]. No es necesario señalar aquí la eternidad de la esencia («lo más puro») para que se entienda que está implícita en la imagen; la extrema brevedad de la existencia temporal en la rosa de rocío es un símbolo directo de esa eternidad. El pensamiento es, pues, de alegría, pero es una alegría teñida de nostalgia por la «suavidad» de la rosa mortal en contraste con la imagen acristalada formada por el «rocío yerto», imagen de la esencia eterna.

Hay, por otro lado, momentos en que la esencia logra satisfacer al poeta; le encontramos entonces defendiendo la primacía de las formas. Durante un breve período, al final de su primera época, parece considerar todas las esencias como puramente ilusorias, e incluso las rosas se conviertcn en convexidades carentes de sentido interno: «¡No! La ilusión acaba... Sólo las envolturas / hacen soñar en formas hondas y prodigiosas...; / se desnuda la idea: las magias más oscuras / surgen en una estéril convexidad de rosas... » (PLP 1436, *Melancolía).* Sin embargo, casi inmediatamente Juan Ramón parece haberse dado cuenta de que el único error real está en desentenderse totalmente de la belleza que tiene inmediatamente a mano para mirar más allá de ella, hacia el ideal definitivo: «¿De qué es entonces, alma, el ansia de ideales / lejanos que consume tus pensativas horas? / ...No ansíes más ocasos, más nor-

---

[31] Véase *MLN,* LXXVI (1961). 644. El concepto está bastante explícito en algunos versos de *Belleza* dirigidos a la *obra:* «Firme delicadeza / de instantes permanentes, / ...Nada derrumbará ni aplastará / tus jigantescas rosas diminutas» (LP 1057), y aún más claro en un pasaje del poema en prosa «Espacio»: «Grande es lo breve, y si queremos ser y parecer más grandes, unamos sólo con amor no cantidad... Lo más bello es el átomo último, el solo indivisible, y que por serlo no es ya más pequeño.» (TA 856).

tes. Guarda y cuida / tu corazón entre sus rosas bellas» (PLP 1437 *Melancolía*). La duda y el error se disipan al volverse de la distante periferia de la conciencia hacia su centro, y de las desconocidas bellezas de más allá del horizonte a aquellas que se hallan presentes aquí y ahora.

La poesía de Juan Ramón jamás vuelve a mostrar duda tan evidente como en este momento, pero permanece con él la conciencia de que no importa cuán lejos la fantasía trascienda la superficie de la realidad, deberá siempre volver a ellas para su inspiración. Afirma entonces la primacía del objeto sobre la esencia, de la forma sobre lo que carece de ella: «¡Luz, sé sol; sé, olor, rosa; / melodía, sé lira: lira, rosa, sol, cumbre de mi vida!» (PLP 185, *Estío*)[32]. En estos momentos rechaza las intuiciones fruto de los movimientos internos del espíritu y prefiere buscar la verdad que surge de la realidad objetiva de las cosas: «¿Recordar? ¿Soñar? ¡Querer! / ¡Bien por la alondra de Oriente! / ¡No hay más que mirar y ver / la verdad resplandeciente!» (LP 105, *Estío*).

A pesar de momentos como éstos, la busqueda de las esencias se convierte en la preocupación primordial de Juan Ramón, y debe recordarse que el poema en que se descubría la esencia de la mujer-rosa deshojándola corresponde al año siguiente a los de *Estío* que acabamos de citar. En realidad, lo cierto es que hay muchos indicios de que es en su segunda época cuando Juan Ramón empieza a concebir clara y plenamente su labor como una búsqueda de las esencias de las cosas, antes que de fines transcendentes indefinibles.

Sin duda, el tipo de abstracción en extremo literal que se da cuando las formas se dejan totalmente a un lado no es el único medio por el que se realiza la búsqueda. Más de una vez en los años inmediatamente anteriores o posteriores al inicio de la segunda época de Juan Ramón, se percibe la esencia casi como una especie de idea platónica, cuya concepción se logra por medio de un proceso tanto de síntesis como de abstracción. Entre los poemas del período de 1910-1911, conocido en las *Antolojías* como «Poemas agrestes», hay uno en el cual la esencia que subyace bajo el ciclo de muerte y renacimiento en un campo de cereales se visualiza también en estos términos platonizantes: «Anhelo inestinguible, / ante la norma única de la espiga perfecta, / de una suprema forma, que eleve a lo imposible / el alma, ¡oh poesía, infinita, áurea, recta!» (TAP 211).

Análoga a este ansia de hallar formas particulares para lograr la perfección de esencia, la «norma única», y, en parte simbolizada por ella, se encuentra la búsqueda de la perfección que lleva a cabo el propio Juan Ramón, como se describe en el prólogo al *Diario*:

La depuración constante de lo mismo, sentido en la igualdad eterna que ata por dentro lo diverso en un racimo de armonía sin fin y de reinternación permanente. En la tarde total, por ejemplo, lo que da la belleza es el latido íntimo de la caída idéntica, no el variado espectáculo esterno... (LP 203).

---

[32] Véanse los comentarios de Ricardo GULLÓN a esta tendencia y a este poema en *Estudios*, pp. 178-180.

No obstante, es comprensible que sea la rosa la que se muestre como la imagen más efectiva de tal idealismo, particularmente en una breve composición que aparece en *Poesía:*

> Todas las rosas son la misma rosa,
> ¡amor!, la única rosa;
> y todo queda contenido en ella,
> breve imajen del mundo,
> '¡amor!' la única rosa. (LP 909).

La progresión conceptual que aparece en los primeros dos versos (todas las rosas / la misma rosa / la única rosa) ilustra la utilización de un proceso sintetizador en la creación y el descubrimiento de la esencia de las cosas, pero constituye un gran mérito del poema el que el resultado del proceso no sea simplemente una suma abstracta de todas las rosas, sino también un extraordinario ejemplo del universal concreto, siendo la «rosa única» una especie de sacramento de todo lo que importa a un poeta[33]. La particularidad de la imagen se encuentra, sin duda, realzada en la versión más breve que hace Guillén del primer verso de Juan Ramón: «¡Oh concentración prodigiosa! / Todas las rosas son la rosa, / plenaria esencia universal»[34]. Y quizá podría decirse que lo está más aún en líneas similares de Rilke, correspondientes aproximadamente al mismo período: «Une rose seule, c'est toutes les roses / et celle-ci: l'irremplaçable, / le parfait, el souple vocable, / encadré par le texte des choses»[35]. Pero la imagen está ya presente en el poema de Juan Ramón, y en estos tratamientos de ella se echa de menos su presentación progresiva del concepto.

Para el propio Juan Ramón, sin embargo, incluso este grado de particularidad llegará, en un momento posterior, a parecer insuficiente. En *La estación total* aparece una crítica expresa de este poema: «¿Igual es una rosa que otra rosa? / Sí (pero aquella rosa...)» (PL 1254). La crítica no conlleva el rechazo total del planteamiento anterior ni la reafirmación total de las formas existenciales, pero queda claro, en todo caso, que, en una revisión del mundo poético de Juan Ramón como un todo, la "idea" cuasi platónica es sólo uno de los aspectos del fenómeno de la esencia, no su expresión fundamental.

No obstante, en tanto en cuanto estas 'ideas' funcionan como ideales, como objetos de deseo, tienen un profundo significado en ese

---

[33] De hecho, existe una semejanza asombrosa —y puramente casual— entre el concepto de este poema y uno que aparece en un villancico inglés del siglo XV en el que la rosa es la Virgen María: «For in this rose conteined was / Hevene and erthe in litel space / Res miranda.» Citado por Barbara SEWARD, *The Symbolic Rose*, p. 24.

[34] De «La Florida», en *Cántico*. En *Cántico de Jorge Guillén*, Madrid-Nueva York, 1953, p. 79 et passim, Joaquín CASALDUERO llama la atención sobre la profunda significación de la rosa para Guillén.

[35] De *Les Roses*, en *Sämtliche Werke*, Frankfurt, 1956, II, 576. Los versos están fechados en septiembre de 1924.

mundo, y aquí, nuevamente, nos encontramos con que la rosa es la imagen más efectiva de la perfección del ideal. Esta perfección se halla implícita en la «rosa justa» del soneto 40 (LP 56), en una «rosa magnífica y completa» (LP 1021, *Belleza*), y en la yuxtaposición «Rosa completa en olor. / Sol terminante en ardor.» (LP 1237, *La estación total*). Pero donde más claramente implícito lo encontramos es en un pequeño poema aforístico, citado con frecuencia, en el que la perfección simbolizada por la rosa es, a su vez, imagen de perfección en la poesía misma: «¡No le toques ya más, / que así es la rosa!» (LP 695, *Pidra y cielo*)[36].

Naturalmente, para el poeta, cualquier concepto de perfección debe, al fin y a la postre, tocar su preocupación por la perfección en el terreno poético; y en la constante inquietud de Juan Ramón por su obra hay una evidente conciencia de que, en último caso, es en la poesía misma, en el universo de las palabras, donde todas las perfecciones y las esencias tienen una posible realidad eterna. Entre los «Poemas impersonales» de 1911 hay uno, dirigido a «un poeta» que se refiere a «un libro no escrito», en el cual se proclama la verdad de este descubrimiento y la consiguiente urgencia en la creatividad:

> Creemos los nombres.
> Derivarán los hombres.
> Luego derivarán las cosas.
> Y sólo quedará el mundo de los nombres,
> letra del amor de los hombres,
> del olor de las rosas.
>
> Del amor y las rosas,
> no ha de quedar sino los nombres.
> ¡Creemos los nombres! (TAP 254).

La esencia de la belleza se halla sugerida aquí, en un tono familiar, por el «olor de las rosas», que es a las flores lo que el amor a la humanidad; pero sólo cuando se les da «letra», cuando su música es puesta en palabras, pueden hacerse eternos. Más tarde, Juan Ramón sugerirá que, si el acto de nombrar es lo suficientemente preciso, el nombre será la cosa misma: «¡Inteligencia, dame / el nombre exacto de las cosas! / / Que mi palabra sea / la cosa misma, / creada por mi alma nuevamente» (LP 553, *Eternidades*). Y, como señala en alguna otra parte de *Eternidades*, este mundo poético es eterno. Paradójicamente, sin embargo, la permanencia de esta palabra, por medio de la cual se hace permanente la esencia de la rosa, se compara ahora con una permanencia autosuficiente en la propia flor. La inmortalidad («vivir divino») de la «palabra mía eterna» es la de una «flor sin tallo y sin raíz, / nutrida por la luz,... / sola y fresca en el aire de la vida!» (LP 688, *Eternida-*

---

[36] Sobre la perfección de la rosa en Juan Ramón véase GULLÓN, *Estudios, pp. 192-194.*

des), y al principio de *Belleza* el poeta llama a toda su obra «¡Mortal flor mía inmortal / reina del aire de hoy!» que algún día será «(borrada) esistencia inmensa, / desveladora virtud» (LP 985). Tan cercanamente llegan a identificarse la flor y la poesía, que cada una es el vehículo de la otra, en una perpetua compenetración.

El acto mismo de dar nombre a las cosas es, lógicamente, abstractivo,[37] pero para Juan Ramón las esencias nunca se desvitalizan al darles forma verbal. No se piensa en ellas como 'capturadas' en la poesía, sino, por el contrario, como liberadas, en ella, del tiempo. En un poema titulado «Libertador», exclama: «¡Con qué dificultad, tiempo, / te voy robando tus joyas... ¡Cómo brillan / sobre mis manos sangrientas / y aplastadas de las moles / que tienen que separar» (LP 898, *Poesía*). Hay momentos, es cierto, en que la oscura abstracción «rosa de sombras y de sombra» parece ser una «esencia gris sin más olor» (LP 1251, *La estación total*), pero la mayoría de las rosas de su última poesía están en llamas con una vitalidad que trasciende las limitaciones temporales: «¡Si no es posible que corte / la rosa de fuego, hasta / dejarla justo en los límites / que le da el reló implacable!» (LP 839, *Poesía*). El deseo de Juan Ramón de capturar esta rosa resplandeciente es tan intenso como lo era en el joven poeta melancólico que deseaba ardientemente perseguir a la «rosa fantástica», pero la propia naturaleza de ésta lo hace imposible: «¡Cójela, coje la rosa! / —¡Que no, que es el sol! / La rosa de llama, / la rosa de oro, / la rosa ideal. / —¡Que no, que es el sol!» (LP 1200, *La estación total*).

Si la posesión como tal es imposible, existe, en cambio, una eventual fusión entre el poeta y la rosa que los libera a ambos del tiempo y libera también los ritmos de una danza de luz, cautiva, hasta entonces, y en potencia:

> Así danzamos juntos hacia arriba
> una danza de luz que nos quedaba
> (rosa, hombre, algo más) de aquel destino
> y que yo tuve el sino de librar
> de su espera, que pudo ser perpetua,
> (¡y qué angustia pensarlo ahora, vida!)
> un ritmo dentro que salió en la llama,
> inmanencia del fin de los secretos. (TA 941)[38].

La rosa llameante de estos penúltimos momentos de Juan Ramón es, en mi opinión, un presagio inmediato de esa luminosa «conciencia única, justa, universal de la belleza» que en *Animal de fondo* se identifica con Dios y se simboliza por medio del diamante, el fuego o la luz

---

[37] Esto es, en tanto en cuanto es categorizador. Véase Amado ALONSO y Raimundo LIDA, *El impresionismo, loc. cit.*

[38] El poema es de «Una colina meridiana», sección de la *Tercera antolojía* fechada entre 1942 y 1950.

misma. En este último libro la imagen de la rosa desaparece completamente, si exceptuamos una notable aparición que aún debemos considerar. Sin embargo, su examen debe realizarse en el contexto de un resumen de lo que hasta ahora hemos visto.

V

La rosa ha mostrado ser una imagen tan fundamental en la poesía de Juan Ramón, que la búsqueda de sus múltiples significados a lo largo de toda la obra es casi como trazar la línea principal de su desarrollo poético. Al estudiar con esta imagen su tratamiento del tiempo y la esencia, nos hemos tropezado también con aspectos importantes de su tratamiento de los fenómenos de espacio y forma, amor y belleza, vida y muerte, y la relación de todos estos con el arte, con la poesía. Precisamente debido a la singular capacidad de cualquier símbolo literario para la síntesis expresiva, una interpretación nunca puede ser su equivalente, pero espero que en las anteriores secciones de este ensayo hayan quedado claras las relaciones de unos significados con otros y con su signo común. La rosa es la alegría de la vida y la pena de la muerte. Es el amor de la carne y del espíritu. Es la belleza perfecta en sus formas efímeras y en su esencia eterna. Y, en último término, es lo único que el espíritu humano puede poseer plenamente: un *nombre*.

Hay, no obstante, otro significado importante del símbolo, derivado de un rasgo intrínseco de la imagen misma y común a todas las rosas de Juan Ramón. Todas ellas, como puede observarse, sugieren una belleza del aquí y ahora, justamente al alcance de la mano —o escasamente fuera de él. Es una belleza del 'más acá' en contraste con el 'más allá', tendiendo siempre hacia él, pero siempre implícitamente relacionada con el 'aquí', que es el del sujeto consciente, el 'yo' implícito o explícito de cada poema. A menudo la rosa parece ser una extensión de ese 'yo' y a veces incluso parece identificarse con él en su propio encuentro con el 'más allá'[39]. Pero siempre es la imagen misma de ese encuentro, del umbral entre los dos órdenes de la realidad.

En las notas a *Animal de fondo*, Juan Ramón nos dice que su evolución poética ha sido un «sucesivo encuentro con una idea de dios», y que, en las tres fases principales de esta evolución, el encuentro ha ocurrido, primero, «como en mutua entrega sensitiva»; luego, «como un fenómeno intelectual, con acento de conquista mutua»; y, finalmente, «como un hallazgo, como una realidad de lo verdadero, suficiente y justo». Y añade: «si en la primera época fué éxtasis de amor, y en la segunda avidez de eternidad, en esta tercera es necesidad de conciencia interior y ambiente en lo limitado de nuestro moderado

---

[39] Pueden hallarse ejemplos de esta identificación en PLP 859, *Elejías* (y más aún en la versión revisada del mismo poema en SA 74) y en LP 846, *Poesía*.

nombre» (LP 1342). A pesar de lo asombroso de su lenguaje, creo que es posible identificar cada una de estas etapas en tres poemas en los que la rosa aparece en el umbral de un encuentro —un encuentro que, mirándolo retrospectivamente, puede entenderse como encuentro con «una idea de dios».

El primero de ellos está dirigido a una mujer que al final del poema queda absorbida en la imagen de la rosa; desde la perspectiva actual, puede entenderse que ésta posee todas las cualidades atribuidas a la mujer:

> ....
> —¡Ay, mujer, más que cuerpo,
> casi alma, en el punto
> en que aquél va hacia ésta
> y el alma es casi aquél;
> jermen de confusiones
> de verdad y de mentira!—
> ¡Mujer, y no sabemos
> qué dominio es el tuyo
> dónde tomar tu parte, ambigua rosa!
> (LP 860, *Poesía*)

La nota de confusa ira que se desprende de estos versos corresponde sin lugar a dudas a un enamorado, y creo, por lo tanto, que el poema puede considerarse representativo de la primera fase, la del amor mutuo y el abandono a los sentidos. Ciertamente, el poema sugiere que este abandono es entre cuerpo y alma, y no entre hombre y mujer, pero, en último término, cada uno debe hallarse implícito en el otro. En cualquier caso, está claro que la ambigua mujer-rosa se encuentra en un umbral, punto de encuentro entre cuerpo y alma, forma y esencia, más acá y más allá.

En un encuentro representativo, en mi opinión, de la segunda fase de la evolución de Juan Ramón, la del «fenómeno intelectual con acento de conquista mutua», hallamos ambigüedad en este mismo sentido. Se trata del poema de *Belleza* llamado «Fuegos»:

> ¡Este encontrarse nítido
> del rayo ardiente de nuestra alma,
> con el rayo imprevisto estraño; y este ser
> uno de la rosa —'la explosión!—, la estrella
> en el punto inhuible
> en que tocan los dos rayos vivos! (LP 1045).

El lugar del encuentro entre dos rayos de intelección ardiente se ve aquí como «inhuible», determinado por un ineludible destino cósmico; y, en este punto, está el propio poeta identificado con la estrella y la rosa, en el centro de una explosión de fuerza intelectual que envuelve a ambos elementos en el encuentro: «fenómeno intelectual con acento de conquista mutua». En el segundo encuentro el rayo del más allá es aún extraño y carece de nombre, pero nuevamente debe recordarse que más tarde se entenderá como un encuentro con Dios[40].

En la poesía de *Animal de fondo,* que aparece al final de la tercera fase, esta visión es totalmente explícita. Este es el momento del descubrimiento de Dios como «realidad de lo suficiente justo» (LP 1342). El poeta que largos años antes había exclamado: «¡Qué triste es amarlo todo, / sin saber lo que se ama!» (PLP 90) ha transformado ahora su amor por un Todo desconocido en amor dirigido a un objeto conocido, la conciencia universal dentro de la conciencia individual.

Dentro del contexto de este descubrimiento, tercer encuentro en la trayectoria poética de Juan Ramón, hallamos la última aparición de la rosa en la obra publicada del poeta: su única aparición en *Animal de fondo.* Está en los versos finales de un poema sobre la patria espiritual, «En el país de países»:

> ¡Qué abrirse de la boca de las rosas,
> las rosas de la boca, en estas hojas
> practicables al ojo enamorado
> que encuentra su descanso repetible
> de los infinitos; tan posible
> esistir, esistir mío
> es suficiente estar aquí la vida entera!
>
> Un corazón de rosa construida
> entre tú, dios deseante de mi vida,
> y, deseante de tu vida, yo. (LP 1334).

En esta compleja y ambigua imagen, las rosas de los primeros dos versos sugieren tanto el ser externo, limitado temporalmente, en sus aspectos físico y espiritual (lo que el mismo poema llama previamente el «cuerpialma»), como todas las formas externas que el ser ama, mientras, bajo la mirada del ser interior esencial, se expanden (el sentido de «abrirse» explicado previamente) a través del espacio ilimitado, perdiendo sus formas externas y permitiendo que el ser interior encuentre reposo en los dos infinitos, de tiempo y espacio[41]. Y en el corazón de ese ser interior se encuentra otra rosa, la rosa del tercer encuentro. Símbolo y sacramento de belleza en la conciencia universal, esta última

---

[40] Existe un cierto problema cronológico con nuestro primer ejemplo. Las notas indican que el final de la primera época fue «hacia mis 28 años» y el de la segunda, «hacia mis 40 años» lo que sería entre 1909 y 1921. Ambos poemas son, sin embargo, del período 1920-1923. Puesto que Jiménez nos dice que la tercera etapa «supone las otras dos», es tal vez posible que en algún sentido la segunda contenga en sí a la primera. La división más habitual de la obra de Jiménez en dos épocas fundamentales, 1898-1917 y 1917-1953, se basa en criterios de estilo y tono afectivo.

[41] En esta unificación implícita de tiempo y espacio infinito, que es básicamente del tiempo *en* el espacio, se lleva a cabo esa espacialización del tiempo que se hallaba sugerida, de forma más ambigua, en algunas de las primeras obras de Juan Ramón.

rosa es el lazo eterno entre el ser esencial y el «dios deseado y deseante».

Así se consigue la plenitud última de significado en una imagen que, siendo originalmente en extremo abundante, ha aumentado en intensidad según ha ido disminuyendo su aparición. En la rosa de este tercer encuentro hallamos esa totalidad de significado prevista unos veinte años antes en esos versos de *Poesía* que, por sí solos, pueden resumir nuestro estudio:

> Y todo queda contenido en ella,
> breve imajen del mundo,
> ¡amor!, la única rosa.

[*Modern Language Notes,* vol. 78, n.º 2 (1963). Traducido del inglés por María Emilia García Padilla].

AGNES GULLÓN

ESCRIBIENDO CON COLORES

¿Se puede leer a un poeta en los colores de su escritura antes que a través de sus palabras? O dicho de otro modo, ¿pueden esos colores en su suceder poético registrar tanto como registran las unidades verbales enmarcadoras? El empeño de leer así un libro —*Canción,* de Juan Ramón Jiménez— cuyo lirismo impresiona en casi cada página (y son 418) nació, en mi caso, de notar dos cosas: la doble sensibilidad al color del poeta-pintor y la presencia continua del elemento cromático. «Colorismo» es palabra insuficiente para describir el tipo de poesía recogido en esta obra; Juan Ramón Jiménez fue, como es bien sabido, uno de los muchos poetas-pintores de este siglo, y se inició en el arte visual antes que en el verbal; su predilección por ciertos tonos, insistentemente repetidos en sus primeros libros, le asocia con los colores más que con lo circundante. Pero no se trata de una equivalencia entre lienzo y poema, color mostrado y color expresado verbalmente. Quizá en un principio fue así, pues al escoger tinta morada para imprimir *Almas de violeta,* el poeta tiñó, desde luego, su mundo literario. Después, la relación se hizo bastante más compleja: la sensibilidad del pintor en ciernes se fue desarrollando, según atestiguan sus constantes observaciones sobre los matices del color, pero ya en palabras, y en un campo trabajado por la tradición literaria, en donde el uso de un color conlleva a menudo significaciones no buscadas, pero, por implícitas, presentes.

Al ser doble la sensibilidad poética, abierta simultáneamente al mundo de la pintura y al mundo de la literatura, los puntos de referencia de los colores utilizados pertenecen a órdenes activamente presentes e incluso igualmente vigentes en la imaginación. A un poeta no pintor, un cuadro puede afectarle profundamente, determinando alguna composición o la inclusión en ella de tal detalle concreto; las artes se nutren. Pero en el caso del poeta-pintor, sobre todo del que va abandonando la pintura y limitándose a la poesía, no sólo se trata de la recepción de una influencia sino de la creación de un lenguaje verbo-cromático basado en tres mecanismos: *a)* la representación en palabras de una imagen visual cuya belleza dependería en la pintura de que el pintor supiera imitar el efecto deseado (un edificio gris a la luz del crepúsculo puede parecer rosa, y el pintor puede transmitir este efecto óptico con bastante exactitud); *b)* la adaptación de las tonalidades y los matices a otro medio que también controla: la palabra. Al manejar elementos como el ritmo, las figuras retóricas, etc., puede escoger una combinación verbal que sugiere el efecto visual imaginado por él; *c)* la expresión de emociones íntimas. Sobre la significación emocional de algunos colores, hay poca disputa: negro = muerte, rojo = pasión, blanco = pureza, etc.; la acumulación de significaciones contradictorias obliga a considerar la cuestión en sus manifestaciones particulares, autor por autor.

Juan Ramón Jiménez ofrece un lenguaje personal en cuanto los colores y a la vez comprensible dentro de la tradición artística de que forma parte. En el poeta todavía adolescente, lo que más destaca es la influencia epocal: la preferencia modernista por el azul y el violeta hallan eco en él, así como los tonos vagos y suaves del impresionismo pictórico. Antes del *Diario del poeta recién casado*, no creo que registre su colorismo matices suficientes como para hablar de una gama propiamente suya. Su inventiva cromática no surge hasta más tarde, ligada a un crecimiento sentimental y a una ampliación emocional que dieron lugar a sensaciones diferentes a las cultivadas en su corazón claustral; sentimientos estimulados por conocer a un corazón muy distinto del suyo, el de Zenobia. La experiencia amorosa propició en él una potencialidad creadora cuya fuerza resultó asombrosa, pues una vez desensimismado, librado para compenetrarse con el mundo, el poeta pudo revelar lo esencial de su mundo. ¿Quién, como Juan Ramón, hace sentir lo verde de una hoja, lo azul y verde del agua ondeante bajo la brisa?

Entre los aspectos del tema, el más interesante, a estas alturas, acaso sea el relativo a su historia psicológica: la correspondencia entre las gamas cambiantes del poema y el estado psicológico general de su autor. Sobre la significación de los colores empleados por él hay poco que añadir al estudio de Paul Verdevoye, quien en multitud de ejemplos examina el sentido variable atribuido por el poeta a ciertos tonos, y la frecuencia con que los emplea. También, aunque más de paso, cita influencias de otros poetas y de algunos pintores.

Lo que yo quisiera esbozar aquí es el camino seguido de la poesía adolescente a la poesía madura según lo indica el elemento cromático en *Canción*. La distribución de los poemas —numeración sucesiva, partida cuatro veces por grupos de poemas aún más breves titulados «Cancioncillas»: sentimentales, espirituales, intelectuales e ideales.

Hay una paulatina transición de los poemas que contienen colores de significaciones interrelacionadas, a una eclosión policromática, después de la cual el uso de todos los colores, aunque parezca a veces un retorno a la atmósfera previa, será nuevo, y prefigurante del Juan Ramón posterior. Las combinaciones más frecuentes son blanco-violeta (o algún otro tono, del rosa tenue al púrpura) y verde-oro (amarillo). Acompañándolas, o a veces en poemas aislados, surge el azul, siempre celestial y para este poeta, el color de lo divino y de los ojos de la novia. El rojo es infrecuente (p. 19, «venas rojas»; p. 32, «lágrimas rojas»; página 81, «sol rojo»), y suele ser menos expresivo que cualquier otro tono. El gris escasea, y el negro apenas tiene cabida en este mundo; cuando se le menciona, es simbólicamente («día negro», por día aciago, p. 32); o en otro caso (p. 17), sirve como *interpretación* colorista, pues el objeto descrito es de otro color, el azul. «Tus ojos me traspasaron / con rayos negros mis ojos». En este poema, después de comparar los ojos de la mujer con alas, rosas y estrellas, vuelve a la negrura inicial al llamarlos «dos sueños pozos», y acaba con la frase «me sumí en tus ojos». Es interesante esta cadena de imágenes por distinguirse de las imágenes celestiales; el poeta suele desear la blancura y se considera como el elemento oscuro, víctima de fuerzas tenebrosas de las cuales sólo la novia *clara* le libera.

El blanco es el color más significativo, y lo blanco lo mejor conocido por el poeta, a juzgar por su uso de la blancura, que no sólo aparece como tal, sino también como esencia. Figuras y ejemplos de lo blanco son: lirio, luna, azucena, nieve, luz, desnudez... Entre las alusiones directas e indirectas, el blanco es en *Canción* el color más presente y más matizado. Se utiliza para anotar una apariencia real (flores, frente, manos, luna), para describir una emoción («pena blanca», p. 11, y en general, tristeza), para indicar una cualidad abstracta, difícilmente traducible a otros términos («blancos de amor», o «ponte de blanco, vida»), y para captar, con simbología tradicional, un ideal (pureza, belleza).

Lo que encuentro notable es el modo como este conjunto de posibilidades se forma y luego, sin que advirtamos cómo ni cuándo, empieza a trasladarse a un terreno más adulto, en donde siguen resonando ciertos valores concebidos en la adolescencia y a la vez van surgiendo otros que desplazan el valor más representativo: la inocencia. En sus primeros libros, el poeta asocia becquerianamente el blanco con la luna, las flores, las casas del pueblo... Estas imágenes se fueron cargando de expresividad y llegó a parecer lo más natural que la novia fuera la luna, que la belleza femenina fuera una u otra flor. Pero al ir despertando al amor, no ya sólo con cierta sensualidad literaria, sino con la pasión del hombre enamorado de la mujer, Juan Ramón empezó a ver el blanco como el color de la desnudez. La poesía registra el cambio, y aunque no podamos marcar un verso o un poema como el lugar del cambio, sí notamos que desde «El poeta a caballo» a «La castigada», el fenómeno es transparente. Del mágico estribillo del poema 70, «¡Qué tranquilidad violeta!» se pasa a un espectáculo en donde el violeta y el blanco colorean la imagen de manera muy distinta: «Con lilas llenas de agua / le golpée las espaldas».

El violeta ya no guarda relación con el mensaje simbólico de los románticos heredado por Juan Ramón; ni sugiere tampoco un suave reposo. Del ambiente soñado hemos pasado a otro, erótico, ambiente pasional que irrumpe en el poema 71 y, a diferencia de los anteriores, atrae por la anáfora, presente o implicada en nueve líneas seguidas —si es omitida, lo es por necesidad rítmica o rímica—, la pasión desenfrenada y la antítesis. En «El campo con verbena», el blanco es otro que el antes visto como la luz o la frente (el espíritu) de «ella»; ahora es carnal también: «Pues has llegado desnuda de azucena». Y en «Ojos de ayer» e «Historia», el poeta reflexiona sobre su sentir actual y su sentir de antaño, todavía poseído por la melancolía y ya dueño de la «vida del nuevo corazón». Tránsito del ayer al hoy, desde la imagen final de «Historia» («playa desierta frente al sol» en «la tarde de aurora») a la sorprendente secuencia en «La castigada». La activación sentimental modifica las percepciones sensoriales relacionadas con el color, como atestigua otro poema, en que el poeta siente en su pecho jadeante oro «viejo y nuevo».

El mismo color es percibido como dos, y con el cambio esencial vendrán las recombinaciones de colores y significaciones. Blanco y malva ya no serán ni exclusiva ni característicamente tonos para pintar la pureza y la melancolía, o la luna y el atardecer, o flores variadas de esos colores. En «Desnudos» blanco y malva se unen en un solo color («tu desnudez malva») que concreta la figura en la visión colorista y se remonta, siquiera vagamente, a los primeros matices.

El proceso no se detiene aquí; continúa a lo largo del libro. Pero estos dos tonos son los más expresivos del cambio psicológico producido en Juan Ramón por su experiencia del amor. Mucho más se podría decir de cómo usa el matiz coloreado en la poesía; de lo multicolor, de la naturaleza como pincel, del gusto por lo brillante —oro, plata y oro-amarillo—, de la intensidad cromática como índice de intensidad emotiva, de la ausencia de ciertos tonos, de las formas gramaticales empleadas para describir el color...

Curiosamente, fue un poeta tan remoto del autor de *Canción* como Góngora quien prefiguró la refinada visión coloreada de aquél. En la «Fábula de Polifemo y Galatea», el poeta cordobés apuntó una intuición que sería cultivada tres siglos después por el exquisito moguereño:

> Purpúreas rosas sobre Galatea
> la Alba entre lirios cándidos deshoja:
> duda el Amor cuál más su color sea,
> o púrpura nevada, o nieve roja.

[*Peñalabra*, núm. 20, Santander, 1976].

EL «COLLAGE-ANUNCIO» EN JUAN RAMÓN JIMÉNEZ

A Ricardo GULLÓN, a quien le debo —entre otras cosas— el redescubrimiento de Juan Ramón.

Desde hace mucho tiempo en España leemos poco, casi nada, la obra de Juan Ramón Jiménez.

Durante varios años, por razones de todos conocidas, la poesía tendió hacia un realismo crítico: el poeta a quien se consideró —un tanto injustamente— en exceso «personal», no estaba de moda; más tarde, cuando la llamada «poesía social» cayó en desgracia, los jóvenes buscadores de nuevos caminos tampoco parecieron darse cuenta de que Juan Ramón se les adelantó en el encuentro de muchos.

Aparte de la calidad de su poesía —que no me propongo comentar ahora— a Juan Ramón le debemos el haber iniciado en nuestra lírica casi todas las innovaciones que han de llevar a su culminación los grandes poetas de la generación del 27[1].

Muchos de los hallazgos juanramonianos —que inexplicablemente pasaron por alto todas las promociones de la posguerra española— resultan hoy, en 1971, auténticamente novísimos.

Me detendré ahora en uno de esos hallazgos sobre el cual, me parece, poco o nada se ha dicho: el empleo de lo que podríamos llamar «collage-anuncio», novedad —creo— en su tiempo y actualidad en el nuestro.

En 1917 Juan Ramón publica *Diario de un poeta recién casado*, uno de sus libros más interesantes y, tal vez, menos leídos por el gran público[2]. Los poemas en verso de *Diario* han sido objeto de numerosos

---

[1] En su excelente 5.ª edición de *Teoría de la expresión poética*, Madrid, Ed. Gredos, 1970, Carlos Bousoño hace un notable estudio sobre una serie de innovaciones que la poesía española de nuestro siglo debe a Juan Ramón Jiménez. La aportación del libro de Bousoño, en este aspecto, como en otros muchos, es fundamental.

[2] En 1917 se publicaron tres ediciones de *Diario*, Ed. Calleja. No volvió a reproducirse en forma íntegra hasta 1948. En 1970 Antonio Sánchez-Barbudo publicó una edición ampliamente comentada, precedida de una interesante introducción (Barcelona, Ed. Labor, Col. «Textos hispánicos modernos»).

comentarios por parte de la crítica; mucho menos, los poemas en prosa, que son, vistos hoy, de una enorme actualidad.

Algunos críticos, sin embargo, han reparado en ellos. Así, el norteamericano Robert Bly —que incluye varios en una antología— ve en algunos un precedente de *Poeta en Nueva York,* de Federico García Lorca [3].

Ricardo Gullón, apasionado y profundo juanramonista, ha hablado del *Diario* en varias ocasiones, y destacado, muy especialmente, la poesía en prosa de este libro. En su ensayo *Juan Ramón Jiménez y Norteamérica,* hace un excelente análisis de algunos de esos poemas y llega a la conclusión de que el poeta, considerado por muchos «incapaz de objetivar el mundo que le rodea», demuestra en este libro todo lo contrario, al revelarse como un auténtico «poeta testimonial» [4].

En efecto, Juan Ramón, en 1916, capta magistralmente este mundo que es Norteamérica —él vio el Este— con sus grandes problemas, con sus enormes contrastes, y todo ello pasa al libro que publica en 1917, en el que verso y prosa —así como poesía e intencionado prosaísmo— se complementan [5].

No me referiré ahora a «contenidos» sino a uno de los procedimientos estilísticos utilizados por el poeta para recoger y plasmar —trascendiendo el realismo— la realidad que le rodea: el empleo del «collage». Y, concretamente, de un tipo de «collage».

¿Se había utilizado el «collage» en nuestra poesía? Depende, claro, de los límites; de la definición del término.

Un «préstamo poético» —un poema de otro autor, una canción popular...— puede ser un «collage». O, hablando con mayor precisión, a base de ello se puede hacer un «collage». En este sentido, tan amplio, podríamos aceptar que la técnica del «collage» es muy vieja en nuestra tradición poética: hasta cierto punto, tan vieja como la glosa. Pero, si tenemos que limitar los conceptos para mejor entendernos, yo propondría la siguiente definición: se hace un «collage» cuando lo añadido, lo «pegado» a un poema es algo que no fue escrito con fines estéticos: el reproducir en un texto poético —en verso o en prosa— un letrero, un anuncio publicitario, una noticia de un periódico... es hacer un «collage»; en cambio, el insertar un fragmento literario —de origen culto o popular, no importa— es «tomar un préstamo».

Los límites, sin embargo, no pueden ser tan precisos: hay zonas intermedias. Personalmente —y si acepto al pie de la letra mi propia clasificación— no sabría qué decir de aquellos poemas donde se in-

---

[3] *Forty Poems. Juan Ramón Jiménez.* Chosen and translated by Robert Bly, The Sixties Press, 1967.

[4] Aunque Gullón se ocupó del tema en otras ocasiones, creo que el citado estudio es el más completo (véase en *La invención del 98 y otros ensayos,* Madrid, Ed. Gredos, 1969).

[5] Sabemos que Juan Ramón manifestó en alguna ocasión su deseo de excluir del *Diario* los poemas en prosa. Sin embargo no llegó a hacerlo. ¿Por qué? A mi entender, porque sabía muy bien que eran poesía, y poesía importante.

sertan versos, o frases, de otro idioma: hay ejemplos abundantes en Darío, y en otros modernistas. Muy cerca del «collage» veo aquellos casos en los que en el texto poético se insertan fragmentos de conversaciones cotidianas, comunes —puede verse en Darío, y en el propio Juan Ramón— o fragmentos de libros no literarios. Tal vez, todo dependería aquí de la forma en que se haga.

En *Diario de un poeta recién casado* hay ejemplos de préstamos literarios, como los hay en la obra anterior de Juan Ramón; hay, también, algunos ejemplos de «casos dudosos», de «zonas intermedias». Pero ello no nos interesa ahora. Es el «collage», muy logrado, a mi juicio, lo que aquí quiero destacar.

Encuentro en *Diario* cinco ejemplos indiscutibles. Son el poema LXXX, de la parte III: «América del Este», y los CCXXXII, CCXXXVIII, CCXL y CCXLII, estos cuatro, de la última parte: «Recuerdos de América del Este escritos en España». Todos ellos tienen algo en común: un texto no poético se «pega» al poema; en todos, «lo pegado» anuncia algo.

Cabe, sin embargo, establecer una primera fundamental distinción. El CCXXXII, «Walt Whitman», es totalmente diferente a los otros, en su sentido. En éste, lo añadido no anuncia; más bien, señala: se trata de las letras de la placa que indica el lugar donde nació el poeta norteamericano; en los otros, se trata de anuncios curiosos, vistos siempre en iglesias, que llaman poderosamente la atención del poeta andaluz, porque chocan con su sensibilidad.

Mas esto no es todo, ni es, me parece, lo que esencialmente distingue el poema «Walt Whitman», de los otros. Aunque en éste el letrero se reproduce en inglés, con caracteres tipográficos que se destacan notablemente en el texto, y dispuestos en idéntica forma a como los vio Juan Ramón en la placa de la casa del poeta norteamericano, el «collage» es, por así decir, accidental, aunque sirve, es cierto, para subrayar algo. Mas en los otros —sobre todo en los tres últimos— las letras de los anuncios no son mero subrayado: son el punto de partida para la creación del poema.

«Walt Whitman», el mejor, a mi entender, de todos ellos, merecería por sí solo un largo comentario. Aunque lo citemos como ejemplo de la aplicación de la técnica del «collage», no es eso lo que más importa en el poema, sino su carácter visionario: carácter visionario que surge con la aparición de la figura que sale del interior de la casa —la del actual propietario— y que por un momento, para el poeta, es una encarnación del joven Whitman, dejando en el lector —con esa manera tan propia, tan característica de Juan Ramón— la casi sombra de una duda.

En los otros tres poemas de la misma parte —última del libro— no hay, por el contrario, misterio alguno. Partiendo en los tres casos de llamativos anuncios, nacen tres poemas que son testimonio elocuente de lo que el poeta encuentra en Norteamérica del Este. En los tres casos, el poeta reproduce textualmente, sin elaboración literaria alguna, los anuncios vistos. Del texto reproducido y el mundo que vive en torno —apuntado por el poeta en muy pocas palabras— nace un poema que, basado en la vieja técnica del contraste, quiere captar una sociedad bastante llena de contradicciones.

Hay también diferencias entre los tres de la última parte —a los que acabo de referirme— y el de la parte III, titulado «Iglesias». Si en aquellos el anuncio se reproduce tal como el poeta lo vio, en «Iglesias», anterior, al parecer, a los otros, el anuncio se diluye un poco por entre el decir juanramoniano. El poeta se limita a intercalar unos letreros luminosos, muy breves, destacándolos en letra cursiva y comentándolos, interpretándolos, subjetivándolos, pues. Por ello, pasan un tanto inadvertidos, me parece, y el conjunto no logra reflejar objetivamente el mundo de contradicciones que Juan Ramón ha visto, y quiere hacernos ver.

En «Iglesias» está, acaso, el inicio de la técnica del «collage»; el procedimiento se desarrolla y logra plenamente en los tres poemas de la última parte.

El CCXXVIII —primero de los tres de esta serie— es una breve estampa que lleva a la cabeza una palabra: «Philadelphia». Unas pocas frases nos sitúan en un pequeño mundo en descomposición, que el poeta ve con un cierto distanciamiento. El final, las palabras que, inesperadamente, se «pegan» produce en el lector un impacto.

Lo reproduzco, tal como aparece en *Diario:*

Broad Street: Una iglesia pequeña e indigna, de piedra verdosa, blanducha, viscosa y desagradable como jabón malo, que por aquí tanto usan; y sucia y desconchada, y como tirada a la basura, descompuesto ¡más todavía!, con roturas y estallidos, el desconcierto de colores crudos de las vidrieras de loros y de lagartos celestiales. A la puerta, en un cartel torcido, rechinante y descolgado:

SE VENDE O ALQUILA
78 × 92 PIES
SAMMUEL W. LEVIS
RAZON: EDIFICIO DE COMPRA-VENTA DE FINCAS

Es claro que el poeta ha buscado lograr una sorpresa final. Y claro también que, a través del final inesperado, busca la recreación de un mini-mundo del absurdo: es la sensación de absurdo lo que domina el poema.

El CCXL se titula «Un imitador de Billy Sunday». A manera de subtítulo lleva el nombre de otra ciudad: «New York».

El poema, bastante negro, comienza con unas palabras explicativas muy directas: «Billy Sunday, el terrible predicador, no se atreve a venir a esta "Ciudad de incrédulos". Pero tiene discípulos de una "fuerza" relativa. Así, este pastor A. Ray Petty, de la Iglesia Anabaptista de

Washington Square.» Y, a continuación, las palabras de Juan Ramón dan paso, sin comentario, en forma periodística, a lo que quiere traer ante nosotros. Así, haciendo al poema hablar por cuenta propia, el poeta escribe sin más: «He aquí dos de sus anuncios», que transcribe, tal y como sus ojos los vieron, en inglés, seguidos de un: «es decir», y su traducción al español.

Los anuncios pasan al poema sin alteración alguna. El poeta los copia, tal como los vio; así los trae a nuestra vista. Son en extremo curiosos. El segundo —que doy a continuación— más aún que el primero:

Anuncio en SPORTSMAN

BASEBALL SERMONS
SUNDAY EVENING AT 8 P.M.

A. RAY PETTY, Pastor

               MAY 14 TH. THE PINCH HITTER
TOPICS   MAY 21 ST. THE SACRIFICE HIT
               MAY 28 TH. GAME CALLED ON ACCOUNT
                                  OF DARKNES

LIVE MESSAGES   HOT OFF THE BAT

Es decir:

SERMONES DE BASEBALL
LOS DOMINGOS POR LA NOCHE, A LAS 8

A. RAY PETTY, Pastor

               MAYO 14 «EL PALA» EN APRIETO
TEMAS   MAYO 21 GOLPE SACRIFICADO
               MAYO 28 SE SUSPENDE EL JUEGO A CAUSA
                                  DE LA OSCURIDAD

MENSAJES DE VIDA ACABADOS DE SALIR DE LA PALA

Lo que sigue —las frases finales del poema— es una breve impresión del poeta sobre el mundo que rodea a la iglesia donde el «pastor semiterrible» grita su sermón: «Borrachos, borrachos, borrachos hablando con los niños, con la luna, con quien pasa…».

Lo pegado es aquí el eje; ocupa, por así decir, el poema. El poeta se ha limitado a hacer una introducción muy objetiva, y unas frases finales, dejando así, como metido en un marco personal, las palabras esas, que contempló, al parecer, enmarcadas en algún tablón de anuncios, visto a las puertas de alguna iglesia.

Lo ajeno al poema —es decir: lo pegado— ocupa aquí un espacio mucho mayor que en todos los demás. A mi entender, ocupa un excesivo espacio: el equilibrio se rompe, a favor de la novedad formal: el hallazgo ha deslumbrado un poco al poeta. El poema, sin embargo, se logra como «testimonio». Y —lo que más importa ahora— el procedimiento del «collage» queda, definitivamente, incorporado a nuestra poesía.

En el tercero de los de esta parte última —que reproduzco íntegramente—, el breve poema «Deshora», el poeta, a mi juicio, ha logrado la máxima condensación y sabido, mejor aún que en los otros, transmitir su visión de un trozo de mundo, por medio del mismo procedimiento empleado en los casos anteriores.

Hay, esta vez, un anuncio luminoso, que aparece, se oculta, reaparece y cierra finalmente el poema. Las letras luminosas se mezclan con el mundo que las encierra:

DESHORA

New York.

«A Bingdon Sq.» Dos de la madrugada. Una farola de cristal negro con letras encendidas en blanco:

INASMUCH
MISSION

(Misión con motivo de...)

SERVICES AT 8 P.M.

Entre dos escaparates de pobres y aislados grape fruits y tomates, cuyos amarillos y carmines duermen un poco, tristes, hasta mañana, una escalerilla sucia baja a una puerta humilde. Todo en dos metros de espacio y encuadrado, como esquelas de defunción, en madera de luto con polvo. Y en un cristal de la puerta, con luz:

WHAT MUST I DO TO BE SAVED?
COME AND HEAR
REV. L. R. CARTER

(¿Qué he de hacer para salvarme? Ven a oír al Rev. L. R. C.)

En estos tres poemas —ya lo dije— un anuncio sirve de base. El poeta elabora el poema partiendo si no de la noticia del periódico —como quería Maiakowski hacia 1920— de unas palabras impresas para anunciar algo. Juan Ramón lo hace con un notable sentido de modernidad.

Como vimos, la técnica empleada consiste en insertar el anuncio; en transcribirlo. Y antes o después, unas frases breves, objetivas —aunque muy juanramonianas— sirviendo de contrapunto. El contraste entre el tono prosaico de lo pegado, y el tono del poeta, es visible: visible reflejo de la sociedad de contrastes en donde nos ha querido situar.

Reparemos —cosa que me limité, al principio, a apuntar— en el hecho de que los letreros están siempre vistos en iglesias, y suelen anunciar servicios religiosos. Esto no es casual: para Juan Ramón —hombre de preocupaciones religiosas— acaso el problema social se hace más patente y más «chocante» cuando se proyecta en el plano religioso.

De lo dicho hasta aquí podría concluirse que el propósito de estos poemas es «testimonial». Sin embargo hay, sobre todo, y en primer lugar, un propósito estético. Quizá podríamos decir que por el camino de la estética llega el poeta al testimonio.

Se trata, claro está, de una estética del absurdo. La inclusión del «collage-anuncio» le sirve al poeta para recrear un mundo disparatado, grotesco a veces, reflejo del disparate que refleja una realidad.

Y con esa maestría a que Juan Ramón puede llegar, entre el sentido —el contenido, digamos para entendernos— de los poemas, y la forma de transmitirlo, hay una perfecta concordancia.

[*Revista de Occidente*, n.º 110, Madrid, 1972.]

CARLOS BOUSOÑO

LA CORRELACIÓN EN JUAN RAMÓN JIMÉNEZ

Observaremos que hasta ahora los poetas que hemos estudiado utilizan la correlación con poquísima frecuencia: no pude hallar más que un ejemplo claro en Unamuno; otro, en la obra de Manuel Machado; dos en la de su hermano Antonio, y otros dos en los rubenianos *Cantos de vida y esperanza*. Pero si de aquí pasamos a escudriñar en la obra de Juan Ramón Jiménez, veremos que, de un lado, la proporción de poemas correlativos ha aumentado, y hasta ha aumentado bastante. De otro, que la estructura de tales correlaciones se ha complicado mucho. De las 55 piezas de que constan los *Sonetos Espirituales,* cinco (por lo menos) usan el artificio que nos interesa. Número sólo en apariencia escaso: compárese con el que nos ofrecían los poetas que acabo de mencionar. Del resto de los libros juanramonianos sólo he investigado los tres de *Elegías* y el titulado *Canción:* en todos ellos he visto ejemplos muy nítidos de poemas correlativos; algunos, de complicación extremada; y si a las composiciones correlativas unimos ahora las numerosísimas paralelísticas, estudiadas en el capítulo anterior, nos percataremos de la extraordinaria importancia que alcanza en Juan Ramón la técnica de los conjuntos semejantes.

Dos sendas se me abrían como posibles al intentar un estudio de estos artificios en Juan Ramón Jiménez. Siguiendo una de ellas, habría de someter a investigación cada uno de los libros del poeta. Siguiendo la otra, mi interés se concentraría, sobre todo, en el conjunto de las obras juanramonianas, estudiando por separado los diversos tipos de correlación que en ellas fuese encontrado. He creído ver que este segundo camino resultaba más útil, por permitirme quizá una claridad expositiva que el otro, en parte, me negaría. Nuestro trabajo se deslindará así en un par de zonas. La primera estará dedicada al análisis de la correlación reiterativa en el autor de *Platero y yo.* La segunda versará sobre la correlación progresiva. Los dos procedimientos están representados en el poeta con relativa abundancia, y ambos nos muestran ejemplos que por lo complejos incitan más la curiosidad.

I. LA CORRELACIÓN REITERATIVA (DISEMINACIÓN Y RECOLECCIÓN)

La correlación recolectiva es la que más ha abundado siempre en la literatura. Por ello es, acaso, la que menos nos podría interesar. Sin embargo, algunos casos del poeta que ahora estudiamos se apartan bastante de lo común, adornándose así de un especial nimbo que les proporciona atractivo. Pero antes de entrar en el escrutinio de esos ejemplares de más brillante configuración, conviene a nuestro objeto que nos acerquemos a los otros, a aquellos que poseen una estructura que para entendernos, y hablando siempre en términos relativos, llamaríamos simple. Abunda este tipo, sobre todo, en las *Elegías*:

> Esta *cristalería* celeste y este *oro*
> de la luz de las cosas, ¿qué dicen a mi vida?
> Las *rosas* de la tarde oyen rezando el coro
> de los ángeles. *Angelus.* Mi madre está dormida...
> En el piano, antiguo amigo del poeta,
> sueñan no sé qué rondas de músicas lejanas...
> Pena... Me duele el alma de esta bruma violeta
> con *cristales* y oro, con *flores* y *campanas.*

La diseminación consta de cuatro miembros («cristalería, A_1; «oro», A_2; «rosas», A_3; «ángelus», A_4) y se extiende a lo largo de la estrofa primera. La pluralidad recolectiva es de tipo normal[1] y se halla situada en el verso último de la composición, cuatrimembre casi perfecto[2].

Tal vez sea en los *Sonetos Espirituales* donde se halle el mejor modelo de esta clase de correlaciones: el poema se titula «Retorno fugaz»[3]:

> ¿Cómo era, Dios mío, cómo era?
> —Oh corazón falaz, mente indecisa—.
> ¿Era como el pasaje de la *brisa*?
> ¿Como la huida de la *primavera*?
>
> Tan leve, tan voluble, tan ligera
> cual estival *vilano.* Sí. Imprecisa
> como *sonrisa* que se pierde en risa.
> Vana en el aire igual que una *bandera.*

---

[1] He simplificado el análisis: se trata, en realidad, de un tipo correlativo intermedio entre una pura reiteración y una pura progresión. Se reitera «oro» literalmente; pero «cristalería», «rosas» y «ángelus» sólo se reiteran conceptualmente («cristales», «flores» y «campanas»).

[2] Del mismo tipo es el poema titulado «Domingo de primavera».

[3] Señalado por Dámaso Alonso.

Bandera, sonreír, vilano, alada
primavera de junio, *brisa* pura...
Qué loco fue tu carnaval, qué triste.

Todo tu cambiar trocóse en nada
—memoria, ciega abeja de amargura—.
No sé cómo eras, yo que sé que fuiste.

A través de los cuartetos se diseminan cinco miembros («brisa», A_1; «primavera», A_2; «vilano», A_3; «sonrisa», A_4; «bandera», A_5), que quedan luego recogidos en orden absolutamente inverso a lo largo de los dos primeros versos del primer terceto[4].

Hasta aquí la estructura de los ejemplos presentados ha sido sencilla. La complicación viene ahora, porque en bastantes casos nos sorprende encontrar tipos mixtos de correlación y paralelismo.

Nótese que estamos estudiando un período en que parece difícil hallar tales artificios. En que, todo lo más, serían esperables correlaciones difusas y de poco bulto. Pues bien: he aquí que hallamos en Juan Ramón esquemas correlativos como los usados en el período de mayor auge para el procedimiento. Del libro titulado *Canción* tomo los versos que siguen («¿Los dos?»):

La noche es una sola *nube* (A_1),
sólo un *color* (B_1).
(¿Y tú, y yo?)

La noche es una sola *brisa* (A_2),
un solo *ardor* (B_2).
(¿Y tú, y yo?)

La noche es una sola *agua* (A_3),
sólo un *fulgor* (B_3).
(¿Y tú, y yo?)

¿Yo pienso en ese *agua* (A_3), esa *brisa* (A_2) y esa *nube?* (A_1)
(¿Y tú?)
¿Tú en ese *ardor* (B_2), ese *color* (B_1) y ese *fulgor?* (B_1)
(¿Y yo?)

Resulta diáfano que cada miembro de la diseminación trimembre contiene un elemento paralelístico:

$$A_1\text{-}B_1 \quad A_2\text{-}B_2 \quad A_3\text{-}B_3$$

---

[4] En los *Sonetos Espirituales* existe otra pieza en que las dos unidades de recolección se hallan distribuidas. Es la que comienza: «Abril, sin tu existencia clara, fuera...» Los términos A_1, A_2, A_3 serían, respectivamente, «rosa», «brisa» y «lumbre».

Los elementos A serían aquellos que están contenidos en el verso inicial de cada estrofilla: «nube», A_1; «brisa», A_2; «agua», A_3. Sus complementos paralelísticos B estarían formulados en el verso segundo de cada una de las estrofas: «color», B_1; «ardor», B_2; «fulgor», B_3. Pero el verso décimo recoge los tres elementos A («agua», A_3; «brisa», A_2; «nube», A_1) en forma inversa a como habían sido enunciados. El duodécimo, a su vez, recolecta desordenadamente los complementos paralelísticos B («ardor», B_2; «color», B_1; «fulgor», B_3). El esquema sería:

$$A_1\text{-}B_1 \qquad A_2\text{-}B_2 \qquad A_3\text{-}B_3$$
$$A_1 \qquad\quad A_2 \qquad\quad A_3$$
$$B_1 \qquad\quad B_2 \qquad\quad B_3$$

En el mismo libro *(Canción)* tenemos otro ejemplo de parecida complejidad, híbrido también de paralelismo y correlación; se trata del poema titulado «En ronda» (nótese cómo sentimos detrás el paralelismo becqueriano):

> *Lumbrarada* (A_1) de oro
> que deshace mi vista
> un instante, y al punto
> cálida se disipa.
>
> *Fragancia* (A_2) indescriptible
> que, súbita, acaricias
> mi sentido y te sumes
> sonriendo en la brisa...
>
> Maravillosa *música* (A_3)
> que en mi más hondo vibras,
> y sin dejar recuerdo
> de dios, te precipitas...
>
> *Luz* (A_1), *sé sol* (B_1); *sé olor* (A_2), *rosa* (B_2);
> *melodía* (A_3), *sé lira* (B_3);
> *lira* (B_3), *risa* (B_2), *sol* (B_1).
> única de mi vida.

Diseminación de tres miembros a lo largo de las tres estrofas que inician la pieza: «lumbrarada de oro», A_1; «fragancia», A_2; «música», A_3. Pero en la recolección (que viene dada en la estrofa última) cada uno de los miembros A emite un elemento paralelístico: B_1, B_2 y B_3: «luz», A_1 (equivalente a «lumbrarada») arrastra un filamento complementario B_1 («sol»); «olor», A_2 (equivalente a «fragancia»), otro B_2 («rosa»); «melodía», A_3 (equivalente a «música»), un tercero B_3 («lira»). Ahora bien: este terceto complementario B_1, B_2, B_3 sufre una nueva recolecta en el verso penúltimo: «lira, rosa, sol». Si llevásemos a una fórmula la estructura de la correlación[5], hallaríamos el siguiente esquema:

$$A_1 \qquad A_2 \qquad A_3$$
$$A_1\text{-}B_1 \qquad A_2\text{-}B_2 \qquad A_3\text{-}B_3$$
$$B_1 \qquad B_2 \qquad B_3$$

2. LA CORRELACIÓN PROGRESIVA

Hemos visto que en el caso de la correlación recolectiva algunos ejemplos juanramonianos (los dos últimamente aducidos) eran tan complejos como los visibles en la época de mayor prosperidad para esta clase de refinamientos. Ahora, tratando de la correlación progresiva en Juan Ramón, vamos a aportar quizá algunos datos que nos confirmen más en nuestra idea: la complicación de este procedimiento en el poeta de Moguer llega, en cierta dirección, al mismo punto, tal vez a otro más alto, que la rastreable en las *Flores de poetas ilustres*. Nuestro análisis partirá de los casos más simples, para llegar después al estudio de los más complicados.

El único ejemplo de progresión que pude hallar en los tres libros de *Elegías* está en las *Intermedias:*

> ...aquí en el campo un *pino*
> con sol *crepuscular*, una *fuente*, una *brisa*,
> me dicen la verdad y el alma del destino
> con un *verdor*, un *oro*, un *cristal* o una *risa*.

Se trata de dos pluralidades cuatrimembres. La primera está distribuida entre la última palabra del verso primero y todo el segundo («pino», A_1; «sol crepuscular», A_2; «fuente», A_3; «brisa», A_4). La segunda pluralidades normal y se halla inserta en el verso último del poema: «verdor» (B_1) es correlato de «pino»; «oro» (B_2), de «sol crepuscular»; «cristal» (B_3), de «fuente»; «risa» (B_4), de «brisa». Si quisiéramos dar a este fragmento una

---

[5] He simplificado el análisis también aquí: las tres primeras estrofas del poema están construidas sobre una pauta paralelística de tipo becqueriano (Creo que el influjo de Bécquer en este caso es más que probable: lo notamos sin necesidad de ningún análisis; el análisis sólo viene a confirmar nuestra previa opinión.) Es decir: en esas tres estrofas existe un paralelismo formal, casi sintáctico, como el visible en muchas rimas de Bécquer. Los conjuntos semejantes son éstos:
Primer conjunto: «Lumbrarada», A_1; «de oro» (equivalente a «dorada»), B_1; «deshace», C_1; «se disipa», D_1.
Segundo conjunto: «Fragancia», A_2; «indescriptible», B_2; «acaricias», C_2; «te presumes», D_2.
Tercer conjunto: «Música», A_3; «maravillosa», B_3; «vibras», C_3; «te precipitas», D_3. pitas», D_3.
Este análisis podríamos hacerlo más minuciosamente todavía si prescindiéramos del tercer conjunto: porque el paralelismo en las dos estrofas iniciales está llevado con mayor precisión (con mayor número de elementos) que en la tercera: las palabras «vista» (primera estrofa) y «sentido» (segunda estrofa), por ejemplo, son elementos paralelos.

estructura paralelística, diríamos: «...el pino me dice la verdad (...) con una risa».

De carácter muy sencillo es también la correlación progresiva que vemos en un poema de *Canción*, titulado «Nada»:

> A veces un *gusto* amargo,
> un *olor* malo, una rara
> *luz*, un *tono* desacorde,
> un *contacto* que desgana
> como realidades fijas
> nuestros sentidos alcanzan
> y nos parece que son
> la verdad no sospechada.
>
> Volvemos luego a lo otro
> y, baja, la nube ¿pasa?
> No es posible *gustar* ya,
> *oler, ver, oír, tocar,* la
> miseria que nos sumía
> en sus profusas entrañas.

Se trata de dos pluralidades pentamembres:

$$A_1 \quad A_2 \quad A_3 \quad A_4 \quad A_5$$
$$B_1 \quad B_2 \quad B_3 \quad B_4 \quad B_5$$

Los miembros A serían los objetos de las sensaciones: «un gusto amargo», A_1; «un olor malo», A_2; «una rara luz», A_3; «un tono desacorde», A_4; «un contacto que desgana», A_5. Los miembros B representarían las sensaciones mismas: «gustar», B_1; «oler», B_2; «ver», B_3; «oír», B_4; «tocar», B_5.

En otros momentos, la complejidad de las progresiones es grande. Si en vez de partir para ellas de un enunciado simple (A_1, A_2, A_3..., A_n), partimos de un enunciado paralelístico (A_1-B_1, A_2-B_2, A_3-B_3..., A_n-B_n; o A_1-B_1-C_1, A_2-B_2-C_2, A_3-B_3-C_3..., A_n-B_n-C_n), las posibilidades de complicación crecen mucho. Porque no sólo el término A puede sufrir la progresión, sino también los términos B o los C, o los tres al mismo tiempo. Tenemos algún ejemplo juanramoniano en que sucede así a veces con notable perjuicio para la emoción poética. En *Canción* hay un extravagante poema («Letra de Adán Pasión») híbrido de correlación y paralelismo:

> ¿*Ropas* en vez de *venas,*
> *biombos* en vez de *ramas,*
> *sofás* en vez de *rocas,*
> *techos* en vez de *nubes,*
> *espejos* en vez de *aguas*?
> (Qué necedad segunda.)
>
> Porque andamos *desnudos,*
> salimos entre *hojas,*

nos tiramos en *piedra*,
reímos bajo el *cielo*,
amamos en el *agua*.
(Qué necedad segunda.)

Aunque estemos *vestidos*,
nos dividan las *sedas*,
nos hundan los *cojines*,
nos tapen los *canales*,
nos doblen los *espejos*.

En la estrofa inicial se encuentra una primera pluralidad nada
menos que pentamembre. Y por si esto fuera poco, cada uno de los
cinco miembros A emite un filamento paralelístico B: «ropas» (A_1) lleva
un aditamento paralelo «venas» (B_1); «biombos» (A_2) lleva otro «ramas»
(B_2); y lo propio les ocurre a los tres miembros restantes: «sofás» (A_3)
irradia el elemento «rocas» (B_3); «techos» (A_4) el elemento «nubes» (B_4),
y «espejos» (A_5) el elemento «aguas» (B_5).

Si el enunciado no es nada simple, menos lo será su desarrollo. La
correlación del poema va a continuarse por la reiteración variada (que
no llega a verdadera progresión) de los elementos A y B. Porque «desnudos», «hojas», «piedra», «cielo», «agua», es mera variante de «venas»,
«ramas», «rocas», «nubes», «aguas», como lo prueba, sin más, la identidad del último miembro[6]. Lo mismo ocurre con la pluralidad «ropas»,
«biombos», etc., que tiene su reiteración variada en la pluralidad «vestidos», «sedas», etc., como lo prueba también aquí la identidad del último miembro («espejos»). Designamos por A' y B' la mera variación
formal de A y B. Fórmula:

$$A_1\ B_1 \qquad A_2\ B_2 \qquad A_3\ B_3 \qquad A_4\ B_4 \qquad A_5\ B_5$$
$$B'_1 \qquad B'_2 \qquad B'_3 \qquad B'_4 \qquad B'_5$$
$$A_1 \qquad A_2 \qquad A_3 \qquad A_4 \qquad A_5$$

Tomemos ahora el caso en que el enunciado de cada miembro sea
triple: A-B-C. Teóricamente, la progresión podría ser rigurosa. Es decir:
todos los términos A, todos los B y todos los C progresarían. En el
ejemplo de Juan Ramón Jiménez que tomo de *Sonetos Espirituales* no
sucede exactamente así, porque se producen algunas irregularidades:
ciertos términos no progresan; se reiteran únicamente.

La *rosa* (A_1) *huele* (B_1) *con su olor más fino* (C_1),
brilla (B_2) la *estrella* (A_2) *con su luz más pura* (C_2),
el *ruiseñor* (A_3) *abarca* (B_3) la *hermosura*
de la noche *con su más hondo trino* (C_3).

---

[6] Una pluralidad $A_1\ A_2\ A_3 \ldots A_n$ y otra del mismo número de miembros $B_1\ B_2\ B_3 \ldots$
B_n serán idénticas siempre que dos miembros de igual subíndice lo sean. Así, en el
ejemplo de Juan Ramón Jiménez, la identidad de los miembros quintos, *agua(s)*, evidencia la intención identificativa del autor.

Y el *tierno olor* (C_1) *me es malo* (D_1), y el divino
fulgor azul (C_2) *deja mi frente oscura* (D_2)
y *me hace sollozar de desventura* (D_3)
del ruiseñor *el brote cristalino* (C_3).

Y no es aquella pena prodigiosa
que el corazón antiguo me lamía
con su lengua de miel insuperable...

Haz que me *huela* (E_1) *plácida* (F_1) la *rosa* (A_1),
que la *estrella* (A_2) *me inflame* (E_2) la *poesía* (F_2),
que el *ruiseñor* (A_3) *me suene* (E_3) *deleitable* (F_3).

Los miembros diseminados son tres: «rosa» (A_1), «estrella» (A_2) y
«ruiseñor» (A_3). Pero su enunciación es más compleja que en los otros
sonetos de Juan Ramón Jiménez antes estudiados, porque cada uno de
ellos arrastra un par de aditamentos paralelísticos: «la rosa (A_1) huele
(B_1) con su olor más fino» (C_1); «la estrella (A_2) brilla (B_2) con su luz
más pura» (C_2); «el ruiseñor (A_3) abarca la hermosura de la noche (B_3)
con su más hondo trino» (C_3). Hay una primera recolección en el segundo cuarteto, que se limita a los elementos que hemos designado
con la letra C: «olor» (C_1); «fulgor» (equivalente a «luz») (C_2); «brote
cristalino del ruiseñor» (que vale por «trino») (C_3), mas con la particularidad de que cada uno lleva sendos complementos de correlación: *el
olor* (C_1) *«me es malo»* (D_1); *el fulgor* (C_2) *«deja mi frente oscura»* (D_2);
y *el brote cristalino del ruiseñor* (C_3) *«me hace sollozar de desventura»*
(D_3). En fin: en el terceto último sucede algo parecido: se recolectan
los tres miembros A («rosa», A_1; «estrella», A_2, «ruiseñor», A_3), y los
tres se hallan, también aquí, complementados: el poeta pide que *la
rosa* (A_1) *le huela* (E_1) *plácida* (F_1); *que la estrella* (A_2) *le inflame* (E_2) *la
poesía* (F_2); *que el ruiseñor* (A_3) *le suene* (E_3) *deleitable* (F_3). La pieza
nos muestra un hibridismo de paralelismo y correlación que considera-
ríamos así:

$$A_1B_1C_1 \qquad A_2B_2C_2 \qquad A_3B_3C_3$$
$$C_1D_1 \qquad\quad C_2D_2 \qquad\quad C_3D_3$$
$$A_1E_1F_1 \qquad A_2E_2F_2 \qquad A_3E_3F_3$$

Se trata, pues, de una correlación mixta entre reiterativa y progresiva y entre correlativa y paralelística[7].

> [De: *La correlación en la poesía contemporánea.* Estu-
> dio incluido en: Dámaso ALONSO y Carlos BOUSOÑO:
> *Seis calas en la expresión literaria española,* Madrid,
> Gredos, varias eds. (Revisado para su inclusión en
> el presente volumen).]

---

[7] Correlación semejante vemos en el soneto del mismo libro, que comienza con este
verso: «Siempre tienes la rama preparada».

TOMÁS NAVARRO TOMÁS

JUAN RAMÓN JIMÉNEZ Y LA LÍRICA TRADICIONAL

Juan Ramón definió agudamente el carácter de Federico García de Onís, en su dedicatoria de *Sonetos espirituales,* llamándole «áspero y dulce como un paisaje español de piedra y cielo», y Onís, por su parte, hizo la más fina apreciación de la poesía de Juan Ramón señalando «su calidad señera y única, su radical originalidad», en su *Antología de la poesía española e hispanoamericana.* Sirve de estímulo al presente artículo el deseo de indicar un aspecto poco notado de la obra de Juan Ramón que forma parte de esa originalidad subrayada por Onís, en memoria y homenaje de este gran amigo.

Entre los rasgos que es corriente encontrar en las referencias a la poesía de Juan Ramón, figuran el de haber sido elaborada con especial refinamiento, ajeno a toda influencia popular, y el de haber prescindido de la ordinaria versificación regular a partir de la publicación de su *Diario de un poeta recién casado,* 1917. Se puede desde luego anticipar que la impresión que resulta del repaso de sus obras, atendiendo sobre todo al testimonio visible y concreto de su métrica, no apoya la consistencia de ninguno de esos dos puntos. Se advierte por el contrario la invariable adhesión con que el poeta se sirvió durante toda su vida de las formas y recursos de la lírica popular y tradicional.

La producción en verso de Juan Ramón constituye un conjunto de veinticinco libros y tres antologías que comprende un período de medio siglo, desde 1900 a 1949. A través de tan extensa labor, la actitud del autor respecto al verso aparece como uno de los aspectos más representativos del orden y disciplina que observó en la composición y reelaboración de sus poesías. Las citas que se hacen a continuación se refieren a los dos volúmenes de *Primeros libros de poesía* y *Libros de poesía,* a los que se aludirá respectivamente con los números I y II, publicados por M. Aguilar, Madrid, 1959, y al volumen de *Canción,* Aguilar, Madrid, 1961.

Por lo común, todo libro de versos de cualquier poeta ofrece composiciones en diversos tipos de versos y estrofas. Juan Ramón siguió este ejemplo en sus tres primeros libros: *Ninfeas*, 1900; *Almas de violeta*, 1900, y *Rimas*, 1902, breves colecciones de ensayos juveniles con ecos románticos y marcada influencia modernista, manifiesta especialmente en el uso de múltiples tipos de metros nuevos o poco comunes.

Con radical cambio de criterio pasó pronto al estricto sistema de emplear en cada libro, casi de manera exclusiva, un solo tipo de verso. Del simple octosílabo se sirvió en *Arias tristes*, 1903; *Jardines lejanos*, 1904, y *Pastorales*, compuesto en 1905, aunque no publicado hasta 1911. En el conjunto de más de 200 poemas de estas obras, sólo tres de la primera y dos de la segunda, en decasílabos dactílicos, se apartan de la uniformidad octosilábica de los romances o redondillas del resto de las composiciones.

En *La soledad sonora*, compuesta en 1908 y publicada en 1911, se advierte la transición desde el octosílabo, que ocupa la sección central del libro, al alejandrino, usado en cuartetos en las demás secciones y establecido después sin excepción en los tres libros de *Elegías*, 1908, 1909 y 1910, y en *Melancolía*, 1912.

La sustitución del alejandrino por el endecasílabo se inició en *Poemas trágicos y dolientes*, 1911, se acentuó en *Laberinto*, 1913, y se completó definitivamente en *Sonetos espirituales*, compuestos en 1914 y 1915 y publicados en 1917.

Al fin de este proceso, exprimidos sucesivamente los tres metros más importantes del idioma, el autor se entregó al cultivo del verso libre, de medida fluctuante, sin sujeción a rima ni estrofa, desde la composición del *Diario*, 1917. El período del verso libre, anticipado en algunas composiciones de *Estío*, 1916, abarcó después del *Diario* a *Eternidades*, 1918; *Piedra y cielo*, 1918; *Poesía*, 1923; *Belleza*, 1923; *La estación total*, 1946, y *Animal de fondo*, 1949.

A la simplificación de los metros había acompañado la de las estrofas, reducidas como queda indicado a los tipos del romance y la redondilla en el octosílabo, al cuarteto y terceto en el alejandrino y al cuarteto y soneto en el endecasílabo. Una austera proporción se manifestaba asimismo en la equilibrada brevedad de las composiciones.

Importa ahora tener presente que no todos los libros de versos de Juan Ramón están comprendidos en el indicado proceso. El volumen de *Las hojas verdes*, 1909, y el de *Baladas de primavera*, 1910, por la variedad y carácter de su versificación, están lejos de corresponder a la disciplina métrica de los demás libros anteriores al *Diario*, y de manera análoga las composiciones reunidas en el tomo de *Canción*, 1936, y en la sección de «Canciones de la nueva luz», de *La estación total*, 1946, ofrecen una estructura formal muy diferente de las escuetas series de versos sueltos y amétricos de las demás obras del período posterior a 1917.

Por lo menos en lo que se refiere a la versificación se puede decir que el cambio de actitud representado por el *Diario* no fue tan radical y definitivo como se suele creer. El poeta en efecto prescindió del metro alejandrino que antes había cultivado tan intensamente, y del soneto que había usado como forma única en uno de sus libros. Pero en ningún momento, ni aun en el período en que hizo mayor uso del verso libre, dejó de utilizar en un amplio género de composiciones la rima asonante o consonante y los metros regulares de once, nueve y ocho sílabas o de medidas menores.

Cuartetos, tercetos, redondillas y romances en versos comunes se hallan en el mismo *Diario*, en *Eternidades*, en *Belleza* y, sobre todo, en *La estación total*. En el *Diario*, las composiciones con rima asonante representan el 38 por 100; en *Eternidades* descienden al 26 por 100; en *Belleza* al 18 por 100 y en *Piedra y cielo* al 9 por 100, pero en *Poesía* vuelven a elevarse al 34 por 100 y en *La estación total* al 48 por 100. La práctica de la versificación monorrima con asonancia o consonancia uniforme en todos los versos fue aplicada con frecuencia por Juan Ramón antes y después del *Diario*. En realidad, solamente en su último libro, *Animal de fondo*, donde aparece más concentrado con su misticismo estético, se desentendió de todo elemento de regularidad métrica.

Aparte del ejemplo de su propia obra, dejó directas y expresivas referencias respecto a la valoración estimativa del verso en su criterio artístico. Reflejando la emoción de la lectura de un libro de poesía en la suavidad de una tarde de otoño, dijo en *Laberinto*, I, 1279: «Que el libro ascienda puro como un incienso de oro / en el sol melancólico / y sean melodías de luces y de anhelos, / e indelebles, sus versos». En otra ocasión, en alta mar, tradujo la impresión del momento con imagen inspirada por la métrica: «Sí, somos la verdad, la belleza, la estrofa eterna que perdura cogida con la rima en el centro más bello y entrevisto de una poesía eterna». *Diario*, II, 276. Recordando un soneto de Dante, imaginaba su arquitectura como la de una fuente que arquea sus surtidores y los vierte en las tazas. *Eternidades*, II, 631. De un pájaro que canta en la ventana dice que «es su trino de sonetillos frescos como un mayo breve». *Diario*, II, 394. Su adhesión al soneto la exaltó en una composición de esta clase como dedicatoria, «Al soneto, con mi alma», al frente de *Sonetos espirituales*. Recuérdese que en el plan final de sus obras completas adoptó precisamente las formas métricas como base para la clasificación de sus poesías en seis secciones con los títulos de *Romance, Canción, Estancia, Silva, Arte menor* y *Verso desnudo*.

Su fina sensibilidad acústica, que muchas veces fue tortura de su oído, explica por otra parte la frecuencia de sus alusiones a la música, a la voz y a toda clase de sonidos. Bastará la mención de los textos pautados de las sonatas con que trataba de sugerir el ambiente tonal de algunas secciones de sus libros, como se ve en *Jardines lejanos* y *Pastorales*, así como el recuerdo de los «Sentimientos musicales» de una parte de *Laberinto* y de los varios poemas que tienen por tema la música en el libro *Belleza*.

En otros casos el efecto se concentra en la evocación de la voz, como en el epígrafe de «La voz velada» al frente de un capítulo de *Melancolía,* y de «La voz de seda», en otro de *Laberinto.* Una poesía de este mismo libro, I, 1277, recuerda las voces de una madre y una niña señalándolas como dos guirnaldas de rosas blancas. En otro lugar, I, 1281, refleja la impresión de otra voz de timbre delgado y agudo, como cristal roto y como puñal de luz. En diversos pasajes, y particularmente en *Canción,* página 279, la voz de la amada es objeto de un culto como tal vez no lo haya sido la de ninguna otra mujer en los versos de un poeta.

Desde la publicación de *Arias tristes* y *Jardines lejanos,* sus versos se habían hecho notar por su ritmo suave y matizado. Antonio Machado los ponderó señalando la delicadeza con que las líneas de su ritmo y sus armonías apagadas venían a enriquecer la lírica española con una nueva gama de finas sensaciones. A las exigencias de su oído sumaba la curiosidad e insistencia para obtener de todo recurso métrico la máxima variedad de sus posibilidades. Consiguió poner en las líneas del romance, de la canción y de otras formas de la lírica tradicional la técnica más flexible.

Reflejo de sus escrúpulos había sido al principio aquel minucioso empleo de la diéresis para asegurar la justa prosodia en palabras como *vïaje, aurëola, sensüal, pöeta,* etc., y lo fueron después, en los escritos de su último período, sus innovaciones ortográficas de *dirijir, yelo, esplicar, esistir, perene,* etc. El rigor con que vigilaba y requería el mayor esmero tipográfico en la impresión de sus libros respondía a la misma exigencia que se observa en la clásica perfección de sus sonetos, en la exacta ponderación de sus poemas alejandrinos y en la armoniosa estructura de sus baladas y canciones.

En la obra poética de Juan Ramón se pueden considerar dos básicas secciones: la de la poesía formal que él solía llamar poesía escrita y la de la lírica de canción. Las composiciones del primer tipo son las que el poeta sometió a su sobria disciplina métrica; en las del segundo aplicó diversos modelos y combinó variedad de recursos dando amplio margen a su propio sentido musical. Rubén Darío había ensayado lays y dezires como los de los viejos cancioneros; Juan Ramón dio preferencia entre los moldes antiguos a los de arraigo más hondo y popular.

Por el mismo tiempo en que, en su poesía escrita, componía en cuartetos alejandrinos sus libros de *Elegías,* 1908-1910, siguió el tradicional modelo del zéjel a:bbba:a, en «Lluvia de oro», *Las hojas verdes,* I, 705, en cuatro estrofas como la siguiente:

Llueve, llueve dulcemente.

El agua lava la hiedra,
rompe el agua verdinegra;
el agua lava la piedra,
y en mi corazón doliente:

Llueve, llueve dulcemente.

Otro ejemplo semejante, en heptasílabos, sin más modificación que la de anteponer a la mudanza monorrima un verso asonantado con el estribillo, como el verso de vuelta, ab:bcccb:ab, es el de «Yo sólo vivo dentro / de la primavera», *Canción,* p. 263. Claro es que pudo recoger directamente la idea del zéjel de algún texto antiguo, pero no es improbable que estimularan su atención los comentarios iniciados en aquel tiempo por los arabistas sobre la representación de este tipo de canción mozárabe en el *Cancionero de Aben Guzmán.*

La forma típica del villancico, heredero de la cantiga medieval, con estribillo, mudanza cruzada y versos de enlace y vuelta, aa:bcbc:ca:aa, la siguió puntualmente en «Verde verderol», *Canción,* p. 60, con cuatro estrofas de esta especie:

> Verde verderol,
> endulza la puesta del sol.
>
> Palacio de encanto,
> el pinar sombrío
> arrulla con llanto
> la huida del río.
> Allí el nido umbrío
> tiene el verderol:
>
> Verde verderol,
> endulza la puesta del sol.

La mudanza del villancico, sin el peculiar sello monorrimo de la del zéjel, permitía modificaciones de las cuales se sirvió el mismo Juan Ramón en otras ocasiones. Consiste en un terceto alterno, y el verso de enlace es sustituido por otro suelto, a:bcb:da:a, en «Llueve sobre el río», *Canción,* p. 115.

Al paralelismo de su estructura y a la repetición del estribillo, el cosante añade la modificación progresiva de la imagen central mediante la adición de nuevos complementos que la van modulando a medida que avanza la canción. Debió advertir Juan Ramón la flexible y armoniosa coordinación del cosante y lo adoptó y reelaboró refinadamente en numerosas composiciones, desde *Baladas de primavera* hasta «Canciones de la nueva luz». Abundan especialmente en *Canción,* con ejemplos característicos como los de «La nueva primavera», p. 24, «Nocturno de Moguer», 132; «Alegría nocturna», 341; «La felicidad», 414; etc. El cosante titulado «Viento de amor», en «Canciones de la nueva luz», II, 1207, por su movimiento rítmico y aun por su propio tema, evoca el recuerdo del viejo «Arbol del amor», del almirante don Diego Hurtado de Mendoza, padre del Marqués de Santillana. El de «La estrella venida», II, 1201, suscita claras resonancias de Gil Vicente:

> En el naranjo está la estrella,
> a ver quién puede cogerla.

Pronto, venid con las perlas,
traed las redes de seda.

En el tejado está la estrella,
a ver quién puede cogerla.

¡Oh, qué olor de primavera
su pomo de luz eterna!

En los ojos está la estrella,
a ver quién puede cogerla.

¡Por el aire, por la hierba,
cuidado que no se pierda!

¡En el amor está la estrella!
¡A ver quién puede cogerla!

En la poesía «El agua», *Canción,* p. 267, adaptó el modelo de la canción trovadoresca formada en su tipo más corriente por tres redondillas octosílabas, de las que la última coincide en conceptos y rimas con la primera, abab:cdcd:abab. En el mencionado ejemplo de Juan Ramón, la segunda redondilla, centro de la canción, refuerza su contraste con los extremos mediante su asonancia monorrima, abba:cccc:abba:

Al puente del solo amor,
piedra ardiente entre altas rocas
(cita eterna, tarde roja)
voy yo con mi corazón.

(Mi novia sola es el agua
que pasa siempre y no engaña,
que pasa siempre y no cambia,
que pasa siempre y no acaba).

Del puente del solo amor,
piedra ardiente entre altas rocas,
(vuelta eterna, noche loca)
vengo con mi corazón.

Desde antiguo, el orden de tríptico a que esta clase de canción corresponde había ejercido sobre el poeta constante atracción. En *Laberinto,* las poesías formadas por tres cuartetos alejandrinos representan el 65 por 100 del conjunto del libro, y en *Melancolía* ascienden al 71 por 100. Las secciones tituladas «Ruinas», «Marinas de ensueño» y «Perfume y nostalgia» en *Poemas mágicos y dolientes* están compuestas exclusivamente en poemas trípticos en esa misma clase de cuartetos.

Más tarde, en metros menores y más variados, la estructura de tríptico aparece en el 40 por 100 de las «Canciones de la nueva luz».

Por virtud del equilibrio de tal paradigma, que es sin duda el secreto de su atractivo, la canción trovadoresca, reducida con frecuencia a sus simples líneas básicas, sin correspondencia de rimas entre sus extremos y aun a veces en versos sueltos, fue uno de los esquemas más usados por Juan Ramón en su lírica de canción. El orden mental corresponde generalmente a la disposición métrica y en ocasiones constituye el eje de la coordinación, como en los siguientes ejemplos:

«Bajo el sol de la mañana», *Arias tristes*, I, 323; tres cuartetas octosílabas: 1, campo, río, arboleda; 2, gente, yuntas, camino; 3, la aldea, al fondo, bajo el sol.

«Balada del mar lejano», *Baladas de primavera*, I, 741: tres cuartetos eneasílabos: 1, aurora, mar de plata; 2, siesta, mar de oro; 3, tarde, mar de rosa.

«Ritmo de ola», *La estación total*, II, 1224; tres sextillas pentasílabas. 1, viento de ardor; 2, sangre de olor; 3, fruto aun con flor.

La mayor parte de las *Baladas de primavera* pertenecen al género tradicional de la canción de estribillo. La intervención del estribillo y el variable número de estrofas de que esta clase de canción puede constar la diferencia del tipo de la canción trovadoresca. Se distingue asimismo del villancico y del zéjel por carecer de versos de enlace y vuelta y por la libertad con que el estribillo, rimado o no con las estrofas, puede ir situado en la canción. No guardan semejanza de metro ni estrofa las baladas de Juan Ramón con las que Darío compuso, regularmente en décimas, sobre «La sencillez de las rosas perfectas», «Las musas de carne y hueso», «La bella niña del Brasil», etc. Respecto a la disposición del estribillo, Juan Ramón procedió ordinariamente de este modo:

1. El estribillo precede a la canción y se repite después de cada estrofa: Balada del avión, I, 758; de la flor del romero, I, 760; de la flor de la jarra, I, 752.
2. El estribillo figura después de cada estrofa, pero no al frente de la canción: Balada de los pesares, I, 742; del almoraduj, I, 746; de la luna en el pino, I, 756.
3. El estribillo sigue a cada estrofa, pero no figura ni al principio ni al fin del poema: Balada de la mañana de la Cruz, I, 739; del castillo de la infancia, I, 778.

Las canciones de estribillo no se hallan sólo en el libro de *Baladas de primavera*, sino también en varios otros de los posteriores al *Diario* y especialmente en *Canción* y *La estación total*. En muy pocos casos la posición del estribillo se aparta del orden indicado. En uno de ellos, «Regreso», *Estío*, II, 125, el estribillo aparece al principio y al fin, pero no después de cada estrofa. En «Recuerdo», *Piedra y cielo*, II, 704, se divide por mitades entre el centro de la canción y el final. Predominan los estribillos de dos o tres versos, y muchos recuerdan el tono y estilo de los que se hallan en los cancioneros antiguos:

Yo no sé decirme
por qué me retienes;
yo no sé qué tienes.
Canción, 55.

Ojos que quieren
mirar alegres
y miran tristes.
Canción, 103.

El amor, un león
que come corazón.
Canción, 137.

Por la cima del árbol iré
y te buscaré.
Canción, 398.

Entre esta serie de recursos, el que aparece practicado por Juan Ramón con juego más variado en cuanto a su forma y disposición en el poema es el retornelo, que consiste, como es sabido, en la repetición de una estrofa, ordinariamente la primera, o de parte de ella, al final o en el curso de la composición. El retornelo se diferencia del estribillo en que éste es simple parte adicional que acompaña a la estrofa sin ir siempre necesariamente ligado a ella, mientras que el retornelo es porción inseparable de la estrofa misma, como parte de su propia unidad. El elaborado y múltiple uso que Juan Ramón hizo del retornelo se aprecia en la siguiente enumeración, que aunque pueda parecer prolija interesa como demostración del grado de sutileza a que el poeta llegaba en la técnica de su versificación:

1. Primera estrofa repetida íntegramente al final. Ocurre principalmente en composiciones en redondillas octosílabas de *Jardines lejanos,* I, 424, 508, y de *Pastorales,* I, 676, 678, 686, en los pareados eneasílabos de «Balada de la estrella», I, 766; en los cuartetos monorrimos de 9-11-7-9, en «Carnaval del campo», *Canción,* pág. 146, etc.
2. Primera estrofa repetida al final y en los lugares impares de la serie: «Mira, el jardín teje plata», *Jardines lejanos,* I, 427; «Mira, la flauta está loca», *Pastorales,* I, 674; «Balada del poeta a caballo», I, 781. Todos los ejemplos en redondillas.
3. Primera estrofa repetida al final invirtiendo el orden de sus versos: «Viene en la noche de junio», en redondillas, *Jardines lejanos,* I, 391; «Ella respondió llorando», en redondillas, *Ibid.* I, 506; «Columpio», en octosílabos monorrimos, *Estío,* II, 157.
4. Segunda mitad de la estrofa inicial repetida como segunda mitad de la final: «Jardín verde, yo te cuido», en redondillas, *Jardines lejanos,* I, 457; «Balada de la mujer morena y alegre», en cuartetos dodecasílabos, I, 771.

5. Un verso de la primera estrofa se repite en uno u otro orden en las estrofas siguientes: «Mañana de primavera», en quintillas octosílabas, *Jardines lejanos*, I, 386; «Tú me mirarás llorando», redondillas, *Ibid.* I, 478; «Tarde azul y fría», cuartetos endecasílabos, *Las hojas verdes*, I, 717; «Las flores bajo el rayo», cuartetas octosílabas, *La estación total*, II, 1180.

6. El último verso de cada estrofa se repite como primero de la siguiente, como en el encadenado de la gaya ciencia: Ocurre en las tres primeras estrofas de «Canción intelectual», *Belleza*, II, 1048.

7. Un verso de la estrofa se repite dentro de ella misma: el primero como cuarto en las cinco redondillas de la «Balada del poeta a caballo», I, 781; el segundo también como cuarto en las cuatro redondillas de «En el viento azul se van», *Estío*, II, 138.

8. La expresión con que termina el último verso de la primera estrofa se repite como final de las estrofas siguientes: «Balada triste de la mariposa blanca», I, 780.

9. Una misma palabra se repite periódicamente como final de verso: *blanco*, en los tercetos octosílabos de *Estío*, II, 148; *sol*, en los pareados de «Sentido y elemento», *La estación total*, II, 1198; *Alma*, en los tercetos eneasílabos de «Es mi alma», *Ibid.* II, 1226.

Los años comprendidos entre 1903 y 1911 representan el período de mayor cultivo del romance en la obra de Juan Ramón. La forma organizada en cuartetas octosílabas asonantes aparece en los libros de *Arias tristes*, *Jardines lejanos*, *Pastorales* y *La soledad sonora*, compuestos casi sin excepción en romances cuya extensión oscila predominantemente entre 5 y 8 cuartetas. Dejó el poeta en estos libros mucho de lo que habrá de ser considerado entre lo más fino, fresco y delicado de su lírica, aunque luego, injustamente, los llamase «borradores silvestres». Con frecuencia aplicó a los romances elementos musicales usados ordinariamente en la canción. Su invariable adhesión al romance a lo largo de su labor es una de las manifestaciones de su actitud respecto a la lírica tradicional. Su ejemplo elevó la estimación de esta forma métrica en los círculos de la poesía culta y contribuyó a ganarle partidarios entre poetas más jóvenes.

Ejercitó especialmente en el romance su procedimiento de reelaboración con variedad de modificaciones, aparte del conocido empleo de estribillos, practicado en «Allá vienen las carretas», *Pastorales*, I, 545; «En la mañana azul suenan», *Ibid.* I, 611; «Qué blanca viene la luna», *Ibid.* I, 628. Otros, en metro hexasílabo o decasílabo, también con estribillo, se hallan en *Baladas de primavera*: «Cantora, tú cantas», I, 742; «Pájaro de agua», I, 750; «La tarde era azul», I, 773. Con los de estribillo alternan los de retornelo en que la primera cuarteta, total o parcialmente, se repite al final: «Mis lágrimas han caído», *Arias tristes*, I, 272; «Molino de viento rojo», *Pastorales*, I, 609; «En la tarde suave y lenta», *Jardines lejanos*, I, 424.

De vez en cuando alteró la disciplina del romance intercalando una quintilla entre la ordinaria serie de cuartetas. Después de la fecha del *Diario* se repiten ésta y otras alteraciones semejantes. En algunos casos la asonancia no se ajusta exactamente a los versos pares: *Belleza*, II, 1103; *La estación total*, II, 1213. En otros, cada cuarteta presenta asonancia diferente: *Estío*, II, 132; *La estación total*, II, 1209. Dos romancillos heptasílabos terminan sus cuartetas en versos quebrados en *Estío*, II, 115 y 184. Otro, hexasílabo, sujeta a la misma asonancia todos sus versos con excepción del primero de cada cuarteta, *Canción*, p. 383. Otro, también hexasílabo, está formado por sextillas agudas de asonancia independiente, *La estación total*, II, 1214.

En este modo de reelaboración, una de las modificaciones más frecuentes y de mayor bulto consiste en la composición del romance a base del terceto como unidad de la serie y con variada disposición de la rima: los segundos y terceros versos de los tercetos van comprendidos bajo la misma asonancia, abb-cbb-dbb, en «Siesta de tormenta», *Estío*, II, 171. La rima sólo enlaza los terceros versos, abc-dec-fgc, en «Yo no sé cómo saltar», *Estío*, II, 187. Riman primeros y terceros, aba-aca-ada, en «Es mi alma», *La estación total*, II, 1226. Los versos se enlazan correlativamente bajo tres asonancias, abc-abc-abc, en «El adolescente», *Canción*, p. 19.

Junto a los romances, cultivó Juan Ramón la copla popular en sus varias formas de cuarteta, quintilla asonante, seguidilla ordinaria, seguidilla gitana, «soleá», etc. Aparecen en «Cantares», entre los sonetos y silvas modernistas de *Almas de violeta*, y abundan en «Cancioncillas espirituales» y «Canciones intelectuales», de *Canción*, pp. 173 y 291, y en «Canciones de la nueva luz», II, 1186-1194. Dentro de su breve marco, también estas coplas pasan en manos del poeta por constante remodelación que afecta sobre todo a la combinación de medidas y disposición de los versos.

Después de varios años de haberse alejado de las experiencias de nuevos tipos de versos ensayados en *Ninfeas*, un particular metro por el que manifestó decidido interés fue el que se halla en «Aire de bandolín», *Las hojas verdes*, I, 713, repetido en *Canción*, p. 54, y en las baladas de la mañana de la Cruz, del almoraduj del monte, de la mujer morena y alegre y del prado con verbena, *Baladas*, I, 739, 746, 771 y 783, casi todas repetidas también, con más o menos modificaciones, en *Canción*. Consiste tal metro en una variedad de dodecasílabo compuesto en que se suman un pentasílabo polirrítmico y un heptasílabo trocaico. Sus apoyos rítmicos fijos son los de las sílabas cuarta y undécima; los de primera, séptima y novena son secundarios y optativos:

ó o o ó o o ó o ó o ó o

Pon en mi boca las rosas de tu boca.

El original experimentador don Sinibaldo de Mas había anticipado la prueba de este verso en una oda de su *Potpourri*, 1845: «Oh, suerte triste la del mortal inerte». Repitieron la iniciativa Unamuno en un breve ejemplo de su *Cancionero*: «Cuentos sin hilo de mi niñez dorada», y

Santos Chocano en su «Momia incaica», «Momia que duermes tu inamovible sueño», pero fue Juan Ramón, con su habitual perspicacia, quien lo desarrolló y aplicó en sus varias modalidades.

Por su composición métrica y su efecto rítmico ofrece parentesco este verso con el de arte mayor y con el endecasílabo sáfico. Coincide con el sáfico en el pentasílabo inicial, predominantemente dactílico, y en el ritmo trocaico del resto del verso, producido en el sáfico por los apoyos subalternos en las sílabas pares, 6 y 8, y en el dodecasílabo por los de las impares, 7 y 9. La particularidad que distingue a este último, con ventaja para sus efectos expresivos, consiste en admitir, como el de arte mayor, que el primer hemistiquio pueda tener terminación llana, aguda o esdrújula. Las diferencias de terminación se nivelan en el período de enlace entre los dos hemistiquios, a veces por compensación, añadiendo una sílaba al segundo si el primero es agudo, y otras veces por sinalefa si entre los hemistiquios hay encuentro de vocales susceptibles de reducirse a una sola sílaba. Por virtud de estas circunstancias, el verso ofrece cinco variedades que alternan juntamente en las canciones de Juan Ramón, como muestran los siguientes ejemplos de las baladas de la mujer morena y alegre y de la mañana de la Cruz:

Llano:	Sol con estrellas, manzana matutina.
Agudo:	Quédate en mí, soy pobre y soy poeta.
Esdrújulo:	Carne de música, rosal de sangre loca.
Compensación:	Agua de azul, mariposa florecida.
Sinalefa:	La mariposa está aquí con la ilusión.

Después de las *Baladas de primavera* no volvió Juan Ramón a servirse de este metro ni parece que su ejemplo influyera para que otros poetas lo adoptaran, no obstante sus cualidades de suave y flexible armonía. Puede ser que su misma semejanza con los versos sáfico y de arte mayor fuera impedimento para que afirmara su individualidad, aunque es más probable que el obstáculo para su difusión consistiera en la crisis en que cayó la versificación musical después de la exaltación modernista. El mismo Juan Ramón fue abandonando sucesivamente todos los metros de su repertorio de mayor apariencia y extensión hasta excluir a los que excedieran la medida del de nueve sílabas, con excepción del endecasílabo, al que también redujo, sin embargo, a limitados casos. Entre los tipos de versos que utilizó antes del *Diario,* renunció a los que figuran en la siguiente lista. De varios de ellos sólo se sirvió en sus primeros libros:

1. Decasílabo de 5-5, trocaico: «Novia alegre de la boca roja, / mariposa de carmín en flor», «Balada de los tres besos», I, 748.
2. Decasílabo de 5-5, dactílico: «Álamos, juncias, álamos verdes, / ¡ay, la mañana dulce del Corpus!» «Balada triste de la mañana del Corpus», I, 762.

3. Decasílabo de 5-5, polirrítmico: «¿Quién ha besado tu boca? Mira / que no por eso te quiero menos.» «Balada de los tres besos», I, 777.

4. Decasílabo simple dactílico: «Para dar un alivio a mis penas / que me parten la frente y el alma.» *Arias tristes*, I, 264.

5. Endecasílabo dactílico: «Tristes canciones de muertos amores, / auröladas con lágrimas rojas.» *Almas de violeta*, I, 1521.

6. Dodecasílabo dactílico: «La tarde está azul, serena y dorada, / el agua y la rosa perfuman la brisa.» «Balada triste del avión», I, 758.

7. Dodecasílabo trocaico de 4-4-4: «¡Qué silencio!... ¡qué reposo!... Dulce brisa / mece al sauce y al ciprés sobre las rosas.» *Ninfeas*, I, 1478.

8. Dodecasílabo de 7-5: «Derramando fragancias cantan las brisas / y a sus besos suspiran los platanares.» «Tropical», *Ninfeas*, I, 1493.

9. Dodecasílabo de 5-7: «Vivan las rosas, las rosas del amor / entre el verdor con sol de la pradera.» «Balada de la mañana de la Cruz», I, 739.

10. Dodecasílabo polirrítmico de 6-6: «Permite que viva, permite que muera / como un cielo rosa / de una de esas tardes de la primavera.» *Las hojas verdes*, I, 704.

11. Tridecasílabo dactílico: «Va cayendo la tarde con triste misterio... / Inundados de llanto mis ojos dormidos.» «Somnolenta», *Ninfeas*, I, 1476.

12. Alejandrino trocaico: «Que fría Nochebuena. Del empañado cielo / la nieve cae cuajándose con fúnebre amargura.» «Nochebuena», *Almas de violeta*, I, 1537.

13. Alejandrino dactílico: «Como adoro un sublime ideal azulado / y la vida es muy roja y es muy negra la vida.» «Extasis», *Ninfeas*, I, 1474.

14. Alejandrino polirrítmico: «Una luna amarilla alumbra vagamente / el cielo de neblina, verde como un acuario.» *La soledad sonora*, I, 1008.

15. Hexadecasílabo dactílico: «Me acerqué a aquel tranquilo rincón del jardín donde muero / de tristeza, la brisa soplaba con tenue frescor» «Vaga», *Rimas*, I, 193.

16. Hexadecasílabo trocaico de 8-8: «De mi sangre se nutrieron las estrofas de estos cantos; / son las flores de mi alma que cayeron a los ósculos...» «Ofertorio», *Ninfeas*, I, 1465.

17. Octodecasílabo de 6-6-6: «A la oliente sombra del rosal de sangre, del rosal florido, / muerta su inocencia, muerta la fragancia de su frente pura.» «Marchita», *Ninfeas*, I, 1498.

18. Polimétrico dactílico de base prosódica trisílaba llana: «Un beso de rosa / subía cantando canciones de amargas cadencias.» «La canción de los besos», *Ninfeas*, I, 1470.

19. Polimétrico dactílico de base prosódica trisílaba aguda: «El espacio se duerme tranquilo; / el silencio y la calma / melancólicos alzan canciones dormidas.» «Melancólica», *Ninfeas*, I, 1503.

20. Polimétrico dactílico de base trisílaba llana y aguda: «La vida es un lago / que se cruza por medio de frágiles barcas.» «Marina», *Almas de violeta*, I, 1534.

21. Polimétrico trocaico de base tetrasílaba: «Una lámpara tranquila y macilenta / arrojaba tenuemente sus suspiros luminosos.» «Tétrica», *Ninfeas*, 1475.

22. Polimétrico mixto de base hexasílaba: «Cortando con lumbre las siluetas largas, largas y espectrales de los negros árboles, / asomó la luna por el alto monte su faz tersa y pálida.» «La canción de la carne», *Ninfeas*, 1484.

Junto con la eliminación de estos metros y con el abandono del soneto, el autor prescindió también del encabalgamiento con división de palabra entre hemistiquios, novedad modernista poco afortunada de la que había hecho abundante uso en sus alejandrinos. Ya en *Elegías puras*, 1908, se registran ejemplos como los siguientes: «Estas violetas invernales que te envío», I, 835; «Perfumarán las ma-dreselvas cuando vuelvas», I, 846; «Yerra la esencia inex-tinguible de lo eterno», I, 847. No aplicó esta práctica fuera del alejandrino, ni en el decasílabo de 5-5, ni en el dodecasílabo de 6-6, y sólo rara vez, con intención irónica y con relación a la misma palabra, la empleó entre octosílabos: «Asno blanco, verde y ama- / rillo de parras de otoño», *Pastorales*, I, 596; «En una torre amari- / lla eres como un punto, luna, / sobre una *i*», *Las hojas verdes*, I, 718. El cultivo del alejandrino fue abandonado por Juan Ramón y por Antonio Machado en la misma fecha. Los últimos libros en que uno y otro emplearon este metro fueron respectivamente *Melancolía* y *Campos de Castilla*, publicados en 1912.

Al prescindir de tan copioso instrumental, la serie de metros regulares conservados por Juan Ramón, al lado de su adopción del verso libre, se redujo prácticamente a los de medidas más breves, entre 8 y 5 sílabas. De los de 11 y 9 hizo escaso uso después de 1917. El cambio parecía significar una radical simplificación; en realidad no representaba sino un nuevo modo en que los efectos de la sonoridad de la rima plena y del amplio ritmo acentual venían a ser sustituidos por los de un sistema más complejo, refinado y personal. La exigencia lírica del poeta buscó compensación en el armonioso refinamiento de las líneas del poema. La presentación de unos ejemplos será la mejor manera de dar idea de su nuevo procedimiento.

La composición titulada «Rosa, pompa, risa», *Canción*, p. 139, consta de tres quintillas hexasílabas cuyas rimas repiten cuatro de las cinco palabras que terminan los versos. Los primeros y quintos versos reaparecen como retornelos en las tres estrofas. Los segundos y terceros mantienen invariablemente su terminación, pero modifican sus conceptos con encadenamiento paralelístico: sueños-rosas, rosas-pompas, pompas-risas. Los cuartos versos, al contrario, mantienen sus principios y modifican sus finales. La canción entrelaza efectos de cosante, encadenamiento y retornelo sobre estructura de tríptico:

> Con la primavera,
> mis sueños se llenan
> de rosas, lo mismo
> que las escaleras
> orilla del río.
>
> Con la primavera,
> mis rosas se llenan
> de pompas, lo mismo
> que las torrenteras
> orilla del río.
>
> Con la primavera,
> mis pompas se llenan
> de risas, lo mismo
> que las ventoleras
> orilla del río.

En «Ya viene la primavera», *Canción,* p. 163, figuran cuatro pareados con asonancias distintas sobre fondo de cosante. Los primeros versos de las cuatro parejas, octosílabos, van enlazados en cadena, empezando cada uno con el mismo vocablo en que termina el correspondiente primero anterior. Los segundos versos, hexasílabos, coinciden en su elemento inicial, pero se diferencian entre sí destacando en sus terminaciones los cuatro nombres correlativos —estrella, agua, rosa, voz—, que constituyen, con el de la primavera, el cuadro de la canción:

> Ya viene la primavera,
> lo ha dicho la estrella.
>
> La primavera sin mancha,
> lo ha dicho la agua.
>
> Sin mancha y viva de gloria,
> lo ha dicho la rosa.
>
> De gloria, altura y pasión,
> lo ha dicho tu voz.

La poesía «Rosa última», *Canción,* 419, está formada por dos tercetos hexasílabos paralelos, rimados entre sí por sus últimos versos. Les precede un estribillo de dos versos de 8 y 6 sílabas, que se repite al final en orden inverso, 6 y 8. En el centro, entre los dos tercetos, como punto de equilibrio entre las dos mitades simétricas, aparece el verso más breve del estribillo. La arquitectura de conjunto representa una perfecta unidad en la correspondencia de sus partes: ab-cde-b-fge-ba. La rosa simbólica, situada al principio y al fin de la canción, reaparece en anáfora en los dos tercetos con constante matización de su variable imagen:

> —Cógela, coge la rosa.
> —Que no, que es el sol.
>
> —La rosa de llama,
> la rosa de oro,
> la rosa ideal.
>
> —Que no, que es el sol.
>
> —La rosa de gloria,
> la rosa de sueño,
> la rosa final.
>
> —Que no, que es el sol.
> —Cógela, coge la rosa.

Las líneas de zéjel se funden con las del cosante en las dos estrofas octosílabas con estribillo de «El día bello», *La estación total,* II, 1203. La serie sucesiva de aurora, mañana, tarde y noche, de la primera estrofa, se repite en orden inverso en la segunda, noche, tarde, mañana, aurora. Se invierte asimismo el orden de los calificativos con que terminan los versos, rosa, celeste, verde, azul — azul, verde, celeste, rosa. En la primera estrofa, la rima del último verso vuelve a la del estribillo; en la segunda, invertida, la vuelta al estribillo va anticipada como primer verso:

> Y en todo desnuda tú.
>
> He visto la aurora rosa
> y la mañana celeste;
> he visto la tarde verde
> y he visto la noche azul:
>
> Y en todo desnuda tú.
>
> Desnuda en la noche azul,
> desnuda en la tarde verde
> y en la mañana celeste;
> desnuda en la aurora rosa:
>
> Y en todo desnuda tú.

Simetría y alternancia de cuartetos y tercetos, combinación de rimas consonantes y asonantes, repetición de versos en serie invertida, retornelo de unos vocablos y antítesis de otros —hiel:miel, clamaba:cantaba, luz:sombra, bello:feo—, aparecen combinadas como piezas de mosaico en la poesía titulada «Cuatro», probable referencia enigmática a alguna agridulce experiencia, en *La estación total*, II, 1206:

> Tres le dieron yel:
> el que iba tras él,
> el que iba con él,
> el que iba ante él.
>
> Clamaba la vida
> con la luz enmedio:
> ¡qué feo es lo bello!
>
> A tres les dio miel:
> al que iba ante él,
> al que iba con él,
> al que iba tras él.
>
> Cantaba la vida
> con la sombra enmedio:
> ¡qué bello es lo feo!

En otra ocasión, un simple verso, en exclamación, condensa el momento poético, como anticipo del tríptico que le sigue. Un breve terceto evoca la dulzura del ambiente. Una quintilla presenta la actitud de amorosa y reflexiva contemplación ante la delicada figura del niño dormido. Termina la canción en retornelo a la evocación del lugar. Envuelve al conjunto el suave ritmo de la más blanda y musical de las modalidades del heptasílabo. La composición, una de las muchas en que Juan Ramón mostró su simpatía por el tema de los niños, es ejemplo de expresión concisa y armoniosa con los recursos más sencillos. Se titula «Mañana en el jardín», *Belleza,* II, 988:

> El niñito dormido.
>
> Mientras, cantan los pájaros
> y las ramas se mecen,
> y el sol grande sonríe.
>
> En la sombra dorada,
> —¿un siglo o un instante?—
> el niñito dormido,
> —fuera aún de la idea
> de lo breve o lo eterno—
>
> Mientras, cantan los pájaros,
> y las ramas se mecen,
> y el sol grande sonríe.

Queda lejos la imagen de Juan Ramón como poeta entregado en sus últimos libros a la abstracción estética y al verso libre. En las *Baladas de primavera,* anteriores al *Diario,* su base métrica fue la estrofa de estribillo en variedad de versos de señalado carácter rítmico. En las «Canciones de la nueva luz», posteriores al *Diario,* los poemas son más breves, su sentido más denso y conciso, los versos más ligeros y las rimas y estribillos menos destacados, pero al mismo tiempo su estructura es de líneas más finas, minuciosas y entrelazadas. Representan una maestría más sutil, una métrica de primor que el poeta, seguramente, practicó como fruto natural de su fina sensibilidad y de su larga experiencia artística.

Su sentimiento rítmico y musical sobrevivió a todo cambio de actitud; en ningún caso se mostró inclinado a prescindir de la canción medida y rimada. Es indudable que para el simbolismo de su poesía ideológica encontró preferible el verso suelto y fluctuante, sin la exigencia de rimas, acentos y medidas, pero es igualmente cierto que para la expresión de sus intuiciones líricas y de su intimidad emocional se acogía invariablemente a los recursos de la palabra rítmicamente organizada. Dentro del esencial lirismo de toda su poesía, el signo más revelador de su inclinación o actitud en cada poema es, acaso, la forma de versificación que adoptó para componerlo.

Aun en su poesía pura o trascendental, para la que daba preferencia a la silva suelta y desnuda, su sentido musical le llevaba a las combinaciones de fondo armonioso y rítmico. Entre los 27 poemas de *La estación total* que preceden a las «Canciones de la nueva luz», 5 se hallan en metros regulares de once y ocho sílabas, 4 aparte de éstas llevan rimas asonantes y 2 presentan orden de trípticos con retornelo de sus versos finales, II, 1146 y 1160. Su verso propiamente libre reposa sobre el predominio de las medidas impares de 11, 9 y 7 sílabas, aptas especialmente para la matización del ritmo mixto. En las 22 composiciones sueltas y fluctuantes del conjunto mencionado, los versos de medida endecasílaba representan el 45 %; los heptasílabos, el 25 %, y los eneasílabos, el 17 %. Los que se apartan de estas medidas, por más cortos o más largos, no suman, unidos, más del 13 %. El verso definido y musical era parte de su naturaleza; rehuirlo hubiera sido una falta de espontaneidad, que el poeta no cometió.

Con frecuencia, en sus últimos libros, practicó el recurso de partir los versos, representando en línea aparte cada fragmento. Tales pasajes de aspecto irregular, amétrico, constan simplemente de versos fragmentados. En Juan Ramón este recurso no respondía al propósito de producir mera impresión versolibrista sino al objeto de subrayar cada parte separada. La fragmentación impone lectura relativamente extensa del endecasílabo, las palabras atenúan sus particulares contornos; el destacarlas en líneas separadas no impide que el verso mantenga su unidad rítmica. Entre los ejemplos de Juan Ramón es en efecto el endecasílabo el que con mayor insistencia es sometido a fragmentación. El corte ocurre de ordinario después del apoyo rítmico de la sílaba sexta: «No le toques ya más — que así es la rosa», *Piedra y cielo*, II, 695; «Sevilla, ciudad tuya — ciudad mía», *Diario*, II, 227; «Con mi luz, a mi lado — sin saberlo», *Eternidades*, II, 566. A veces la división se refuerza con la rima: «Amor y poesía — cada día», *Eternidades* II, 549. La división rimada sobre el apoyo de la cuarta sílaba destaca la nueva armonía del sáfico en «Ritmo de ola», *La estación total*, II, 1224: «Nube diamante — contra sol radiante. / Verdor precioso — contra sol glorioso», etc.

Con menor abundancia la fragmentación suele aparecer también aplicada a versos más breves que el endecasílabo. Señala el orden contrapuesto de los conceptos en «Ni es el sol — el que reina — en la sombra. / Es la sombra — la reina — del sol», «Incendio», *La estación total*, II, 1217. Una oposición semejante es destacada en «Qué negro está — grande y negro / el día blanco — de nieve», «El pájaro yerto», *La estación total*, II, 1218, y en «Forjadores — de espadas, / aquí está — la palabra», *Eternidades*, II, 598.

No deja de ser significativo el amplio espacio que Juan Ramón dedicó a sus canciones en la formación de sus antologías. Es igualmente de notar el hecho de que en el plan de sus obras en verso, el primer volumen que preparó y publicó fue precisamente el de *Canción*, aunque no fuera el primero en la serie proyectada. Había expresado su deseo de traducir en canciones todos los momentos, luces y sombras, de su vida: «Canción corta, canción corta, / muchas, muchas, / como estrellas en el cielo, / como arenas en la playa», *Piedra y cielo*, II, 782, aunque se lamentara de que cada canción no fuera sino un fallido intento de captura de la leve mariposa de luz que eternamente escapa sin dejar en la mano más que la forma de su huida, *Ibid.* II, 777.

No parecerá vano mencionar aquí el recuerdo de una noche de apacible paseo por las alturas de Morningside, en Nueva York, 1939, en que el autor de este artículo oyó de labios del poeta, como íntima reflexión, que a su juicio lo más apreciable de su obra y a lo que suponía un porvenir más duradero eran sus canciones. Por entonces se ocupaba en la composición de los poemas que habían de representar el contraste más notorio entre su poesía escrita y su lírica de canción en el libro *La estación total con las Canciones de la nueva luz,* 1946: de una parte las austeras silvas en que condensaba su idealismo estético, y de otra las finas canciones en que reflejaba el caudal sensitivo de su rica vida interior.

[*La Torre,* año XVI, núm. 59, enero-marzo 1968.]

ORESTE MACRÍ

NEOLOGISMOS EN JUAN RAMÓN JIMÉNEZ

Se han sacado de mi estudio *Metafísica e lingua poetica di J. R. J.*, en «Palatina» de Parma (I, 4, oct.-dic. 1957 y II, 5, en,-marzo 1958; separata de pp. 31). Las voces se registran singularmente en orden alfabético. Se han alfabetizado también las formas y palabras más raras (por ejemplo, la separación de encabalgamiento «sintiendo/te» se ha notado «/te»). Algo ha quedado fuera: el uso del doble guión (=), los números en los títulos («10 de junio», «5 y media de la mañana», «¿...?», etc.).

En general he conservado en el índice alfabético cada vocablo con su morfema según el carácter ontológico de la palabra juanramonesca, como he explicado: p. ej., *yo* y *yos*, *más allás*, ¡*agüiiita*!

Se ha conservado, desde luego, la grafía de J. R., de la que se da un resumen.

A la idea de la página lírica *velut pictura* contribuye la ortografía que se parece a la estética tipográfica del jefe de la escuela sevillana, F. de Herrera (cf. A. Gallego Morell, *Dos ensayos*, M. 1951, p. 67): eliminación de la cons. implosiva en los grupos *s cons* (*prósimo, esacto*), *x cons.* (*éstasis, esceso, escelsitud, inestinguible*), *sc* (*conciente*), *ns* (*costante, mostruoso*), *nn* (*perene*), *pt* (*setiembre*); apócopa de -*j* (*reló*); igualación gráfica en *j* del fonema *jota*, así, *j* hace alguna impresión al lado de *i* («vijilia», «El mundo jira que jira»); igualación en *y* del fonema *ye* (*yelo*).

Ocurre que a veces se sacrifican algunas oposiciones: *estático / extático*.

Las citas pertenecen a *Libros de poesía*, Biblioteca Premios Nobel, Madrid, Aguilar, 1957; el poema en prosa *Espacio* en *Poesía española*, Madrid, abril de 1954.

-ABLE.—«dios deseado... estás en elemento *triple incorporable*» (*Animal, De nuestros movimientos naturales*); lo subrayado remite a «reina tría» (vid. TRÍA); *incorporable* es cultismo semántico. Y vid. -IBLE.

-ADO.—Se añade al sufijo -AJE (vid.) con el mismo efecto de explosión continua:

> dios deseado y deseante,
> *siempre* verde, florido, *fruteado*...

(Animal, La fruta de mi flor). Sobre la novedad del sufijo -ADO en en ENCRISTALADO vid.

-ADOR.—«amor *gustador* y oloroso» *(Animal, De compaña y de hora)*; está hecho sobre *saboreador*.

¡AGÜIIIITA!—Tipo de reiteración expresiva, sacado del folklore andaluz; aquí el grito del *aguador: «¡Agüiiiita freja!»*; y vid. AY, GRIIIIITO, NO, ¡SÍÍÍÍÍ!, ORO, VIVO, TODO, BLANCO, TÚ. Tales repeticiones desarrollan a menudo un título, así que el poema se concibe como *análisis del título del poema en el poema;* y véanse las voces citadas (p. ej., en dos versos de la poesía *Vida* hay siete *vivo).*

AIREARIO.—Vid. -ARIO.

-AJE.—En el ejemplo siguiente se añade al sufijo *-ea(r),* así que la acción larga y continua de este sufijo se hipostatiza en sustantivo de movimiento perpetuo: «los robles... *rumoreaban* su vejez cascada... el viento les mecía las melenas, estraños *ondeajes» (Espacio, I),* de *ondear* más *oleaje;* es que la intensificación sustantivada no se podía expresar con *oleaje,* que el poeta sentía del todo gramaticalizado; aquí estriba el impulso neologista de J. R.

AJITADAMENTE.—Vid. -MENTE.

AL-.—Sufijo de esplendor arquitectónico en «perspectivas *ciudadales» (Animal, En país de países),* adjetivo propio de la «armoniosa suprema, *ciudad rica* / de arquitecturas»; hubo influjo de nombres con idea de suntuosidad e imperio *(capital, monumental, imperial, augustal, portal, frontal, ornamental)* y tal vez adjetivos que se refieren a la *«cubica visión»* de la nueva ciudad hispano-austral *(octogonal, ojival, racional, romboidal).*

ALGÚN.—Vid. DENTROS.

ALLÁS.—Vid. MÁS ALLÁS.

AMARILLOMAR.—Tipo de compuesto analizable: compenetración orgánica de dos sustancias o dos calidades o una sustancia y una calidad: *«verdemar* y *amarillomar» (Animal, Para que yo te oiga).* Vid. AZULAZULAZUL, CUERPIALMA, NIÑODIOS, DESIERTORIOMAR, CLARIVER, MARVERDEUVA, ROJOLADRILLO, ORIBLANCO, VEDEORO, VERDEPLATA, VERDIBLANCO, BLANQUIAZUL, ROJISECO, ROJINEGRO.

-ANCIA.—«y un *perfume* me envuelve, ajeno y mío..., y una *errancia* me coje, ajena y mía» *(Poesía, 10),* modelado en *vagancia, mudan-*

cia, inconstancia, no sin influencia de algún *fragancia,* aludido por *perfume,* que hemos subrayado.

-ANDO.—«intentando, tentando, tanteando» *(La estación, Lugar).*

ÁNJELA.—Vid. LA AGUA.

ANTE-.—*«antecielo de nubarrones» (Diario, Mar de pintor),* casi un *antepecho;* «un cielo de *antevida»* (ibid., *La casa de Poe),* sobre *antenoche, antenatal;* «*anteluces»* *(Eternidades, 89),* recuerdo de *antelucano;* «*antesol»* *(Belleza, 1); «dios antecreador» (La éstación, Dios primero).*

-ANTE, -ENTE.—Muy productivos: idea e imagen de actividad abierta hacia amplio horizonte, y rareza cultista: «viento / *ocupante*.total del movimiento» *(Animal, Conciencia llena); sufijos frecuentes después de vocales. e i* en hiato: «verde *venteante» (La estación, Mirlo fiel),* «*rayeante» (Animal, El centro rayeante),* «dios *deseante»* (ibid., frecuentísimo).

> ¡Pero vibra tú, luz,
> pero entra tú, sombra,
> y deslumbra y apaga
> la injerencia *espiante*

(La estación, Estado), de *espiar* ''explorar, indagar'';

> *Variante* mirada *miriante,*
> monstruo inmanente de la luz sombría

(ibid., *Monstruo alto),* versos extremadamente tensos, con rima interna en el primero, aliteración de vibrantes y nasales implosivas; la *i* epentética de *miriante* por *mirante* es recuerdo de *espiante, inquierente,* con reflejo de *variante;* en *Animal (Lo májico esencial)* se halla un «pensamiento *miriante»,* que nos hace pensar en una probable insinuación de *miríada* de astros sobre la mágica isla del dios-conciencia:

> Esa congregación, *ojos* de plata
> fundida en pensamiento *miriante*
> tuyo, dios deseado y deseante,
> es el oasis definido
> de mi limpio ideal unánime.

No creo en un participio de *miriar* (lat. *meridiare),* cuyo éxito normal es *amarizar* ''sestear'' *(miriar* en ast. se dice del ganado amparado contra las moscas; vid. Corominas s. v. *amarizar);* «luces *inquirientes y esperantes»* (ibid., Sin tedio); «grito *mareante» (Diario, El mar),* raro.

ANTECIELO.—Vid. ANTE-.

ANTECREADOR.—Vid. ANTE-.

ANTELUCES.—Vid. ANTE-.

ANTEOTOÑO.—Vid. ANTE-. Título en *Belleza*.

ANTESOL.—Vid. ANTE-.

ANTEVIDA.—Vid. ANTE-.

-AR.—*matinar* "despertar" tr.: «tan contento de haberme *matinado* [al dios-gallo]» *(Animal, De compaña y de hora)*.

-ARIO.—«estamos en un *aireario ideal*» *(Diario, Fresquitos matinales);* el sufijo es, precisamente, -*ario* (añadido a *aire*), no -*io* (a *airear*), ya que el adj. *«ideal»* sugiere el influjo de *ideario* sobre base analógica de *acuario, herbario, santurario, relicario, legendario,* etc.

AURORREAR.—Vid. -EAR.

-AZO.—Vid. -ITO.

AZULAZULAZUL.—«el mediterráneo *azulazulazul*» *(Espacio, III),* eso es, tal azul que por sí mismo actúa su virtualidad ideal. Vid. lo advertido s. v. AMARILLOMAR.

¡AY!—Se reitera a menudo en una sola palabra; vid. ¡AGÜIIIITA!, por ejemplo en *Diario, 126.*

BARROCAMENTE.—Vid. -MENTE. Tal vez se ha empleado anteriormente.

BRILLOR.—Vid. -OR.

BRISALERA.—Vid. -ERO.

BLANCAMENTE.—Vid. -MENTE.

BLANQUIAZUL.—«salinas *blanquiazules*» *(Diario, De Cádiz a Sevilla).* Vid. AMARILLOMAR.

CAMISILLA.—Vid. -ITO.

CANTORCILLO.—Vid. -ITO.

CAPAZÓN.—Vid. -EO.

CASCÁREO.—Vid. -EO

CÉLIDO.—Vid. -IDO.

-CILLO.—Vid. -ITO.

CIRCUM-.—«Tú estás, dios deseado, en la *circumbre*» *(Animal, En la circumbre); circum-* y *cumbre* son equisignificativos en la lengua poética de J. R., ya que cualquier compuesto es analizable (en *circumdar* de la lengua común el elemento *dar* no tiene por sí ningún sentido); la fusión en *circumbre* del "alrededor" y de la "cima" es viva síntesis de dos dimensiones espaciales y de dos sustancias metafísicas, no de una dimensión (p. ej., *circum-*) y de una sustancia (por ejemplo, *-cumbre);* también el *-circum* es un ente, como la *cumbre* es un *aquí.*

CIRCUMBRE.—Vid. CIRCUM-.

CIUDADAL.—Vid. -AL.

CLARIVER.—En *Animal, La trasparencia;* no parece regresivo de *cla-*

rividencia, clarividente, sino formado directamente sobre el patrón *entrever, rever,* etc.

CONCIENTE.—Simplificación del grupo *sc,* sobre *conciencia.*

CON FÚLJIDO.—En *Animal, Conciencia plena; tal vez de confulgencia;* parece raro que la prep. no se ha aglutinado, si no hay errata; *con-* tiene el mismo valor de *circum-* en *circumbre* (vid.).

CONTRA-.—«sobre una aurora con sus torres *contra rojo*» (*Animal, El todo interno),* sobre *contraluz, contrahielo,* etc.

CONTRA ROJO.—Vid. CONTRA-.

CORAZONADO.—Vid. -ITO.

COSMILLO.—Vid. -ITO.

COSTANTE.—Simplificación del grupo *ns.*

CRAQUEAR.—Paisaje de cangrejos muertos en *Espacio, III:* «los cánceres osaban *craqueando* erguidos...».

CUERPECILLO.—Vid. -ITO.

CUERPIALMA.—En *Animal, En país de países.* Vid. AMARILLO-MAR.

CHORREOSO.—Vid. -OSO.

DENTROS.—Muy frecuente el plural de partes invariables o abstractos gramaticalizados al singular: *«sus dentros de oro [del alma]» (Diario, Soñando);* Vid. NOES, PLENITUDES, ETERNIDADES. *«algún paseante* ardiente y retraído» *(Poesía, 70).*

DEPRISA.—Paso de la proclítica al prefijo, como en ENMEDIO (vid.).

DES-.—«dioses *descielados» (La estación, Hado español);* como *desterrados* (pero se conserva *ie).*

DESEANTE.—Vid. -ANTE.

DESIERTORIOMAR.—En *Animal, Río-mar-desierto.* Vid. AMARILLOMAR.

DÍAS.—Título: *¡Días, días, días, días!*

DUDONA.—Vid. -ONA.

-EAR.—Sufijo de acción o fenómeno largo y continuo:

> niño yo triste *soñeando siempre*
> el ultramar, con la ultratierra, el ultracielo.

(La estación, Con mi mitad allí); «Estará *auroreando...* / el campo seco» (ibid. *Aurora);* «inmenso *morear»* (ibid., *Otro como el otro),* como *negrear,* y está en la esfera semántica de ''profundo... oscuro... hondo''; «el radiotelegrafista, / *escucheando»* (ibid. *En amoroso llenar),* sobre el tipo *ojear, saborear.*

-ECER.—«un negror tenaz... me *enlutece» (Sonetos, Luto),* en rima con «entenebrece», que es el patrón; *enlutecía* (ibid. *trastorno); frutecer (La estación, Ajuste),* raro.

-EDOR.—Se añade al sufijo -ECER: «abril con su pasión *verdecedora»*

(Sonetos espirituales, Ocaso), sobre el tipo *blanquecedor;* «y yo el *sorprendedor* del alba rara» *(La estación, Otro como el otro).*

EN-.—«un májico campo *encristalado»* *(Sonetos espirituales, Primaveras)*, donde es nuevo también el sufijo *-ado;* creo resulte de *vidriado* más las formas *encastillado*, etc.; «divinidad *encarnada*, es decir, *enformada»* *(Notas* p. 1.386).

ENCARNADO.—Vid. -EN.

ENCRISTALADO.—Vid. -EN.

ENFORMADO.—Vid. -EN.

ENLUTECER.—Vid. -ECER.

ENMEDIO.—Paso de la proclítica al prefijo. Vid. DEPRISA.

ENMIMISMADO.—«Yo en mi nada, meteoro *enmimismado»* (ibid. *tro en tu oeste);* vid. ENTIMISMADO.

-ENTE.—Vid. -ANTE.

ENTIMISMADO.—«y lo que yo te doy *entimismado»* *(La estación, Último embeleso);* J. R. desgramaticaliza *ensimismado*, cuyos componentes no tienen sentido por sí, y gramaticaliza una segunda vez, recobrando el sentido sintético de *ensimismado* (''embelesado'') y pasando a la segunda persona ''...en ti''.

ENTRECANTADO.—Vid. ENTRE-.

ENTRECANTAR.—Vid. ENTRE-.

ENTREHERIDO.—Vid. ENTRE-.

ENTRENACER.—Vid. ENTRE-.

ENTRETIEMPO.—Vid. ENTRE-.

-EO.—Culto. «ejército cárdeno y *cascáreo*... más abierta la tenaza *sérrea* de la mayor boca de su armario» *(Espacio, III);* se describe una jornada terrible de cangrejos muertos, de cáscaras como *«capazones»*, eso es, corazas torácicas de aquel «ejército»; uno de los cangrejos («Era cáscara vana, un nombre nada más cangrejo») abría «la tenaza *sérrea»* de su boca: raíz *serrar*, patrón el adj. *férrea;* «pláteas *estrelleo»* *(La estación, Nocturno)*, como *áureo*, *marmóreo*, *argénteo*.

> Entre los edificios, amasados...;
> con *penduleo* plástico de viento...

(La estación, Monstruo alto); el sufijo *-eo* se añade a *péndulo* con el mismo sentido y forma de *meneo*, *balanceo*, *bamboleo*, *cotoneo;* «Un cobarde / *estrelleo* titila por su frente» *(Sonetos, Paseo)*, recuerdo de *flameo*, *clareo*.

ERRANCIA.—Vid. -ANCIA.

-ERĪA.—*«lotería»* *(Diario, Colony Club)*, ''conjunto de loritos'', como *pajarería*, *gritería*.

-ERO.—«con el levante *matinero*, a verme *despertar»* *(Eternidades, La forma que me queda)* sobre el tipo *albero*, *nochero*, y tal vez no sin recuerdo del andaluz *madruguero* por *madrugador;* sufijo muy raro después del adjetivo, significando exceso, como en *sensiblero*, *tempranero*, etc.: «conciencia en plata *lucidera*» (ibid. *Con mi mitad allí*), tal vez con recuerdo de *platero*, *reverbero*, etc. (y en efecto dice: *«plata lucidera»*); -ero se añade al sufijo -al en *«brisalera»* *(Estío, 16)* "manipuladora o recogedora o vendedora de brisa"; la *l* del primer sufijo -al provendrá de los tipos *barquillera*, *caracolera*, *caratulera*, *cascarillera*, *chamarilera*; no creo que haya influencia de *brisa* "hollejo de uvas", dial.

ES-.—*«escarnestolendas»* *(Diario, Cosmopolitan Club)*.

ESACTO.—Simplificación del grupo *s. cons.*

ESALTADOR.—Vid. -ADOR.

ESCARNESTOLENDAS.—Vid. ES-.

ESCESO.—Simplificación del grupo *x. cons.*

ESCELSITUD.—Vid. ESCESO.

ESCUCHEAR.—Vid. -EAR.

ESPERANTE.—Vid. -ANTE.

ESPIANTE.—Vid. -ANTE.

ESPIRALIDAD.—Vid. -IDAD.

ÉSTASIS.—ESTÁTICO. Vid. ESCESO.

ESTRELLEO.—Vid. -EO.

ETERNIDADES.—«eternidad de *eternidades»* *(La estación, Criatura afortunada)*; «plenitud de *plenitudes»* *(Diario, Mar)*; sobre el tipo bíblico *vanitas vanitatum.*

ETERNO.—Simetría de contrarios o complementarios en la identidad que es el absoluto del título del poema:

> El todo *eterno* que es el todo *interno*,
> en la miel tuya, *todo*, o tuya, *nada*.

(Eternidades, 83 y Animal, 21.)

EXALTE.—«Profundidad aún queda y rama ya *en exalte»* *(La estación, El viento mejor)*; como *resalte*, *realce*, etc.

-EZ.—«temprana *trasnochez»* *(Poesía. Relente)*, sobre *madurez*, *traslucidez*; existe el amer. *trasnocheo.*

FACHADITA.—Vid. -ITO.

FACETILLA.—Vid. -ITO.

FLAUTIDO.—Vid. -ITO.

FRONDOR.—Vid. -OR.

FRUTEAR.—Vid. -EAR.

FRUTECER.—Vid. -ECER.

GALOPADOR.—Vid. -ADOR.

GLOBITO.—Vid. -ITO.

GOLPETAZO.—Vid. -ITO.

GRIIIIITO.—*«Griiiiito* en el *maaaaar»* *(Piedra, Noche)*.

GUSTADOR.—Vid. -ADOR.

HELOR.—Vid. -OR.

-ÍA.—Se añade a part. pas. en *nombradía* (*Animal, El hombre...*): "conjunto de nombres". Vid. LORERÍA.

-IBLE.—«lo *incojible* verdadero» (*Poesía, Ponientes*) y vid. -IN; «*insubible* superficie / de nuestra acostumbrada realidad» (*La estación, Pacto primero*), como *inalcanzable, inasequible, insuperable, inaccesible,* etc.; contrario de «tierra *subidísima*» (*Animal, Con la Cruz del Sur*).

-IDAD.—*espiralidad* (*Eternidades, 43, I*); algo como una *espiritualidad* material.

-IDO.—Muy raro y culto.

> ¡Tus montes *célidos* de olas
> eternas (cielo, mar y tierra) reina *tría*!

(*La estación, Cima reina*); la proporción del tipo hielo / gélido, anéllus / anélido, se repite en cielo / célido, añadiéndose el cultismo *célico,* empleado por el mismo J. R. (*Célida* se llamaba la mujer cantada por V. Espinel); los tres elementos del mundo están explicados sintácticamente en el poema, después se recogen entre paréntesis (*monte-tierra, célido-cielo, olas-mar*) y al fin se resumen en «reina tría», eso es, "soberana tríada" (*tría* es f. de *trío,* con sentido religioso de la divina Naturaleza).

-IDO.—Vid. -ITO.

-ILLO.—Vid. -ITO.

IN-.—«*ingastables* tesoros de riquezas» (*Diario, Monotonía*), como *inagotable,* «*insubible*», *incojible* (cit. s. v. -IBLE). Vid. INSOMBRE.

INCOJIBLE.—Vid. -IBLE e -IN.

INCORPORABLE.—Vid. -ABLE.

INESTINGUIBLE.—Vid. -IBLE.

INGASTABLE.—Vid. -ABLE.

INMENSARSE.—«ola en donde dos ojos hechos uno *se inmensaban*» (*La estación, Rosa de sombra*); el tipo, más que *agrandarse ampliarse,* parece *abismarse, hundirse,* etc., y tal vez *limitarse.*

INQUIRIENTE.—Vid. -ANTE, -ENTE.

INSOMBRE.—«el májico ser solo, el ser *insombre*» (*La estación, Criatura afortunada*); habrá influencia del tipo *insomne, informe, infinible, inmoble,* etc., pero también de muchos adjetivos que terminan por -*e* en el mismo poema: «*alegre, floreciente, posible, radiante, perene(s), libre, embriagante,* etc.».

INSUBIBLE.—Vid. -IBLE e -IN.

INTERMITENTEMENTE.—Vid. -ANTE, -ENTE.

-ÍSIMO.—Vid. -IBLE.

-ITO, -IDO, -ILLO, -CILLO, -OTE, -AZO. Muy frecuentes, no sin afectividad andaluza: «*globitos rojos*» (*Diario, Cementerio*); «infi-

nidad de *taxitos*, de *trenecitos*, de *tranvitas*» *(Diario, Tormenta)*;
«En mi *orito* redondo» (ibid. *Cádiz)*; «le cantó y le bailó unas *mo-
naditas» (Diario, Ex Mrs. Watts)*; «*miraditas de través» (Estío, No
eres)*; «*tirito al blanco* de la feria vana» *(La estación, Lugar)*, donde
con el diminutivo se analiza *tiro al blanco*; «*flautido* de agua [de
los sapos]» *(Diario, Noche en Huntigton)*; «*rosita*... *lirito blanco*»
(Eternidades, 71); fachadita (Diario, La casa de Poe); «*facetillas* de
una breve ciudad de diamante» (ibid., *Cádiz)*; «*rayito* de sol de
miel» *(Poesía, Marzo)*; «*ni tu, cosmos*, [no es más] que *cosmillos*
unidos» *(Espacio, I), con efecto muy peregrino, ya que se representa el cosmos como un cogombrillo o membrillo con sus semillas*, casi reducción de un *cosmombrillo; camisilla (Diario, La casa colo-
nial)*; «*corazonazo* descompusto» (ibid. *123); golpetazo (Belleza,
65); ojillo* (ibid., *cosmopolitan Club); jazminillo (Eternidades, Pétalo en el suelo)*; «*mariposilla* esquiva» (ibid. *113)*; «el pobre verdorcillo» (Belleza, Día siguiente); cantorcillo (*Diario*, Elejía), sobre*pastorcillo; cuerpecillo (Belleza, Enero)*; «la sana aurora *vulgarota» (Diario, A una Andaluza)*.

JAZMINILLO.—Vid. -ITO.
JIRAR.—Igualación en *j*.
JOYERÍO.—El m. por el f. huele a andaluz: «joyerío» *(Poesía, 21)*.
   Vid. también REDONDELA, RIACHUELA (f. por m.).

LA / .—Encabalgamiento:

>   mis pensamientos abatidos *con* la
>   risa con gallos con que abre

Diario, Amanecer. Vid. / MENTE, / LE, / TE, / SE.
LA AGUA.—«El pino se consue*la* / con *la agua; la* rosa» *(La estación,
   Estado)*; el arcaísmo da relieve al género femenino de «agua» y *a la*
   aliteración *la a* (obsérvese que en «la agua» hay dialefa). Asimismo,
   «la ánjela» acentúa aquel raro sexo.
/ LE.—Separación y encabalgamiento: «cantando / le» *(Sonetos, Ele-
   jía)*; vid. LA /, etc.
LEONADA.—«una *leonada* blanca y altiva de espumas» «*Diario, Me-
   diodía)*, adj. sustantivado, de *leonado* "rubio cargado", acaso
   "una melena".
LIRITO.—Vid. -ITO.
LUCIDERO.—Vid. -ERO.
LUNAR.—«*lunar* de *luna* errante» *(Poesía, 50)*: juego anafórico sobre
   las raíces.
LUSTROR.—Vid. -OR.

LLOVIZNOSO.—Vid. -OSO.

MAAAAAR.—Vid. GRIIIIITO.

MADREADO.—«inmanencia *madreada*» (*Animal, Esa órbita abierta*), como un álveo materno, en el que el «goce mayor» es «dejarse mecer en dios»; *madrearse* se dice del "vino que hace hebra", de *madre* "solera"; *madre* es también "matriz, madre de río"; por esto la inmanencia aparece «madreada / con su vaivén seguro interminable».

MAL-.—«rosa... *mallevada*» (*Eternidades, Rocío*), sobre *maltraído*.

MALLEVADO.—Vid. MAL-.

MAREANTE.—Vid. -ANTE, -ENTE.

MARENMEDIO.—*Espacio, II*.

MARIPOSILLA.—Vid. -ITO.

MATINAR.—Vid. -AR.

MATINERO.—Vid. -ERO.

MARVERDEUVA.—*Diario, Sensaciones desagradables*. Vid. AMARILLOMAR.

MÁS ALLÁS.—«o *más allás* de oro» (*La estación, Poeta y palabra*). Vid. DENTROS.

MEDIO-.—Vid. SEMI-, MEDIO-.

MEDIOSÁRBOLES.—Vid. -SEMI, -MEDIO.

-MENTE.—Fácil y muy productivo; p. ej., *tétricamente* (*Diario, Noche en H.*); *intermitentemente* (ibid., *Plaza nocturna*); *ajitadamente* (*Piedra, La obra*); *ondeantemente* (*Belleza, Ronda*), que ya presupone *ONDEANTE y *ONDEAR, ya implícitos en ONDEAJE (vid.). *barrocamente* (*Diario, 74*); *blancamente* (*Belleza, 108*).

/MENTE.—Separación y encabalgamiento: *invulnerable/mente (La estación, 43)*, ya en Fr. Luis de León: *Y mientras miserable / mente*. Vid. / LE, / TE, / SE, LA /.

MIRADITA.—Vid. -ITO.

MIRIANTE.—Vid. -ANTE, -ENTE.

MOGUERIZA.—«montes violetas de jara y *mogueriza*» (*Belleza, El pueblo*), de *Moguer*, y parece una "planta" como la «*jara*».

MOREAR.—Vid. -EAR.

MORROÑOSO.—Vid. -OSO.

MOSTRUOSO.—Simplificación del grupo *ns;* pero *monstruo*.

MULTI-.—«anuncios *multiveloces*» (*Diario, Tarde de primavera*); el futurismo tuvo influencia en este tipo de compuestos.

MULTIVELOZ.—Vid. MULTI-.

NEURÓBATA.—«En el alambre del teléfono / tiembla, verde neuróbata, una estrella» (*Belleza, Balcón de otoño*), como *acróbata*.

NIÑODIOS.—*Animal, Con la Cruz del Sur*. Vid. AMARILLOMAR.

NOES.—«sí arruinado en *noes*» (*Belleza, I*). Vid. DENTROS.

NO.—Otro ejemplo de análisis del título del poema en el poema es ¡*No!* en *Piedra:* «No, ¡no!, ¡¡no!!, ¡¡¡no!!!, cada vez más / fuerte, con la noche... — ¡no, no, no, no, no, no, no, no, no! —».

OCUPANTE.—Vid. ANTE-.
OJILLO.—Vid. -ITO.
·ONA.—Sufijo de aumentativo:

> En la revuelta claridad *dudona*
> del alba (luna humana casi aún)

(La estación, Ser súbito); el cambio de *-osa* en *-ona* tiene un motivo fónico-rítmico de acuerdo con luna hu*mana*... aún- (aliteración de nasales muy frecuente en J. R.); habrá desde luego influencia de *temblona, dormilona,* etc.; me parece posterior a este *dudona* el m. *dudón:* «dudón en la leyenda / del dios... *creyente* firme / en la historia» *(Animal, En lo mejor que tiengo)* (se subraya la oposición).
ONDEAJE.—Vid. -AJE.
ONDEANTEMENTE.—Vid. -MENTE.
-OR.—Cristaliza calidades y objetos en una definitiva estabilidad fonética y semántica; a la frecuencia de *verdor, hervor, frescor, largor,* etcétera, se añaden las creaciones *brillor* («Verde *brillor* sobre el oscuro verde», *La estación, El oasis), lustror* (ibid., *Mirlo fiel), frondor* (ibid.), *helor (Espacio, III)* (sacado del habla prov. para describir los Pirineos, donde A. Machado quedó abandonado con su madre), *pardores* (ibid.) (pasaje de cangrejos muertos).
ORIBLANCO.—«raudal *oriblanco* del sol» *(Diario, Puerto);* vid. AMA-
RILLOMAR.
ORITO.—Vid. -ITO.
ORO.—Repetido cinco veces en *Oro mío (Diario, 182).* Vid. ¡AGÜI-
IIIITA!
-OSO.—«carga *chorreosa* de tesoros» [del mar] *(Diario, 168),* de *chorreo;* «atmósfera *lloviznosa»* (ibid., *Día entre los Azores),* que coincide con un americanismo cubano; sobre el tipo *chorreo-chorreoso* se explica un «verde... *plateoso» (La estación, La conquista),* como *argentoso;* «ojos *morroñosos* [de la mañana]» *(Diario, Mañana),* donde el adjetivo está compuesto directamente del hipocorístico *morroño,* por lo tanto con sentido distinto al leon. *morroñoso* ''taimado, oxidadol'' *(morrudo + roñoso)* y amer. ''arrugado, raquítico''; en *Poesía, Angustia,* se ven países «morroñosos» ''ofuscados por el polvo de carbón, aún maldespertados''.
-OTE.—Vid. -ITO.

PARDOR.—Vid. -OR.
PASADIZO.—Vid. -IZO.
PASENATE.—Vid. DENTROS.
PENDULEO.—Vid. -EO.
PERENE.—Simplificación del grupo *nn.*
PINZAR.—«tus grandes dedos... *pinzan* mujeres» *(La estación, Mons-*

truo alto); denominal de *pinzas (de cangrejos)*, con influencia tal vez de *pinza* jerg. ''muchacha''.

PLÁTEO.—*«pláteas estrellas» (La estación, Nocturno)*, de *platear*.

PLATEOSO.—Vid. -OSO.

PLEA-.—«conciencia en pleamar y *Pleacielo*, / en *pleadios (Animal, Despierto a mediodía)*.

PLEACIELO.—Vid. PLEA-.

PLEADIOS.—Vid. PLEA-.

PLENITENTE.—«conciencia *plenitente» (Animal)*, de *plenitud* sobre su contrario homófono *penitente*, para indicar la inocencia pánica, exultante, de la conciencia que ha hallado a su dios «deseado y deseante», y está en él desde siempre.

PLENITUDES.—Vid. ETERNIDADES.

POR-.—«la sustancia de todo *lo vivido* y de todo *lo porvivir» (Espacio, I)*; se estratifica sobre *porvenir*.

PORVIVIR.—Vid. POR-.

POS-. Vid. SUB-.

POSPRIMAVERA.—Vid. SUB-.

POSVIDA.—Vid. SUB-.

PRÓSIMO.—Simplificación del grupo *x*.

RAYEANTE.—Vid. -ANTE.

RAYITO.—Vid. -ITO.

RE.—«armonía *reentrada» (Diario, Rubén Darío)*; «la nostaljia *reencentrada» (Piedra y cielo, 27)*.

RECIEN.—«reciennacido» *(Eternidades, 36)*.

RECIENNACIDO.—Vid. RECIEN-.

REDONDELA.—*(Diario, Fililí)*. Vid. JOYERÍO y RIACHUELA.

REENCENTRADO.—Vid. RE-.

REENTRADO.—Vid. RE-.

REINARSE.—«podrás *reinarte / solo* en medio de tu mundo» *(La estación, El ejemplo)*. Vid. INMENSARE. Este tipo de verbos pronominales pertenece a lo absoluto juanramonesco, sin posibilidad analógica.

RELÓ.—Apócope de *-j*.

RESIGNO.—«Y salto de mi noche / a mi cobijo que era mi verdad, / la verdad del *resigno* y del *conforme» (La estación, El azul relativo)* deriva de *resignación* o de *resignarse*, y es sinónimo de *«conforme»*, que parece reinventado de *conformidad* o *conformarse*, ''adhesión perfecta, armonía''.

RIACHUELA.—«la pobre *riachuela*, hija de Carlos» *(Diario, Fililí)*, vid. JOYERÍO y REDONDELA.

ROJINEGRO.—«la escoria y la ruina *rojinegras» (Piedra, 105)*. Vid. AMARILLOMAR.

ROJOLADRILLO.—«sol *rojoladrillo» (Estío, Amanecer de agosto)*. Vid. AMARILLOMAR.

ROMPE-.—«*rompevida* del amor» *(La estación, Sol y rosa)*, recuerdo de *rompehielos, rompeolas* y *salvavidas.*
ROMPEVIDA.—Vid. ROMPE-.
ROSITA.—Vid. -ITO.
RUMOREAR.—Vid. -EAR.

-SE.—Vid. INMENSARSE, REINARSE.
/SE.—*Separación y encabalgamiento: engalanando / se (Darío, 139).*
   Vid. / MENTE, / LE, / TE, LA /.
SEMI-, MEDIO-.—«*semilucha* tranquila y sin sangre» *(Darío, Puerto);* «los gritos del pastor *semiterrible*» (ibid., *Un imitador*); «¡vida, *semijardín* / de *mediosárboles (Eternidades, La noche).* Creo que *semi-* deriva de *semidiós semidioses* y *medio-* de *mediodía:* todo esto pertenece a la zona demónica de J. R. entre *hombre* y *dios,* si no al centauro de los dos.
SEMIJARDÍN.—Vid. SEMI-.
SEMILUCHA.—Vid. SEMI-.
SEMITERRIBLE.—Vid. SEMI-.
SÉRREO.—Vid. -EO.
SETIEMBRE.—Simplificación del grupo *pt.*
¡SÍÍÍÍÍ!—Análisis del título *¡SÍ!* en *Diario, 56,* Vid. NO, AGÜIIIIITA! Tipográficamente curiosas tantas íes sin y con tilde.
SOBRE-.—Hoy le conozco y le *sobreconozco (Diario, ¡El mar acierta!);* existe el prov. *sobresabido.*
SOBRECONOCER.—Vid. SOBRE-.
SON.—«sol... *sonllorante*» *(Animal, El todo interno),* de *sonriente* y *sollozante.*
SOÑEAR.—Vid. -EAR.
SORPRENDEDOR.—Vid. -EDOR.
SUB-, POS-.—*En subway (Diario, 86); «subpuerto* de sirenas» (ibid. *Puerto*), de *subsuelo, submarino, sublunar; subhumano* (ibid., *Coro de canónigos);* «la *subvida* o la *posvida» (Eternidades, 85);* estos sufijos pertenecen a la misma esfera semántica de SEMI-, MEDIO- (vid.): lo demónico intermedio o infrahumano; *posvida* recuerda de algún modo el v. PORVIVIR (vid.).
SUBIDÍSIMO.—Vid. -IBLE.
SUBPUERTO.—Vid. SUB-.
SUBVIDA.—Vid. SUB-.
SUBWAY.—Vid. SUB-.

TAXITO.—Vid. -ITO.
/TE.—*Separación y encabalgamiento:* «sintiéndo / te» *(Estío, Jardín);* ya en Fray Luis de León: «aquel malo, y *desáma / te*» (Hor. IV, 13, 15). Vid. / MENTE, / LE, LA /.

TÉTRICAMENTE.—Vid. -MENTE.

TIRITO.—Vid. -ITO.

TRANVITA.—Vid. -ITO.

TRAS-.—«por el *trasmundo* de *trasmar*» *(Espacio, III)*. Como *clariver* (vid.) no es regresivo de *clarividencia clarividente*, sino se forma directamente sobre *entrever rever*, así *trasmar* no deriva de *trasmarino*, sino se mide directamente sobre *ultramar, trasexistir (Los dos en más realidad,* en *Poesía esp.,* enero 1954): el sufijo infunde movimiento al verbo. *«trascielo* de oro» *(Diario, Mar de pintor); traslumbre (Belleza, 149),* creo de *traslumbrar,* si no directamente de *trasluz; trasombra* (ibid.).

TRASCIELO.—Vid. TRAS-.

TRASEXISTIR.—Vid. TRAS-.

TRASLUMBRE.—Vid. TRAS-.

TRASMAR.—Vid. TRAS-.

TRASMUNDO.—Vid. TRAS-.

TRASNOCHE.—Vid. TRAS-.

TRASOMBRA.—Vid. TRAS-.

TRENECITO.—Vid. -ITO.

TRÍA.—Vid. -IDO.

TÚ.—Muy frecuente y muy repetido; p. ej., *Tú, ¿Es lo tuyo más o menos?*

ULTRA-.—«Y el *ultracielo* estaba aquí / con esta tierra, la *ultratierra,* / este ultramar, con este mar» (Animal, Con mi mitad allí).

UTRACIELO.—Vid. ULTRA-.

ULTRATIERRA.—Vid. ULTRA-.

VARIANTE.—Vid. ANTE-.

VENTEANTE.—Vid. -ANTE.

VERDECEDOR.—Vid. -EDOR.

VERDEMAR.—Vid. AMARILLOMAR.

VERDEMISMO.—«este mar *mismo, mismo y verde, verdemismo»* *(Espacio, III);* en este ejemplo asistimos directamente al gradual decurso hacia la síntesis actualizada de calificativo y deíctico; vid. MARENMEDIO.

VERDEORO.—«yerba *verdeoro»* *(Diario, Día de primavera).* Vid. AMARILLOMAR.

VERDEPLATA.—«cielo *verdeplata»* *(Poesía, Niños).* Vid. AMARILLOMAR.

VERDIBLANCO.—«cielos *verdiblancos»* *(Diario, Plaza nocturna).* Vid. AMARILLOMAR.

VERDORCILLO.—Vid. -ITO.

VIJILIA.—Igualación a *j.*

VIVO.—Análisis del título *Vida (Diario, 185):*

> ¡mar vivo, vivo, vivo, todo vivo y vivo sólo,
> tan sólo y para siempre vivo, mar!

Vid. NO.
VULGAROTA.—Vid. -ITO.

Y.—*Libros de Poesía* tiene a la cabeza de cada poema el número de orden de cada colección (el último dice: «y...») y al lado un número más pequeño, que es el mismo del tomo completo (¡1.059 poemas!).
YELO.—Igualación a *y.*
YO.—Frecuente y muy repetido; p. ej. *Yo, y yo (Piedra).*
YOS.—«¡Olvidos de estos *yos* / que, un punto, creí eternos! / ¡Qué tesoro infinito de *yos vivos!» (Eternidades, 38).*

[*Boletín de la Biblioteca de Menéndez Pelayo,* Santander, año XXXVIII (1962), núms. 3 y 4, págs. 371-384.]

APÉNDICES

CRONOLOGÍA DE JUAN RAMÓN JIMÉNEZ

1881 Nace Juan Ramón a las doce de la noche del día 23 de diciembre en la calle de la Ribera, número 2, de Moguer, Huelva. Padres: Víctor Jiménez y María Purificación Mantecón. Ultimo hijo del matrimonio. Familia acaudalada: negocios de minas, vinos, vapores y tabacos.

1885-86 Infancia solitaria: visitas a las bodegas y a los barcos paternos; correrías por el campo a lomos de su potro «Almirante». Primeras letras en los parvularios de doña Domitila y doña Benita Berroeta.

1887-90 La familia se instala en la calle Nueva. Estudios de primaria y elemental en el Colegio de Primera y Segunda Enseñanza de San José.

1891 25 de septiembre: aprueba con calificaciones de «sobresaliente» el examen de Primera Enseñanza en el Instituto de Huelva.

1893 Octubre: ingreso —como interno— en el colegio jesuita de San Luis Gonzaga, del Puerto de Santa María, para estudiar el bachillerato. Escribe décimas a la Virgen en las márgenes de sus libros de estudio y versifica en octavas reales algunos episodios de la Historia de España. Por un tiempo, cree tener vocación sacerdotal. Amor por Blanca Hernández-Pinzón, primera de sus novias ideales.

1896 En junio obtiene el título de Bachiller en Artes. Regresa a Moguer. Pasado el verano se traslada a Sevilla con el propósito de estudiar Derecho, según los deseos de su padre, y de estudiar pintura, de acuerdo con lo que cree su vocación. En el estudio de Salvador Clemente, su maestro, conoce a Daniel Vázquez-Díaz. Frecuenta las bibliotecas. Lee apasionadamente el Romancero, así como a Bécquer, Rosalía de Castro, Curros Enríquez, Jacinto Verdaguer, Vicente Medina, y algunos románticos franceses, italianos y alemanes. Comienza a pasarse las noches escribiendo. Se enamora de la joven puertorriqueña Rosalina Brau.

1897 A orillas del Guadalquivir escribe su primer trabajo: un poema en prosa titulado *Andén*. Sigue un poema en verso, inspirado en una de las *Rimas* de Bécquer, que envía al periódico sevillano *El Programa*, donde en seguida aparece publicado en primera página. Frecuenta el Ateneo. Escribe y continúa pintando.
 6 de agosto: en *El Gato Negro*, de Barcelona, aparece el poema «La guajira». A partir de ese momento colabora en diversos periódicos: *El Progreso*, *El Correo de Andalucía*, *El Porvenir*, *El Programa*, *Hojas Sueltas* y *La Quincena*, de Sevilla; *Diario* y *El Heraldo*, de Huelva; y *Diario de Córdoba*.

1899 26 de marzo: publicación de *Nocturno* en la revista madrileña *Vida Nueva*. A partir de ese momento, Juan Ramón se convierte en asiduo colaborador de esta revista modernista. La crítica le elogia sin reservas. Por exceso de trabajo se enferma de algún cuidado y decide regresar a Moguer. La sociedad de artistas y

periodistas sevillanos «La Biblioteca» le despide rindiéndole un homenaje:
Juan Ramon lee versos de un volumen que proyecta publicar: *Nubes*. En
Moguer mantiene un corto idilio con María Teresa Flores.

1900   Comienza su relación epistolar con Salvador Rueda y Francisco Villaespesa,
que le envían sus libros. 13 de abril: llega a Madrid, invitado por Villaespesa a
través de una tarjeta postal firmada también por Rubén Darío. Villaespesa le
introduce en los cenáculos literarios modernistas. Amistad con Rubén Darío.
Trata también con Rueda y Valle Inclán. Conoce a los Martínez Sierra y a
muchos otros escritores. Le desagrada el ambiente bohemio de Madrid. Regresa
a Moguer a fines de mayo. Allí le sobreviene pronto —3 de julio— una gran
desgracia, que le afectará durante toda su vida: la muerte repentina de su
padre. La impresión agrava sus propias dolencias: comienza a obsesionarle la
idea de su propia muerte. Cae en un misticismo enfermizo que le hace romper
un libro, *Besos de oro*, por considerarlo demasiado profano. Corrige los versos
de *Nubes* y los separa en dos volúmenes: *Ninfeas* y *Almas de violeta*, que aparecen publicados en Madrid, en el mes de septiembre, al cuidado de Villaespesa. Salvo excepciones, la crítica se mostró desfavorable.

1901   En mayo, deprimido y al borde de la demencia, su familia le lleva a un mani-
comio de Castel d'Andorte, en Le Bouscart, Burdeos, al cuidado de Dr. Lalanne, que le hospeda en su casa. Amor apasionado —y, al parecer, corres-
pondido— por Jeanne-Marie Rousié, esposa del Dr. Lalanne. Este personaje
femenino —con el nombre ligeramente desfigurado— aparecerá, años más
tarde, en versos del poeta. Viajes y breves estancias por diversos lugares de los
Pirineos. Lecturas entusiastas de Baudelaire, Verlaine, Mallarmé, Samain,
Moreas, Laforgue. Escribe los poemas de *Rimas*. Colabora en la revista *Electra*.
Pasa el otoño en Arcachon y a fines de año, sintiendo nostalgia de España, regresa a Madrid, al Sanatorio del Rosario, donde le atenderá el Dr. Simarro.
Juan Ramón vuelve de Francia con la barba que conservará durante el resto de
su vida.

1902   Publicación de *Rimas*, muy bien recibido por la crítica. Reuniones en el Sanatorio del Rosario, a las que asisten los Machado, Valle Inclán, Cansinos-
Asséns, Rueda, los Martínez Sierra, Benavente, Pérez de Ayala, Julio Pellicer,
Villaespesa —acompañado de jóvenes modernistas—... Simarro le pone en
contacto con la Institución Libre de Enseñanza.

1903   Funda la revista *Helios*, en la que colabora incansablemente. En marzo
publica *Arias tristes*, acontecimiento lírico que celebran ruidosamente Azorín,
Ortega, Antonio Machado, G. Martínez Sierra y Rubén Darío. La amistad con
Rubén se hace más estrecha, dando origen a una copiosa correspondencia.
Colaboraciones en *ABC*, *Blanco y Negro*, *El País* y *El Cojo Ilustrado*. En
septiembre abandona el Sanatorio del Rosario y se traslada a vivir, en unión de
Nicolás Achúcarro, a la casa particular del Dr. Simarro.

1904   Publicación de *Jardines lejanos*. Colaboraciones en *Alma Española* y *Forma*.
En casa de Simarro lee a Shelley, Browning, Shakespeare, Nietzsche, Ibsen,
Goethe, Heine, Kant, Schopenhauer, Loisy. Conoce a Ortega y Gasset. Visita
a Sorolla. Simarro le presenta a don Francisco Giner de los Ríos, que le hace su
compañero de excursiones al Guadarrama, donde el poeta ha pasado —el año
anterior— cortas temporadas de reposo. Primer capítulo de la leyenda urdida
en torno a Juan Ramón: su romance epistolar con Georgina Hübner, muchacha
limeña de veinte años.

1905   A comienzos de este año vuelve a Moguer enfermo de neurosis. Aparece el
libro *Cantos de vida y esperanza*, de Rubén Darío, al cuidado de Juan Ramón.
Martínez Sierra publica *Teatro de ensueño*, con poemas de Juan Ramón, y en
una de cuyas piezas —*Saltimbanquis*— aparece éste, con su nombre y en el
papel de poeta. Primeros reveses económicos de la familia. Agudización de la
enfermedad de Juan Ramón: terror a la muerte e inclinación al suicidio. En-
soñaciones amorosas con María Almonte. Colaboraciones en *La República de
las Letras*.

1906   Reanuda su idilio con Blanca Hernández-Pinzón. Búsqueda de la tranquilidad
        en el campo moguereño. Temores y presagios angustiosos que le obligan a re-
        fugiarse en casa de una prima suya, casada con un médico. Comienza a escribir
        Platero y yo.
1907   Colabora en *Renacimiento,* revista que en su número de octubre rinde home-
        naje a Juan Ramón. Comienza su apasionada y romántica correspondencia con
        Louisa Grimm (Mrs. Muriedas), norteamericana, de gran talento y sensibi-
        lidad, separada de su esposo, con la que el poeta soñó vivir «en una ciudad
        que no nos conociese». La correspondencia continuó durante muchos años
        aunque el tono apasionado parece decrecer hacia 1911.
1908   Publica *Elegías puras.* Colabora en *La Lectura* y *Revista Latina.*
1909   Publica *Elegías intermedias* y *Las hojas verdes.* Colabora en *Prometeo.* Sorolla
        se hospeda en casa de Juan Ramón mientras toma apuntes en La Rábida para
        un cuadro sobre Colón.
1910   Publica *Baladas de Primavera* y *Elegías lamentables.* Es elegido Académico de
        Número de la Academia de la Poesía Española de Madrid. Se retira a la finca
        de Fuentepiña. Primeros retratos de Juan Ramón pintados por Sorolla y Emilio
        Sala. Amistad con Miguel de Unamuno.
1911   Publica: *Pastorales* —escrito muchos años antes—, *La soledad sonora* y *Poemas
        mágicos y dolientes.* Colabora en *Mundial Magazine,* invitado por Rubén
        Darío. El Banco de España decreta la ruina de los Jiménez como herederos de
        un capital embargado. Juan Ramón decide marcharse a vivir a Madrid defi-
        nitivamente.
1912   16 de febrero: el Ateneo de Sevilla le tributa un homenaje que él —enemigo
        de honores y exhibiciones públicas— declina. Publica *Melancolía.* 29 de di-
        ciembre: se instala en Madrid, en una pensión de la calle Gravina, número 11,
        situada —como él quería— en las proximidades de una Casa de Socorro.
1913   Publicación de *Laberinto.* Intensa amistad con Ramón Gómez de la Serna. En
        la primavera —huyendo de los ruidos callejeros y vecinales— se muda a una
        pensión de la calle Villanueva, 5, cerca de la Policlínica madrileña. 27 de
        mayo: le visita espontáneamente Juan Guerrero Ruiz. En el mes de julio co
        noce a Zenobia Camprubí Aymar, en una conferencia que se celebraba en la
        Residencia de Estudiantes. Veranea en Moguer. En septiembre se instala en la
        Residencia de Estudiantes. 23 de noviembre: participa en el homenaje a
        Azorín celebrado en Aranjuez.
1914   Publica en *El Imparcial* algunos de sus *Sonetos espirituales.* Es nombrado di-
        rector de las ediciones de la Residencia de Estudiantes. 12 de diciembre: apa-
        rece la edición menor de *Platero y yo.* Es la primera vez que el poeta firma un
        libro con su nombre completo: antes firmaba «Juan R. Jiménez».
1915   Traduce para las ediciones de la Residencia la *Vida de Beethoven,* de Romain
        Rolland. Colabora en la revista *España.* Julio: aparece *La luna nueva,* de
        Rabindranath Tagore, traducido por Zenobia, con un poema-prólogo de Juan
        Ramón. Diciembre: Zenobia viaja con su madre a los Estados Unidos.
1916   La Editorial Calleja le nombra director literario de sus nuevas ediciones. 29 de
        enero: embarca rumbo a Norteamérica. 12 de febrero: llega al puerto de Nueva
        York, donde le esperan Zenobia y su madre. 2 de marzo: Juan Ramón y Ze-
        nobia se casan en la iglesia católica de St. Stephen de Nueva York. Viajan por
        Boston, Filadelfia, Baltimore, Washington. Juan Ramón es nombrado miembro
        de la Hispanic Society of America, que comisiona a Sorolla para que haga un
        nuevo retrato del poeta, y se compromete a editar uno de sus libros. 7 de junio:
        Juan Ramón y Zenobia emprenden viaje de regreso a España. 1 de julio: a su
        vuelta a Madrid, los esposos se instalan provisionalmente en el Hotel Roma,
        luego en la Residencia de Estudiantes, hasta que un mes después ponen casa
        en Conde de Aranda, 16. Retratos de Juan Ramón por Daniel Vázquez-Díaz y
        Juan de Echevarría. Publicación de *Estío.*
1917   Primera edición completa de *Platero y yo.* Publicación de *Sonetos Espirituales*
        y *Diario de un poeta recién casado.* Aparición de su primera antología: *Poesías*

Escojidas (1899-1917). Zenobia traduce y publica *El jardinero, El cartero del re* *, Pájaros perdidos* y *La cosecha,* de Tagore, con poemas-prólogo de Juan Ramón.

1918 Publica *Eternidades,* primer libro donde aparece la peculiar ortografía juanramoniana. Con Alberto Jiménez Fraud —director de la Residencia— inicia la publicación de unos primorosos cuadernillos llamados *Jardincillos,* destinados a regalos de Navidad y Año Nuevo. Zenobia y Juan Ramón traducen *El asceta, El rey y la reina, Malini, Ofrenda lírica, Las piedras hambrientas* y *Ciclo de la primavera,* de Tagore.

1919 Publicación de *Piedra y cielo.* Abril: recibe a Federico García Lorca, trasvasado a Madrid con carta de don Fernando de los Ríos. Traduce —con Zenobia— *El rey del salón oscuro, Sacrificio, Morada de paz, Regalo de amante* y *Chitra,* de Tagore.

1920 Colaboraciones en *La pluma, Reflector* y *Hermes.* Traducciones de *Mashi y otros cuentos* y *Tránsito,* de Tagore, y *Jinetes hacia el mar,* de John M. Singe. Segundo retrato del poeta por Daniel Vázquez-Díaz. Los Jiménez se mudan a un piso de Lista, 8, donde Juan Ramón —para aislarse de los ruidos— coloca almohadillo en las paredes de su cuarto de trabajo.

1921 Marzo: Juan Ramón firma la presentación del catálogo de la exposición de Vázquez-Díaz en el Museo de Arte Contemporáneo. Julio: aparece el primer número de *Indice,* revista de Juan Ramón, en la que se dan cita Gerardo Diego, Pedro Salinas, Jorge Guillén, Federico García Lorca y Dámaso Alonso. Traducción de *La hermana mayor,* de Tagore. Colaboraciones en *Repertorio Americano.*

1922 Publicación de *Segunda Antolojía Poética.* Traducción de *La Fujitiva,* de Tagore.

1923 Publica *Poesía y Belleza.* Colabora en la *Revista de Occidente* con un anticipo extenso de su libro *La Colina de los Chopos.* Hace amistad con Benjamín Palencia.

1924 19 de mayo: Carta a Paul Valéry, enviándole «seis rosas con silencio». Julio: Visita Granada invitado por Federico García Lorca y familia.

1925 Publica *Unidad,* primero de sus cuadernos poéticos. En julio, aparece *Sí,* segunda revista juanramoniana, donde colaboran Pedro Salinas, Dámaso Alonso y Rafael Alberti.

1926 Colabora en *Residencia,* revista de la Residencia de Estudiantes. Verano: viajes por Soria, Logroño, Pamplona, San Sebastián, Bilbao, Santander, Asturias, Santiago de Compostela, Vigo y León.

1927 Edita la revista *Ley,* en la que colaboran Manuel Altolaguirre, Rafael Alberti, Jorge Guillén, Carmen Conde, Salvador Dalí y Benjamín Palencia. Colabora en *La Gaceta Literaria.* Retrato del poeta por Juan Bonafé. El matrimonio se traslada a vivir a Velázquez, 96.

1928 Aparece *Obra en marcha,* segundo cuaderno poético de Juan Ramón. 1 de septiembre: muere en Moguer su madre, doña Pura. Zenobia inaugura su establecimiento de «Arte Popular Español», dedicado al comercio de artesanía española.

1929 En junio, se mudan a Padilla, 34, entresuelo, frente al Sanatorio del Rosario.

1930 Mayo: Se trasladan al piso primero, izquierda, de la misma casa de la calle Padilla. Comienza a colaborar en *Heraldo de Madrid.* Inicia el primer proyecto de publicación de la obra completa: seis volúmenes de prosa y seis de verso.

1931 30 de agosto: Primera colaboración —de una serie de cincuenta— en *El Sol.* Tercer retrato de Vázquez-Díaz.

1932 Nuevo cuaderno poético: *Sucesión.* Cuarto retrato de Vázquez-Díaz.

1933 10 de junio: Publicación de tres poemas de Juan Ramón en *El Sol* bajo la firma de «Jaime Luis Piquet». Aparece *Presente,* serie de veinte cuadernos editados por el poeta.

1934 Colabora en *Héroe.* Prohibe la inclusión de sus versos en todas las antologías de poesía.

1935   Marzo: Emprende la ordenación de su Obra definitiva. Aparecen las *Hojas*, último de sus cuadernos poéticos. Se adhiere con *Un ramo a Lope* al homenaje que la Residencia rinde a Lope de Vega con motivo del tricentenario de su muerte. Junio: Rehusa una invitación para ocupar un sillón en la Real Academia Española.

1936   23 de febrero: En *El Sol* elogia los versos de Miguel Hernández y, en el mismo periódico, en el mes de abril, celebra las *Poesías Completas* —4.ª edición— de Antonio Machado. Colabora en *Floresta de Prosa y Verso*. En el mes de mayo aparece *Canción*, primer libro de su proyecto de «obra completa». 15 de junio: Jacinto Vallelado lee la conferencia de Juan Ramón titulada *Política Poética*, en la Residencia de Estudiantes. En los primeros días de la guerra, los Jiménez albergan en su casa a una docena de niños. El 19 de agosto, el Gobierno de la República expide a Juan Ramón Jiménez pasaporte diplomático como Agregado Cultural honorario a la Embajada de España en Washington. 22 de agosto: Juan Ramón y Zenobia salen de España por La Junquera con dirección a París. Cuatro días más tarde embarcan en Cherburgo en el trasatlántico *Aquitania*, rumbo a Nueva York. Intentos fallidos de obtener en Washington apoyo del gobierno norteamericano a la causa republicana. En *La Prensa*, de Nueva York, los Jiménez abren una suscripción pública para recaudar fondos destinados a ayudar a los niños víctimas de la guerra. 29 de septiembre: Van a Puerto Rico para ultimar detalles de la antología juanramoniana que iba a publicar allí el Departamento de Educación. Juan Ramón lee en la Universidad de Puerto Rico su conferencia *Política Poética*, lee poemas ante niños ciegos en una escuela pública. Dicta una conferencia sobre *Ramón del Valle-Inclán*. Por su iniciativa se instituye la «Fiesta por la Poesía y el Niño de Puerto Rico». Noviembre: Los Jiménez se trasladan a La Habana, donde se instalan en el Hotel Vedado.

1937-38   Los jóvenes poetas cubanos reciben a Juan Ramón con entusiasmo, y se agrupan en torno a él. Interviene en la selección de la antología *La poesía cubana en 1936*, que aparece con prólogo suyo. Colaboraciones en las revistas *Ultra*, *Revista cubana*, *Carteles*, *Verbum* y *Grafos*. Intervenciones en actos públicos —alguno, de carácter político—. Lectura de la conferencia *El trabajo gustoso* y —por radio— de unas cuartillas que tituló *Ciego ante ciegos*.

1939   Enero: Los Jiménez se trasladan a Nueva York. Unas semanas más tarde se instalan en Coral Gables, Miami (La Florida). Colaboraciones en las revistas *Nosotros* y *Sur*, de Buenos Aires. En Madrid, pocos días después de terminar la guerra civil, el piso del poeta, respetado durante la contienda, es asaltado y saqueado por tres conocidos escritores.

1940   El American Hispanic Institute, de Miami, encarga al poeta las disertaciones sobre literatura española del curso de verano, que versarán sobre: *Poesía y Literatura*, *Aristocracia y democracia* y *Ramón del Valle-Inclán*. Con la llegada del invierno, primera hospitalización larga de Juan Ramón —quince días— en el hospital de la Universidad.

1941   Gran depresión nerviosa y nueva hospitalización.

1942   Participa en las veladas literarias de la Universidad de Duke (Carolina del Norte), durante el mes de julio. La Universidad de Miami le nombra conferenciante de sus cursos de verano: ofrece tres conferencias: *El trabajo gustoso*, *Límite del progreso* y *Sucesión de la democracia*. 15 de octubre: Neruda comunica a Juan Ramón la noticia de la muerte de Miguel Hernández. Noviembre: Los Jiménez se trasladan a Washington, donde Juan Ramón iba a participar en los programas literarios radiados por la Oficina del Coordinador de Asuntos Americanos: la negativa del poeta a que sus textos fueran intervenidos por censura militar le aparta del programa. En Buenos Aires aparece el libro *Españoles de tres mundos*.

1943   Octubre: Publicación de la primera estrofa de *Espacio* en *Cuadernos Americanos*, de México.

1944   Zenobia imparte cursos de español en el Departamento de Historia y Cultura

Europeas de la Universidad de Maryland, dentro del programa de Instrucción del Ejército. 21 de junio: Juan Ramón participa como conferenciante de la botadura del buque de guerra *Rubén Darío*, en Savannah, Georgia. Con *Estío* y *Eternidades*, la editorial Losada, de Buenos Aires, comienza la reimpresión de algunos libros de Juan Ramón.

1945   Publicación, en México, de *Voces de mi copla*. Nuevo ofrecimiento y rechazo de Juan Ramón a ocupar un sillón en la Real Academia de la Lengua. Zenobia —de manera permanente— y Juan Ramón —ocasionalmente— dictan cursos de Lengua Española en la Universidad de Maryland. Se trasladan a vivir en Riverdale.

1946   Publica *La estación total con las canciones de la nueva luz* y *El Zaratán*. Mayo: Juan Guerrero confía al Museo Romántico de Madrid la custodia de parte de los archivos y papeles del poeta, que dona al Museo enseres y muebles de su pertenencia. Noviembre: Fuerte crisis depresiva, la más grave sufrida hasta entonces: ocho meses hospitalizado en Takoma Park.

1947   20 de septiembre: Se inaugura en Moguer la Biblioteca Pública «Juan Ramón Jiménez». Radio Nacional de España emite en la Nochebuena el programa *Nostalgia de Juan Ramón*, que los Jiménez escuchan emocionados.

1948   Publicación de *Romances de Coral Gables*. Marzo: Desde la revista *Insula* se solicita por primera vez el Premio Nobel para Juan Ramón. 4 de agosto: A bordo del *Río Juramento*, Juan Ramón arriba a Buenos Aires, invitado a pronunciar una serie de conferencias: *Límite del progreso, Aristocracia de intemperie, El trabajo gustoso* y *La razón heroica*. Lecturas en diversos centros de la capital argentina y en diversas ciudades. Jira jalonada de honores y éxitos. Visitas a varios lugares, entre otros, el chalet de Alta Gracia, Córdoba, donde había vivido y muerto Manuel de Falla. 16 de agosto: En Montevideo, lee su conferencia *Poesía abierta y poesía cerrada*. El Senado uruguayo le rinde un cálido homenaje. A su regreso a Buenos Aires ofrece una lectura pública de *Animal de fondo*, libro comenzado al emprender su viaje triunfal. Breve estancia en el Sanatorio Otamendi. 12 de noviembre: Los Jiménez abandonan la Argentina. Colaboraciones en *Insula, La Nación, Los Anales de Buenos Aires* e *Isla de los Ratones*.

1949   Febrero: Nueva depresión, con neurosis y complicaciones cardíacas. 12 de octubre: Juan Ramón es nombrado presidente honorario del Ateneo Americano en Washington. Dona a la Biblioteca del Congreso veintitrés poemas autógrafos de *Cantos de vida y esperanza* y treinta y dos cartas y postales que le dirigiera Rubén Darío. Publicación de *Animal de fondo*.

1950   Agosto: Enfermo de cuidado, es hospitalizado en el Washington Sanatorium and Hospital, Takoma Park, Maryland; en septiembre, trasladado al John Hopkins Hospital, de Baltimore. 20 de noviembre: Los Jiménez llegan a Puerto Rico, donde el poeta será sometido a tratamiento en el Auxilio Mutuo. A fines de año, regreso a Estados Unidos; nueva hospitalización.

1951   Juan Ramón, hospitalizado en diversos centros médicos y psiquiátricos. Zenobia, agotada y enferma. 21 de marzo: Los Jiménez se instalan definitivamente en Puerto Rico. Durante algún tiempo viven en el Sanatorio Psiquiátrico Insular. Luego ponen casa en Hato Rey, barrio cercano a Río Piedras. Zenobia dicta cursos en la Universidad. A fines de año, es operada de cáncer de matriz en el Massachusetts General Hospital de Boston; regresa a Puerto Rico, dada de alta, en febrero del año siguiente.

1952   Juan Ramón lee, en la Universidad de Puerto Rico, su conferencia *Poesía abierta y poesía cerrada*. Comienza a trabajar intensamente. Envía colaboraciones a *Poesía española* y *Caracola* («Revista malagueña de poesía»).

1953   Juan Ramón dicta en la Universidad su curso sobre *El Modernismo*. Dona a la Universidad su biblioteca. Colaboraciones en *La Torre, Asomante* y otras publicaciones puertorriqueñas y españolas.

1954   Abril: La revista *Poesía Española*, de Madrid, publica la versión íntegra del poema *Espacio*. Juan Ramón escribe nuevos poemas y «revive» poesía antigua.

Lee en la Universidad su más larga conferencia: *El romance, río de la lengua española*. Colabora en varias revistas españolas. Zenobia, herida de nuevo por el cáncer. Octubre: Recaída del poeta, que pasa cuatro meses internado en el Hospital Municipal de Río Piedras.

1955   Febrero: El poeta hospitalizado en la Clínica Psiquiátrica de Hato Tejas. Marzo: La Biblioteca General de la Universidad de Puerto Rico cede a los Jiménez la que pasará a denominarse «Sala Zenobia-Juan Ramón Jiménez». Se crea en Moguer la «Casa Municipal de Cultura Zenobia y Juan Ramón». Comienzan a circular rumores de un eventual regreso de Juan Ramón a España.

1956   Juan Ramón prepara su *Tercera Antolojía*. 24 de junio: Zenobia vuela a Boston, para someterse a una nueva intervención, que los médicos desaconsejan; vuelve a viajar a Boston, ya muy grave, el 2 de septiembre: los doctores le diagnostican que su muerte es ya sólo cuestión de tiempo. 25 de octubre: La Academia Sueca otorga el Premio Nobel de Literatura a Juan Ramón: Zenobia muere tres días después. 3 de diciembre: Homenaje nacional al poeta, en Moguer. 10 de diciembre: Jaime Benítez, rector de la Universidad de Puerto Rico, recibe en Estocolmo el diploma y la medalla del Nobel concedido a Juan Ramón.

1957   Aparece la *Tercera Antolojía Poética*, publicada al cuidado de Eugenio Florit. 21 de agosto: Juan Ramón, internado en el Hospital Psiquiátrico de Hato Tejas. 17 de septiembre: Vuelve a la Universidad, visiblemente recuperado. 13 de octubre: Dona a la «Sala» los borradores, papeles, cuadros y documentos que tenía en Puerto Rico.

1958   14 de febrero: Sufre una caída y se fractura la cadera derecha. Resiste bien la operación, pero ya no volverá a andar. 26 de mayo: Enferma de bronconeumonía. 29 de mayo: A las cinco de la madrugada muere Juan Ramón en la Clínica Mimiya, de Santurce. 6 de junio: Los cuerpos de Zenobia y Juan Ramón reciben sepultura en el Cementerio de Jesús, en Moguer.

BIBLIOGRAFÍA

por ANTONIO CAMPOAMOR GONZÁLEZ

OBRAS DE JUAN RAMÓN JIMÉNEZ *

I. EDICIONES DEL AUTOR

Almas de Violeta, Madrid, Tipografía Moderna, 1900, 114 págs.
Ninfeas, Madrid, Tipografía Moderna, 1900, 120 págs.
Rimas, Madrid, Librería de Fernando Fe, 1902, 222 págs.
Arias Tristes, Madrid, Librería de Fernando Fe, 1903, 247 págs.
Jardines Lejanos, Madrid, Librería de Fernando Fe, 1904, 288 págs.
Elegías Puras, Madrid, Tip. de la Revista de Archivos, 1908, 80 págs.
Elegías Intermedias, Madrid, Tip. de la Revista de Archivos, 1909, 76 págs.
Las Hojas Verdes, Madrid, Tip. de la Revista de Archivos, 1909, 74 págs.
Elegías Lamentables, Madrid, Tip. de la Revista de Archivos, 1910, 80 págs.
Baladas de Primavera, Madrid, Tip. de la Revista de Archivos, 1910, 86 págs.
La Soledad Sonora, Madrid, Tip. de la Revista de Archivos, 1911, 240 págs.
Pastorales, Madrid, Biblioteca Renacimiento, 1911, 225 págs.
Poemas Mágicos y Dolientes, Madrid, Tip. de la Revista de Archivos, 1911, 214 págs.
Melancolía, Madrid, Tip. de la Revista de Archivos, 1912, 240 págs.
Laberinto, Madrid, Editorial Renacimiento, 1913, 279 págs.
Platero y yo, Edic. menor, Madrid, Ediciones La Lectura, 1914, 141 págs.
Estío, Madrid, Casa Editorial Calleja, 1916, 178 págs.
Platero y yo, Edic. completa, Madrid, Casa Editorial Calleja, 1917, 322 págs.
Sonetos Espirituales, Madrid, Casa Editorial Calleja, 1917, 322 págs.
Diario de un poeta recién casado, Madrid, Casa Editorial Calleja, 1917, 280 págs.
Poesías escojidas (1899-1917) de Juan Ramón Jiménez, New York, The Hispanic Society
of America, 1917, 350 págs.
Eternidades, Madrid, Tip. Lit. de Angel de Alcoy, 1918, 178 págs.
Piedra y Cielo, Madrid, Imp. Fortanet, 1919, 176 págs.
Segunda Antolojía Poética (1898-1918), Madrid, Espasa-Calpe, 1922. 358 págs.
Poesía, Madrid, Talleres Poligráficos, 1923, 125 págs.
Belleza, Madrid, Talleres Poligráficos, 1923, 128 págs.
Canción, Madrid, Edit. Signo, 1935, 434 págs.

---

* Se mencionan, por orden cronológico de publicación, solamente los títulos de las
primeras ediciones.

Españoles de Tres Mundos, Buenos Aires, Edit. Losada, 1942, 170 págs.
Voces de mi copla, México, Editorial Stylo, 1945, 60 págs.
El Zaratán, México, Antigua Librería Robredo, 1946, 20 págs.
La Estación Total con las Canciones de la Nueva Luz, Buenos Aires, Editorial Losada, 1946, 165 págs.
Romances de Coral Gables, México, Editorial Stylo, 1948, 60 págs.
Animal de Fondo, Buenos Aires, Editorial Pleamar, 1949, 129 págs.
Tercera Antolojía Poética (1898-1953), Madrid, Editorial Biblioteca Nueva, 1957, 1.115 páginas.

II. Antologías y libros póstumos:

Poesías de Juan Ramón Jiménez, Selec. de Pedro Henríquez Ureña, México, Editorial México Moderno, 1923, 95 págs.
Poesía en Prosa y Verso (1902-1932) de Juan Ramón Jiménez, Selec. para niños por Zenobia Camprubí Aymar, Madrid, Edit. Signo, 1932, 132 págs.
Verso y Prosa para Niños, Selec. de Carmen Gómez Tejera y Juan Asencio Alvarez-Torre, Puerto Rico, 1936, 280 págs.
Antología para Niños y Adolescentes, Selec. de Norah Borges y Guillermo de Torre, Buenos Aires, Edit. Losada, 1951, 236 págs.
Libros de Poesía, Edic. de Agustín Caballero, Madrid, Aguilar, 1957, 1.442 págs.
Pájinas Ecojidas, Prosa, Selec. de Ricardo Gullón, Madrid, Edit. Gredos, 1958, 261 págs.
Pájinas Escojidas, Verso, Selec. de Ricardo Gullón, Madrid, Edit. Gredos, 1958, 238 páginas.
Moguer, Edic. de la Dir. Gral. de Archivos y Bibliotecas para Casa Municipal de Cultura «Zenobia y Juan Ramón» de Moguer, Valencia, 1958, 72 págs.
Primeros Libros de Poesía, Edic. de Francisco Garfias, Madrid, Aguilar, 1959, 1.575 páginas.
Olvidos de Granada, Edic. de Ricardo Gullón, San Juan de Puerto Rico, Ed. de «La Torre», 1960, 74 págs.
Cuadernos de Juan Ramón Jiménez, Edic. de Francisco Garfias, Madrid, Taurus Ediciones, 1960, 241 págs.
La Corriente Infinita, Selec. y edic. de Francisco Garfias, Madrid, Aguilar, 1961, 336 páginas.
Por el Cristal Amarillo, Selec. y edic. de Francisco Garfias, Madrid, Aguilar, 1961, 343 paginas.
El Trabajo Gustoso, Selec. de Francisco Garfias, México, Aguilar, 1961, 238 págs.
Primeras Prosas, Selec. y edic. de Francisco Garfias, Madrid, Aguilar, 1962, 486 págs.
Cartas, 1.ª Selec. Edic. de Francisco Garfias, Madrid, Aguilar, 1962, 465 págs.
El Modernismo, Notas de un Curso (1953), Edic. de Ricardo Gullón y Eugenio Fernández Méndez, México, Aguilar, 1962, 369 págs.
Trescientos Poemas (1903-1953), Introd. y selec. de Ricardo Gullón, Barcelona, Plaza & Janés, 1963, 278 págs.
Sevilla, Selec. de Francisco Garfias, Sevilla, Colec. Ixbiliah, 1963, 44 págs.
Poemas revividos del tiempo de Moguer, Barcelona, Chapultepec, 1963, 98 págs.
La Colina de los Chopos, Selec. y edic. de Francisco Garfias, Barcelona, Ediciones Vergara, 1963, 224 págs.
Libros inéditos de poesía, 1, Edic. de Antonio Sánchez-Barbudo, Madrid, Aguilar, 1964, 487 págs.
Dios deseado y deseante, Edic. de Antonio Sánchez-Barbudo, Madrid, Aguilar, 1964, 275 págs.
Retratos Líricos, Madrid, Díaz-Casariego, editor, 1965, 106 págs.
Antología Poética, Edic. de Vicente Gaos, Salamanca, Ediciones Anaya, 1965, 96 págs.
Estética y Etica Estética, Selec. y edic. de Francisco Garfias, Madrid, Aguilar, 1967, 396 páginas.

Libros inéditos de poesía, 2, Selec. y edic. de Francisco Garfias, Madrid, Aguilar, 1967, 350 págs.
Antolojía Poética, Selec. de Francisco Garfias, Barcelona, Círculo de Lectores, 1967, 145 páginas.
Antolojía Poética, Selec. de Antonio Oliver Belmás, Madrid, Edit. Magisterio Español, 1968, 198 págs.
Libros de Prosa, 1, Edic. de Francisco Garfias, Madrid, Aguilar, 1969, 1.302 págs.
Antología Poética de Juan Ramón Jiménez (1898-1953), Edic. de Eugenio Florit, Madrid, Edit. Biblioteca Nueva, 1971, 252 págs.
El nuevo mar, Madrid, Ediciones de Arte y Bibliofilia, 1973.
Con el carbón del sol, Sel. y edic. de Francisco Garfias, Madrid, Editorial Magisterio Español, 1973, 312 págs.
Nueva Antolojía, Edic. de Aurora de Albornoz, Madrid, Ediciones Península, 1973, 254 págs.
Selección de cartas (1899-1958), Barcelona, Edic. Picazo, 1973, 418 págs.
Juan Ramón Jiménez, Antología, Selec. de Angel González, Madrid, Ediciones Júcar, 1974, 173 págs.
El andarín de su órbita, Selec. y edic. de Francisco Garfias, Madrid, Editorial Magisterio Español, 1974, 288 págs.
En el otro costado, Edic. de Aurora de Albornoz, Madrid, Ediciones Júcar, 1974, 163 páginas.
Ríos que se van, Edic. de Pablo Beltrán Heredia, Santander, Edit. Bedia, 1974, 56 págs.
Crítica Paralela, Ed. de Arturo del Villar, Madrid, Narcea, S. A. de Ediciones, 1975, 388 págs.
Antolojía Poética. Platero y yo, Introd. y análisis de Carmen Conde, Selec. de Arturo del Villar, Madrid, Santillana, 1976, 294 págs.
La Obra Desnuda, Edic. de Arturo del Villar, Sevilla, Aldebarán, 1976, 108 págs.
La Realidad Invisible, Edic. de Antonio Sánchez Romeralo, Londres, Edit. Támesis Books Limited, 1977.
Cartas Literarias (1937-1954), Introd. de Francisco Garfias, Barcelona, Edit. Bruguera, 1977, 344 págs.
Leyenda (1896-1956), Edic. de Antonio Sánchez Romeralo, Madrid, Cupsa Editorial, 1978, 755 págs.
Historia y Cuentos (1900-1952), Selec. e introduc. de Arturo del Villar, Barcelona, Edit. Bruguera, 1979, 217 págs.

OBRAS SOBRE JUAN RAMÓN JIMÉNEZ

I. LIBROS

Bo, Carlo: *La poesía de Juan Ramón Jiménez,* Madrid, Edit. Hispánica, 1943.
BROGGINI, Nilda Elena: *Platero y yo. Estudio estilístico,* Buenos Aires, Editorial Huemul, 1963.
CAMPOAMOR GONZÁLEZ, Antonio: *Vida y poesía de Juan Ramón Jiménez,* Madrid, Ediciones Sedmay, 1976.
CARDWELL, Richard A.: *Juan R. Jiménez: The Modernist Apprenticeship 1895-1900,* Berlín, Colloquium Verlag, 1977.
COLE, Leo R.: *The Religious Instinct in the Poetry of Juan Ramón Jiménez,* Oxford, The Dolphin Book Cl. Ltd., 1967.
CRESPO, Angel: *Juan Ramón Jiménez y la pintura,* Puerto Rico, Editorial Universitaria, Universidad de Puerto Rico, 1974.
DÍAZ-PLAJA, Guillermo: *Juan Ramón Jiménez en su poesía,* Madrid, Aguilar, 1958.
DÍEZ-CANEDO, Enrique: *Juan Ramón Jiménez en su Obra,* México, El Colegio de México, 1944.

FIGUEIRA, Gastón: *Juan Ramón Jiménez, Poeta de lo Inefable,* Montevideo, Tall. Gráf. «Gaceta Comercial», 1944.

FOGELQUIST, Donald F.: *Juan Ramón Jiménez (1881-1958),* Nueva York, Hispanic Institute in the United States, 1958.

FOGELQUIST, Donald F.: *Juan Ramón Jiménez,* Boston, Twayne Publishers, G. K. Hall & Co., 1976.

FONT, María Teresa: *«Espacio». Autobiografía lírica de Juan Ramón Jiménez,* Madrid, Ediciones Insula, 1972.

GARFIAS, Francisco: *Juan Ramón Jiménez,* Madrid, Taurus Ediciones, 1958.

GICOVATE, Bernardo: *La poesía de Juan Ramón Jiménez. Ensayo de exégesis,* Ediciones Asomante, San Juan, Puerto Rico, 1959.

GICOVATE, Bernardo: *La poesía de Juan Ramón Jiménez. Obra en marcha,* Barcelona, Ediciones Ariel, 1973.

GONZÁLEZ, Angel: *Juan Ramón Jiménez,* Estudio, Madrid, Ediciones Júcar, 1974.

GOULARD, Matica: *Juan Ramón Jiménez y la crítica en Escandinavia,* Madrid, Insula, 1963.

GUERRERO RUIZ, Juan: *Juan Ramón de viva voz,* Madrid, Insula, 1961.

GULLÓN, Ricardo: *Conversaciones con Juan Ramón Jiménez,* Madrid, Taurus Ediciones, 1958.

GULLÓN, Ricardo: *Estudios sobre Juan Ramón Jiménez,* Buenos Aires, Editorial Losada, 1960.

GULLÓN, Ricardo: *El último Juan Ramón Jiménez,* Madrid-Barcelona, Ediciones Alfaguara, 1968.

HISPANO, M.: *Juan Ramón Jiménez,* Barcelona, Semic Española de Ediciones, 1972.

LIRA, Oswaldo: *Poesía y mística en Juan Ramón Jiménez,* Santiago Pontificia Universidad Católica de Chile, Facultad Filosofía y Letras de la Educación, Santiago de Chile, 1969.

OLSON, Paul R.: *Circle of Paradox: Time and Essence in the Poetry of Juan Ramón Jiménez,* The Johns Hopkins Press, Baltimore, Maryland, 1967.

PABLOS, Basilio de: *El tiempo en la poesía de Juan Ramón Jiménez,* Madrid, Editorial Gredos, 1965.

PALAU DE NEMES, Graciela: *Vida y Obra de Juan Ramón Jiménez,* Madrid, Editorial Gredos, 1957.

PALAU DE NEMES, Graciela: *Vida y Obra de Juan Ramón Jiménez. La poesía desnuda,* Madrid, Edit. Gredos, 1974, 2 tomos.

PARAÍSO DE LEAL, Isabel: *Juan Ramón Jiménez. Vivencia y palabra,* Madrid, Editorial Alhambra, 1976.

PREDMORE, Michel P.: *La obra en prosa de Juan Ramón Jiménez,* Madrid, Editorial Gredos, 1966.

PREDMORE, Michael P.: *La poesía hermética de Juan Ramón Jiménez. El «Diario» como centro de su mundo poético,* Madrid, Edit. Gredos, 1973.

SALGADO, María Antonia: *El arte polifacético de las «caricaturas» juanramonianas,* Madrid, Insula, 1968.

SÁNCHEZ-BARBUDO, Antonio: *La segunda época de Juan Ramón Jiménez (1916-1953),* Madrid, Editorial Gredos, 1962.

SÁNCHEZ-BARBUDO, Antonio: *La segunda época de Juan Ramón Jiménez. Cincuenta poemas comentados,* Madrid, Edit. Gredos, 1963.

SANTOS-ESCUDERO, Ceferino: *Símbolos y Dios en el último Juan Ramón Jiménez, El influjo oriental en «Dios deseado y deseante»,* Madrid, Edit. Gredos, 1975.

SAZ-OROZCO, Carlos del: *Dios en Juan Ramón,* Madrid, Edit. Razón y Fe, 1966.

SCHONBERG, Jean-Louis: *Juan Ramón Jiménez ou le chant d'Orphée,* Éditions de la Baconnière, Neuchâtel, Suisse, 1961.

ULIBARRI, Sabine R.: *El mundo poético de Juan Ramón,* Madrid, Edhigar, 1962.

YOUNG, Howard T.: *Juan Ramón Jiménez,* Nueva York-Londres, Columbia University Press, 1967.

II. ESTUDIOS Y ARTÍCULOS[1]

AGUADO-ANDREUT, Salvador: «En torno a un poema de la *Antolojía Poética*», *Publications of the Modern Language Association of America*, vol. LXXVII, n.º 4, Nueva York, 1962, págs. 459-470.

AGUIRRE, Ángel Manuel: «Viaje de Juan Ramón Jiménez a la Argentina», *Cuadernos Hispanoamericanos*, n.º 231, Madrid, 1969, págs. 655-673.

AGUIRRE, Ángel Manuel: «Juan Ramón Jiménez and the French Symbolist Poets: Influences and Similarities», *Revista Hispánica Moderna*, año XXXVI, n.º 4, 1970-1971, págs. 212-223.

ALBORNOZ, Aurora de: «Juan Ramón Jiménez o la poesía en sucesión», en *Nueva Antolojía*, de J. R. J., págs. 7-92, Madrid, Ediciones Península, 1973.

ALLEN, Rupert C.: «Juan Ramón and the World Tree: A Sympological Analysis of Mysticism in the Poetry of Juan Ramón Jiménez», *Revista Hispánica Moderna*, año XXXV, número 4, 1969, págs. 306-322.

APARICIO, Francisco: «Notas de lector al último libro de J. R. Jiménez», *Razón y Fe*, tomo 143, n.º 638, Madrid, 1951, págs. 292-304.

ARCINIEGAS, Germán· «Elogio del provinciano universal. A propósito de Juan Ramón Jiménez», *Asomante*, año XIII, n.º 2, San Juan de Puerto Rico, 1957, págs. 66-71.

AZCOAGA, Enrique: «Espada de luz. Mar de duelo (Fragmentos de un ensayo sobre Juan Ramón Jiménez)», *Literatura*, tomo I, n.º 1, Madrid, 1934, págs. 16-21.

BABÍN, María Teresa: «Juan Ramón Jiménez en América (1936-1956)», *La Torre*, año V, n.º 19-20, 1957, págs. 163-179.

BAQUERO, Gastón: «La poesía en Juan Ramón Jiménez», *Boletín de la Academia Cubana de la Lengua*, vol. VII, n.º 1-2, La Habana, 1958, págs. 22-37.

BAYÓN, Damián Carlos: «*Platero y yo* y *Españoles de tres mundos*», *La Torre*, año V, números 19-20, 1957, págs. 365-379.

BILBAO ARÍSTEGUI, Pablo: «Cartas y recuerdos de Juan Ramón Jiménez», *Orbis Catholicus*, tomo II, n.º 10, Barcelona, 1962, págs. 257-271.

BLEIBERG, Germán: «El lírico absoluto: Juan Ramón Jiménez», *Clavileño*, año II, n.º 10, Madrid, 1951, págs. 33-38.

BOCKUS APONTE, Bárbara: «El diálogo entre Juan Ramón Jiménez y Alfonso Reyes», *La Torre*, año XIV, n.º 53, 1966, págs. 169-188.

BOUSOÑO, Carlos: «El impresionismo poético de Juan Ramón Jiménez (Una estructura cosmovisionaria)», *Cuadernos Hispanoamericanos*, n.º 280-282, Madrid, 1973, páginas 508-540.

CABALLERO, Agustín: «Juan Ramón, desde dentro», prólogo a *Libros de Poesía*, de J. R. J., páginas XV-LXVL, Madrid, Aguilar, 1957.

CAMPOAMOR GONZÁLEZ, Antonio: «Bibliografía fundamental de Juan Ramón Jiménez», *La Torre*, año XVI, n.º 62, 1968, págs. 177-231; año XVII, n.º 63, 1969, págs. 177-213; n.º 64, 1969, págs. 113-145; n.º 65, 1969, págs. 145-179, y n.º 66, 1969, páginas 131-168.

CAMPRUBÍ AYMAR, Zenobia: «Juan Ramón y yo (Peregrinaciones de un famoso poeta español en este continente)», *Américas*, vol. 6, n.º 10, Washington, 1954, págs. 9-11 y 45-46.

CAMPRUBÍ AYMAR, Zenobia: «Cartas a Juan Ramón Jiménez», *La Torre*, año VII, n.º 27, 1959, págs. 167-220.

CAMPRUBÍ AYMAR, Zenobia: «"Diario" de recién casada (del 12 de febrero al 11 de agosto de 1916)», *Nueva Estafeta*, n.º 1, Madrid, 1978, págs. 45-54.

---

[1] Brevísima muestra bibliográfica con estudios y artículos de importancia, escogidos entre los casi cinco mil dedicados al poeta hasta este momento. Se omiten los trabajos incluidos en este volumen.

CANO, José Luis: «Juan Ramón Jiménez y Rubén Darío», *La Torre*, año V, n.º 19-20, 1957, págs. 119-136.

CANO, José Luis: «Juan Ramón Jiménez y la poesía norteamericana», *Atlántico*, n.º 11, Madrid, 1959, págs. 17-28.

CANSINOS-ASSÉNS, Rafael: «Juan Ramón Jiménez», *ARS*, n.º 5, San Salvador, 1954, páginas 12-16.

CARDWELL, Richard A.: «Juan Ramón Jiménez and the Decadence», *Revista de Letras*, tomo VI, n.º 23-24, Universidad de Puerto Rico en Mayagüez, 1974, págs. 291-342.

CASTELLTORT, Ramón: «La poesía lírica española del Siglo XX: Juan Ramón Jiménez», *Revista Calasancia*, año I, n.º 3, Madrid, 1955, págs. 267-276.

CELA, Camilo José: «Recuerdo del Andaluz Universal», en *Cuatro figuras del 98, y otros ensayos españoles*, págs. 139-156. Barcelona, Edit. Aedos, 1961.

CERNUDA, Luis: «Juan Ramón Jiménez», *Bulletin of Hispanic Studies*, XIX, Liverpool, 1942, págs. 163-178.

CIPLIJAUSKAITÉ, Biruté: «La soledad anhelada y conquistada de Juan Ramón Jiménez», en *La soledad y la poesía española contemporánea*, págs. 105-153. Madrid, Ínsula, 1962.

COBB, Carl W.: «Juan Ramón Jiménez and Emily Dickinson: is there really an influence?», *Revista de Estudios Hispánicos*, tomo IV, n.º 1, University of Alabama Press, 1970, págs. 35-48.

CONDE, Carmen: «Cuando los poetas hablan a Dios: Juan Ramón Jiménez», *Rueca*, año III, n.º 9, México, invierno 1943-44, págs. 41-51.

COUFFON, Claude: «Juan Ramón Jiménez: poète de la solicitude», *Le Figaro Litteraire*, número 550, Paris, samedi 3 novembre 1956, págs. 1 y 4.

CHABÁS, Juan: «Juan Ramón Jiménez», en *Vuelo y Estilo*, tomo I, págs. 127-161. Madrid, Sdad. Gral. de Librería, 1934.

DELIBES, Miguel: «Juan Ramón Jiménez en Maryland (1943-1951)», *Revista de Occidente*, año V, n.º 46, Madrid, 1967, págs. 101-106.

DÍAZ-PLAJA, Guillermo: «La emoción por contraste en la lírica de Juan Ramón Jiménez», *El Consultor Bibliográfico*, año III, tomo IV, fasc. 5.º, Barcelona, 1927, págs. 423-429.

DÍAZ-PLAJA, Guillermo: «Juan Ramón Jiménez en su contexto generacional», *Arbor*, tomo XCVI, n.º 376, Madrid, 1977, págs. 7-16.

DIEGO, Gerardo: «Premio Nobel a Juan Ramón Jiménez», *Clavileño*, año VII, n.º 42, Madrid, 1956, págs. 1-8.

DIEGO, Gerardo: «Poemas de Juan Ramón», *Boletín de la Academia Cubana de la Lengua*, vol. VIII, n.º 1-2, La Habana, 1959, págs. 5-27.

DÍEZ-CANEDO, Enrique: «Rubén Darío, Juan Ramón Jiménez y los comienzos del modernismo en España», *El Hijo Pródigo*, II, México, 1944, págs. 145-151.

FEAL, Carlos: «Juan Ramón Jiménez, poeta de lo infinito», *Cuadernos Hispanoamericanos*, n.º 100, 1958, págs. 101-124.

FERNÁNDEZ ALMAGRO, Melchor: «Juan Ramón Jiménez y algunos poetas andaluces de su juventud», *Studia Philologica*, Homenaje a Dámaso Alonso, Madrid, 1960, tomo I, páginas 493-507.

FERNÁNDEZ CONTRERAS, Rosalba: «El misticismo de Juan Ramón Jiménez», *Explicación de Textos Literarios*, vol. III-2, California, 1974-1975, págs. 97-106.

FERNÁNDEZ MÉNDEZ, Eugenio: «Juan Ramón Jiménez el niñodios de los niños», *La Torre*, año V, n.º 19-20, 1957, págs. 137-149.

FIGUEIRA, Gastón: «Adiós a Zenobia Camprubí de Jiménez», *Nueva Democracia*, *volumen XXXVII, n.º 1, Nueva York, 1957, págs. 20-23.*

FLORIT, Eugenio: *«La poesía de Juan Ramón Jiménez»*, *La Torre*, año V, n.º 19-20, 1957, páginas 301-310.

FLORIT, Eugenio: «La presencia de España en la poesía de Juan Ramón», *Cuadernos*, número 32, París, 1958, págs. 29-34.

FOGELQUIST, Donald F.: «Juan Ramón Jiménez en Italia», *Cuadernos Americanos*, año XIV, n.º 4, México, 1955, págs. 232-236.

FOGELQUIST, Donald F.: «Rubén Darío y Juan Ramón Jiménez», *Seminario Archivo Rubén Darío*, n.º 7, Madrid, 1963, págs. 5-16.

FOGELQUIST, Donald F.: «Juan Ramón Jiménez: Poet and pine», *Hispania,* LIV, Wallingford, Connecticut, 1971, págs. 452-458.

FOX, Arturo A.: «Angustia y secularismo de Juan Ramón en *Romances de Coral Gables», Explicación de Textos Literarios,* vol. III-2, California, 1974-75, págs. 173-177.

FRADEJAS LEBRERO, José: «Juan Ramón Jiménez y Francisco Umbral», *Revista de la Universidad Complutense,* vol. XXVI, n.º 108, Madrid, 1977, págs. 89-95.

GAOS, Vicente: «Introducción» a *Antología Poética,* de J. R. J., págs. 5-32. Salamanca, Ediciones Anaya, 1965.

GARCÍA BLANCO, Manuel: «Juan Ramón Jiménez y la revista *Vida Nueva* (1899-1900)», *Studia Philologica,* Homenaje a Dámaso Alonso, Madrid, tomo II, 1961, págs. 31-72.

GARCIASOL, Ramón de: «Juanramoniana», *Ínsula,* año XII, n.º 128-129, 1957, páginas 8 y 20.

GARCIASOL, Ramón de: «los primeros libros de poesía de Juan Ramón Jiménez», *Cuadernos Hispanoamericanos,* n.º 135, 1961, págs. 382-397.

GARFIAS, Francisco: «Moguer en la poesía de Juan Ramón Jiménez», *Cuadernos de Literatura,* tomo VIII, n.º 22, 23 y 24, Madrid, 1950, págs. 235-248.

GARFIAS, Francisco: «Variaciones alrededor de las *Baladas de Primavera», Punta Europa,* año III, n.º 31-32, Madrid, 1958, págs. 35-39.

GARFIAS, Francisco: «Los borradores silvestres de Juan Ramón», prólogo a *Primeros Libros de poesía,* de J. R. J., págs. 15-65. Madrid, Aguilar, 1959.

GARFIAS, Francisco: «La definitiva aportación juanramoniana, *Punta Europa,* año XII, números 122-123, Madrid, 1967, pags. 34-44.

GARFIAS, Francisco: «El problema de la fe en Juan Ramón Jiménez», *Estudios Franciscanos,* vol. 69, n.º 333, Barcelona, 1968, págs. 401-415.

GARFIAS, Francisco: «Juan Ramón Jiménez en lo permanente», *Cuadernos Hispanoamericanos,* n.º 235, Madrid, 1969, págs. 13-24.

GARFIAS, Francisco: «Antonio Machado y Juan Ramón Jiménez», *Arbor,* tomo LXXXVI, número 336, Madrid, 1973, págs. 23-31.

GAYA, Ramón: «*Animal de Fondo,* de Juan Ramón Jiménez», *Las Españas,* año V, número 14, México, D. F., 29 febrero 1950, págs. 1 y 12.

GICOVATE, Bernardo: «El concepto de la poesía en la poesía de Juan Ramón Jiménez», *Comparative Literature,* vol. VIII, n.º 3, Eugene, Oregón, 1956, págs. 205-213.

GIL, Ildefonso-Manuel: «Curiosa fortuna de unos versos de Juan Ramón Jiménez», *La Torre,* año XIV, n.º 54, 1966, págs. 173-182.

GINER DE LOS RÍOS, Francisco: «Don Francisco y Juan Ramón», *Cuadernos Americanos,* volumen CXXXIX, n.º 2, México, 1965, págs. 124-145.

GINER DE LOS RÍOS, Francisco: «Preliminar» y «Notas y referencias complementarias» a *Olvidos de Granada,* págs. 9-35 y 95-111. Madrid, Edic. Caballo Griego para la Poesía, 1979.

GÓMEZ DE LA SERNA, Ramón: «Biografía completa de Juan Ramón Jiménez», en *Retratos contemporáneos,* págs. 19-63. Buenos Aires, Edit. Sudamericana, 1944.

GONZÁLEZ VILLEGAS, Maruja: «*Leyendo a Juan Ramón Jiménez,* Montevideo, Talleres Gráficos de «Gaceta Comercial», 1949.

GUEREÑA, Jacinto-Luis: «Ecos de Francia en *Segunda Antolojía Poética», Cuadernos Hispanoamericanos,* n.º 149, Madrid, 1962, págs. 266-276.

GUERRERO RUIZ, Juan: «Impresiones (1913)», *Ínsula,* año XII, n.º 128-129, Madrid, 1957, pág. 4.

GULLÓN, Ricardo: «El dios poético de Juan Ramón Jiménez», *Cuadernos Hispanoamericanos,* n.º 14, Madrid, 1950, págs. 343-350.

GULLÓN, Ricardo: «Vivir en poesía», *Clavileño,* año VII, n.º 42, Madrid, 1956, páginas 17-27.

GULLÓN, Ricardo: «Esbozo para un retrato de Juan Ramón», *Asomante,* año XIII, n.º 2, San Juan de Puerto Rico, 1957, págs. 12-30.

GULLÓN, Ricardo: «Juan Ramón en su laberinto», *Ínsula,* año XII, n.º 128-129, Madrid, 1957, pág. 3.

GULLÓN, Ricardo: «Símbolos en la poesía de Juan Ramón», *La Torre,* año V, n.º 19-20, 1957, págs. 211-244.

GULLÓN, Ricardo: «Plenitudes de Juan Ramón Jiménez», *Hispania,* vol. XL, n.º 3, Wallingford, 1957, págs. 270-286.

GULLÓN, Ricardo: *«Monumento de amor.* Estudio preliminar», *La Torre,* año VII, n.º 27, 1959, págs. 151-166.

GULLÓN, Ricardo: *«Platero,* revivido». *Papeles de San Armadans,* tomo XVI, n.º XLVI, Palma de Mallorca, 1960, págs. 9-60; n.º XLVII, 1960, págs. 127-156, y n.º XLVIII, 1960, págs. 246-292.

GULLÓN, Ricardo: «Juan Ramón Jiménez y el Modernismo», «Relaciones entre Juan Ramón y Manuel Machado» y «Relaciones entre Juan Ramón y los Martínez Sierra», en *Direcciones del Modernismo,* págs. 27-66, 176-194 y 195-234. Madrid, Edit. Gredos, 1963.

GULLÓN, Ricardo: *Relaciones entre Antonio Machado y Juan Ramón Jiménez.* Universitá di Pisa, 1964.

GULLÓN, Ricardo: «Relaciones Pablo Neruda-Juan Ramón Jiménez», *Hispanic Review,* volumen 39, n.º 2, University of Pennsylvania, Philadelphia, 1971, págs. 141-166.

GULLÓN, Ricardo: «El último Juan Ramón», *Triunfo,* año XXIX, n.º 650, Madrid, 15 marzo 1975, págs. 44-45.

GULLÓN, Ricardo: «Juan Ramón Jiménez y los prerrafaelitas», *Peñalabra,* n.º 20, Santander, verano 1976, págs. 7-9.

HARTER, Hugh Anthony: «Presencia de Bécquer en Juan Ramón Jiménez», *Hispanofila,* año III, n.º 8, Madrid. 1960, págs. 47-64.

HERNÁNDEZ-PINZÓN JIMÉNEZ, Francisco: *Zenobia y Juan Ramón Jiménez en la trágica gloria del Premio Nobel.* Madrid, A. G. Luis Pérez, 1973. 24 págs.

HENRÍQUEZ UREÑA, Pedro: «La obra de Juan Ramón Jiménez», prólogo a *Poesías de Juan Ramón Jiménez,* págs. 5-17. México, Edit. México Moderno, 1923.

HIERRO, José: «Un Nobel entero para nuestra poesía», *La Estafeta Literaria,* n.º 278, Madrid, 9 de noviembre de 1963.

HIERRO, José: «La *Nueva Antolojía* de Juan Ramón Jiménez», *Cuadernos Hispanoamericanos,* n.º 284, Madrid, 1974, págs. 387-399.

HIERRO, José: «Poesía sinfónica y poesía de cámara», *Peñalabra,* n.º 20, Santander, verano 1976, pág. 22.

IBARBOUROU, Juana de: «Mis amados recuerdos. Juan Ramón Jiménez», Suplemento Literario de *El Día,* año XXXVII, n.º 1.831, Montevideo, 30 de junio de 1968, página 4.

JARNÉS, Benjamín: «Un poeta ejemplar», *Frente Literario,* año I, n.º 3, Madrid, 5 mayo 1934, pág. 4.

JIMÉNEZ H.-PINZÓN, Fernando: *«Dios deseado y deseante,* último libro de J. R. Jiménez», *Reseña,* año II, n.º 7, Madrid, 1965, págs. 95-103.

JOHNSON, Robert: «Juan Ramón Jiménez, Rabindranath Tagore and "La Poesía Desnuda"», *Modern Language Review,* vol. LX, n.º 4, Cambridge, 1965, p. 534-46.

KIM RIM, Hyunchang: «El Zen y Juan Ramón Jiménez», *Prohemio,* año III, n.º 2, Barcelona, 1972, págs. 237-260.

LA ORDEN MIRACLE, Ernesto: «Juan Ramón ya muerto en vida», *Abside,* año XXIV, número 2, México, 1960, págs. 191-194.

LABRADOR RUIZ, Enrique: «Juan Ramón Jiménez, Georgina Hübner y don Pepe Gálvez», *Atenea,* año XXXIII, tomo CXXVI, n.º 373, Universidad de la Concepción, Chile, 1956, págs. 333-338.

LÁZARO CARRETER, Fernando: «Juan Ramón, A. Machado y García Lorca. Aproximaciones», *Insula,* año XII, n.º 128-129, Madrid, 1957, págs. 1, 5 y 21.

LEZAMA LIMA, José: «Gracia eficaz de Juan Ramón Jiménez y su visita a nuestra poesía», *Verbum,* año I, n.º 3, La Habana, 1937, págs. 57-64.

LEZAMA LIMA, José: *Coloquio con Juan Ramón Jiménez.* La Habana, Molina y Cía., 1938.

LIDA, Raimundo: «Sobre el estilo de Juan Ramón Jiménez», *Nosotros,* Época 2.ª, año II, tomo III, n.º 10, Buenos Aires, 1937, págs. 15-29.

LÓPEZ, Julio: «La "Obra" de Juan Ramón Jiménez», *Insula,* año XXXIV, n.º 390, Madrid, 1979, págs. 1 y 12.

LÓPEZ RUEDA, José: «Vida y obra de "El Andaluz Universal"», *Cuadernos de Arte y Poesía*, n.º 13, Ecuador, 1964, págs. 133-160.

LOYNAZ DE ÁLVAREZ DE CAÑAS, Dulce María: «Juan Ramón, Platero, el amor y la muerte, a través de los textos del poeta», *Boletín de la Academia Cubana de la Lengua*, volumen VII, n.º 1-2, La Habana, 1958, págs. 12-21.

LUIS, Leopoldo de: «En torno a la "Segunda Antolojía Poética"», en *Segunda Antolojía Poética*. de J. R. J., págs. 7-25. Madrid. Espasa-Calpe, 1976.

MACRI, Oreste: «El segundo tiempo de la poesía de Jiménez», *La Torre*, año V, números 19-20, 1957, págs. 283-300.

MAGARIÑOS, Santiago: «Juan Ramón Jiménez y su España peregrina», *Cultura Universitaria*, n.º 58, Caracas, 1956, págs. 70-76.

MARTÍNEZ SIERRA, María: *Gregorio y yo*, págs. 161-175. México, Exportadora de Publicaciones Mexicanas, 1953.

MORALES, Rafael: «Juan Ramón Jiménez (Notas sobre un proceso de depuración estilística)», *Nuestro Tiempo*, año III, n.º 29, Madrid, 1956, págs. 31-41.

MORENO BÁEZ, Enrique: «La poesía de Juan Ramón Jiménez», *Finisterre*, tomo I, II.º 34, Madrid, 1948, págs. 177-189.

NAVARRO, Alberto: «Dos andaluces universales: Bécquer y Juan Ramón Jiménez», *Atlántida*, vol. IV, n.º 21. Madrid, 1966, págs. 262-277.

OLIVER BELMÁS, Antonio: «Ausencia y presencia de Juan Ramón Jiménez en el Archivo de Rubén Darío», *Revista de Archivos, Bibliotecas y Museos*, tomo LXIV, n.º 1, Madrid, 1958, págs. 55-70.

OLIVER BELMÁS, Antonio: «Introducción» a *Antolojía Poética*, de J. R. J , págs. 9-34. Madrid, Edit. Magisterio Español, 1968.

OLIVEIRA GIMÉNEZ, Miguel V.: «La caricatura lírica en *Españoles de tres mundos*. Programa para un estudio crítico», *Nordeste*, n.º 2, Resistencia, Chaco, República Argentina, 1961, págs. 87-110.

OLSON, Paul R.: «Structure and Symbol in a Poem of Juan Ramón Jiménez», *Modern Language Notes*, vol. 76, n.º 6, The Johns Hopkins Press, Baltimore, 1961, páginas 636-646.

ONÍS, Federico de: «Juan Ramón Jiménez», *Asomante*, año XIII, n.º 2, San Juan de Puerto Rico, 1957, págs. 7-11.

PALAU DE NEMES, Graciela: «La casa sola de Juan Ramón Jiménez», *La Torre*, año V, números 19-20, 1957, págs. 181-195.

PALAU DE NEMES, Graciela: «Zenobia en la vida y la obra de Juan Ramón Jiménez», *Revista Interamericana de Bibliografía*, vol. X, n.º 3, Washington, 1960, págs. 244-260.

PALAU DE NEMES, Graciela: «La elegía desnuda de Juan Ramón Jiménez: *Ríos que se van*», *Papeles de Son Armadans*, año XIII, tomo L, n.º CXLIX, Palma de Mallorca, 1968, páginas 101-112.

PALAU DE NEMES, Graciela: «Juan Ramón en la revista *Blanco y Negro* (1903-1905)», *Peñalabra*, n.º 20, Santander, verano 1976, págs 10-12.

PARAÍSO DE LEAL, Isabel: «El verso libre de Juan Ramón Jiménez en *Dios deseado y deseante*», *Revista de Filología Española*, tomo LIV, Cuadernos 3.º y 4.º, Madrid, 1971, págs. 253-269.

PARAÍSO DE LEAL, Isabel: «Juan Ramón Jiménez, el iconoclasta (Autocrítica de su primera época a través de un poema)», *Explicación de Textos Literarios*, vol. III-2, California, 1974-1975, págs. 161-165.

PATTISON, Walter T.: «Juan Ramón Jiménez. Mystic of Nature», *Hispania*, vol. XXXIII, número 1, Lawrence, Kansas, 1950, págs. 18-27.

POMÈS, Mathilde: «Juan Ramón Jiménez, Prix Nobel», *La Revue des Deux Mondes*, número 22, París, 15 de noviembre de 1956, págs. 312-318.

PRAT, Ignacio: «Arnold Böcklin y Juan Ramón Jiménez», *Ínsula*, año XXXIII, n.º 376, Madrid, 1978, págs. 3 y 10.

PRAT, Ignacio: «Juan Ramón Jiménez en Burdeos (1901-1902). Nuevos datos», *Ínsula*, año XXXIII, n.º 385, Madrid, 1978, págs. 1 y 12.

PREDMORE, Michael P.: «Juan Ramón Jiménez Second Portrait of Antonio Machado»,

Modern Language Notes, vol. 80, n.° 2, The Johns Hopkins Press, Baltimore, 1965, páginas 265-270.

PREDMORE, Michael P.: «The Structure of *Platero y yo*», *Publications of the Modern Language Association of America,* vol. LXXXV, n.° 1, Baltimore, 1970, págs. 56-64.

PREDMORE, Michael P.: «The Structure of the *Diario de un poeta recién casado.* A Study of Hermetic Poetry», *Contemporary Literature,* vol. XIII, n.° 1, University of Wisconsin, 1972, págs. 53-105.

PREDMORE, Michael P.: «Imágenes apocalípticas en el "Diario" de Juan Ramón: La tradición simbólica de William Blake», *Revista de Letras,* tomo VI, n.° 23-24, Universidad de Puerto Rico en Mayagüez, 1974, págs. 365-382.

PREDMORE, Michael P.: «Introducción» a *Platero y yo,* págs. 11-78. Madrid, Ediciones Cátedra, 1978.

RAMOS MIMOSO, Adriana: «Juan Ramón y Zenobia: Perfil íntimo y cotidiano», *La Torre,* año XIX, n.° 79-80, 1973, págs. 11-41.

RIBBANS, Geoffrey: «Recaptured Memory in Juan Ramón Jiménez and Antonio Machado», en *Studies in Modern Spanish Literature and Art,* págs. 149-161, Londres, Edited by Nigel Glendinning, 1972.

RIIS OWRE, J.: «Un cursillo de poesía con Juan Ramón Jiménez», *Hispania,* vol. LI, número 2, Wallingford, Connecticut, 1968, págs. 320-326.

RIIS OWRE, J.: «Juan Ramón and Zenobia. Random reminiscences», *Revista de Estudios Hispánicos,* tomo II, n.° 2, University of Alabama Press, 1968, págs. 193-203.

RÍO, Ángel del: «Notas sobre crítica y poesía en Juan Ramón Jiménez», *La Torre,* año V, números 19-20, 1957, págs. 27-50.

ROBERTS, William H.: «Juan Ramón Jiménez y Zenobia», *Américas,* vol. 15, n.° 2, Washington, 1963, págs. 7-12.

ROJAS, Víctor J.: «EL sentido de la desnudez en la poesía de Juan Ramón Jiménez», *Explicación de Textos Literarios,* vol. II-1, California, 1973, págs. 39-44.

SABELLA, Andrés: «Deslumbramiento de Juan Ramón Jiménez», *Atenea,* tomo CXXXII, número 382, Universidad de Concepción, Chile, 1958, págs. 79-91.

SALGADO, María A.: «Colaboración modernista de Juan Ramón Jiménez y G. Martínez Sierra», *Hispanofila,* año XIII, n.° 38, Chapel Hill, N. C., 1970, págs. 49-58.

SÁNCHEZ, Luis Alberto: «Mis recuerdos de Juan Ramón Jiménez», *Revista Nacional de Cultura,* n.° 129, Caracas, 1958, págs. 14-23.

SÁNCHEZ-BARBUDO, Antonio: «Introducción» a *Dios deseado y deseante,* de J. R. J., páginas 17-44. Madrid, Aguilar, 1964.

SÁNCHEZ-BARBUDO, Antonio: «Introducción» a *Diario de un poeta reciéncasado,* de Juan Ramón Jiménez, págs. 9-51. Barcelona, Edit. Labor, 1970.

SÁNCHEZ-BARBUDO, Antonio: «Los últimos poemas de Juan Ramón Jiménez: "Belleza", "Nada" y "Anhelo de eternidad"», *Revista de Letras,* tomo VI, n.° 23-24, Universidad de Puerto Rico en Mayagüez, 1974, págs. 397-417.

SÁNCHEZ ROMERALO, Antonio: «Juan Ramón Jiménez en su fondo de aire», *Revista Hispánica Moderna,* año XXVII, n.° 4, 1961, págs. 299-319.

SÁNCHEZ ROMERALO, Antonio: «Ramón Menéndez Pidal-Juan Ramón Jiménez (Notas a dos vidas paralelas)», *La Torre,* años XVIII-XIX, n.° 70-71, 1970-1971, páginas 95-142.

SÁNCHEZ ROMERALO, Antonio: «Los libros de *Poesía* y *Belleza.* La *Realidad Invisible*», *Peñalabra,* n.° 20, Santander, verano 1976, págs. 18-21.

SÁNCHEZ ROMERALO, Antonio: «Preliminar» a *Leyenda,* págs. IX-XXXV. Madrid, Cupsa Editorial, 1978. Colec. Goliárdica.

SÁNCHEZ-TRINCADO, José Luis: «Verdad de Juan Ramón Jiménez», *Bitácora,* año III, n.° 10, Caracas, 1944, págs. 18-40.

SANTOS, Ceferino: «Proceso evolutivo de interiorización lírica de Juan Ramón Jiménez», *Humanidades,* vol. IX, n.° 17, Universidad Pontificia de Comillas, Santander, 1957, páginas 79-103.

SANTOS TORROELLA, Rafael: «La muerte, norma vocativa en la poesía de Juan Ramón Jiménez», *La Torre,* año V, n.° 19-20, 1957, págs. 323-340.

SEGOVIA, Tomás: «Actualidad de Juan Ramón», *Cuadernos Americanos,* año XIII, n.º 1, México, 1954, págs. 255-272.

SEGOVIA, Tomás: «Juan Ramón Jiménez ayer y hoy», *La Torre,* año V, n.º 19-20, 1957, páginas 341-362.

SHARPLES, Hedley: «The Poetry of Juan Ramón Jiménez», *The New Vida Hispánica,* volumen XI, n.º 2, Nueva York, 1963, págs. 8-15 y n.º 3, 1963, págs. 8-15.

SOBEJANO, Gonzalo: «Juan Ramón Jiménez a través de la crítica», *Romanistisches Jahrbuch,* VIII Band., Hamburg, 1957, págs. 341-366 y IX Band., 1958, págs. 299-330.

STEVENS, Harriet S.: «Emily Dickinson y Juan Ramón Jiménez», *Cuadernos Hispanoamericanos,* n.º 166, Madrid, 1963, págs. 29-49.

TILLIETTE, Xavier: «Itinéraire poétique de Juan Ramón Jiménez», *Études,* n.º 4, París, 1959, págs. 80-94.

TORRE, Guillermo de: «Juan Ramón Jiménez y su estética», *Revista Nacional de Cultura,* año IX, n.º 70, Caracas, 1948, págs. 36-47.

TORRE, Guillermo de: «Etapas de Juan Ramón Jiménez», en *El fiel de la balanza,* páginas 83-140. Madrid, Taurus Edic., 1961.

TREND, J. B.: «Juan Ramón Jiménez», *Boletín del Instituto de las Españas,* n.º 5, Nueva York, 1958, págs. 7-11.

TURBULL, Phyllis: «La frase interrogativa en la poesía contemporánea. Miguel de Unamuno, Juan Ramón Jiménez, Antonio Machado y Jorge Guillén», *Boletín de la Real Academia Española,* tomo XLIII, Cuad. CLXX, Madrid, 1963, págs. 473-605.

URMENETA, Fermín de: «Sobre estética juanramoniana», *Revista de Ideas Estéticas,* tomo XXVI, n.º 101, Madrid, 1968, págs. 79-85.

URMENETA CERVERA, Fermín de: «Filosofía de lo poesía (Meditación juanramoniana)», *Revista de Filosofía,* año XVIII, n.º 69-70, Madrid, 1959, págs. 311-19.

VALBUENA BRIONES, Ángel: «Juan Ramón Jiménez y la poesía», *Anales de la Universidad de Murcia,* vol. XXI, n.º 2, curso 1962-63, págs. 141-151.

VANDERCAMMEN, Edmond: «Realidad y abstracción en la obra de Juan Ramón Jiménez», *La Torre,* año V, n.º 19-20, 1957, págs. 63-87.

VERDEVOYE, Paul: «Coloripoesía de Juan Ramón Jiménez», *La Torre,* año V, n.º 19-20, 1957, págs. 245-282.

VERHESEN, Fernand: «Tiempo y espacio en la obra de Juan Ramón Jiménez», *La Torre,* año V, n.º 19-20, 1957, págs. 89-118.

VIENTÓS GASTÓN, Nilita: *Platero y yo, La Torre,* año V, n.º 19-20, 1957, págs. 397-403.

VILLAR, Arturo del: «La muerte, obsesión y tema total de Juan Ramón Jiménez», *Arbor,* tomo XCI, n.º 355-356, Madrid, 1975, págs. 91-109.

VILLAR, Arturo del: «Estudio crítico» y «Comentarios de texto», en *Crítica Paralela,* de Juan Ramón Jiménez, págs. 11-136 y 367-388. Madrid, Narcea, S. A. de Edic., 1975.

VILLAR, Arturo del: «La poesía poética de Juan Ramón Jiménez», en *La Obra Desnuda,* de J. R. J., págs. 7-28. Sevilla, Aldebarán, 1976.

VILLAR, Arturo del: «A los veinte años de su muerte. Un enfado y dos textos olvidados de Juan Ramón Jiménez», *La Estafeta Literaria,* n.º 236, Madrid, 15 mayo 1978, páginas 4-7.

VILLAR, Arturo del: «La prosa poética de Juan Ramón Jiménez», en *Historias y Cuentos,* de J. R. J., págs. 5-31. Barcelona, Edit. Bruguera, 1979.

VILLAR Arturo del: «Las autobiografías de Juan Ramón», *Nueva Estafeta,* n.º 4, Madrid, 1979, págs. 113-117.

VIVANCO, Luis Felipe: «La plenitud de lo real en la poesía de Juan Ramón», *Ínsula,* año XII, n.º 122, Madrid, 15 enero 1957.

VIVANCO, Luis Felipe: «La palabra en soledad de Juan Ramón Jiménez», en *Introducción a la poesía española contemporánea,* págs. 33-71, Madrid, Edic. Guadarrama, 1957.

YNDURÁIN, Francisco: «De la sinestesia en la poesía de Juan Ramón», *Ínsula,* año XII, números 128-129, Madrid, 1957, págs. 1 y 6.

YNDURÁIN, Francisco: «Hacia una poética de Juan Ramón Jiménez», *Cuadernos para Investigación de la Literatura Hispánica,* n.º 1, Madrid, 1978, págs. 7-20.

YOUNG, Howard T.: «Juan Ramón Jiménez», en *The Victorious Expression: A Study of*

Four Contemporary Spanish Poets, págs. 75-135. Madison, The University of Wisconsin Press, 1964.

YOUNG, Howard, T.: «Luisa and Juan Ramón», *Revista de Letras*, tomo VI, n.º 23-24, Universidad de Puerto Rico en Mayagüez, 1974, págs. 469-86.

YOUNG, Howard T.: «Anglo-American Poetry in the Correspondence of Luisa and Juan Ramón Jiménez», *Hispanic Review*, vol. 44, n.º 1, University of Pennsylvania, Philadelphia, 1976, págs. 1-26.

ZARDOYA, Concha: «La técnica metafórica española contemporánea. Juan Ramón Jiménez», *Cuadernos Americanos*, año XX, n.º 3, México, 1961, págs. 363-369.

ZARDOYA, Concha: «El dios deseado y deseante de Juan Ramón Jiménez», en *Poesía española contemporánea*, tomo II, págs. 7-31. Madrid, Edit. Gredos, 1974.

ZÍA, Lizardo: «Ideario estético de Juan Ramón Jiménez», *Poética*, año I, n.º 1, La Plata, Argentina, 1943, págs. 15-19.

ALGUNOS ARTÍCULOS APARECIDOS EN REVISTAS Y PERIÓDICOS A RAÍZ DE LA PUBLICACIÓN DE LOS PRINCIPALES LIBROS DE JUAN RAMÓN JIMÉNEZ (SE EXCLUYEN LAS EDICIONES PÓSTUMAS)

Sobre RIMAS

DÍAZ RODRÍGUEZ, Manuel: *El Cojo Ilustrado*, año XII, núm. 265, Caracas, 1 de enero de 190 = , págs. 12-13. LEYDA, Rafael: *El Globo*, año XXVIII, núm. 9.612, Madrid, 4 de abril de 1902, pág. 3. MACHADO, Manuel: *El País*, Madrid, 3 de abril de 1904, página 3. MARTÍNEZ SIERRA, Gregorio: *La Lectura*, año II, tomo I, núm. 15, Madrid, marzo de 1902, págs. 499-500. ORBE, Timoteo: *El Porvenir*, Sevilla, 1902. PELLICER, Julio: *Nuestro Tiempo*, año II, núm. 17, Madrid, mayo de 1902, págs. 889-890. RUEDA, Salvador: *Heraldo de Madrid*, 15 de marzo de 1902, pág. 6. RUIZ CASTILLO, J.: *Madrid Cómico*, año XXII, núm. 11, Madrid, 15 de marzo de 1902, pág. 87.

Sobre ARIAS TRISTES

GONZÁLEZ BLANCO, Andrés: *Nuestro Tiempo*, año IV, núm. 38, Madrid, febrero de 1904, páginas 276-282. MACHADO, Antonio: *El País*, Madrid, 14 de marzo de 1904, página 2. MARTÍNEZ RUIZ, J.: *Alma Española*, año II, núm. 12, Madrid, 24 de enero de 1904, pág. 14. MARTÍNEZ SIERRA, Gregorio: *La Lectura*, año IV, tomo I, núm. 3, Madrid, 27 de enero de 1904, págs. 343-346. NAVARRO LEDESMA, Francisco: *ABC*, número 89, Madrid, 27 de enero de 1904, pág. 7. ORTEGA Y GASSET, J.: *Los Lunes de El Imparcial*, Madrid, 28 de marzo de 1904. ORTIZ DE PINEDO, J.: *Helios*, año II, número XI, Madrid, febrero de 1904, págs. 238-239. RÓDENAS, Miguel A.: *Revista Contemporánea*, año XXX, tomo CXXVIII, cuad. II, Madrid, 15 de febrero de 1904, páginas 254-255, y *Renacimiento Latino*, año I, núm. 1, Madrid, abril de 1905, página 64. RUIZ CASTILLO, J.: *Helios*, año II, núm. XI, Madrid, febrero de 1904, páginas 240-242.

Sobre JARDINES LEJANOS

ABRIL, Manuel: *Revista Contemporánea*, tomo CXXX, núm. 660, Madrid, 15 de abril de 1905, págs. 505-507. GONZÁLEZ BLANCO, Andrés: *Nuestro Tiempo*, año V, número 52, Madrid, abril de 1905, págs. 537-558. LEÓN, Ricardo: *El Cantábrico*, Santander, 1904. MARTÍNEZ SIERRA, Gregorio: *La Época*, Madrid, 2 de junio de 1905, página 2. ORTIZ DE PINEDO, J.: *La Lectura*, año V, tomo II, núm. 55, Madrid, julio de 1905, págs. 284-287. RÓDENAS. Miguel A.: *Renacimiento Latino*, año I, núm. 1, Madrid, abril de 1905, pág. 64.

Sobre ELEGÍAS PURAS

DÍEZ-CANEDO, Enrique: *La Lectura,* año VIII, tomo III, núm. 95, Madrid, noviembre
de 1908, págs. 303-305.

Sobre ELEGÍAS INTERMEDIAS

DÍEZ-CANEDO, Enrique: *La Lectura,* año X, tomo III, núm. 117, Madrid, septiembre
de 1910, págs. 67-68.

Sobre LAS HOJAS VERDES

DÍEZ-CANEDO, Enrique: *La Lectura,* año IX, tomo I, núm. 98, Madrid, febrero de 1909,
páginas 187-190.

Sobre ELEGÍAS LAMENTABLES

GÓMEZ DE LA SERNA, Ramón: *Prometeo,* año III, núm. XXIII, Madrid, 1910, págs. 882-
883.

Sobre BALADAS DE PRIMAVERA

DÍEZ-CANEDO, Enrique: *La Lectura,* año X, núm. 117, Madrid, septiembre de 1910,
páginas 67-68. GÓMEZ DE LA SERNA, Ramón: *Prometeo,* año III, núm. XVIII, Madrid,
1910, págs. 313-314.

Sobre LA SOLEDAD SONORA

GÓMEZ DE LA SERNA, Ramón: *Prometeo,* año IV, núm. XXX, Madrid, 1911, págs. 543-
545.

Sobre MELANCOLÍA

GONZÁLEZ BLANCO, Andrés: *Mercurio,* Madrid, 26 de octubre de 1913.

Sobre LABERINTO

BELLO, Luis: *Revista de Libros,* núm. 2, Madrid, junio de 1913, págs. 42-43. GUZMÁN,
Martín Luis: *El Fígaro,* La Habana, 1917.

Sobre PLATERO Y YO

ABRIL, Manuel: *La Tribuna,* Madrid, 1 de enero de 1916, pág. 17. ALTAMIRA, Rafael:
El Siglo, Montevideo, 15 de mayo de 1915. AZORÍN: *Blanco y Negro,* núm. 1.241,
Madrid, 28 de febrero de 1915. FUENTES, Magdalena S.: *La Lectura,* año XV, tomo III,
número 180, Madrid, diciembre de 1915, págs. 441-442. GUERRERO, Juan: *Polytechnicum,* año X, núm. 114, Murcia, junio de 1917, págs. 88-89. MONTANER, Joaquín:

El Día Gráfico, Barcelona, febrero de 1916. MORENO VILLA, José: *El País,* Madrid, 7 de enero de 1915, pág. 3. PLANA, Alejandro: *La Vanguardia,* Barcelona, 27 de febrero de 1915, pág. 8. SANIN CANO, B.: *Hispania,* año IV, vol. IV, núm. 41, Londres, 1.º de mayo de 1915, págs. 1.374 y 1.376. SUÁREZ LEÓN, S.: *El Tribuno,* Las Palmas de Gran Canaria, 26 de abril de 1915. SUBIRÁ, José: *Nuestro Tiempo,* año XV, núm. 197, Madrid, mayo de 1915, págs. 274-276. XENIUS (seudónimo de Eugenio D'Ors): *España,* año I, núm. 2, Madrid, 5 de febrero de 1915, pág. 4.

Sobre ESTÍO

BALLESTER, José: *Polytechnicum,* año X, núm. 114, Murcia, junio de 1917, págs. 83-85.

Sobre SONETOS ESPIRITUALES

SOBEJANO, Andrés: *Polytechnicum,* año X, núm. 114, Murcia, junio de 1917, pág. 86.

Sobre DIARIO DE UN POETA RECIÉN CASADO

SOLÍS, Isidoro: *Polytechnicum,* año X, núm. 114, Murcia, junio de 1917, pág. 87.

Sobre ETERNIDADES

MACHADO, Manuel: *El Liberal,* Madrid, 12 de agosto de 1918, pág. 2. BONIFACIO, Víctor-Manuel, J.: *La Gaceta Literaria,* año V, núm. 118, Madrid, 15 de noviembre de 1931, página 16.

Sobre PIEDRA Y CIELO

TENREIRO, Ramón María: *La Lectura,* año XIX, tomo II, núm. 223, Madrid, julio de 1919, págs. 294-295.

Sobre SEGUNDA ANTOLOJÍA POÉTICA

CASSOU, Jean: *Mercure de France,* tomo CLXX, núm. 618, París, 15 de marzo de 1924, páginas 824-825. RIVAS CHERIF, Cipriano: *La Pluma,* año III, núm. 31, Madrid, diciembre de 1922, págs. 474-476. DIEGO, Gerardo: *Revista de Occidente,* tomo I, número 3, Madrid, septiembre de 1923, págs. 364-368, y *Guía del Lector,* año I, número 5, Madrid, 1924, págs. 8-9. ESPINA, Antonio: *España,* año VIII, núm. 350, Madrid, 30 de diciembre de 1922, págs. 15-16. F. L. M.: *Valoraciones,* núm. I, Madrid, septiembre de 1923, págs. 46-47. REYES, Alfonso:*Social,* año VIII, núm. 3, La Habana, 1923, pág. 19.

Sobre POESÍA

RIVAS CHERIF, Cipriano: *España,* año IX, núm. 392, Madrid, 20 de octubre de 1923, páginas 12-13. GUERRERO, Juan: *La Verdad,* Murcia, noviembre de 1923.

Sobre BELLEZA

RIVAS CHERIF, Cipriano: *España,* año IX, núm. 402, Madrid, 29 de diciembre de 1923, páginas 11-12.

Sobre CANCIÓN

AZCOAGA, Enrique: *El Sol,* Madrid, 1 de julio de 1936, pág. 2. BALLESTER, José: *La Verdad,* Murcia, 25 de junio de 1936. DOMENCHINA, Juan José: *La Voz,* Madrid, 18 y 27 de junio y 6 de julio de 1936, págs. 2. ENCINA, Juan de la: *El Sol,* Madrid, 17 de junio de 1936, pág. 2.

Sobre ESPAÑOLES DE TRES MUNDOS

CHAMPOURCIN, Ernestina de: *Rueca,* año I, núm. 4, México, otoño de 1942, págs. 61-63. GAYA, Ramón: *Letras de México,* año V, núm. 24, México, 15 de diciembre de 1942, página 4. LACAU, María Hortensia: *Docencia,* Buenos Aires, 14 de mayo de 1945. LAUREIRO, Alejandro: *Alfar,* año XXI, núm. 82, Montevideo, 1943. VARELA, L.: *Sur, tomo XII, núm. 105, Buenos Aires, 1943, págs. 77-80.*

Sobre VOCES DE MI COPLA

CANTON, Wilberto L.: *Letras de México,* año IX, núm. 121, México, 1 de marzo de 1946, páginas 229-30.

Sobre LA ESTACIÓN TOTAL CON LAS CANCIONES DE LA NUEVA LUZ

BABÍN, *María Teresa: Asomante,* año III, núm. 2, San Juan de Puerto Rico, abril-junio de 1947, págs. 102-103. Bo, Carlo: *La Fiera Letteraria,* Roma, 5 de marzo de 1949.

Sobre ANIMAL DE FONDO

APARICIO, Francisco: *Razón y Fe,* tomo CXLIII, núm. 638, Madrid, marzo de 1951, páginas 292-304. BLEIBERG, Germán: *Clavileño,* año I, núm. 5, Madrid, septiembre-octubre de 1950, págs. 70-71. FLORIT, Eugenio: *Revista Hispánica Moderna,* año XV, números 1-4, Nueva York, enero-diciembre de 1949, págs. 120-22. GAYA, Ramón: *Las Españas,* año V, núm. 14, México, 29 de febrero de 1950, págs. 1 y 12. GULLÓN, Ricardo: *Insula,* año IV, núm. 48, Madrid, 15 de diciembre de 1949, pág. 3, y *Cuadernos Hispanoamericanos,* núm. 14, Madrid, marzo-abril de 1950, págs. 343-350. ROMEU FIGUERAS, José: *Arbor,* tomo XVII, núm. 59, Madrid, noviembre de 1950, pág. 334. TORRE, Guillermo de: *Saber Vivir,* año VII, núm. 85, Buenos Aires, 1949. VILANOVA, Antonio: *Destino,* año XV, núm. 730, Barcelona, 4 de agosto de 1951, página. 17.

Sobre TERCERA ANTOLOJÍA POÉTICA

FERNÁNDEZ ALMAGRO, Melchor: *La Vanguardia Española,* Barcelona, 8 de mayo de 1957.

ESTE LIBRO SE TERMINO DE IMPRIMIR
EN EL MES DE ABRIL DE 1983,
EN LOS TALLERES DE GREFOL, S. A.
PÓL. II - LA FUENSANTA
MOSTOLES (MADRID).

1.500

2